FOLIO POLICIER

Jo Nesbø

La soif

Une enquête de l'inspecteur Harry Hole

Traduit du norvégien par Céline Romand-Monnier

Gallimard

Titre original :

TØRST

Ancien footballeur, musicien, auteur interprète et économiste, Jo Nesbø est né à Oslo en 1960. Il a été propulsé en France sur la scène littéraire avec *L'homme chauve-souris*, sacré en 1998 meilleur roman policier nordique de l'année. Il a depuis confirmé son talent en poursuivant sa série consacrée à Harry Hole. Il est également l'auteur de *Chasseurs de têtes*, *Du sang sur la glace*, *Le fils* et *Soleil de nuit*.

Prologue

Il fixait le néant blanc.

Comme il le faisait depuis trois ans.

Personne ne le voyait et il ne voyait personne. À part chaque fois que la porte s'ouvrait et aspirait suffisamment de vapeur pour lui permettre de distinguer un homme nu, l'espace d'une seconde, avant qu'elle se rabatte et que tout se nimbe de brouillard.

Les bains allaient bientôt fermer. Il était seul.

Il resserra le peignoir en éponge autour de sa taille, se leva de la banquette, sortit, passa devant le bassin vide, gagna les vestiaires.

Pas d'eau coulant dans les douches, pas de conversations en turc, pas de pieds nus sur les carreaux du sol. Il se contempla dans le miroir, passa un doigt le long de la cicatrice de sa dernière opération, qui était encore visible. Il avait mis du temps à s'habituer à son nouveau visage. Son doigt poursuivit sur le cou, la poitrine, s'arrêta à la naissance du tatouage.

Il ouvrit le cadenas de son casier, enfila son pantalon, passa sa veste par-dessus son peignoir encore humide, laça ses chaussures. Il s'assura une dernière fois qu'il était seul avant de rejoindre le casier dont le cadenas à chiffres avait une tache de peinture bleue. Il composa 0999 à l'aide des molettes, décrocha le cadenas et ouvrit le casier. Il admira une seconde l'imposant revolver qui se trouvait à l'intérieur avant d'en saisir la crosse rouge et de l'enfoncer dans la poche de sa veste. Puis il prit l'enveloppe et la décacheta. Une clef. Une adresse et des renseignements plus détaillés.

Le casier contenait encore un objet.

Peint en noir, fait de fer.

Il le leva d'une main à la lumière, examina la ferronnerie avec fascination.

Il allait devoir le laver, le récurer, mais il sentait déjà son exaltation à l'idée d'en faire usage.

Trois ans. Trois ans dans le néant blanc, dans un désert de jours vides de contenu.

Il était temps. Il était temps de boire la vie.

Temps de revenir.

Harry se réveilla en sursaut. Il fixa la pénombre de la chambre à coucher. C'était *lui*, de nouveau, il était de retour, il était là.

« Tu as fait un cauchemar, chéri ? »

La voix qui chuchotait à ses côtés était chaude et calme. Il se tourna vers elle. Ses yeux bruns scrutaient les siens. Et le fantôme pâlit, puis disparut.

« Je suis là, dit Rakel.

— Et je suis là, moi aussi, répondit-il.

— Qui c'était, cette fois ?

— Personne, mentit-il en posant la main sur sa joue. Dors. »

Harry ferma les yeux. Il attendit d'être sûr qu'elle dorme pour les rouvrir. Il explora le visage de Rakel. Il l'avait vu dans une forêt cette fois-ci. Paysage marécageux, enveloppé d'un brouillard blanc qui soufflait autour d'eux. Il levait la main, braquait quelque chose sur Harry. Harry avait juste eu le temps d'entrevoir le visage de démon tatoué sur sa poitrine nue avant que le brouillard ne se densifie et qu'il ne disparaisse. De nouveau.

« Et je suis là, moi aussi », répéta Harry Hole en chuchotant.

PREMIÈRE PARTIE

1
Mercredi soir

Le Jealousy Bar était quasiment désert et pourtant il avait du mal à respirer.

Mehmet Kalak observa l'homme et la femme au comptoir pendant qu'il remplissait leurs verres de vin. Quatre clients. Le troisième était un type à une table qui buvait sa bière à gorgées minuscules. Le quatrième, une paire de santiags dépassant d'un des box, où l'obscurité cédait parfois à la lumière d'un écran de téléphone. Quatre clients à vingt-trois heures trente un soir de septembre dans le coin le plus animé de Grünerløkka. Pas terrible. Ça ne pouvait pas continuer comme ça. Il se demandait parfois ce qui lui avait pris de démissionner de son poste de directeur de bar dans l'hôtel le plus branché de la ville pour reprendre seul cet établissement délabré à la clientèle de soiffards. Était-ce qu'il s'était figuré que hausser les prix d'un cran chasserait les anciens clients pour attirer ceux qu'il convoitait : les ni jeunes ni vieux du voisinage, sans histoires et à bons revenus ? Ou que, après sa rupture amoureuse, il avait eu besoin d'un endroit où se tuer à la tâche ? Était-ce la proposition de l'usurier Danial Banks, qui lui avait paru tomber à pic quand la banque avait rejeté sa demande de prêt ?

Ou tout simplement parce qu'au Jealousy Bar c'était lui qui choisirait la musique, pas un foutu directeur d'hôtel ne connaissant qu'un seul air : le *pling* de la caisse enregistreuse ? Il n'avait eu aucune peine à flanquer à la porte les anciens clients, lesquels avaient depuis longtemps pris leurs quartiers dans un bar bon marché trois pâtés de maisons plus loin. Mais la chasse aux nouveaux s'était révélée plus ardue qu'il ne le prévoyait. Peut-être lui fallait-il revoir le concept entier. Un unique écran de télévision ne montrant que du football turc ne suffisait sans doute pas à qualifier l'établissement de bar sportif. Quant à la musique, il devrait peut-être miser sur des classiques plus sûrs comme U2 et Springsteen pour les mecs et Coldplay pour les nanas.

« Je n'ai pas eu beaucoup de rendez-vous Tinder, expliqua Geir en reposant son verre de vin blanc sur le comptoir. Mais j'ai eu l'occasion de constater qu'il y avait de tout.

— Ah oui ? » La femme réprima un bâillement.

Elle avait des cheveux blonds courts. Svelte. Trente-cinq ans, pensait Mehmet. Des gestes rapides, légèrement fébriles. Des yeux las. Travaille trop et fait du sport en espérant que la gym lui donnera l'énergie qu'elle n'a jamais. Mehmet vit Geir lever son verre, avec trois doigts autour du pied, comme elle. Lors de ses innombrables rencontres Tinder, il avait systématiquement commandé la même chose que ses *matchs*, que ce soit du whisky ou du thé vert. Il cherchait sans doute à signaler ainsi qu'il y avait affinité sur ce plan-là aussi.

Geir toussota. Cela faisait six minutes qu'elle était entrée dans le bar et Mehmet savait qu'il allait maintenant ouvrir les hostilités.

« Tu es plus jolie que sur ta photo de profil, Elise.

— Oui, tu me l'as déjà dit, mais merci. »

Mehmet essuyait un verre en faisant mine de ne pas écouter.

« Donc, raconte-moi, Elise, qu'est-ce que tu veux dans la vie ? »

Elle eut un sourire teinté d'exaspération.

« Un homme qui ne s'intéresse pas qu'au physique.

— Tu m'ôtes les mots de la bouche, Elise, c'est la beauté intérieure qui compte.

— Je blaguais. Je suis mieux sur ma photo de profil, et à vrai dire, toi aussi, Geir.

— Hé hé, fit un Geir légèrement désorienté, en plongeant les yeux dans son verre de vin. J'imagine que la plupart des gens choisissent une photo flatteuse. Alors, tu cherches un homme. C'est quoi ton genre ?

— Un qui veuille rester à la maison avec trois enfants. »

Elle jeta un œil sur sa montre.

« Ha ha. »

La sueur avait envahi le front de Geir, puis tout son crâne rasé. Et il n'allait pas tarder à avoir des auréoles sous les manches de sa chemise noire *slimfit*, choix singulier pour quelqu'un qui n'était ni *slim* ni *fit*. Il fit tourner son verre.

« On a le même humour, Elise. Pour l'instant, le clébard me suffit en matière de famille. Tu aimes les animaux ? »

Tanrım, pourquoi est-ce qu'il ne laisse pas tomber ? songea Mehmet.

« Quand je rencontre la bonne personne, je peux le sentir ici… et là… » Geir sourit et baissa la voix en désignant son entrejambe. « Mais pour en avoir le cœur net, il faut d'abord voir si ça colle sur ce plan-là. Qu'en dis-tu, Elise ? »

Mehmet frissonna. Geir mettait le paquet et, cette fois encore, son ego allait en prendre un coup.

La femme écarta son verre de vin et se pencha légèrement vers Geir, Mehmet devait se concentrer pour entendre.

« Peux-tu me promettre une chose, Geir ?

— Bien sûr. »

Son regard et sa voix avaient une ardeur toute canine.

« Que tu n'essaieras plus jamais de me contacter à l'avenir. »

Mehmet ne put qu'admirer Geir d'avoir réussi à produire un sourire. « Bien sûr. »

La femme se redressa.

« Tu n'as pas l'air d'un harceleur, Geir, mais vois-tu j'ai eu quelques mauvaises expériences. Un gars s'est mis à me suivre, un *stalker*. Et à menacer les hommes avec qui je sortais. Tu comprendras que je fasse un peu attention.

— Je comprends. » Geir leva son verre. « Comme je te l'ai dit, il y a beaucoup de dingues dans le monde. Mais tu n'as rien à craindre. Statistiquement, un homme a quatre fois plus de chances de se faire assassiner qu'une femme.

— Merci pour le verre, Geir.

— Si l'un de nous trois... »

Mehmet s'empressa de regarder ailleurs quand Geir pointa son doigt sur lui.

« ... devait être tué ce soir, les chances que ce soit toi seraient d'une sur huit. Enfin, attends un peu, il faut diviser par... »

Elle se leva.

« J'espère que tu trouveras. Bonne continuation. »

Après son départ, Geir resta les yeux braqués sur son verre à battre la mesure de « Fix you » de la tête, comme pour convaincre Mehmet et d'éventuels autres témoins qu'il était déjà passé à autre chose, qu'elle n'avait été que trois minutes de chanson pop aussitôt oubliée. Puis il se leva sans finir son vin et s'en alla. Mehmet regarda autour de lui. Les santiags et le type qui torturait lentement sa bière avaient disparu, eux aussi. Il était seul. Et l'oxygène était revenu. Il prit son portable pour changer la playlist de la chaîne. Et mettre la *sienne*. Bad Company. Avec des membres de Free, Mott the Hoople et King Crimson. Une valeur sûre. *Surtout* avec Paul Rodgers au chant. Mehmet monta le volume à en faire tinter les verres derrière le comptoir.

Elise redescendait Thorvald Meyers gate, entre des immeubles simples de trois étages, qui avaient autrefois hébergé la classe ouvrière des quartiers pauvres d'une ville pauvre, mais dont le mètre carré valait désormais aussi cher qu'à Londres ou à Stockholm. Septembre à Oslo. L'obscurité était enfin revenue. L'agaçante clarté des longues nuits estivales et les déploiements de vie hystériques, joyeux, stupides de l'été étaient derrière eux. En septembre, Oslo retrouvait son moi véritable : mélancolique, réservé, efficace. Façade solide, mais non dépourvue de parts d'ombre et de secrets. Tout comme Elise elle-même, prétendait-on. Elle allongea le pas, il y avait de la pluie dans l'air, de la bruine, la douche de Dieu qui éternue, comme l'avait formulé un de ses rendez-vous qui cherchait à être poétique. Elle allait laisser tomber Tinder. Demain. Assez. Assez de tous ces hommes en rut dont le regard lui donnait l'impression d'être une traînée quand elle les retrouvait dans un bar. Assez de tous ces psychopathes tarés et de ces traqueurs qui la suivaient et s'accrochaient à elle, lui volaient son temps, son énergie, et menaçaient sa sécurité. Assez de ces losers pathétiques auxquels elle avait le sentiment de ressembler. On disait qu'Internet était la nouvelle façon de se rencontrer, qu'il n'y avait aucune raison d'en avoir honte, tout le monde faisait ça. Mais ce n'était pas vrai. Les gens se rencontraient au travail, à la BU, par des amis communs, à la salle de sport, au café, dans l'avion, le bus, le train. C'était comme ça que ça devait se faire, naturellement, sans pression. Et après coup, ils conservaient l'illusion romantique des caprices du destin, de l'innocence et de la pureté du début de leur histoire. Elle *voulait* cette illusion. Elle allait supprimer son compte. Elle se l'était déjà dit, mais cette fois, elle allait vraiment le faire, ce soir.

Elle traversa Sofienberggata et sortit sa clef pour ouvrir la porte cochère de l'immeuble à côté du primeur. Elle poussa la porte, pénétra dans le porche plongé dans le noir et s'arrêta net. Ils étaient deux.

Ses yeux mirent quelques secondes à s'habituer à l'obscurité et à voir ce que les deux hommes tenaient à la main. Ils étaient braguette ouverte, pénis sorti.

Elle recula, sans se retourner, priant qu'il n'y ait pas quelqu'un derrière elle aussi.

« Merdedésolés ! »

C'était une voix jeune qui avait proféré ce juron-excuse. Dix-huit, vingt ans, gageait Elise. Pas sobre.

« Eh, fit l'autre en riant. T'as pissé sur mes pompes !

— J'ai sursauté ! »

Elise resserra son manteau et passa devant les garçons qui s'étaient retournés vers le mur.

« Ce n'est pas une pissotière, ici, lâcha-t-elle.
— On est grave désolés, hein. On le refera pas. »

Geir pressa le pas sur Shleppegrells gate. Il réfléchissait. C'était faux de dire que si on prenait deux hommes et une femme la fille avait exactement une chance sur huit de se faire tuer, le calcul était plus compliqué que ça. *Tout* était toujours plus compliqué.

Il avait dépassé Romsdalsgata quand quelque chose le fit se retourner. Un homme marchait cinquante mètres derrière lui. Il n'était pas sûr, mais il lui semblait que c'était le même gars qui regardait une vitrine de l'autre côté de la rue quand il était sorti du Jealousy Bar. Geir pressa le pas, il se dirigeait vers l'est, vers Dælenenga et la chocolaterie. Les rues étaient désertes par ici, juste un bus manifestement en avance qui attendait à l'arrêt. Il jeta un œil derrière lui. Le type était encore là, à la même distance. Geir avait toujours peur des gens basanés, mais il avait du mal à bien voir le gars. Ils sortaient de la zone blanche gentrifiée et gagnaient des quartiers à plus forte densité de population immigrée et de logements sociaux. À cent mètres, la porte de son immeuble était dans son champ de vision. Mais il s'aperçut en se retournant que le type s'était mis à courir, et l'idée d'avoir à ses trousses un Somalien, traumatisé à Mogadiscio, le fit prendre ses jambes à son cou. Geir n'avait pas couru depuis des années, et chaque contact de ses talons avec le sol ébranlait son cortex cérébral et sa vision. Il arriva à l'immeuble, réussit à enfoncer la clef dans la serrure du premier coup, se précipita à l'intérieur et claqua la lourde porte en bois derrière lui. Il s'adossa au bois humide et sentit son souffle brûler ses poumons, l'acide lactique consumer ses cuisses. Il se retourna et regarda par la vitre du haut de la porte. Personne dans la rue. Peut-être n'y avait-il pas eu de Somalien, en fin de compte. Geir ne put s'empêcher de rire. Bon Dieu, c'était fou ce qu'on pouvait devenir nerveux après une simple discussion mentionnant le mot « meurtre ». Et qu'avait dit Elise au sujet du gars qui la harcelait ?

Quand il entra dans son appartement, il était toujours essoufflé. Il prit une bière dans le réfrigérateur, constata que la fenêtre sur rue de la cuisine était ouverte, la referma. Il alla dans son bureau et alluma.

Il appuya sur une touche de son PC et le grand écran 20 pouces s'éclaira.

Geir tapa « Pornhub » et « french » dans la barre de recherche. Il parcourut les photos jusqu'à ce qu'il trouve celle d'une femme qui avait au moins la même couleur de cheveux et la même coupe qu'Elise. Les cloisons de l'appartement étant minces, il enfonça la prise de son casque dans l'ordinateur avant de double-cliquer sur la photo, de déboutonner sa braguette et de baisser son pantalon sur ses cuisses. La femme ressemblait tellement peu à Elise qu'il ferma les yeux et se concentra plutôt sur ses gémissements tout en visualisant la petite bouche un peu sévère d'Elise, son regard dédaigneux, son chemisier classique, mais d'autant plus sexy. Il n'aurait jamais pu l'avoir. Jamais. Pas autrement que comme ça.

Geir s'interrompit. Il ouvrit les yeux. Il relâcha sa verge alors qu'un courant d'air frais faisait se hérisser les poils de sa nuque. Il était pourtant *sûr* d'avoir soigneusement refermé la porte. Il leva la main pour ôter son casque, mais c'était déjà trop tard.

Elise mit la chaînette de sécurité sur la porte, ôta ses chaussures dans l'entrée et caressa comme toujours la photo glissée sous le cadre du miroir : elle et sa nièce Ingvild. C'était un rituel dont elle ne saisissait pas tout à fait le sens, elle savait seulement qu'il répondait de toute évidence à un besoin profondément humain, tout comme les histoires sur la vie après la mort. Elle se rendit dans le salon et s'allongea sur le canapé du petit mais sympathique deux-pièces dont elle était qui plus est propriétaire. Elle regarda son téléphone : un SMS du boulot, la réunion du lendemain matin était décalée. Elle n'avait pas dit au type avec qui elle avait eu rendez-vous qu'elle travaillait comme avocate spécialisée dans les affaires de viol. Et que ses statistiques présentant les hommes comme plus exposés au meurtre n'étaient qu'une demi-vérité. Dans les meurtres à caractère sexuel, il était quatre fois plus vraisemblable que la victime soit une femme. C'était l'une des raisons pour lesquelles la première chose qu'elle avait faite en achetant l'appartement avait été de changer le verrou et de monter un entrebâilleur avec chaînette de sécurité, dispositif peu norvégien qu'elle manipulait encore avec maladresse.

Elle ouvrit Tinder. Elle avait des *matchs* avec deux hommes dont elle avait fait glisser la photo à droite plus tôt dans la soirée. Ah, c'était ça qu'elle aimait dans Tinder. Pas les rencontres, mais de savoir que ces hommes existaient et qu'ils voulaient d'elle. Devait-elle s'autoriser un dernier flirt par textos interposés, une dernière partie à trois virtuelle avec ses deux derniers inconnus avant de supprimer définitivement son compte et l'appli ?

Non. Supprimer tout de suite.

Elise observa son index. Il trépidait. Bon sang,

était-elle devenue accro ? Était-ce une drogue pour elle de savoir qu'il y avait quelqu'un, oui juste *quelqu'un* qui, s'il ne savait rien d'elle ni de sa façon d'être, la désirait comme elle était. En tout cas comme elle était sur sa photo de profil. Totalement accro ou juste un peu ? Elle ne le saurait que si elle supprimait son compte et se promettait un mois sans Tinder. Un mois, et si elle ne tenait pas, c'était qu'elle avait un sérieux problème. Son doigt tremblant approcha du bouton d'éradication.

Et quand bien même elle l'aurait été, accro, qu'est-ce que ça pouvait bien faire ? Nous avons tous besoin de sentir que nous appartenons à quelqu'un et que quelqu'un nous appartient. Elle avait lu que sans un minimum de contact peau à peau, un nourrisson risquait de mourir. Elle n'y croyait pas vraiment mais d'un autre côté : quel était l'intérêt de vivre si c'était uniquement pour elle-même, pour un travail dévorant et des amis qu'à vrai dire elle fréquentait par devoir et parce que la peur de la solitude la rongeait davantage que le bruit de leurs assommantes jérémiades sur les enfants, les maris ou l'absence d'au moins l'un des deux ? Et puis l'homme qu'il lui fallait était peut-être sur Tinder à cet instant ? Donc, OK, une dernière fois. La première photo qui apparut, elle la fit glisser à gauche. Dans la poubelle, dans le « je ne veux pas de toi ». Tout comme la deuxième. Et la troisième.

Elle laissa libre cours à ses pensées. Elle avait assisté à une conférence où un psychologue qui avait rencontré certains des pires agresseurs du pays avait expliqué que les hommes tuaient pour le sexe, l'argent et le pouvoir, les femmes par jalousie et par peur.

Elle interrompit son mouvement vers la gauche. Le visage étroit de la photo lui semblait familier, même s'il était dans le noir et un peu flou. Ça lui était déjà arrivé, après tout, cette application *matchait* des gens qui se trouvaient à proximité immédiate les uns des autres. Et d'après Tinder, cet homme se trouvait à moins d'un kilomètre de distance, oui, il pouvait très bien être dans le même pâté de maisons. La photo floue signifiait qu'il ne s'était pas penché sur les conseils stratégiques disponibles sur Internet, ce qui constituait en soi un plus. Le texte de présentation était tout bonnement « salut ». Pas de tentative de se démarquer. À défaut d'être inventif, cela traduisait en tout cas de l'assurance. Oui, indéniablement ça lui aurait plu qu'un homme vienne la trouver à une soirée en s'adressant à elle d'un simple « salut », avec un regard tranquille et affirmé disant « tu prends la suite ? ». Elle glissa la photo à droite. Dans le « toi, je suis curieuse d'en savoir plus sur ton compte ».

Et elle entendit l'allègre *ding* de son iPhone lui indiquer qu'elle avait obtenu un *match* de plus.

Geir respirait fort par le nez.

Il remonta son pantalon et fit lentement pivoter sa chaise.

Son écran d'ordinateur était l'unique source lumineuse de la pièce et il n'éclairait que le buste et les mains de la personne qui s'était tenue derrière lui. Geir ne voyait pas son visage, juste ses mains, qui lui tendaient quelque chose. Une lanière de cuir noire. Avec une boucle au bout.

Elle s'avança et, instinctivement, Geir s'arc-bouta.

« Tu sais ce que je trouve de plus immonde que toi ? » murmura la voix dans le noir tandis que les mains tendaient la lanière de cuir.

Geir déglutit.

« Le chien, dit la voix. Le clébard de merde dont tu avais promis de t'occuper. Le clébard qui chie par terre dans la cuisine parce que personne n'a le courage de le sortir. »

Geir toussota.

« Mais Kari, enfin...

— Dehors, tous les deux. Et ne me touche pas quand tu viendras te coucher. »

Geir prit la laisse, et la porte claqua derrière elle.

Il resta assis dans le noir à cligner des yeux.

Neuf, songea-t-il. Deux hommes et une femme, un meurtre. Les chances que la femme soit la victime du meurtre sont alors d'une sur neuf, pas huit.

Roulant tranquillement dans sa vieille BMW, Mehmet quitta les rues du centre-ville pour monter vers Kjelsås, vers les pavillons, la vue sur le fjord et l'air meilleur. Il tourna dans sa rue endormie. Il aperçut alors une Audi R8 noire garée devant la maison à côté de son garage. Il ralentit, envisagea un instant de remettre les gaz, de continuer. Il savait que ce ne serait que surseoir, mais, d'un autre côté, c'était exactement ce qu'il lui fallait. Un sursis. Mais Banks le retrouverait, et c'était peut-être le bon moment pour régler ça. Il faisait sombre, la nuit était silencieuse et il n'y avait aucun témoin. Mehmet se gara contre le trottoir. Il ouvrit la boîte à gants, regarda ce qu'il y avait placé depuis maintenant plusieurs jours, justement en prévision d'une telle situation. Mehmet le glissa dans la poche de son blouson et inspira profondément. Puis il sortit de la voiture et commença à marcher vers la maison.

La porte de l'Audi s'ouvrit et Danial Banks apparut. Quand il l'avait rencontré au restaurant Pearl of India, Mehmet savait que son prénom pakistanais et son patronyme anglais étaient probablement aussi faux que le paraphe qu'il avait apposé sur le document soi-disant juridique qu'ils avaient signé. Mais l'argent liquide de l'attaché-case qu'il avait poussé sur la table avait été bien réel, lui.

Le gravier devant le garage crissa sous les chaussures de Mehmet.

« Jolie maison, fit Danial Banks, en s'appuyant contre la R8 les bras croisés. Ta banque n'a pas voulu l'accepter comme garantie ?

— Je ne suis que locataire, précisa Mehmet. Du sous-sol.

— Dommage pour moi. »

Il était bien plus petit que Mehmet, mais il n'en avait pas franchement l'air quand il bandait ses muscles sous sa veste de costume.

« Parce que du coup, ça ne me servirait à rien d'y mettre le feu pour que tu touches l'argent de l'assurance et que tu puisses rembourser ta dette, non ?

— Non, probablement pas.

— Dommage pour toi aussi, parce que ça veut dire que je vais devoir faire appel aux méthodes douloureuses. Tu veux savoir ce que c'est ?

— Tu ne veux pas d'abord savoir si je peux payer ? »

Banks secoua la tête et tira un objet de sa poche. « L'échéance était il y a trois jours et je t'ai dit que la ponctualité était primordiale. Afin que non seulement toi, mais *tous* mes débiteurs sachent que je ne tolère pas ce genre de choses, que je ne peux pas faire d'exception à la règle. » Il brandit l'objet à la lumière de la lanterne du garage. Mehmet en eut le souffle coupé.

« Je sais que ce n'est pas très original, s'excusa Banks en contemplant la tenaille. Mais ça marche.

— Mais…

— Tu peux choisir ton doigt. La plupart des gens préfèrent l'auriculaire gauche. »

Mehmet la sentait venir à présent. La colère. Sa poitrine se souleva quand il remplit ses poumons d'air.

« J'ai une meilleure offre, Banks.

— Ah ?

— Je sais que ce n'est pas très original… »

Mehmet plongea la main droite dans sa poche de blouson. Il sortit l'objet, le braqua sur Banks. « Mais ça marche. »

Banks le considéra avec surprise, hocha lentement la tête.

« Tu as raison, fit Banks en saisissant la liasse de billets que Mehmet lui tendait avant d'enlever l'élastique.

— Ça couvre l'acompte et les intérêts à la couronne près, précisa Mehmet, mais je t'en prie, vérifie par toi-même. »

Ding.

Un *match* Tinder.

Le bruit triomphal de votre téléphone quand quelqu'un que vous aviez fait glisser à droite faisait glisser *votre* photo à droite aussi.

Le cerveau d'Elise tournait à cent à l'heure, son cœur galopait.

Elle savait que c'était la réponse normale à un *match* Tinder : l'exaltation provoquait l'accélération de la fréquence cardiaque. Et libérait pléthore d'hormones de bien-être, ce qui pouvait rendre dépendant.

Mais en l'espèce ce n'était pas le cas. Son cœur battait la chamade parce que le *ding* ne provenait pas de son téléphone à *elle*.

Et cependant il avait résonné à l'instant où elle faisait glisser une photo à droite. Celle d'une personne qui, d'après Tinder, se trouvait à moins d'un kilomètre de distance. Elise regarda la porte close de sa chambre. Elle déglutit.

Le bruit devait provenir d'un appartement voisin. L'immeuble comptait de nombreux célibataires, de nombreux usagers potentiels de Tinder. Et le silence complet régnait à présent, même chez les filles du dessous, qui faisaient la fête quand elle était sortie plus tôt dans la soirée. Mais il n'y avait qu'une seule façon de se débarrasser de monstres imaginaires. Aller voir.

Elise se leva du canapé et fit les quatre pas qui la séparaient de la porte de la chambre à coucher. Elle hésita. Elle se remémora quelques affaires d'agression sexuelle sur lesquelles elle avait travaillé.

Puis elle se ressaisit et ouvrit.

Elle resta sur le seuil à suffoquer, en manque d'oxygène. Car il n'y en avait pas.

La lampe au-dessus du lit était allumée et la première chose qu'elle vit fut les semelles d'une paire de santiags qui dépassaient au bout du matelas. Un jean et une paire de longues jambes croisées. L'homme couché là était comme sur la photo, une forme indistincte à moitié dans l'obscurité. Mais il avait déboutonné sa chemise, révélant son torse. Et sur son torse était dessiné ou tatoué un visage. C'était lui qui avait attiré le regard d'Elise. Ce visage au cri muet. Comme prisonnier et cherchant à se libérer. Elise non plus n'arrivait pas à crier.

Au moment où l'homme dans le lit leva les yeux, la lumière de son téléphone éclaira son visage.

« Nous nous revoyons donc, Elise », chuchota-t-il.

Lorsqu'elle entendit sa voix, elle comprit pourquoi la photo de profil lui avait semblé familière. Il avait changé de couleur de cheveux. Et son visage avait dû être opéré, elle voyait des cicatrices.

Il bougea la main et enfonça quelque chose dans sa bouche.

Elise le regardait fixement en reculant. Puis elle se retourna, retrouva de l'oxygène dans ses poumons et sut qu'il lui fallait utiliser cet air pour courir, pas pour crier. Seuls cinq pas, maximum six, la séparaient de la porte d'entrée. Elle entendit le lit grincer, mais le chemin était plus long pour lui. Si seulement elle parvenait jusqu'à la cage d'escalier, elle pourrait appeler au secours et obtenir de l'aide. Elle arriva dans l'entrée, à la porte, appuya sur la poignée et tira, mais la porte refusa de s'ouvrir entièrement.

La chaînette de sécurité. Elle repoussa le battant, saisit la chaîne, mais elle agissait au ralenti, comme dans un mauvais rêve, et elle savait qu'il était déjà trop tard. On plaquait quelque chose sur sa bouche, on la tirait en arrière. Dans un geste désespéré, elle sortit le bras par l'ouverture de la porte au-dessus de la chaînette, attrapa le chambranle par l'extérieur, essaya de crier, mais la grande main qui empestait la nicotine appuyait trop fort sur sa bouche. Puis elle fut arrachée au chambranle d'un coup sec et la porte se referma devant elle. La voix lui chuchotait : « Tu ne m'avais pas *liké* ? Toi non plus, tu n'es pas aussi bien que sur ta photo de profil, bébé. Il faut juste que nous fassions plus ample connaissance, nous n'en avions pas eu le temps à l'é-époque. »

Cette voix. Et ce dernier et unique bégaiement. Ce n'était pas la première fois qu'elle les entendait. Elle essaya de se débattre, de donner des coups de pied, mais elle était prise en étau. Il la traîna devant le miroir, posa la tête sur son épaule.

« Ce n'est pas ta faute si j'ai été condamné, Elise, les preuves étaient accablantes. Ce n'est pas pour ça que je suis ici. Tu me crois si je te dis que c'est une coïncidence ? » Puis il eut un rictus. Elise fixait sa bouche. Son dentier avait l'air d'être en fer, noir et rouillé, avec des dents acérées sur les mâchoires supérieure et inférieure, comme un piège à ours.

Un léger grincement se fit entendre quand il ouvrit la bouche, ce devait être un mécanisme à ressorts.

Elle se souvenait des détails de l'affaire à présent. Des photos des lieux du crime. Et elle sut qu'elle serait bientôt morte.

Puis il mordit.

Elise Hermansen essaya de crier dans sa main en voyant le sang jaillir de son propre cou.

Il releva la tête, regarda dans le miroir. Le sang d'Elise coulait sur ses sourcils, ses cheveux et son menton.

« C'est ce que j'appelle un *match*, bébé », chuchota-t-il avant de mordre encore.

Elle avait le vertige. Il ne la serrait plus si fort maintenant, il n'en avait pas besoin, car un froid paralysant, une obscurité étrangère s'étaient déjà déposés sur elle, en elle. Elle dégagea sa main et la tendit vers la photo sur le côté du miroir. Elle essaya de la toucher, mais ses doigts ne purent l'atteindre tout à fait.

2

Jeudi matin

La lumière crue du matin se déversait par les fenêtres du salon jusque dans l'entrée.

Silencieuse et pensive, l'enquêtrice spéciale Katrine Bratt se tenait devant le miroir et regardait la photo glissée sous le cadre. Une femme et une fillette, assises sur un rocher, dans les bras l'une de l'autre, toutes deux les cheveux mouillés, enveloppées dans une grande serviette de bain. Comme si elles venaient de se baigner par un été norvégien un peu trop froid et s'efforçaient de se tenir chaud en se serrant l'une contre l'autre. Mais quelque chose les séparait désormais. Une rayure de sang coagulé qui avait coulé sur le miroir et la photographie, pile entre les deux visages souriants. Katrine Bratt n'avait pas d'enfants. À un moment donné, elle avait peut-être souhaité en avoir, mais ce n'était plus le cas. Maintenant, elle faisait carrière, était célibataire de fraîche date et s'en félicitait. Non ?

Entendant un petit toussotement, elle leva les yeux. Qui croisèrent ceux d'un visage balafré au front bombé et à l'implantation de cheveux singulièrement haute. Truls Berntsen.

« De quoi s'agit-il, brigadier ? » Elle le vit se rembrunir à son rappel appuyé que, malgré ses quinze années de police, il était toujours brigadier 1 et n'aurait, pour cette raison, entre autres, jamais dû occuper un poste d'enquêteur à la Brigade criminelle s'il n'y avait pas été placé par son ami d'enfance, le directeur de la police Mikael Bellman.

Berntsen haussa les épaules. « Rien du tout, c'est toi qui diriges l'enquête, non ? »

Il la considéra de son regard canin froid, soumis et féroce à la fois.

« Interroge les voisins, répondit Bratt. Commence par l'étage du dessous. Ce qui nous intéresse particulièrement, c'est de savoir ce qu'ils ont entendu et vu hier et cette nuit. Mais comme Elise Hermansen vivait seule, nous voulons aussi savoir quels hommes elle fréquentait.

— Vous pensez donc déjà que c'est un homme et qu'ils se connaissaient ? » Ce n'était que maintenant qu'elle voyait le jeune homme, le garçon plutôt, à côté de Berntsen. Visage ouvert. Blond. Beau. « Anders Wyller, j'ai commencé aujourd'hui. » Sa voix était claire et ses yeux souriants, ce dont il mesurait très certainement le charme. La lettre de recommandation de son chef au commissariat de police de Tromsø ressemblait à une véritable déclaration d'amour. Mais soit, il avait le CV correspondant. Sorti de l'École supérieure de police deux ans auparavant avec d'excellentes notes et de bons résultats comme « brigadier 2 avec fonctions d'enquête » à Tromsø.

« Pars donc devant, Berntsen », fit Katrine.

Elle l'entendit traîner des pieds comme par résistance passive aux ordres donnés par un supérieur hiérarchique plus jeune, une femme de surcroît.

« Bienvenue, déclara-t-elle en tendant la main au

garçon. Je suis navrée que nous n'ayons pas été là pour vous accueillir pour votre premier jour.

— Les morts doivent avoir la priorité sur les vivants», répondit Wyller.

Katrine reconnut la citation de Harry Hole, vit que Wyller observait sa main et se rendit compte qu'elle portait toujours les gants en latex.

«Je n'ai rien touché de dégoûtant avec», précisa-t-elle.

Il sourit. Dents blanches. Dix points de plus.

«Je suis allergique au latex.»

Vingt points de moins.

«OK, Wyller, dit Katrine, la main toujours tendue. Ces gants sont sans poudre, et si vous voulez travailler à la Brigade criminelle, vous allez devoir en porter relativement souvent. Mais nous pouvons bien sûr vous faire transférer à la Criminalité financière ou...

— Non, merci...», dit-il en riant et en attrapant sa main.

Elle sentit la chaleur à travers le latex.

«Je suis Katrine Bratt, directrice d'enquête sur cette affaire.

— Je sais. Vous travailliez dans le groupe de Harry Hole.

— Le groupe de Harry Hole?

— La Chaufferie.»

Katrine acquiesça d'un signe de tête. Elle n'avait jamais perçu comme *groupe de Harry Hole* cette petite cellule d'enquête de trois personnes, constituée spécialement pour travailler indépendamment sur les affaires de meurtres de policiers... Quoique le nom fût bien entendu adéquat. Depuis, Harry Hole était reparti à l'École supérieure de police comme maître de conférences, Bjørn à Bryn comme technicien d'identification criminelle et elle-même à la Brigade criminelle, où elle était donc devenue directrice d'enquête. Toujours souriants, les yeux de Wyller s'illuminèrent.

« Dommage que Harry Hole…

— Dommage que nous n'ayons pas le temps de bavarder là, tout de suite, Wyller, nous avons un meurtre sur lequel enquêter. Allez avec Berntsen, écoutez et apprenez. »

Anders Wyller eut un sourire en coin.

« Vous pensez que le *brigadier 1* Berntsen a beaucoup à m'apprendre ? »

Bratt haussa un sourcil. Jeune, sûr de lui, sans craintes. C'était bien, mais elle espérait pour l'amour du ciel que ce n'était pas encore un de ces aspirants « Harry Hole ».

Truls Berntsen enfonça son pouce sur le bouton de la sonnette, l'entendit résonner dans l'appartement, constata qu'il devrait arrêter de se ronger les ongles et relâcha le bouton.

Quand il avait demandé à Mikael à être transféré à la Brigade criminelle, Mikael lui en avait demandé la raison. Et Truls avait répondu sans détour : il souhaitait monter un peu dans la chaîne alimentaire, mais sans être obligé de bosser comme un chien. N'importe quel autre directeur de la police l'aurait naturellement flanqué à la porte, mais celui-ci ne pouvait pas. Ils en savaient trop l'un sur l'autre. Dans leur jeunesse, ils avaient été unis par une espèce d'amitié, à laquelle avait plus tard succédé une utilité réciproque, comme le poisson nettoyeur et le requin. Mais c'étaient désormais des péchés communs et une promesse de silence qui les liaient indissolublement. Et qui avaient fait que

Truls Berntsen n'avait même pas eu besoin de jouer la comédie pour présenter sa requête.

Mais était-ce vraiment judicieux ? Il commençait à en douter. La Brigade criminelle comptait deux catégories de postes : enquêteur et analyste. Et quand Gunnar Hagen, le directeur de la brigade, lui avait dit qu'il pouvait choisir lui-même celui qu'il souhaitait, Truls avait compris qu'on n'avait guère l'intention de lui confier de responsabilités. Ce qui, à la rigueur, lui convenait bien. Mais force lui était de reconnaître qu'il avait souffert d'entendre la directrice d'enquête lui donner systématiquement du « brigadier » quand elle lui avait fait visiter le service, en s'attardant particulièrement sur le fonctionnement de la machine à café.

La porte s'ouvrit. Trois jeunes filles le considérèrent avec une expression horrifiée, elles avaient manifestement appris ce qui s'était passé.

« Police, annonça-t-il en présentant son insigne. J'ai quelques questions. Avez-vous entendu quelque chose entre…

— … questions auxquelles nous nous demandions si vous pourriez nous aider à trouver des réponses », dit une voix derrière lui.

Le nouveau. Wyller. Truls vit le visage des filles perdre de leur épouvante, presque s'éclairer, même.

« Bien sûr, répondit celle qui avait ouvert. Est-ce que vous savez qui… a fait… *ça* ?

— Nous ne pouvons évidemment rien en dire, fit Truls.

— Mais ce que nous pouvons dire, ajouta Wyller, c'est que vous n'avez aucune raison d'avoir peur. Ai-je raison de penser que vous êtes trois étudiantes partageant un appartement ?

— Oui, s'exclamèrent-elles en chœur, comme si elles cherchaient toutes à parler en premier.

— Et pouvons-nous entrer ? »

Wyller avait le sourire aussi étincelant que Mikael Bellman, constata Truls.

Les filles les précédèrent dans le salon, et deux d'entre elles s'attelèrent avec empressement à ôter les verres et les bouteilles de bière vides de la table avant de disparaître de la pièce.

« Nous avons fait une soirée ici, hier, s'excusa celle qui avait ouvert la porte. C'est horrible. »

Truls n'aurait su dire si elle parlait du meurtre de sa voisine ou du fait qu'elles avaient été en train de faire la fête à ce moment-là.

« Avez-vous entendu quelque chose hier soir entre dix heures et minuit ? » demanda Truls.

La fille secoua la tête.

« Est-ce qu'Else…

— … Elise », corrigea Wyller, qui avait sorti un calepin et un stylo.

Truls songea qu'il aurait peut-être dû en avoir aussi. Il s'éclaircit la voix.

« Savez-vous si votre voisine fréquentait quelqu'un qui avait l'habitude de venir ?

— Pas à ma connaissance, répondit la fille.

— Merci, ça suffira. » Truls tournait les talons pour se diriger vers la porte quand les deux autres filles revinrent.

« Vous avez peut-être quelque chose à dire aussi ? suggéra Wyller. Votre amie dit qu'elle n'a rien entendu hier et qu'elle ne sait pas si Elise Hermansen fréquentait quelqu'un. Quelque chose à ajouter sur ce point ? »

Les filles se regardèrent avant de se tourner de

nouveau vers Wyller en secouant simultanément leur tête blonde. Truls les voyait qui concentraient toute leur attention sur le jeune enquêteur. Cela ne lui faisait rien, il avait sérieusement l'habitude d'être ignoré, de ressentir ce petit pincement au cœur. C'était déjà comme ça quand Ulla, au lycée de Manglerud, s'adressait enfin à lui. Uniquement pour lui demander s'il savait où était Mikael. Et – comme à l'époque il n'y avait pas de téléphone mobile – s'il pouvait prendre un message pour Mikael. Un jour, Truls lui avait répondu que ça allait être difficile parce que Mikael était parti camper avec une copine. Non pas parce que cette histoire de camping était vraie, mais parce que, pour une fois, il voulait lire la même douleur, sa propre douleur, dans le regard d'Ulla.

« Quand avez-vous vu Elise pour la dernière fois ? » demanda Wyller.

Les trois filles se regardèrent encore. « Nous, nous ne l'avons pas vue, mais... »

L'une d'elles pouffa de rire, mais porta la main à sa bouche avec horreur quand elle comprit combien sa réaction était inappropriée. La fille qui leur avait ouvert s'éclaircit la gorge. « Enrique a appelé ce matin pour dire qu'Alfa et lui avaient pissé dans le porche en repartant d'ici.

— Ils sont gonflés, quand même, commenta la plus robuste.

— Ils étaient juste un peu bourrés », dit la troisième, pouffant encore.

La fille qui avait ouvert leur lança à toutes deux un regard leur enjoignant de se ressaisir.

« Quoi qu'il en soit, une femme est arrivée à ce moment-là et ils appelaient pour s'excuser au cas où leur comportement nous aurait causé des problèmes.

— Voilà qui était en tout cas attentionné de leur part, remarqua Wyller. Et ils pensent que la femme était…

— Ils en sont *sûrs*. Ils ont lu sur Internet qu'une trentenaire avait été tuée et ils ont vu les photos de la montée d'escalier, alors ils l'ont googlée et ils ont trouvé son portrait dans un journal en ligne. »

Truls grouina. Il avait horreur des journalistes. De foutus charognards, tous autant qu'ils étaient. Il alla à la fenêtre et jeta un coup d'œil sur la rue. Et ils étaient au rendez-vous, là, de l'autre côté du ruban de signalisation. Les longs objectifs vissés sur leurs appareils évoquaient à Truls des becs de vautour quand ils les levaient devant leurs visages dans l'espoir d'apercevoir un bout du cadavre quand on le sortirait. À côté de l'ambulance en attente, un type au bonnet de rasta à rayures vertes, jaunes et rouges parlait à ses collègues vêtus de blanc, les spécialistes de scènes de crime. Bjørn Holm, de la Technique. Il fit un signe de tête aux membres de son équipe et regagna l'immeuble. Holm se tenait légèrement voûté, recroquevillé, comme s'il souffrait de maux d'estomac, et Truls se demandait si ça avait un rapport avec les rumeurs qui circulaient au bureau : cet originaire de Toten à la face ronde et aux yeux de morue s'était apparemment dernièrement fait larguer par Katrine Bratt. À d'autres aussi de sentir quel effet ça faisait d'avoir le cœur en mille morceaux. La voix claire de Wyller bourdonnait à l'arrière-plan : « Donc ils s'appellent Enrique et… ?

— Non, non ! s'écrièrent les filles en riant. Henrik. Et Alf. »

Truls captura le regard de Wyller et désigna la porte du menton.

« Merci beaucoup, les filles, ce sera tout, dit Wyller. Au fait, est-ce que je pourrais avoir les numéros de téléphone ? »

Les filles l'observèrent avec une joie mêlée de crainte.

« De Henrik et Alf », précisa-t-il, un sourire en coin.

Dans la chambre à coucher, Katrine était debout derrière le médecin légiste, accroupie à côté du lit. Elise Hermansen gisait sur le dos, sur sa couette. Mais les éclaboussures sur son chemisier indiquaient qu'elle avait été debout quand le torrent de sang avait jailli. Elle s'était très certainement trouvée devant le miroir de l'entrée, dont le tapis était imprégné de sang au point de coller au parquet. La faible quantité de sang dans le lit ainsi que les traces entre la chambre et l'entrée indiquaient que c'était probablement à ce dernier endroit que le cœur avait probablement cessé de battre. Se fondant sur la température du corps et la rigidité cadavérique, le médecin légiste avait estimé que l'heure de la mort se situait quelque part entre vingt-trois heures et une heure du matin et que sa cause était vraisemblablement l'hémorragie entraînée par la perforation de la carotide qu'avaient provoquée une ou plusieurs des incisions sur le côté du cou, juste au-dessus de l'épaule gauche.

Pantalon et culotte étaient baissés sur ses chevilles.

« J'ai gratté et coupé les ongles, mais je ne vois pas de bouts de peau à l'œil nu, expliqua le médecin légiste.

— Depuis quand est-ce que vous faites le travail de la Technique ? demanda Katrine.

— Depuis que Bjørn nous l'a demandé, répondit-elle. Il le fait si gentiment.

— Ah bon ? D'autres plaies ?

— Elle a une écorchure en haut, sur la face interne de son avant-bras gauche, et une écharde sur l'intérieur du majeur gauche.

— Des traces d'agression ?

— Aucune violence sexuelle à première vue, mais ceci… » Elle tint une loupe au-dessus du ventre du cadavre. Katrine regarda et vit une mince bande brillante. « … pourrait être sa salive ou celle de quelqu'un d'autre, même si ça ressemble plutôt à du liquide séminal ou à du sperme.

— Espérons-le.

— *Espérons* qu'elle a été sexuellement agressée ? » Bjørn Holm était entré dans la pièce et s'était posté derrière elle.

« S'il y a eu agression, tout porte à croire qu'elle a eu lieu *post mortem*, répondit Katrine sans se retourner. Donc elle n'était plus consciente de toute façon. Et j'aimerais bien un peu de sperme.

— Je blaguais », dit Bjørn dans son chaleureux parler de Toten.

Katrine ferma les yeux. Bien sûr qu'il savait que dans une affaire pareille le sperme était le parfait sésame. Et bien sûr qu'il essayait de plaisanter, d'alléger cette étrange et douloureuse ambiance qui régnait entre eux depuis qu'elle l'avait quitté, trois mois plus tôt. Elle avait beau faire, c'était au-dessus de ses forces.

Le médecin légiste les regarda. « J'ai terminé, annonça-t-elle en rajustant son hidjab.

— L'ambulance est là, mon équipe va descendre le corps, dit Bjørn. Merci de ton aide, Zahra. »

Le médecin légiste leur adressa un signe de tête et s'en alla promptement, comme si elle aussi percevait la tension ambiante.

« Alors ? » Katrine se força à regarder Bjørn. À passer outre le lourd regard qui était en fait plus triste qu'implorant.

« Il n'y a pas grand-chose à dire. » Il gratta une des deux grosses rouflaquettes qui dépassaient de son bonnet de rasta.

Katrine attendit, espérant que c'était toujours du meurtre qu'on parlait.

« Ce n'était sans doute pas une maniaque du chiffon, nous avons trouvé des cheveux de nombreuses personnes – essentiellement des hommes – qui ne sont sûrement pas toutes venues ici hier soir.

— Elle était avocate, commenta Katrine. Il est évident qu'une femme célibataire avec un boulot aussi prenant ne peut pas donner la même priorité au ménage que toi. »

Il sourit furtivement, sans rétorquer. Et Katrine la ressentit de nouveau, cette pointe de culpabilité qu'il parvenait toujours à lui faire éprouver. Bien entendu, ils ne s'étaient jamais disputés à propos du ménage, pour cela Bjørn avait été bien trop prompt à laver la vaisselle, récurer l'escalier, faire la lessive, nettoyer la salle de bains et aérer les couettes, sans le moindre reproche ni aucune discussion. Comme pour tout le reste. Pas une putain d'engueulade pendant toute l'année où ils avaient vécu ensemble, il esquivait. Et quand elle manquait à ses devoirs ou avait la flemme, il était là, attentif, payant de sa personne, infatigable, comme une putain de machine qui, de plus en plus, à mesure qu'il élevait le piédestal sur lequel il la plaçait, la faisait se sentir comme une stupide princesse.

« Comment sais-tu que ce sont des cheveux d'hommes ? demanda-t-elle dans un soupir.

— Une célibataire avec un boulot prenant… », répondit Bjørn sans la regarder.

Katrine croisa les bras. « Qu'est-ce que tu cherches à dire, là, Bjørn ?

— Hein ? » Son visage blafard prit une teinte légèrement rosâtre et ses yeux s'exorbitèrent encore plus que d'ordinaire.

« Que je couche à droite à gauche ? OK, si tu veux savoir, eh bien…

— Non ! » Bjørn tendit les mains devant lui comme pour se protéger. « Ce n'est pas ce que je voulais dire. C'était juste une mauvaise blague. »

Katrine savait qu'elle aurait dû ressentir de la compassion. Et dans un sens, c'était le cas. Mais pas le genre de compassion qui faisait prendre quelqu'un dans ses bras. Sa compassion évoquait plutôt le mépris, un mépris qui lui donnait envie de frapper, d'avilir. Et c'était pour cela, parce qu'elle ne voulait pas voir Bjørn Holm, cet homme bien, avili, qu'elle l'avait quitté. Katrine Bratt inspira profondément.

« Des hommes, donc ?

— La plupart des cheveux étaient courts, répondit Bjørn. On verra si les analyses le confirment. Nous avons en tout cas suffisamment d'ADN pour occuper la médecine légale pendant un moment.

— OK, fit Katrine en se tournant de nouveau vers le corps. Des idées de l'objet avec lequel il aurait pu l'entailler ? Ou la hacher, il y a plein d'entailles très rapprochées. »

Bjørn paraissait soulagé que la conversation soit revenue sur le travail. Merde, je tourne pas rond, songea Katrine.

« Ce n'est pas évident à voir, mais elles forment un motif, dit-il. Ou plutôt deux.

— Ah ? »

Bjørn se dirigea vers le cadavre et montra le cou sous les cheveux courts blonds.

« Tu vois que les entailles forment deux rectangles un peu ovales qui s'emboîtent, un ici et un là ? »

Katrine inclina la tête. « Maintenant que tu le dis…

— Comme deux morsures.

— Oh, merde ! lâcha Katrine. Une bête ?

— Va savoir. Imagine le pli que forme la peau quand la mâchoire supérieure et la mâchoire inférieure se referment. Ça fait une marque comme celle-ci… » Bjørn Holm tira de sa poche un bout de papier translucide et Katrine reconnut aussitôt l'emballage du sandwich qu'il se préparait tous les jours avant de partir travailler. Sur le papier il y avait le même rectangle ovale. Il le plaça au-dessus des entailles du cou. « Ça semble correspondre à la dentition d'un Totenois, en tout cas.

— Des dents humaines ne pourraient pas avoir fait ces morsures.

— D'accord. Mais les empreintes ressemblent à celles d'un humain. »

Katrine s'humecta les lèvres. « Il y a des gens qui se liment les dents pour qu'elles soient pointues.

— S'il s'agit de dents, on trouvera peut-être de la salive autour des plaies. Quoi qu'il en soit, s'ils étaient sur le tapis de l'entrée quand il l'a mordue, les morsures laissent penser qu'il se tenait debout derrière elle et qu'il était plus grand.

— Le médecin légiste n'ayant rien trouvé sous ses ongles, je parie qu'il la tenait, dit Katrine. Un homme fort, de taille moyenne ou grand, avec des dents de prédateur. »

Ils restèrent sans rien dire à observer le corps. Comme un jeune couple à une exposition d'art où l'on prépare ce que l'on va dire pour impressionner l'autre, songea Katrine. À la différence près que Bjørn ne pensait pas à impressionner les gens. C'était elle qui le faisait.

Katrine entendit des pas dans l'entrée. « Personne n'entre ici maintenant ! cria-t-elle.

— Je voulais juste prévenir qu'il n'y avait personne à part dans deux appartements et que ces gens n'avaient rien vu ni entendu. » La voix claire de Wyller. « Mais je viens de parler avec deux garçons qui ont vu Elise Hermansen quand elle est rentrée.

— Et les garçons ont…

— … un casier vierge et une facture de taxi montrant qu'ils ont quitté les lieux un peu après vingt-trois heures trente. Ils ont dit qu'elle les avait surpris à uriner dans le porche. Je les convoque ?

— Ce n'est pas eux, mais oui.

— D'accord. »

Les pas de Wyller s'éloignèrent.

« Elle est arrivée seule et il n'y a pas de signes d'effraction, récapitula Bjørn. Tu crois qu'elle l'a fait entrer de son plein gré ?

— Pas à moins de l'avoir bien connu.

— Ah ?

— Elise était avocate sur des affaires de viol, elle avait donc conscience des risques et la chaîne de sécurité de sa porte a l'air toute neuve. Je crois que c'était une fille prudente. » Katrine s'accroupit à côté du corps. Elle regarda l'écharde de bois qui dépassait à peine du majeur d'Elise. Et l'écorchure sur la face interne de son avant-bras.

« Avocate, demanda Bjørn. Où ça ?

— Chez Hollumsen & Skiri. C'est eux qui ont alerté la police comme elle avait manqué une réunion et ne répondait pas au téléphone. Ce n'est pas vraiment exceptionnel que des avocats soient victimes d'agressions.

— Tu crois que c'est l'un…

— Non, comme je le disais, je ne pense pas qu'elle ait laissé entrer quelqu'un. Mais… » Katrine plissa le front. « Tu es d'accord que cette écharde est blanc rosé ? »

Bjørn se pencha par-dessus son épaule. « Elle est blanche en tout cas.

— Blanc rosé, insista Katrine en se levant. Viens. »

Ils allèrent dans l'entrée où Katrine ouvrit la porte et désigna le chambranle écaillé sur l'extérieur. « Blanc rosé.

— Si tu le dis, répondit Bjørn.

— Tu ne le vois pas ? demanda-t-elle, incrédule.

— Les études montrent que, en général, les femmes voient plus de nuances de couleurs que les hommes.

— Mais ça, tu le vois ? » Katrine leva la chaîne de sécurité qui pendait sur l'intérieur de la porte. Bjørn se rapprocha. Sentir son odeur remua profondément Katrine. C'était peut-être l'inconfort de cette intimité soudaine.

« De la peau écorchée, dit-il.

— L'écorchure de l'avant-bras. Tu comprends ? »

Il hocha lentement la tête. « Elle s'est raclée sur la chaîne de sécurité, qui était donc mise. Ce n'est pas lui qui a pénétré dans l'appartement de force, c'est elle qui s'est battue pour en sortir.

— En Norvège, on n'utilise pas de chaînes de sécurité, on ferme à clef et ça suffit amplement. Et si elle l'avait laissé entrer, si cet homme fort était par exemple quelqu'un qu'elle connaissait…

— … elle ne se serait pas emmerdée à remettre cette chaîne après l'avoir ôtée pour le laisser entrer. Elle se serait sentie en sécurité. Donc…

— Donc, enchaîna Katrine, il était déjà dans l'appartement quand elle est rentrée chez elle.

— Sans qu'elle le sache, ajouta Bjørn.

— C'est pour ça qu'elle a mis la chaîne, elle pensait que le danger était à l'extérieur. » Katrine eut un frisson. C'était pour cela que l'expression « joie mêlée d'horreur » avait été inventée. Pour décrire ce sentiment d'une enquêtrice criminelle qui soudain voit et comprend.

« Harry aurait été content de toi, là, commenta Bjørn, avant de rire.

— Qu'est-ce qu'il y a ? demanda-t-elle.

— Tu rougis. »

Je tourne *vraiment* pas rond, songea Katrine.

3

Jeudi après-midi

Katrine eut du mal à se concentrer pendant la conférence de presse où ils rendirent brièvement compte de l'identité de la victime, de son âge, du lieu et de l'heure de la découverte du corps, et de rien de plus, finalement. Après un meurtre on ne faisait ces premières conférences de presse que pour la forme, c'était la preuve qu'on vivait dans une démocratie ouverte moderne, et il s'agissait toujours d'en dire le moins possible.

À ses côtés se trouvait Gunnar Hagen, le chef de la Brigade criminelle. Les flashs se reflétaient sur son crâne lisse au-dessus de la couronne sombre de cheveux bouclés alors qu'il lisait les courtes phrases qu'ils avaient rédigées ensemble. Katrine se félicitait que ce soit Hagen qui parle. Non qu'elle eût peur sous les projecteurs, mais ça pouvait attendre. Pour l'heure, elle n'avait pas assez d'expérience en tant que directrice d'enquête et elle trouvait rassurant de laisser Hagen se charger de la parlote le temps qu'elle apprenne la langue à manier. Qu'elle observe comment, avec son langage corporel et son ton, plus qu'avec du contenu, un cadre de la police chevronné parvenait à convaincre le monde extérieur que la police maîtrisait la situation.

Le regard de Katrine survola les têtes des quelque trente journalistes rassemblés dans la salle de conférence du troisième étage pour se fixer sur le grand tableau qui recouvrait le mur du fond. Une scène de baignade de gens nus, de jeunes garçons fluets pour la plupart. Une jolie scène innocente datant d'une époque où tout n'était pas connoté, mal interprété. Et Katrine, qui soupçonnait l'artiste d'être un pédophile, n'était pas différente des autres. Hagen répétait comme un mantra aux journalistes : « Nous ne pouvons pas répondre à cela. » Avec certaines variantes pour éviter que la répétition paraisse arrogante ou directement comique : « À l'heure actuelle, nous ne pouvons pas commenter ce point. » Ou, traduisant davantage de bonne volonté : « Nous devrons y revenir ultérieurement. »

Elle entendait le bruissement de leurs stylos et claviers rédigeant des questions forcément plus parlantes que les réponses : « Le corps a-t-il subi des sévices ? » « Y avait-il des signes d'agression sexuelle ? » « La police a-t-elle des suspects et, le cas échéant, s'agit-il d'un membre de son entourage proche ? »

Ce n'étaient que des suppositions, mais en l'absence d'une autre réponse le « pas de commentaire » laissait planer le doute.

Tout au fond de la salle, elle vit apparaître un personnage connu dans l'embrasure de la porte. Il portait un cache-œil noir et avait revêtu l'uniforme de directeur de la police qu'elle savait toujours suspendu, bien repassé, dans la penderie de son bureau. Mikael Bellman. Il n'entra qu'à demi, se contentant de rester en observateur. Elle remarqua que Hagen l'avait vu aussi, constata que, sous la surveillance de ce directeur de la police plus jeune que lui, il se redressait légèrement sur sa chaise.

« Nous allons en rester là pour le moment », dit la responsable de la communication.

Katrine vit que Bellman lui faisait signe qu'il voulait lui parler.

« Quand aura lieu la prochaine conférence de presse ? cria Mona Daa, la chroniqueuse judiciaire de *VG*.

— Nous y reviendrons pl…, commença la responsable de la communication.

— Quand nous aurons du neuf », coupa Hagen.

« Quand », nota Katrine. Pas « si ». C'étaient ces choix de mots, infimes mais primordiaux, qui signalaient que les serviteurs de l'État travaillaient inlassablement, que la justice suivait son cours et que la capture du coupable n'était qu'une question de temps.

« Du nouveau ? » s'enquit Bellman alors qu'ils traversaient d'un pas majestueux l'atrium de l'hôtel de police. Par le passé, en raison de sa beauté presque féminine, soulignée par ses longs cils, ses cheveux soignés légèrement trop longs et son teint hâlé aux taches de dépigmentation blanches caractéristiques, on lui avait trouvé l'air maniéré, faible. Mais depuis qu'il portait un cache-œil, qui aurait bien sûr pu faire un peu théâtral, c'était tout l'inverse. Les gens voyaient en Bellman un homme qui avait su dépasser la perte d'un œil, qui dégageait de la force.

« La Technique a trouvé quelque chose sur les morsures, répondit Katrine alors qu'elle suivait Bellman dans le sas de l'accueil.

— De la salive ?

— De la rouille.
— De la rouille ?
— Oui.
— Comme dans… ? »

Bellman appuya sur le bouton d'appel de l'ascenseur.

« Nous ne savons pas, dit Katrine en se plaçant à sa hauteur.

— Et vous ne savez toujours pas non plus comment le meurtrier est entré dans l'appartement ?

— Non. La serrure est inviolable, et ni les portes ni les fenêtres n'ont été forcées. Reste toujours la possibilité qu'elle l'ait fait entrer, mais nous n'y croyons pas.

— Il avait peut-être la clef.

— C'est la même clef pour la porte cochère et l'appartement. Et d'après le registre de la copropriété, il n'en existait qu'une seule pour l'appartement d'Elise Hermansen. Celle qu'elle possédait. Berntsen et Wyller ont parlé avec deux garçons qui étaient dans le porche quand elle est rentrée et ils ont tous deux clairement dit qu'elle était entrée avec sa clef, qu'elle n'avait pas sonné à l'interphone pour qu'on lui ouvre.

— Je vois. Mais il a pu se faire faire un double ?

— Si tel était le cas, il lui aurait fallu se procurer la clef originale et trouver un serrurier qui à la fois dispose de clefs neutres pour la reproduction de clefs protégées et n'ait pas de scrupules à fabriquer des doubles sans autorisation écrite de la copropriété. C'est relativement peu probable.

— OK, quoi qu'il en soit, ce n'est pas ce dont je voulais vous parler… »

Les portes de l'ascenseur s'ouvrirent devant eux, et deux agents qui en sortaient s'arrêtèrent instinctivement de rire en voyant le directeur de la police.

« Il s'agit de Truls, précisa Bellman après avoir galamment laissé Katrine entrer la première dans l'ascenseur vide. Berntsen, donc.

— Oui ? »

Katrine sentit un vague effluve de lotion après-rasage. Elle avait pourtant le sentiment que les hommes avaient abandonné le rasage humide et le marinage subséquent dans l'alcool. Bjørn avait pratiqué le rasoir électrique et il ne donnait pas dans l'ajout d'arômes, et ceux qu'elle avait eus ensuite… enfin, dans un ou deux cas, elle aurait sans doute préféré un parfum capiteux à leur odeur naturelle.

« Comment s'adapte-t-il ?

— Berntsen ? Bien. »

Ils étaient côte à côte et tournés vers les portes de l'ascenseur, mais du coin de l'œil, elle l'aperçut esquisser un petit sourire dans le silence qui suivit.

« Bien ? finit-il par répéter.

— Berntsen exécute les tâches qui lui sont assignées.

— Qui ne sont pas très importantes, je suppose. »

Katrine haussa les épaules.

« Il n'a pas d'expérience comme enquêteur. Et on le place dans la plus grande unité d'enquête criminelle, Kripos excepté. Dans ces cas-là, on ne se retrouve pas aux commandes. »

Bellman acquiesça en se frottant le menton. « Je voulais en fait juste savoir s'il se comportait bien. S'il ne… s'il respectait les règles du jeu.

— Pour autant que je sache, oui. » L'ascenseur ralentit. « Mais de quelles règles du jeu parlons-nous, au fait ?

— Je veux juste que vous le gardiez à l'œil, Bratt. Les choses n'ont pas été faciles pour Berntsen.

— Vous pensez aux blessures que lui a infligées l'explosion ?

— Je pense à sa vie, Bratt. Il est un peu… quel est le mot que je cherche ?

— Détruit ? »

Bellman eut un rire bref et montra les portes d'ascenseur ouvertes d'un geste du menton. « Votre étage, Bratt. »

Étudiant le postérieur ferme de Katrine Bratt qui traversait le couloir en direction de la Brigade criminelle, Bellman laissa libre cours à son imagination pendant les quelques secondes avant la fermeture des portes. Puis il concentra ses pensées sur le *problème*. Qui bien sûr n'était pas un problème, naturellement, mais plutôt une opportunité. Il faisait toutefois face à un dilemme. D'après les rumeurs, un remaniement ministériel se profilait et le poste de ministre de la Justice, entre autres, était en jeu. Or le cabinet de la Première ministre était entré en contact avec Bellman pour lui demander de façon officieuse et avec beaucoup de précautions ce qu'il répondrait – hypothétiquement – si on lui proposait ce poste. Il avait d'abord été estomaqué. Mais à la réflexion, il avait compris la logique de leur choix. En tant que directeur de la police, il avait non seulement été aux commandes quand on avait démasqué le désormais mondialement célèbre Tueur de policiers, mais aussi sacrifié un œil dans le feu du combat et il était dans un sens devenu une star nationale et internationale. Un directeur de police de quarante ans, diplômé en droit, éloquent, qui avait déjà avec succès protégé la capitale du meurtre, de la drogue et de la criminalité, l'heure n'était-elle pas venue de lui confier un mandat plus vaste ? Et était-ce un problème qu'il présente si bien, cela allait-il attirer *moins* de femmes vers le parti ? Il avait donc répondu que – hypothétiquement – il accepterait.

Bellman sortit au sixième et dernier étage et passa devant l'enfilade de portraits d'anciens directeurs de la police d'Oslo.

Mais jusqu'à ce que leur décision soit prise, il devait faire en sorte que rien ne ternisse sa réputation. Par exemple, éviter que Truls invente une connerie rejaillissant sur lui. Bellman frissonna à la pensée des titres de la presse : « Le directeur de la police protégeait son ami le policier corrompu. » Quand Truls était venu le trouver, il avait mis les pieds sur son bureau et lui avait expliqué sans ambages que, s'il se faisait virer de la police, il pourrait en tout cas se consoler en se disant qu'il entraînait dans sa chute le directeur, qui était tout aussi véreux que lui. Bellman n'avait donc eu aucun mal à décider d'accéder au désir de Truls et de le muter à la Brigade criminelle. D'autant que Truls – comme Bratt venait de le confirmer – n'y aurait pas de responsabilités lui permettant de foutre encore la merde.

« Votre si jolie femme est dans votre bureau », annonça Lena à Mikael Bellman quand il pénétra dans le secrétariat. Lena avait la soixantaine bien tassée, et quand Bellman avait pris ses fonctions un peu plus de deux ans auparavant, la première chose qu'elle avait dite était qu'elle refusait de se faire appeler assistante, comme le formulait le descriptif de poste remis au goût du jour. Car elle était et demeurait une secrétaire.

Ulla était assise dans le salon près de la fenêtre. Lena avait raison, sa femme était belle. Elle était menue, délicate, trois accouchements n'y avaient rien changé. Mais plus important encore, elle l'avait épaulé, elle avait compris que sa carrière requérait de la prévenance, du soutien, qu'il avait besoin de son espace vital. Et qu'un ou deux faux pas dans la vie privée n'étaient rien que de très humain quand on vivait avec la pression qui accompagnait un poste aussi exigeant.

Et puis elle avait ce côté innocent, presque naïf, qui la rendait incapable de dissimuler ses émotions. Et là, il lisait du désespoir sur son visage. La première réaction de Bellman fut de penser qu'il était arrivé quelque chose aux enfants. Il allait poser la question quand il décela une trace d'amertume. Et il comprit qu'elle avait découvert quelque chose. Encore. Merde.

« Tu as l'air bien grave, ma chérie, fit-il d'un ton calme en se dirigeant vers la penderie tout en déboutonnant sa veste d'uniforme. Les enfants vont bien ? »

Elle opina de la tête. Il fit mine de soupirer de soulagement. « Ce n'est pas que ça ne me fait pas plaisir de te voir, mais j'ai toujours une bouffée d'angoisse quand tu viens sans prévenir. » Il suspendit sa veste dans la penderie et s'assit sur le fauteuil en face d'elle. « Qu'est-ce qu'il y a ?

— Tu l'as revue », déclara Ulla. Il entendait qu'elle avait préparé son discours. Qu'elle avait prévu de ne pas pleurer. Et voilà que les larmes brillaient déjà dans ses yeux bleus.

Il secoua la tête.

« Ne nie pas, articula-t-elle, le timbre voilé. J'ai regardé ton téléphone. Rien que cette semaine, tu l'as appelée trois fois, Mikael. Tu m'avais promis.

— Ulla. » Il se pencha en avant et lui prit la main au-dessus du bureau, mais elle la retira. « Je lui ai parlé parce que j'ai besoin de conseils. Isabelle Skøyen travaille maintenant comme consultante dans une agence de communication spécialisée dans la politique et le lobbying. Elle connaît les arcanes du pouvoir, elle les a traversés elle-même. *Et* elle me connaît, moi.

— Elle te connaît ? » Le visage d'Ulla se contracta en une grimace.

« Si je, si nous voulons atteindre cet objectif, je dois mobiliser tout ce qui peut me donner un avantage, j'ai besoin d'avoir une longueur d'avance sur tous ceux qui veulent ce job. Le gouvernement, Ulla. Il n'y a rien de plus grand.

— Même pas la famille ? fit-elle en reniflant.

— Tu sais bien que je ne trahirai jamais notre famille…

— Que tu ne la trahiras jamais ? se récria-t-elle dans un sanglot. Mais tu l'as déjà…

— Et j'espère que toi non plus, tu n'as pas l'intention de le faire, Ulla. Pas à cause d'une absurde jalousie envers une femme avec qui j'ai parlé au téléphone pour des raisons purement professionnelles.

— Cette femme n'a été que simple politicienne locale pendant une courte durée, Mikael. Que peut-elle donc t'expliquer ?

— Entre autres choses, ce qu'il ne faut pas faire si l'on veut survivre en politique. C'est cette expérience qu'ils ont achetée en l'embauchant. Par exemple, qu'il ne faut pas trahir ses idéaux. Ses proches. Ses devoirs et ses responsabilités. Et que si l'on fait des erreurs, il faut demander pardon et essayer de faire ce qui est juste la fois suivante. On peut faillir. Mais il ne faut pas trahir. Et je ne vais pas le faire, Ulla. » Il reprit sa main et, cette fois, elle n'eut pas le temps de la retirer.

« Je sais que je ne suis pas en droit de te demander grand-chose après ce qui s'est passé, mais si je veux réussir ceci, il faut que j'aie ta confiance et ton soutien. Il faut que tu croies en moi.

— Comment pourrais-je…

— Viens. »

Il se leva sans lâcher sa main, l'entraîna à la fenêtre. Il la plaça visage tourné vers la ville, se posta derrière elle avec les mains sur ses épaules. L'hôtel de police se trouvant sur une butte, ils avaient vue sur la moitié d'Oslo, qui était baignée de soleil à leurs pieds.

« Veux-tu m'aider à changer les choses, Ulla ? Veux-tu m'aider à créer un avenir plus sûr pour nos enfants ? Pour les enfants de nos voisins, pour cette ville ? Pour notre pays ? » Il sentit que ses paroles lui faisaient de l'effet. Elles en avaient sur lui aussi, bon Dieu, il était carrément ému. Même si ces mots étaient un emprunt plus ou moins direct aux notes qu'il avait couchées en pensant aux médias. Il n'allait pas disposer de tellement d'heures entre le moment où on lui proposerait le poste, et où il l'accepterait, et celui où ils seraient tous au téléphone, la télévision, la radio, les journaux, pour obtenir une déclaration.

Quand Wyller et lui sortirent de l'atrium après la conférence de presse, Truls Berntsen fut arrêté par un petit bout de femme.

« Mona Daa, *VG*. Vous, je vous ai déjà vu… » Elle se détourna de Truls. « Mais vous, vous êtes peut-être nouveau à la Brigade criminelle ?

— Exact », répondit Wyller en souriant.

Truls examina Mona Daa de profil. Elle avait à la rigueur un joli visage. Large – sans doute des origines un peu samies. Mais il n'avait jamais pu comprendre comment elle était faite. Avec son accoutrement ample et coloré, elle ressemblait plus à une critique d'opéra de la vieille école qu'à une journaliste d'investigation dure de chez dure. Même si elle ne devait pas avoir beaucoup plus d'une trentaine d'années, Truls avait le sentiment qu'elle était là depuis une éternité ; forte, tenace, les reins solides, il en fallait beaucoup pour terrasser Mona Daa. Et en plus, elle sentait l'homme. On racontait qu'elle se parfumait à l'après-rasage Old Spice.

« On ne peut pas dire que vous nous avez donné beaucoup d'informations pendant la conférence de presse. » Mona Daa sourit. Comme les journalistes sourient quand ils veulent quelque chose. Sauf que, en l'occurrence, ça ne semblait pas être de l'information qu'elle recherchait. Son regard était rivé à Wyller.

« Eh bien, c'est sans doute que nous n'avons rien de plus, fit Wyller en lui rendant son sourire.

— Alors je vous cite là-dessus, dit Mona Daa d'un ton léger en notant dans son calepin. Nom ?

— Vous citez quoi ?

— Que la police n'a véritablement rien d'autre que ce que Hagen et Bratt ont présenté à la conférence de presse. »

Truls vit la panique instantanée dans le regard de Wyller. « Non, non, je ne voulais pas dire… je… n'écrivez rien, s'il vous plaît. »

Mona répondit en continuant d'écrire : « Je me suis présentée comme journaliste, ç'aurait dû être clair que j'étais ici pour travailler. »

Du regard Wyller chercha de l'aide auprès de Truls, mais celui-ci resta muet. Le gamin faisait moins le malin que quand il avait fait du charme aux jeunes filles, oui.

Wyller toussota et essaya de parler d'une voix plus grave. « Je refuse que vous utilisiez cette citation.

— Je comprends. Alors je vous cite là-dessus aussi, sur le fait que la police essaie de censurer la presse, donc.

— Je… non, ce… » Le rouge était monté aux joues de Wyller et Truls dut se retenir d'éclater de rire.

« Relax, je vous fais marcher », dit Mona Daa.

Anders Wyller la dévisagea un instant avant de respirer profondément.

« Bienvenue ! Nous ne faisons pas de quartier, mais nous sommes fair-play. Et quand nous pouvons, nous nous entraidons. Pas vrai, Berntsen ? »

Truls répondit d'un grouinement dont l'interprétation était libre.

Daa tourna les pages de son calepin. « Je ne vais pas vous redemander si vous avez des suspects, je garde la question pour vos chefs, mais permettez-moi juste de vous poser des questions générales sur l'enquête.

— Allez-y, dit un Wyller souriant qui semblait déjà remonté en selle.

— Est-ce un fait que, dans une enquête sur une pareille affaire de meurtre, les projecteurs sont toujours braqués sur d'anciens petits amis ou amants ? »

Anders Wyller allait répondre quand Truls posa la main sur son épaule et intervint.

« Je vois déjà votre papier, Daa : *Les dirigeants de l'enquête refusent d'indiquer s'il y a des suspects, mais une source policière explique à* VG *que l'enquête va s'orienter vers d'anciens compagnons et amants.*

— Ouah ! s'exclama Mona Daa sans cesser d'écrire. Je ne vous savais pas si finaud, Berntsen.

— Et moi, je ne savais pas que vous connaissiez mon nom.

— Oh, tous les policiers ont une réputation, vous savez. Et la Brigade criminelle n'est pas si grande que je ne puisse pas me tenir au courant. Mais je n'ai rien en ce qui vous concerne, le nouveau. »

Anders Wyller esquissa un pâle sourire.

« Je vois que vous avez l'intention de garder le silence, mais dites-moi au moins comment vous vous appelez.

— Anders Wyller.

— Et voici où vous pouvez me trouver, Wyller. » Elle lui tendit sa carte de visite, puis, après un temps d'hésitation presque imperceptible, en donna une autre à Truls. « Comme je le disais, nous avons une tradition d'assistance mutuelle. Et nous payons bien quand le tuyau est bon.

— Vous ne payez tout de même pas des *policiers* ? » Wyller glissa la carte dans sa poche de jean.

« Pourquoi pas ? rétorqua-t-elle tandis que son regard croisait celui de Truls. Un tuyau, c'est un tuyau. Donc si vous tombez sur quelque chose, n'hésitez pas à m'appeler. Ou passez au club de gym Gain, j'y suis presque tous les jours à partir de neuf heures du soir. Comme ça, on pourrait aussi transpirer un peu ensemble… » Elle adressa un sourire à Wyller.

« J'aime mieux transpirer en plein air », dit Wyller.

Mona Daa acquiesça. « Courir avec le chien. Vous avez l'air d'un homme à chiens. Ça me plaît.

— Pourquoi ?

— Parce que je suis allergique aux chats. OK, les mecs, dans un esprit de coopération, je vous promets de vous appeler si je trouve quelque chose que je pense susceptible de vous aider.

— Merci, dit Truls.

— Mais dans ce cas, il me faudrait un numéro à appeler. »

Mona Daa gardait les yeux fixés sur Wyller.

« Bien sûr.

— Je note. »

Wyller dicta le numéro chiffre par chiffre jusqu'à ce que Mona Daa lève les yeux. « C'est le numéro du standard de l'hôtel de police.

— C'est là que je travaille, répondit Wyller. Et d'ailleurs, j'ai un chat. »

Mona Daa referma son calepin d'un coup sec.

« On s'appelle. »

Truls la regarda se dandiner comme un pingouin vers la sortie, cette singulière porte en métal percée d'un œil-de-bœuf.

« La réunion commence dans trois minutes », observa Wyller.

Truls consulta sa montre. Réunion d'après-midi de la cellule d'enquête. La Brigade criminelle, ç'aurait été génial s'il n'y avait pas eu les meurtres. Les meurtres, c'était de la merde. Les meurtres, c'étaient des heures sup, des rapports à rédiger, des réunions interminables et des gens stressés. Mais au moins, la bouffe de la cantine était gratuite quand on travaillait tard. Il soupira, se retourna pour se diriger vers le sas et se figea.

C'était elle.

Ulla.

Elle sortait et son regard l'avait à peine effleuré, mais elle fit mine de ne pas le voir. Ça lui arrivait parfois. Peut-être parce qu'ils étaient tous les deux gênés les rares fois où ils se retrouvaient seul à seul sans Mikael. Sans doute avaient-ils tous deux cherché à éviter cette situation, même dans leur jeunesse. Lui parce qu'il se mettait à transpirer et que son cœur battait trop fort, et parce qu'il se torturait ensuite avec les choses idiotes qu'il avait dites et les choses intelligentes et appropriées qu'il n'avait pas dites. Elle, parce que… eh bien, probablement parce que lui transpirait, que son cœur battait trop vite et qu'il restait muet ou disait des choses idiotes.

Et cependant, il faillit crier son nom dans l'atrium.

Mais elle était déjà arrivée à la lourde porte en métal. Bientôt elle serait dehors et le soleil embraserait sa belle chevelure blonde.

Alors il chuchota intérieurement son nom.

Ulla.

4

Jeudi après-midi

Katrine Bratt parcourut du regard la salle de réunion qu'ils appelaient « salle du K-O ».

Huit enquêteurs de la police judiciaire, quatre analystes de la police technique et scientifique, un TIC. Tous à sa disposition. Tous la surveillant d'un œil de rapace. Cette femme fraîchement nommée directrice d'enquête. Et Katrine savait que c'étaient ses collègues féminines qui étaient les plus dubitatives. Elle s'était souvent demandé si elle était fondamentalement différente des autres femmes. Elles avaient un taux de testostérone oscillant entre cinq et dix pour cent de celui de leurs collègues masculins, tandis que le sien à elle frôlait les vingt-cinq pour cent. Ça n'avait pour l'heure pas fait d'elle une masse de muscles au clitoris de la taille d'un pénis, mais d'aussi loin qu'elle se souvienne et d'après les propos qui avaient pu être exprimés sur le sujet, Katrine avait toujours été plus portée sur la chose que ses rares copines. Ou « énervée du cul », comme l'avait formulé Bjørn à l'époque où il lui arrivait, quand elle brûlait de désir, de monter à Bryn en pleine journée de travail dans le seul but qu'il la baise dans la réserve déserte derrière le laboratoire, faisant tinter les cartons d'éprouvettes et de ballons.

Katrine s'éclaircit la voix, alluma l'enregistreur de son téléphone et ouvrit la séance. « Nous sommes le jeudi 22 septembre à seize heures, nous nous trouvons dans la salle de réunion un de la Brigade criminelle et ceci est la première réunion de la cellule d'enquête provisoire sur le meurtre d'Elise Hermansen. » Katrine vit Truls Berntsen entrer le dernier et s'asseoir discrètement tout au fond. Elle continua de rendre compte de ce que la plupart des personnes présentes savaient déjà : Elise Hermansen avait été retrouvée morte ce matin-là, la cause probable de la mort était l'hémorragie entraînée par des coupures à la gorge. Aucun témoin ne s'était manifesté pour l'instant. Ils n'avaient à l'heure actuelle ni suspects ni traces physiques confirmées. Ce qu'ils avaient trouvé comme matériel organique avait été envoyé en analyse d'ADN et, avec un peu de chance, ils auraient les résultats d'ici une semaine. D'autres traces physiques potentielles étaient en cours d'examen auprès de la Technique et de la Médecine légale. Autrement dit, ils n'avaient rien.

Elle en vit un ou deux croiser les bras et inspirer bruyamment, bâiller presque. Et elle savait ce qu'ils pensaient : que c'étaient là des évidences, des redites, que cela manquait de consistance, que ce n'était pas une raison suffisante pour leur faire lâcher les autres affaires sur lesquelles ils travaillaient. Elle répéta comment elle était arrivée par déduction à la conclusion que le meurtrier se trouvait déjà dans l'appartement quand Elise était rentrée chez elle, mais entendit elle-même que le seul effet produit par cette répétition était celui de la fanfaronnade. Le plaidoyer d'une nouvelle dirigeante qui cherchait à être respectée. Elle sentit le désespoir venir et songea aux paroles de Harry quand elle l'avait appelé pour lui demander conseil.

« Attrape le meurtrier, avait-il dit.

— Harry, ce n'est pas ce que je te demandais, je te demandais comment diriger une cellule d'enquête qui ne te fait pas confiance.

— Et je t'ai répondu.

— Attraper un ou deux meurtriers ne résout pas…

— Ça résout tout.

— Tout ? Et qu'est-ce que ç'a résolu pour toi, au juste ? À titre purement personnel ?

— Rien. Mais tu me parlais de direction d'hommes. »

Katrine contempla la salle, conclut par une nouvelle phrase superflue, prit une inspiration et remarqua une main qui tambourinait légèrement sur un accoudoir.

« Si Elise Hermansen a fait entrer cette personne plus tôt dans la soirée et l'a laissée rester chez elle pendant qu'elle sortait, nous cherchons quelqu'un qu'elle connaissait. Nous avons donc analysé son téléphone et son PC. Tord ? »

Tord Gren se leva. On le surnommait l'Échassier, sans aucun doute parce que, avec son cou exceptionnellement long, son nez fin aux allures de bec et une envergure qui dépassait largement la longueur de son corps, c'était ce à quoi il ressemblait. Ses lunettes rondes archaïques et les longs cheveux bouclés qui pendaient de part et d'autre de son visage étroit évoquaient les années 1970.

« Nous avons pu accéder à son iPhone et nous avons parcouru la liste des appels entrants et sortants ces trois derniers jours, expliqua Tord sans lever les yeux de sa tablette puisque, d'une manière générale, il évitait le contact visuel. Il n'y a que des appels professionnels. Des confrères et des clients.

— Pas d'amis? De parents?»

C'était Magnus Skarre, un enquêteur.

«Je crois que c'est ce que j'ai dit, répondit Tord, sans animosité, à de simples fins de précision. C'était pareil pour ses e-mails. Purement professionnels.

— Le cabinet d'avocats confirme qu'Elise faisait beaucoup d'heures supplémentaires, ajouta Katrine.

— C'est ce que font les femmes célibataires», observa Skarre.

Katrine lança un regard exaspéré sur cet enquêteur petit et ramassé, bien qu'elle sache que le commentaire ne la visait pas personnellement. Pour cela, Skarre n'était ni suffisamment perfide ni assez vif d'esprit.

«Son PC n'est pas protégé par un mot de passe, mais je n'y ai pas trouvé grand-chose non plus. L'historique montre que pour l'essentiel, ce qu'elle faisait, c'était regarder les infos et googler. Elle est allée sur des sites pornos, mais des choses tout à fait ordinaires, et rien n'indique qu'elle ait contacté quelqu'un par ces sites. La chose la plus louche qu'elle ait faite ces deux dernières années, c'est regarder *N'oublie jamais* en streaming sur Popcorn Time.»

Ne connaissant pas suffisamment l'informaticien, Katrine ne savait pas si son «louche» s'appliquait au serveur pirate ou au choix de film. Personnellement, elle aurait opté pour la seconde solution. Popcorn Time lui manquait.

«J'ai testé quelques mots de passe évidents sur son compte Facebook, poursuivit Tord. Ça n'a pas marché, donc j'ai demandé à Kripos qu'on gèle son compte.

— Un gel de compte ? reprit Anders Wyller qui s'était assis au premier rang.

— Une requête légale, expliqua Katrine. Les demandes d'ouverture de comptes Facebook doivent passer par Kripos et le tribunal de première instance, et même si elles sont acceptées, ça va d'abord à un tribunal aux États-Unis et *ensuite*, le cas échéant, à Facebook. Dans le meilleur des cas, ça prendra des semaines, probablement des mois.

— C'est tout, dit Tord Gren.

— Une dernière question, dit Wyller. Comment avez-vous accédé à son téléphone ? Avec les empreintes digitales du cadavre ? »

Tord croisa furtivement le regard de Wyller, puis détourna les yeux en secouant la tête.

« Comment ça ? Les vieux iPhone ont un code à quatre chiffres. Ça fait des milliers de solutions diff…

— Microscope », coupa Tord en tapant quelque chose sur sa tablette.

Katrine connaissait la méthode de Tord, mais elle attendit. Tord Gren n'avait aucune formation de policier ni même de formation tout court. Malgré quelques années d'études d'informatique au Danemark, il n'avait aucun diplôme. Le service de technologies de l'information de l'hôtel de police avait toutefois été prompt à le recruter comme analyste spécialisé. Tout bonnement parce qu'il était le meilleur.

« Là où les doigts tapent le plus, des creux microscopiques se forment même sur le verre le plus dur, expliqua Tord. J'identifie simplement les zones de l'écran où les creux sont le plus profonds et voilà le code. Du moins, quatre chiffres qui donnent vingt-quatre combinaisons possibles.

— Mais le téléphone se bloque au bout de trois erreurs, objecta Anders. Donc il faut vraiment de…

— J'ai réussi au deuxième essai, déclara Tord en souriant, sans que Katrine puisse déterminer si c'était ce succès ou ce qu'il voyait sur son écran qui le faisait sourire.

— Ouah ! s'exclama Skarre. C'est ce que j'appelle de la chance.

— Au contraire, je n'ai pas eu de bol de ne pas réussir du premier coup. Quand le nombre contient les chiffres 1 et 9, c'est en général une année et il ne reste alors que deux combinaisons possibles.

— Passons à autre chose, dit Katrine. Nous avons parlé avec la sœur d'Elise, et d'après elle, Elise n'avait pas eu de relation stable depuis des années. Et elle ne voulait probablement pas en avoir.

— Tinder, fit Wyller.

— Pardon ?

— Avait-elle une appli Tinder sur son téléphone ?

— Oui, confirma Tord.

— Les garçons qu'Elise a vus dans l'entrée de l'immeuble ont dit qu'elle avait l'air un peu pomponnée. Elle n'arrivait donc pas de la salle de sport, pas du travail et sûrement pas de chez une copine. Si elle ne veut pas de petit ami…

— Bien vu ! fit Katrine. Tord ?

— Nous avons vérifié l'appli et les *matchs* étaient pour le moins nombreux. Mais elle se connectait sur Tinder grâce à Facebook, donc les éventuelles communications qu'elle a pu avoir avec eux, nous n'y aurons pas accès avant longtemps.

— Les utilisateurs de Tinder se rencontrent dans des bars », observa une voix.

Katrine leva les yeux avec surprise. C'était Truls Berntsen.

« Si elle avait son téléphone, il suffit de regarder les antennes relais et ensuite d'aller voir les bars des zones dans lesquelles elle a été.

— Merci, Truls, dit Katrine. Nous avons déjà vérifié les antennes relais. Stine ? »

L'une des analystes se redressa sur son siège et s'éclaircit la voix. « D'après le relevé du centre opérationnel de Telenor, Elise Hermansen est partie de Youngstorget, où elle travaille, entre dix-huit heures trente et dix-neuf heures. Elle est allée dans une zone qui se trouve autour du pont Bentsebrua. Ensuite…

— Sa sœur nous a dit qu'Elise va à la salle de sport de Myhrens verksted, coupa Katrine. Et le club confirme qu'Elise a scanné sa carte à dix-neuf heures trente-deux pour ressortir à vingt et une heures quatorze. Pardon, Stine. »

Stine eut un petit sourire légèrement crispé. « Ensuite, Elise est allée dans la zone de son appartement, où elle est restée, du moins d'après son téléphone, jusqu'à ce qu'on la découvre. C'est-à-dire que le signal se retrouvait dans plusieurs stations de base qui se jouxtent, ce qui confirme qu'elle est sortie, mais pas à plus de quelques centaines de mètres de son appartement de Grünerløkka.

— Génial, alors on va pouvoir faire la tournée des bars ! » s'exclama Katrine.

Ses paroles furent accueillies par deux reniflements de Truls qui s'apparentaient à un rire, un sourire ultra brite d'Anders Wyller et un silence total du reste de l'assemblée. Elle songea que ç'aurait pu être pire.

Le téléphone qui se trouvait devant elle se mit à se balader sur le plateau du bureau.

Elle vit sur l'écran que c'était Bjørn.

Il pouvait s'agir d'un appel concernant les indices techniques, et ce serait alors une bonne chose de transmettre les informations sur-le-champ. Mais n'aurait-il pas plutôt contacté sa collègue de la Technique présente dans la salle au lieu de Katrine ? Ce devait être personnel.

Elle allait refuser l'appel quand elle songea que Bjørn était parfaitement conscient qu'ils étaient en réunion. C'était quelqu'un de professionnel.

Elle porta le téléphone à son oreille. « On a une réunion de la cellule d'enquête, là, Bjørn. »

Elle regretta d'avoir décroché quand elle sentit tous les regards se braquer sur elle.

« Je suis à la Médecine légale, dit Bjørn. On vient d'obtenir les premiers résultats du test de la substance brillante qu'elle avait sur le ventre. Il n'y a pas d'ADN humain.

— Merde ! » lâcha Katrine.

Elle avait gardé cela à l'esprit toute la journée. Que si ce dépôt était du sperme, l'affaire pourrait être élucidée dans la limite magique des premières quarante-huit heures. L'expérience prouvait qu'ensuite c'était plus ardu.

« Mais ça pourrait laisser entendre qu'il a eu un rapport sexuel avec elle quand même, poursuivit Bjørn.

— Et qu'est-ce qui te fait penser ça ?

— Cette substance, c'était du lubrifiant. Probablement d'un préservatif. »

Katrine jura encore. Et elle comprit aux regards des autres qu'elle n'avait encore rien dit qui puisse indiquer qu'il s'agissait d'autre chose que d'une conversation privée. « Donc tu penses que le coupable a utilisé un préservatif ? articula-t-elle bien haut et distinctement.

— Oui, ou alors quelqu'un d'autre qu'elle a vu hier soir.

— OK, merci. » Elle allait couper court quand elle entendit Bjørn dire son nom avant qu'elle ait pu raccrocher.

« Oui ? fit-elle.

— Ce n'est pas pour ça que je t'appelais. »

Elle déglutit. « Bjørn, nous sommes en pleine…

— L'arme du crime, poursuivit-il. Je crois que j'ai peut-être trouvé ce que c'était. Est-ce que tu peux garder la cellule rassemblée pendant encore vingt minutes ? »

Allongé sur son lit dans l'appartement, il lisait sur son téléphone. Il avait parcouru tous les journaux. C'était décevant, ils avaient omis tous les détails, ils s'étaient abstenus de rapporter tout ce qui avait une valeur artistique. Soit parce que cette directrice d'enquête, Katrine Bratt, n'avait pas voulu le leur donner, ou alors parce qu'elle n'était tout bonnement pas apte à en voir la beauté. Mais *lui*, le policier au regard assassin, l'aurait vu. Il l'aurait peut-être, comme Bratt, gardé pour lui, mais il aurait en tout cas su l'apprécier.

Il examina la photo de Katrine Bratt dans le journal.

Elle était belle.

Le port de l'uniforme de police n'était-il pas obligatoire en conférence de presse ? Peut-être était-il simplement conseillé. Auquel cas, elle ne s'y pliait pas, s'en foutait. Elle lui plaisait. Il l'imaginait en uniforme.

Très belle.

Malheureusement, elle n'était pas à l'ordre du jour

Il reposa son téléphone. Passa la main sur son tatouage. Il avait parfois le sentiment qu'il était réel, qu'il forçait le passage, que la peau de son torse se tendait et était près de se déchirer.

Lui aussi voulait s'en foutre.

Il contracta ses abdominaux et se leva de son lit sans s'aider de ses bras. Il se regarda dans le miroir de la porte coulissante de la penderie. Il avait fait de la muscu en prison. Pas dans la salle de sport, il était hors de question qu'il s'allonge sur des bancs et des tapis de sol baignés de la sueur des autres. Mais dans sa cellule. Pas pour faire de la gonflette, mais pour acquérir une force *véritable*. De l'endurance. Du tonus. De l'équilibre. De la résistance à la douleur.

Sa mère avait été bien charpentée. Gros cul. À la fin, elle s'était laissée aller, tomber en ruine. Faible. Il devait avoir le corps et le métabolisme de son père. Et sa force.

Il ouvrit la penderie.

Un uniforme y était suspendu. Il le caressa. Il allait bientôt s'en servir.

Il pensa à Katrine Bratt. En uniforme.

Ce soir, il irait dans un bar. Un bar couru, populeux, pas comme le Jealousy Bar. C'était enfreindre les règles que de sortir dans le monde autrement que pour faire ses courses, se rendre aux bains et poursuivre l'ordre du jour, mais il allait se couler dans la foule, dans un anonymat affriolant et dans la solitude. Parce qu'il en avait besoin. Pour ne pas devenir fou. Il ricana. Fou. Les psychologues disaient qu'il fallait qu'il voie un psychiatre. Et il savait ce qu'ils entendaient par là : qu'il avait besoin de quelqu'un qui puisse lui prescrire des médicaments.

Il prit une paire de santiags cirées sur son étagère à chaussures et observa un instant la femme au fond du placard. Maintenue debout par le crochet au mur derrière elle, elle regardait fixement entre les costumes. Elle sentait vaguement le parfum à la lavande dont il lui avait enduit les seins.

Fou ? Des cons incompétents, tous autant qu'ils étaient. Il avait lu la définition de « troubles de la personnalité » dans une encyclopédie, c'était une maladie entraînant « un inconfort ou des difficultés pour la personne concernée ou son entourage ». Soit. Dans son cas, c'était exclusivement pour l'entourage. Lui avait exactement la personnalité qu'il souhaitait. Car quand il y a à boire, quoi de plus délicieux, de plus rationnel et de plus normal que d'éprouver la soif ?

Il consulta sa montre. Dans une demi-heure, il ferait suffisamment sombre dehors.

« Voici ce que nous avons trouvé autour des plaies de son cou, expliqua Bjørn Holm en désignant la photo sur l'écran de projection. Les trois fragments de gauche sont du fer rouillé, celui de droite de la peinture noire. »

Katrine s'était assise avec les autres dans la salle de réunion. Bjørn était arrivé essoufflé, et ses mâchoires blafardes luisaient encore de sueur.

Il tapa sur son PC, et un gros plan du cou de la victime apparut.

« Comme vous le voyez, les endroits où la peau est perforée créent un motif, comme si elle avait été mordue par un humain, mais les dents ont nécessairement dû être très acérées.

— Un sataniste, suggéra Skarre.

— Katrine a emis l'hypothèse que le coupable se serait limé les dents, mais nous avons vérifié, et là où les dents ont presque traversé le pli de peau qu'elles mordaient, nous voyons qu'au lieu de se rencontrer, elles se sont parfaitement emboîtées. Il ne s'agit donc pas d'une dentition humaine ordinaire où les dents de la mâchoire inférieure et celles de la mâchoire supérieure sont placées de façon à globalement se correspondre dent par dent. La rouille découverte m'a donc conduit à l'idée qu'on avait utilisé une espèce de dentier en fer. »

Bjørn tapa sur son ordinateur.

Katrine remarqua que l'assistance se figeait dans un halètement muet.

Sur l'écran on voyait un objet auquel, au premier coup d'œil, Katrine trouva des ressemblances avec un vieux piège rouillé qu'elle avait un jour vu chez son grand-père à Bergen, un piège à ours. Les dents pointues formaient un zigzag, la mâchoire inférieure et la mâchoire supérieure étaient fixées sur ce qui paraissait être un mécanisme à ressorts.

« Ce tableau fait partie d'une collection privée de Caracas et daterait du temps de l'esclavage, quand on organisait des combats avec paris. Deux esclaves étaient équipés d'un dentier chacun, on leur attachait les mains dans le dos et on les plaçait au milieu d'un cercle. Celui qui survivait continuait au deuxième tour. Je suppose. Mais venons-en au fait…

— Merci, dit Katrine.

— J'ai essayé de trouver où on pouvait se dénicher un dentier en fer comme celui-ci. Et ça ne s'achète pas précisément par correspondance. Donc si nous identifions à Oslo ou en Norvège quelqu'un qui a vendu de ces engins et à qui il les a vendus, je serais tenté de croire que nous aurons restreint le nombre de suspects à une minorité de personnes. »

Katrine constata que Bjørn était allé nettement au-delà des tâches d'un TIC, mais elle décida de ne faire aucun commentaire.

« Et encore une chose, ajouta Bjørn. Il manque du sang.

— Manque ?

— Un corps d'humain adulte contient en moyenne sept pour cent de son poids en sang. Cela varie en fonction des individus, mais dans l'hypothèse où Elise aurait eu un volume de sang plutôt faible, il en manque presque un demi-litre quand on additionne ce qui restait dans le corps, ce qu'il y avait sur le tapis de l'entrée et sur le parquet et le peu qu'il y avait dans le lit. Donc à moins que le meurtrier ait emporté le reste dans un seau...

— ... il l'a bu », compléta Katrine.

En trois secondes, un silence complet se fit dans la salle.

Wyller toussota. « Et la peinture noire ?

— Il y avait de la rouille sur l'intérieur du fragment de peinture, donc elle venait du même endroit, répondit Bjørn en déconnectant son PC du projecteur. Mais la peinture n'est pas très vieille. Je vais l'analyser cette nuit. »

Katrine vit sur les visages qu'ils n'avaient pas enregistré l'information sur la peinture, qu'ils étaient encore en train de penser au sang.

« Merci, Bjørn, fit Katrine, qui se leva et regarda l'heure. Il nous reste donc cette tournée des bars. C'est l'heure d'aller se coucher. Que diriez-vous qu'on renvoie à la maison ceux qui ont des enfants, et que nous autres, infertiles, restions dans la pièce pour faire des équipes ? »

Pas de réponse, pas de rires, pas même un sourire.

« Bien, alors on fait comme ça. » Katrine sentit qu'elle était fatiguée. Elle chassa cette pensée. Car elle avait l'intuition naissante que ça ne faisait que commencer. Dentier en fer et pas d'ADN. Un demi-litre de sang disparu.

Un pied de chaise racla le sol.

Elle rassembla ses papiers, leva les yeux et suivit du regard Bjørn qui disparaissait par la porte. Elle s'attarda de nouveau sur ce curieux soulagement mêlé de mauvaise conscience et de mépris de soi qu'elle ressentait. Et elle se dit qu'elle se sentait… à côté de la plaque.

5

Soirée et nuit de jeudi

Mehmet Kalak observa les deux personnes en face de lui. La femme avait un beau visage, un regard intense, des vêtements de *hipster* serrés et un corps suffisamment bien fait pour qu'il ne paraisse pas improbable qu'elle ait dragué le séduisant jeune homme qui devait avoir une dizaine d'années de moins qu'elle. C'était exactement la clientèle qu'il souhaitait, son sourire avait donc été particulièrement large quand ils avaient franchi la porte du Jealousy Bar.

« Qu'en pensez-vous ? » La femme parlait le dialecte de Bergen. Il n'avait retenu que le nom de famille inscrit sur la carte qu'elle lui avait présentée. Bratt.

Mehmet baissa de nouveau les yeux pour regarder la photo qu'ils avaient posée sur le comptoir.

« Oui, dit-il.

— Oui ?

— Oui, elle était ici. Hier soir.

— Vous êtes sûr ?

— Elle était assise là où vous êtes maintenant.

— Ici ? Seule ? »

Mehmet vit que la femme essayait de masquer son exaltation. Pourquoi les gens faisaient-ils ça ? Qu'y avait-il donc de si dangereux à montrer ce qu'on ressentait ? Il n'aimait pas l'idée de dénoncer son seul client régulier, mais ils lui avaient montré leur insigne de la police.

« Elle était avec un type qui a l'habitude de venir ici. Que s'est-il passé ?

— Vous ne lisez pas les journaux ? demanda le collègue blond à la voix claire.

— Non, je préfère lire quelque chose avec de vraies infos », répondit Mehmet.

Bratt sourit.

« On l'a retrouvée tuée ce matin. Parlez-nous de cet homme. Que faisaient-ils ici ? »

Cette nouvelle fit à Mehmet l'effet d'une douche glacée. *Tuée ?* La femme qui s'était tenue juste en face de lui moins de vingt-quatre heures auparavant était maintenant un cadavre. Il reprit ses esprits. Et il eut honte de son second réflexe : se demander si la mention de son bar dans les journaux serait favorable ou défavorable à ses affaires. Elles ne pouvaient pas aller beaucoup plus mal.

« Rencontre Tinder. Il a l'habitude de les voir ici. Il se fait appeler Geir.

— *Se fait appeler ?*

— Je serais prêt à parier que ce n'est pas son nom.

— Il ne paie pas par carte ?

— Si. »

Elle désigna la caisse enregistreuse du menton.

« Vous croyez que vous pourriez retrouver son paiement d'hier ?

— Je crois que c'est possible, oui. » Mehmet eut un sourire amer.

« Ont-ils quitté les lieux ensemble ?

— Absolument pas.

— Ce qui signifie ?

— Que, comme d'habitude, Geir avait placé la barre trop haut. En réalité, elle l'avait largué avant même que j'aie eu le temps de les servir. À propos, vous voulez boire quelque…

— Non, merci, fit Bratt, nous sommes en service. Donc elle est repartie seule ?

— Oui.

— Et vous n'avez vu personne la suivre ? »

Mehmet secoua la tête, avança deux verres et prit la bouteille de jus de pommes. « C'est pour la maison, fraîchement pressé, local. Et puis la prochaine fois, je vous offrirai une bière. La première est gratuite, vous savez. Et ça vaut aussi pour vos collègues policiers que vous voudriez amener. La musique vous plaît ?

— Oui, répondit le policier blond. U2, c'est…

— Non, coupa Bratt. Avez-vous entendu la femme dire quelque chose qui selon vous pourrait présenter un intérêt pour nous ?

— Non. Enfin, maintenant que vous le dites, elle a bien parlé d'un type qui la suivait. » Mehmet leva les yeux du jus de pommes qu'il versait. « Le volume de la musique était bas et elle parlait fort.

— Je vois. Y avait-il d'autres gens dans le bar qui lui ont témoigné de l'intérêt ? »

Mehmet secoua la tête. « C'était une soirée calme.

— Comme ce soir, donc ? »

Mehmet haussa les épaules. « Les deux autres clients sont partis avant Geir.

— Alors ce n'est peut-être pas très dur de trouver leurs numéros de carte à eux aussi ?

— L'un d'eux a payé en liquide, je m'en souviens. L'autre n'a rien commandé.

— OK. Et vous-même, où étiez-vous entre vingt-deux heures et une heure du matin ?

— Moi ? J'étais ici. Ou chez moi.

— Quelqu'un qui puisse le confirmer ? Pour que ce soit réglé et qu'on n'en parle plus.

— Oui. Enfin non.

— Oui ou non ? »

Mehmet réfléchit. Impliquer un usurier qui avait eu des condamnations pénales pouvait apporter davantage de problèmes. Il n'aurait qu'à garder ce va-tout jusqu'à ce qu'il en ait éventuellement besoin.

« Non. Je vis seul.

— Merci. »

Bratt leva son verre et Mehmet crut d'abord que c'était pour trinquer, avant de comprendre qu'elle lui désignait la caisse enregistreuse. « Nous buvons des pommes locales pendant que vous cherchez, OK ? »

Truls avait éclusé ses bars et restaurants en deux temps trois mouvements. Il avait montré la photo aux barmans et aux serveurs et quitté les lieux dès qu'il obtenait la réponse qu'il attendait, « non » ou « je sais pas ». Quand on ne sait pas, on ne sait pas, et la journée avait été assez longue comme ça. Et puis il avait un dernier truc au programme.

Truls enfonça le point final sur son clavier et regarda son rapport court, mais, selon lui, concis. « Voir en pièce jointe la liste des bars et restaurants visités par le soussigné avec horaires. Aucun des employés n'a indiqué avoir aperçu Elise Hermansen le soir du meurtre. » Il appuya sur « envoyer » et se leva.

Un bourdonnement se fit entendre et Truls vit un voyant clignoter sur le téléphone fixe. Le numéro affiché était celui du standard. Ils prenaient les tuyaux mais ne faisaient suivre que ceux qui paraissaient à peu près pertinents. Merde, il n'avait pas le temps de tomber sur d'autres bavards maintenant. Il *pouvait* faire comme s'il ne l'avait pas vu. Mais d'un autre côté, si c'était un bon tuyau, il aurait peut-être encore plus à monnayer là où il avait prévu d'aller. Il décrocha.

« Berntsen.

— Enfin ! Personne ne répond, où sont-ils, tous ?

— Au bar.

— Vous n'avez pas un meurtre à…

— De quoi s'agit-il ?

— J'ai un homme qui dit avoir été avec Elise Hermansen hier soir.

— Passez-le-moi. »

Il y eut un déclic, puis Truls entendit un homme respirer si fort et vite que cela ne pouvait signifier qu'une chose : il avait peur.

« Brigadier Berntsen, Brigade criminelle. De quoi s'agit-il ?

— Je m'appelle Geir Sølle. J'ai vu la photo d'Elise Hermansen sur le site Internet de *VG*. Je vous appelle parce que j'ai eu un très bref rendez-vous galant avec une femme qui lui ressemblait. Et qui s'appelait Elise. »

Il fallut cinq minutes à Geir Sølle pour rendre compte de son rendez-vous au Jealousy Bar suivi directement de son retour chez lui, où il était arrivé avant minuit. Truls se souvenait vaguement que les pisseurs avaient vu Elise en vie après vingt-trois heures trente.

« Quelqu'un qui puisse confirmer l'heure à laquelle vous êtes rentré chez vous ?

— L'historique de mon PC. Et Kari.

— Kari ?

— Ma femme.

— Vous avez une famille ?
— Une femme et un chien. » Truls l'entendit déglutir bruyamment.
« Pourquoi n'avez-vous pas appelé plus tôt ?
— Je viens seulement de voir la photo. »
Truls nota en jurant intérieurement. Ce n'était pas le meurtrier, juste quelqu'un dont il allait falloir vérifier l'alibi, mais cela n'en signifiait pas moins qu'il devait écrire encore un rapport et que l'horloge aurait passé les vingt-deux heures quand il pourrait enfin partir.

Katrine descendit Markveien. Elle avait renvoyé Anders Wyller chez lui au terme de sa première journée de travail. Elle sourit en pensant qu'il allait sûrement s'en souvenir pour le restant de ses jours. Passage au bureau, puis directement sur la scène de crime, un vrai. Pas une sordide affaire de drogue que les gens avaient oubliée le lendemain, mais ce que Harry appelait un meurtre « ç'aurait-pu-être-moi ». Celui d'une personne dite ordinaire dans un environnement ordinaire ; c'étaient ceux-là qui faisaient salle comble aux conférences de presse et qui étaient à coup sûr en une des journaux. Le public éprouvait plus facilement de l'empathie quand il pouvait s'identifier. C'est pour cela qu'un attentat à Paris était plus couvert qu'un attentat à Beyrouth. Et qui disait presse disait pression. Ce qui expliquait pourquoi le directeur Bellman était si bien renseigné sur l'affaire. Il allait devoir répondre aux questions. Pas tout de suite, mais si le meurtre d'une jeune femme bien diplômée, qui apportait sa contribution à la société, n'était pas élucidé dans les jours à venir, il ne pourrait pas garder le silence.

Katrine en avait pour une demi-heure à regagner à pied son appartement de Frogner, mais ce n'était pas grave, elle avait besoin de s'aérer un peu l'esprit. Et le corps. Elle tira son téléphone de la poche de son blouson et ouvrit l'appli Tinder. Elle marchait avec un œil sur le trottoir et l'autre sur son téléphone tout en glissant son doigt vers la gauche et vers la droite.

Ils avaient donc deviné juste, Elise Hermansen rentrait d'une rencontre Tinder. L'homme que le barman avait décrit paraissait inoffensif, mais elle savait d'expérience que certains hommes étaient assez tordus pour s'imaginer que tirer un coup leur donnait droit à davantage. Sans doute une représentation archaïque de l'acte qui impliquait une soumission féminine dépassant le plan purement sexuel. Mais pour autant qu'elle sache, on trouvait en même nombre des femmes aux conceptions tout aussi archaïques qui jugeaient que les hommes avaient une obligation morale dès lors qu'ils pénétraient obligeamment leurs bas-ventres. Soit, grand bien leur fasse, elle venait d'avoir un *match*.

Je suis à dix minutes du Nox, Solli Plass, pianota-t-elle.

OK, j'y serai quand tu arriveras, reçut-elle en réponse d'Ulrich, qui, d'après sa photo et son texte de profil, était un homme simple.

Truls Berntsen resta à contempler Mona Daa se contempler elle-même.

Elle ne lui rappelait plus un pingouin. Ou alors un pingouin en train de se faire compresser par le milieu.

Truls avait senti une certaine réticence de la part de la femme en tenue de sport à l'accueil quand il l'avait priée de le laisser passer pour pouvoir jeter un œil sur les locaux. Peut-être parce qu'elle n'avait pas gobé qu'il envisageait de devenir membre, et que le club de gym Gain ne voulait pas de types comme lui dans sa clientèle. À moins que ce ne soit une longue vie passée à susciter de la réprobation – essentiellement pour de bonnes raisons, force lui était de le reconnaître – qui avait appris à Truls Berntsen à voir de la réticence sur la plupart des visages qu'il croisait. Quoi qu'il en soit, après avoir écumé les appareils censés raffermir ventres et fesses, la salle des trucs de Pilates, la salle de *spinning* et les salles d'aérobic avec des instructeurs à la ferveur hystérique (Truls sentait vaguement qu'on ne disait plus « aérobic »), il l'avait trouvée dans l'arène des mecs. La salle de muscu. Elle faisait des soulevés de terre. Ses jambes courtes écartées restaient celles d'un pingouin, mais la large ceinture qui comprimait sa taille et faisait déborder la chair par le haut et par le bas la faisait plutôt ressembler à un huit.

Elle émit un rugissement rauque presque effrayant au moment où elle redressait son dos et poussait sur ses jambes. Elle regardait fixement son propre visage écarlate dans le miroir. Les poids roulèrent bruyamment les uns vers les autres en quittant le sol. La barre ne se plia pas comme il avait pu le voir à la télévision, mais devant le regard sidéré des deux jeunes Pakis qui faisaient des *curls* afin d'avoir des biceps assez gonflés pour leurs pathétiques tatouages de gang, il comprit que c'était lourd. Putain, ce qu'il les détestait.

Mona Daa reposa la barre, puis rugit et la souleva encore. Au sol. En l'air. Quatre fois. Ensuite, elle resta debout à trembler. Elle souriait comme l'autre dingue de Lier quand elle avait joui. Si elle avait été un tout petit peu moins grosse et qu'elle avait habité un tout petit peu moins loin, ç'aurait peut-être pu donner quelque chose. Elle disait l'avoir plaqué parce qu'elle commençait à avoir des sentiments pour lui. Qu'une seule fois par semaine, ce n'était pas assez. Sur le moment, Truls avait été soulagé, mais, de temps à autre, il lui arrivait encore de penser à elle. Pas comme il pensait à Ulla, bien sûr, mais elle avait été marrante, vraiment.

Mona Daa l'aperçut dans le miroir. Elle retira ses écouteurs : « Berntsen ? Je croyais que vous aviez une salle de sport à l'hôtel de police.

— C'est le cas. »

Se rapprochant d'elle, il lança un regard « je-suis-flic-donc-dégagez » aux Pakis, mais ceux-ci ne semblèrent pas comprendre. Peut-être s'était-il trompé sur leur compte. Après tout, certains de ces jeunes étaient à l'école de police maintenant.

« Alors qu'est-ce qui vous amène ? »

Elle défit sa ceinture et Truls ne put s'empêcher de regarder si elle reprenait sa taille de pingouin normal.

« Je me disais que nous pourrions nous aider mutuellement.

— À quel sujet ? » Elle s'accroupit devant la barre pour dévisser les boulons sur l'extérieur des poids.

Il s'accroupit à côté d'elle, baissa la voix.

« Vous disiez que vous payez bien les tuyaux ?

— En effet, répondit-elle sans baisser la sienne. Qu'est-ce que vous avez ? »

Il toussota. « Ça coûte cinquante mille couronnes. »

Mona Daa éclata de rire. « Nous payons bien, Berntsen, mais pas si bien que ça. Le montant maximal, c'est dix mille, et il ne s'agit pas alors de simples amuse-gueules. »

Truls hocha lentement la tête en s'humectant les lèvres. « Ceci n'est pas un amuse-gueule.

— Que dites-vous ? »

Truls parla un peu plus fort. « Je disais : Ceci n'est pas un amuse-gueule.

— Qu'est-ce que c'est alors ?

— C'est une formule trois plats. »

« Impossible, cria Katrine par-dessus la cacophonie de voix en trempant les lèvres dans son White Russian. J'ai un copain et il est à la maison. Et toi, tu habites où ?

— Gyldenløves gate. Mais je n'ai rien à boire, c'est hyper bordélique et…

— Les draps sont propres ? »

Ulrich haussa les épaules.

« Tu changes les draps pendant que je prends une douche, dit-elle. J'arrive droit du boulot.

— Tu travailles dans qu…

— Disons que ce que tu as besoin de savoir, c'est que ce travail implique que je me lève tôt le matin, donc on… » Elle fit un signe de tête vers la sortie.

« Bien sûr, mais ce serait peut-être une bonne idée de finir nos verres d'abord ? »

Elle regarda son cocktail. La seule raison pour laquelle elle s'était mise à boire des White Russian, c'était que c'était la boisson de Jeff Bridges dans *The Big Lebowski*.

« Ça dépend, dit-elle.

— De quoi ?

— De l'effet que l'alcool exerce sur… toi. »

Ulrich rit. « Tu cherches à me mettre la pression, Katrine ? »

Elle frissonna au son de son propre nom dans la

bouche de cet étranger. « Est-ce que tu peux *avoir* la pression, Ul-rich ?

— Non, répondit-il en souriant de toutes ses dents. Mais tu sais combien ces cocktails ont coûté ? »

Elle sourit. Il n'était pas si mal, Ulrich. Assez mince. C'était la première chose, et presque la seule, qu'elle regardait dans le profil. Le poids. Et la taille. Elle calculait l'IMC aussi vite qu'un joueur de poker calcule la cote du pot. Vingt-six et demi, c'était tout juste dans la limite. Avant de rencontrer Bjørn, elle n'aurait jamais cru qu'elle accepterait qui que ce soit au-dessus de vingt-cinq.

« Il faut que j'aille aux toilettes, dit-elle. Voilà mon ticket de vestiaire, blouson en cuir noir, attends-moi à la sortie. »

Katrine se leva et traversa la salle en supposant, vu que c'était la première occasion qu'il avait de la voir de dos, qu'il examinait son cul. Et elle savait que le spectacle lui plaisait.

Tout au fond de la salle, il y avait plus de monde et elle dut fendre la foule, puisque « pardon ! » n'était pas ici le sésame qu'il était dans ce qu'elle considérait comme des contrées plus civilisées. Comme Bergen. Et elle devait être compressée entre les corps moites plus qu'elle n'en avait l'impression car soudain, elle suffoqua. Elle se libéra et la sensation de manque d'oxygène disparut au bout d'un ou deux pas.

Dans le couloir, il y avait comme d'habitude la queue devant les toilettes des femmes et personne devant celles des hommes. Elle consulta encore sa montre. Elle trouvait préférable que le directeur d'enquête soit le premier au travail. Enfin, la directrice. Et puis, merde à tous ces trucs-là. D'un geste résolu, elle ouvrit la porte des toilettes des hommes, entra, passa devant les pissotières sans se faire remarquer des deux hommes qui y étaient et s'enferma dans une cabine. Les quelques amies qu'elle avait eues disaient toujours que jamais de la vie elles n'auraient mis les pieds dans des chiottes de garçons, que c'était tellement plus sale que chez les filles. Ce n'était pas l'expérience de Katrine.

Elle avait baissé son pantalon et s'était assise sur la lunette quand elle entendit toquer doucement à la porte. Chose qui lui parut étrange, puisque l'on devait bien voir de l'extérieur que c'était occupé et si l'on croyait que c'était libre, pourquoi frapper ? Elle baissa les yeux. Dans le rai de lumière sous la porte, elle vit les bouts pointus de deux bottes en peau de serpent. Sa pensée suivante fut que ce devait être quelqu'un qui l'avait vue entrer dans les toilettes hommes et l'avait suivie dans l'espoir qu'elle soit du genre coquine.

« Allez v... », commença-t-elle, mais le reste des lettres disparut par manque d'air.

Allait-elle se trouver mal ? Une seule et unique journée à la tête de ce qu'elle savait déjà pouvoir devenir une grosse affaire de meurtre aurait déjà fait d'elle une épave au souffle court ? Seigneur...

Elle entendit la porte s'ouvrir et deux jeunes hommes bruyants entrèrent.

« C'est *trop fat* !

— Trop pas maigre ! »

Sous la porte, les pointes de bottes disparurent. Katrine tendit l'oreille, mais n'entendit aucun pas. Elle termina ce qu'elle était en train de faire, quitta la cabine, alla au lavabo. Les jeunes gus se turent quand elle ouvrit le robinet.

« Qu'est-ce que vous faites ici ? demanda l'un d'eux.

— Je pisse et je me lave les mains, répondit-elle. Notez bien dans quel ordre. »

Elle secoua ses mains et sortit.

Ulrich attendait à la porte. Debout avec son blouson, il lui rappelait un chien frétillant de la queue avec un bâton dans la gueule. Elle décida de se forcer à chasser cette image de son esprit.

Truls rentrait chez lui en voiture. Il monta le son de la radio quand il entendit passer la chanson de Motörhead qu'il avait crue s'intituler « Ace of Space » jusqu'au jour où Mikael avait crié à la cantonade à une soirée de lycée : « Beavis croit que Lemmy chante "ace of… *space*" ! » Il entendait encore les hurlements de rire qui avaient assourdi la musique, il voyait encore la lumière qui scintillait dans les beaux yeux humides de rire d'Ulla.

Soit. Truls continuait de trouver que « Ace of Space » était un meilleur titre que « Ace of Spades ». Un jour qu'il avait pris le risque de s'asseoir à une table de cantine où se trouvaient d'autres gens, Bjørn Holm était en train de pérorer, dans son dialecte de Toten ridicule, sur le fait qu'il aurait été plus poétique de la part de Lemmy de vivre jusqu'à soixante-douze ans. Quand Truls lui avait demandé pourquoi, Bjørn s'était contenté de répondre : « 7 et 2, 2 et 7, tu vois ? Morrison, Hendrix, Joplin, Cobain, Winehouse, toute la troupe. »

Quand il s'était rendu compte que tout le monde opinait, Truls s'était contenté d'opiner lui aussi. Il ne comprenait toujours pas ce que ça voulait dire. À part qu'il était et demeurait hors du coup.

Mais hors du coup ou pas, ce soir, Truls avait gagné

trente mille couronnes de plus que Bjørn *fucking* Holm et tous ses béni-oui-oui de copains de cantine.

Mona ne s'était pas franchement enflammée quand il lui avait exposé l'histoire de ces gouttières dentaires, ou de ce dentier en fer, comme Holm l'avait nommé. Elle avait appelé son chef de rubrique et l'avait convaincu qu'ils étaient en présence d'exactement ce que Truls avait décrit : un repas complet. La mise en bouche, c'était qu'Elise Hermansen avait eu un rendez-vous Tinder. Le plat de résistance, que l'assassin était probablement dans l'appartement quand elle était rentrée. Et la cerise sur le gâteau, qu'il l'avait tuée en lui mordant la carotide avec des dents en fer. Dix mille couronnes le plat. Trente. 3 et 0, 0 et 3, tu vois?

«*Ace of space, ace of space!*» hurlèrent Truls et Lemmy.

«Hors de question, dit Katrine en remettant son pantalon. Si tu n'as pas de capotes, laisse tomber.

— Mais je me suis testé il y a quinze jours, protesta Ulrich en se redressant sur le lit. Croix de bois croix de fer, si je mens, je vais en enfer.

— Ta croix, tu peux te la mettre…» Katrine dut retenir son souffle pour boutonner son pantalon. «Et puis ça ne m'empêcherait pas de tomber enceinte.

— Tu ne prends pas la pilule, ma fille?»

Ma fille? Elle l'aimait bien, Ulrich. Ce n'était pas ça le problème. C'était… Allez savoir ce que c'était, bordel. Elle regagna l'entrée, mit ses chaussures. Elle avait mémorisé où il suspendait son blouson en cuir et noté que la porte était fermée par un verrou classique sur l'intérieur. Ouaip, elle savait prévoir une solution de repli. Promptement sur le palier, escalier dévalé. Katrine sortit sur Gyldenløves gate, où la fraîcheur de l'air d'automne avait un goût de liberté et de sentiment de l'avoir échappé belle. Elle rit. Elle marchait sur la petite allée entre les arbres au milieu de la large rue déserte. Putain, elle tournait franchement pas rond. Mais si elle savait si bien battre en retraite, si elle avait déjà eu une voie de sortie prête quand elle s'était installée avec Bjørn, pourquoi alors ne s'était-elle pas fait poser un stérilet, pourquoi n'avait-elle pas au moins pris la pilule ? Elle se souvenait bien au contraire d'une conversation avec Bjørn au cours de laquelle elle lui avait expliqué que sa psyché déjà fragile n'avait pas besoin des sautes d'humeur dont cette manipulation hormonale était évidemment responsable. Sa réflexion fut interrompue par la sonnerie de son téléphone, le riff d'ouverture de « O My Soul » de Big Star, installé – bien sûr – par Bjørn, qui avec beaucoup de conviction lui avait raconté la grandeur de ce groupe des années 1970 du sud des États-Unis, se plaignant que le documentaire de Netflix l'ait empêché de poursuivre sa mission de prosélytisme. « Putain de R.E.M., ce qui fait la moitié du plaisir avec les groupes secrets, c'est qu'ils sont SECRETS ! » Ce n'était pas demain la veille que cet homme allait devenir adulte.

Elle répondit. « Gunnar ?

— *Tuée avec des dents en fer ?* »

Le chef de brigade, habituellement placide, semblait énervé.

« Pardon ?

— C'est le premier titre de l'édition en ligne de *VG* en ce moment même. Il est écrit que le tueur était déjà dans l'appartement d'Elise Hermansen et qu'il lui a mordu la carotide. Ils le tiennent d'une source sûre dans la police, est-il écrit.

— Quoi ?

— Bellman m'a déjà téléphoné. Il est… quel est le mot ? Fou de rage. »

Katrine s'arrêta. Elle essaya de réfléchir. « Premièrement, nous ne *savons* pas s'il l'attendait dans l'appartement, et nous ne *savons* pas s'il l'a mordue ni même d'ailleurs si c'était un homme.

— Des sources peu fiables de la police alors, je m'en fous ! Il faut que nous ayons le fin mot de cette histoire. Qui est l'informateur ?

— Je ne sais pas, mais je sais que, par principe, *VG* protégera sa source.

— Principe par-ci, principe par-là, ils veulent garder leur source secrète, oui, parce qu'ils savent qu'ils vont en tirer davantage. Il faut que nous arrêtions cette fuite, Bratt. »

Katrine avait repris ses esprits à présent. « Donc Bellman était inquiet à l'idée que la fuite puisse nuire à l'enquête ?

— Il était inquiet à l'idée que cela rejaillisse négativement sur tout le service de police.

— C'est ce que je pensais.

— Qu'est-ce que tu pensais ?

— Tu le sais et tu es d'accord avec moi.

— On s'occupera de ça demain matin », conclut Hagen.

Katrine Bratt rangea le téléphone dans la poche de son blouson et leva les yeux sur l'allée. Une ombre avait bougé. Sans doute un souffle de vent dans les arbres.

Elle envisagea une seconde de traverser la rue pour aller sur le trottoir éclairé, mais finalement pressa le pas et continua tout droit.

Mikael Bellman se tenait à la fenêtre du salon. Depuis leur villa de Høyenhall, il voyait tout le centre d'Oslo s'étirer à l'ouest vers les collines basses au-dessous de Holmenkollen. Et ce soir, la ville scintillait comme un diamant à la lueur de la lune. Son diamant.

Ses enfants dormaient en sécurité. Sa ville dormait en relative sécurité.

« Qu'est-ce qui se passe ? demanda Ulla en levant les yeux de son livre.

— Cette affaire de meurtre, il faut l'élucider.

— Comme toutes les affaires de meurtre, non ?

— Oui, mais celle-ci a pris de l'ampleur, maintenant.

— Il n'y a qu'une seule femme.

— Ce n'est pas ça.

— C'est parce que *VG* y accorde de l'importance ? »

Il avait entendu la nuance de mépris dans sa voix, mais ça ne l'inquiétait pas. Elle s'était apaisée, elle était de nouveau là. Parce que, en son for intérieur, Ulla connaissait sa place. Et ce n'était pas quelqu'un qui recherchait le conflit ; ce que sa femme aimait par-dessus tout, c'était prendre soin de sa famille, babiller avec les enfants et lire ses bouquins. La critique sous-jacente dans son ton ne requérait en fait pas de réponse. Et de toute façon, elle n'aurait pas compris ce qui était en jeu. Que pour rester dans les mémoires comme un bon roi, deux possibilités s'offraient à vous. Vous pouviez avoir la chance d'être sur le trône pendant des années de bonnes récoltes et devenir un roi des années fastes. Ou alors vous pouviez être le roi qui sortait le pays des temps de troubles. Et si l'époque n'était pas à la crise, vous pouviez faire semblant, en noircissant le tableau, déclencher les hostilités et montrer dans quel marasme le pays plongerait s'il n'entrait *pas* en guerre. Peu importait la taille de cette guerre, l'essentiel était qu'elle soit gagnée. Mikael Bellman avait opté pour la seconde solution en gonflant, auprès des médias et du conseil de la ville, les chiffres des vols perpétrés par des gens originaires des pays Baltes et de Roumanie, et en faisant de sombres pronostics sur l'avenir. Il avait obtenu des moyens supplémentaires pour remporter cette guerre petite en réalité, mais grande dans les médias. Avec les derniers chiffres qu'il avait présentés douze mois plus tard, il s'était indirectement autoproclamé vainqueur de la guerre.

Mais cette nouvelle affaire de meurtre était une guerre dont il n'avait pas les règles, et après le titre de ce soir dans *VG*, il n'était plus sûr qu'il s'agisse d'une petite guerre. Car ils étaient tous à la botte des médias. Il se souvenait du glissement de terrain qu'il y avait eu au Svalbard. Deux morts et plusieurs personnes sans maison. Quelques mois auparavant, trois personnes étaient décédées et plusieurs avaient perdu leur maison dans l'incendie d'un lotissement de Nedre Eiker. Cette dernière affaire avait eu droit aux entrefilets modestes dont font souvent l'objet les incendies de maisons et les accidents de voiture. Mais l'éboulement sur une île lointaine était une affaire nettement plus médiatique, exactement comme ce dentier en fer ; les médias s'étaient déchaînés comme s'il s'agissait d'une catastrophe nationale. La Première ministre – qui sautait quand les médias disaient de sauter – s'était adressée à la nation lors d'un direct télévisé. Quant aux téléspectateurs et habitants du lotissement de Nedre Eiker, ils pouvaient toujours se demander où elle était quand le feu avait sévi chez eux. Mikael Bellman le savait. Elle était couchée au sol, avec ses conseillers, à l'affût, comme toujours, de vibrations médiatiques. Et il n'y en avait pas eu.

Mais Mikael sentait que là le sol tremblait.

Et que cette fois – alors que se présentait à ce directeur de la police à succès l'occasion de pénétrer dans les couloirs du pouvoir – l'affaire était en passe de devenir une guerre qu'il ne pouvait pas se permettre de perdre. Il fallait donner à ce seul meurtre la même priorité qu'à une vague de criminalité, tout simplement parce qu'Elise Hermansen était une trentenaire d'ethnicité norvégienne, diplômée, qui avait réussi, et parce que l'arme du crime n'était pas une barre en métal, un couteau ou un pistolet, mais des dents en fer.

C'est pourquoi il avait pris une décision qui lui déplaisait fortement. À plus d'un égard. Mais il n'avait pas le choix.

Il devait faire appel à lui.

6

Vendredi matin

Harry se réveilla. L'écho d'un rêve, d'un cri s'évanouit. Il alluma une cigarette et réfléchit. Quel genre de réveil était-ce ? Il en connaissait grosso modo cinq types. Le premier était un réveil de boulot. Longtemps, ç'avait été le meilleur. Il glissait directement dans l'affaire sur laquelle il enquêtait. Parfois le sommeil, les rêves avaient agi sur sa façon d'appréhender l'enquête et il restait couché à passer en revue les éléments dont ils disposaient, fragment par fragment, en les regardant depuis ce nouvel angle. Avec un peu de chance, il pouvait voir quelque chose de nouveau, un bout de l'autre face de la Lune. Non pas parce que la Lune s'était déplacée, mais parce que lui l'avait fait.

Le deuxième, c'était le réveil solitaire. Marqué de la certitude qu'il était seul dans le lit, seul dans la vie, seul au monde, un réveil qui l'emplissait tantôt d'un doux sentiment de liberté, tantôt d'une mélancolie qu'on aurait peut-être pu qualifier de sentiment de solitude, mais qui n'était sans doute qu'un aperçu de ce qu'est *réellement* la vie humaine, à savoir un voyage de la connexion du cordon ombilical qui nous relie jusqu'à la mort, où nous sommes définitivement séparés de tout et de tous. Un aperçu, dans la seconde du réveil, avant que tous nos mécanismes de défense et toutes nos illusions consolatrices se remettent en place et que nous puissions faire face à la vie dans sa lumière mensongère.

Ensuite il y avait le réveil angoissé. Qui intervenait en règle générale après plus de trois jours de beuverie continue. L'angoisse pouvait monter progressivement, mais elle était présente immédiatement. Il lui était difficile de désigner un risque ou une menace extérieurs, il s'agissait plutôt de panique d'être réveillé, d'être en vie, d'être *ici*. Mais il sentait parfois une menace intérieure. La crainte de ne plus jamais avoir peur. D'être devenu irrévocablement fou.

Le quatrième réveil n'était pas sans ressembler au réveil angoissé. C'était le réveil il-y-a-quelqu'un-d'autre-ici. Qui lançait le cerveau dans deux directions. L'arrière : Putain, comment est-ce que c'est arrivé ? L'avant : Comment je me tire d'ici ? Parfois cette réaction de combat-fuite se tassait, mais c'était alors plus tard, quand on était sorti de la catégorie « réveil ».

Et puis il y avait le cinquième réveil. Qui était nouveau pour Harry Hole. Le réveil satisfait. Au début, sidéré qu'il soit possible d'ouvrir les yeux heureux, Harry passait automatiquement en revue tous les paramètres, les constituants de ce stupide « bonheur », en se demandant s'ils n'étaient pas simplement l'écho d'un rêve idiot et délicieux. Mais cette nuit, il n'avait pas fait de rêve délicieux et l'écho du cri était venu du démon, le visage sur sa rétine était celui du meurtrier qui lui avait échappé. Et pourtant, il s'était réveillé heureux, non ? Si. Comme cela se répétait matin après matin, il avait commencé à se faire à l'idée qu'il était effectivement un homme plutôt comblé, qui avait trouvé le bonheur à la fin de la quarantaine et semblait pour l'instant réussir à s'accrocher à cette terre récemment conquise.

La raison principale de ce bonheur reposait à moins d'un bras de distance et avait une respiration tranquille et régulière. Ses cheveux se répandaient sur l'oreiller comme les rayons d'un soleil de jais.

Qu'est-ce que le bonheur ? Harry avait lu dans un article scientifique que si l'on prenait comme point de départ le bonheur sanguin, le taux de sérotonine, on ne pouvait pas faire grand-chose pour l'accroître ou le diminuer sur la durée. Perdre un pied, apprendre qu'on était stérile, voir sa maison brûler provoquaient une baisse immédiate du taux de sérotonine, mais six mois plus tard, on était plus ou moins aussi heureux ou malheureux qu'au départ. De même si l'on s'achetait une maison encore plus grande ou une voiture encore plus chère.

Les chercheurs étaient néanmoins arrivés à la conclusion que certains facteurs jouaient dans le sentiment de bonheur. L'un des principaux étant un bon mariage.

Et c'était précisément ce qu'il avait. Cela paraissait si banal qu'il ne pouvait s'empêcher de rire quand il le formulait pour lui-même ou, exceptionnellement, pour les extrêmement rares personnes qu'il appelait ses amis et ne fréquentait pourtant qu'à peine : « Avec ma femme, on est bien. »

Oui, il tenait le bonheur au creux de la main. S'il avait pu, il aurait plus que volontiers fait un copier-coller des trois années écoulées depuis leur mariage et revécu ces journées encore et encore. Mais ce n'était pas possible, et peut-être était-ce l'origine de la pointe d'inquiétude qu'il ressentait malgré tout.

Qu'on ne puisse pas arrêter le temps, que des choses se produisent, que la vie soit comme la fumée de sa cigarette, qui même dans la pièce la plus étanche évoluerait, et de la façon la plus imprévisible qui soit. Et comme tout était parfait maintenant, aucun changement ne pourrait être positif. Oui, ainsi allait la vie. Le bonheur, c'était comme d'avancer sur une fine couche de glace : mieux valait nager dans l'eau froide, être gelé et s'évertuer à ressortir qu'attendre que la glace s'effondre sous nos pieds. C'est pourquoi il avait commencé à se programmer pour se réveiller plus tôt que nécessaire. Comme aujourd'hui, alors que son cours d'enquête criminelle ne débutait pas avant onze heures. Se réveiller uniquement pour passer plus de temps à jouir de tout ce bonheur inhabituel, tant que ça durait. Harry chassa l'image de celui qui lui avait échappé. Ce n'était pas de son ressort. Pas son territoire de chasse. Et l'homme au visage de démon faisait de moins en moins souvent irruption dans ses rêves.

Harry se coula hors du lit aussi silencieusement que possible, même si sa respiration était moins régulière et qu'il la soupçonnait de faire semblant d'être toujours endormie pour ne pas gâcher la scène. Il enfila son pantalon, descendit au rez-de-chaussée, lui mit sa capsule de café de prédilection dans la machine à expresso, remplit la bouilloire électrique et ouvrit le petit bocal de café instantané pour lui-même. Il achetait de petits bocaux, parce que le café instantané frais qu'on venait d'ouvrir était tellement meilleur. Il alluma la bouilloire, glissa ses pieds nus dans une paire de chaussures et sortit sur le perron.

Il respira l'air vif d'automne. Ici, sur les hauteurs de Besserud, les nuits avaient déjà commencé à fraîchir. Il baissa les yeux sur la ville et le fjord, où un ou deux voiliers se dessinaient encore comme de tout petits triangles blancs sur l'eau bleue. Dans deux mois, ou peut-être seulement quelques semaines, tomberaient les premières neiges. Mais ce n'était pas un problème, la grande maison en rondins marron de Holmenkollveien était bâtie pour l'hiver, pas pour l'été. Il alluma sa deuxième cigarette de la journée et descendit la pente de gravier. Il levait bien les pieds sur l'allée pour éviter de marcher sur ses lacets défaits. Il aurait pu mettre une veste, ou au moins un tee-shirt, mais l'un des plaisirs d'avoir une maison chaude dans laquelle rentrer était justement d'avoir un peu froid dehors. Il s'arrêta à la boîte aux lettres pour prendre *Aftenposten*.

« Bonjour, voisin. »

Harry n'avait pas entendu la Tesla quitter l'allée goudronnée des voisins. La vitre du côté conducteur était baissée et il vit la toujours aussi blonde Mme Syvertsen. Elle incarnait ce que Harry – qui était des quartiers est d'Oslo et avait une expérience relativement courte de l'ouest – supposait être la femme classique de Holmenkollen. Au foyer avec deux enfants et deux aides de maison, et – malgré les cinq années de formation universitaire que lui avait offertes l'État norvégien – sans aucune intention de travailler. Enfin, ce que les autres appelaient temps libre, elle l'appelait travail : se maintenir en forme (Harry ne voyait que sa veste, mais il savait qu'elle portait dessous une tenue de sport collante et que, oui, elle était sacrément bien conservée pour quelqu'un qui avait largement passé les quarante ans), assurer la logistique (quelle bonne devait s'occuper des enfants, quand et où la famille devait partir en vacances : maison près de Nice, chalet d'hiver à Hemsedal, chalet d'été dans le Sørlandet) et faire du réseautage (déjeuners avec les copines, dîners avec la famille et des relations potentiellement intéressantes). Son mandat le plus important était déjà accompli : se procurer un mari avec suffisamment d'argent pour financer son prétendu travail.

C'est là que Rakel avait si lamentablement échoué. Bien qu'ayant grandi dans la grande maison en rondins de Besserud, où l'on apprenait tôt comment manœuvrer, et bien qu'étant assez intelligente et séduisante pour obtenir qui elle voulait, elle avait fini avec un enquêteur criminel anciennement alcoolisé et mal payé, actuellement prof dessoûlé à l'École de police encore plus mal payé.

« Vous devriez arrêter de fumer, fit observer Mme Syvertsen en le scrutant. Pour le reste, je n'ai pas grand-chose à critiquer. Où faites-vous du sport ?

— Dans ma cave, répondit Harry.

— Vous avez aménagé une salle de sport ? Qui est votre coach ?

— Moi. »

Harry tira une grosse bouffée de sa cigarette en contemplant son reflet dans la vitre arrière. Mince, mais pas aussi maigre que quelques années auparavant. Trois kilos supplémentaires de muscles. Deux kilos gagnés grâce aux jours tranquilles. Et à sa vie plus saine. Mais le visage qui lui rendait son regard témoignait qu'il n'en avait pas toujours été ainsi. Les deltas de petits vaisseaux rouges dans le blanc de ses yeux et, juste au-dessous, la peau de son visage racontaient un passé marqué par l'alcool, le chaos, l'insomnie et les mauvaises habitudes. La cicatrice qui courait de son oreille à la commissure de ses lèvres évoquait des situations désespérées et un manque de self-control. Et cette cigarette tenue entre l'index et l'annulaire, faute de majeur, était encore une histoire de meurtre et de saloperies écrite en chair et en sang.

Il regarda *Aftenposten*, vit le mot « meurtre » juste au-dessus de la pliure. Et l'espace d'un instant, l'écho du cri revint.

« J'ai moi-même l'intention de me faire construire une salle de musculation, expliqua Mme Syvertsen. Ne pourriez-vous pas passer un matin de la semaine prochaine pour me donner quelques conseils ?

— Tapis de sol, haltères et une barre à laquelle se suspendre. Voilà mes conseils. »

Mme Syvertsen afficha un grand sourire. Elle fit un signe de tête entendu. « Bonne journée, Harry. »

La Tesla s'éloigna dans un bruissement et il se dirigea vers la maison.

Une fois arrivé à l'ombre du grand sapin, il s'arrêta pour observer la demeure. C'était du solide. Pas inexpugnable, rien ne l'était, mais cela demanderait des efforts. L'épaisse porte en chêne était fermée par trois verrous et il y avait des barreaux en fonte devant les fenêtres. M. Syvertsen s'était plaint de ce que cette maison aux allures de forteresse rappelait Johannesburg, de ce qu'elle donnait à leur quartier sûr l'air d'être dangereux, de ce que ces choses-là faisaient baisser les prix. C'était le père de Rakel qui avait fait mettre les barreaux après la guerre. Le travail d'enquêteur criminel de Harry les avait mis en danger, elle et Oleg, son fils. Depuis, Oleg avait grandi. Il avait quitté la maison pour s'installer avec son amie, il était entré à l'École de police. C'était à Rakel de décider quand on pourrait enlever les barreaux. Car ils n'étaient plus nécessaires. Harry n'était désormais qu'un prof sous-payé.

« Ah, petit déj joli », murmura Rakel en souriant, puis elle affecta un bâillement bruyant et se redressa dans le lit.

Harry posa le plateau sur la couette devant elle.

« Petit déj joli » était l'expression par laquelle ils désignaient cette heure passée au lit tous les vendredis matin, quand lui commençait tard et qu'elle avait fini sa semaine de juriste au ministère des Affaires étrangères.

Il se glissa sous la couette et lui tendit comme toujours la section d'*Aftenposten* contenant les actualités nationales et le sport, tandis que lui prenait les affaires étrangères et la culture. Il chaussa les lunettes de lecture dont il avait fini par accepter la nécessité et se jeta sur une critique du dernier album de Sufjan Stevens tout en songeant qu'Oleg l'avait invité au concert de Sleater-Kinney la semaine suivante. Du rock qui tapait sur les nerfs, légèrement névrosé, comme Harry l'aimait. Oleg préférait en fait des trucs plus hard et Harry appréciait d'autant plus son attention.

« Du nouveau ? » demanda Harry en tournant les pages.

Il savait qu'elle lisait l'article sur le meurtre en une, mais il savait aussi qu'elle ne lui en parlerait pas. L'un de leurs accords tacites.

« Plus de trente pour cent des utilisateurs américains de Tinder sont mariés, déclara-t-elle. Mais Tinder le réfute. Et chez toi ?

— Il semblerait que le disque de Father John Misty ne soit pas à la hauteur. Soit ça ou alors le critique est devenu vieux et grincheux. Je parie que c'est la seconde option. L'album était encensé et dans *Mojo* et dans *Uncut*.

— Harry ?

— Je préfère jeune et grincheux. Et qui avec l'âge, lentement mais sûrement, devient plus enjoué. Comme moi. Tu n'es pas d'accord?

— Tu aurais été jaloux si j'étais sur Tinder?

— Non.

— Non?» Il sentit qu'elle s'asseyait dans le lit. «Pourquoi?

— Sans doute parce que je manque d'imagination. Je suis bête et je me figure que je te suffis amplement. Ce n'est pas si bête d'être bête, tu comprends?»

Elle soupira. «Tu n'es jamais jaloux, toi?»

Harry tourna la page. «Si, mais Ståle Aune vient de me donner un certain nombre de raisons d'essayer de refréner ma jalousie, ma chérie. Je l'ai invité à venir faire cours à mes élèves sur la jalousie morbide, aujourd'hui.

— Harry?» Il entendit à son ton taquin qu'elle n'entendait pas s'en tenir là.

«Ne m'appelle pas par mon prénom, s'il te plaît, tu sais que ça me rend nerveux.

— Et tu as toute raison de l'être, parce que j'ai l'intention de te demander si tu as parfois envie d'autres femmes que moi.

— Tu as l'intention de me demander? Ou tu me demandes maintenant?

— Je te demande maintenant.

— OK.»

Le regard de Harry captura une photo du directeur de la police Mikael Bellman avec sa femme à l'avant-première d'un film. Le cache-œil que Bellman s'était mis à porter lui seyait, et Harry savait que Bellman en était conscient. Le jeune directeur de la police s'exprimait dans les médias, disant que les polars comme celui-ci donnaient une image faussée d'Oslo, que, pendant son mandat de directeur de la police, la ville était devenue plus paisible que jamais. Que le risque statistique de se tuer soi-même était largement supérieur à celui d'être tué.

« Alors, fit Rakel en se frottant à lui. Tu as envie d'autres femmes ?

— Oui, répondit Harry en réprimant un bâillement.

— Tout le temps ? »

Il leva les yeux du journal, regarda droit devant lui, le front plissé, goûta la question. « Non, pas tout le temps. » Il reprit sa lecture. Le nouveau musée Munch et la bibliothèque Deichman commençaient à prendre forme à côté de l'Opéra. Dans un pays de pêcheurs et de paysans qui pendant deux cents ans avaient envoyé à Copenhague et en Europe tous ses inquiétants déviants à ambitions artistiques, la capitale allait bientôt apparaître comme une ville de culture. Qui l'eût cru ? Ou plus exactement : qui y croyait ?

« Si tu avais le choix, roucoula Rakel d'un ton taquin. Si ça n'avait pas de conséquences, tu passerais la nuit avec moi ou avec la femme de tes rêves ?

— Tu n'avais pas un rendez-vous chez le médecin ?

— Une seule nuit. Sans conséquences.

— C'est ici que je dois dire que la femme de mes rêves, c'est toi ?

— Allez.

— Dans ce cas, il faut que tu m'aides en me faisant des suggestions.

— Audrey Hepburn.

— Nécrophilie ?

— Ne noie pas le poisson, Harry.

— Eh bien. Je te soupçonne d'avoir proposé une femme morte parce que tu supposes que je vais penser que c'est moins menaçant si c'est une femme avec laquelle, en l'occurrence, je ne peux pas passer la nuit. Mais soit, avec ton aide manipulatrice et *Breakfast at Tiffany's*, je réponds un oui retentissant. »

Rakel émit une exclamation à demi étouffée. « Dans ce cas, pourquoi ne t'es-tu pas contenté de le faire ? Pourquoi n'as-tu pas fait d'incartade ?

— D'abord parce que je ne sais pas si la femme de mes rêves aurait dit oui et que je supporte très mal le rejet. Ensuite parce que la condition d'absence de conséquences n'est pas présente.

— Ah ? »

Harry se concentra de nouveau sur son journal.

« Tu m'aurais peut-être quitté. En tout cas, ton rapport à moi se serait dégradé.

— Tu aurais pu garder le secret.

— Je n'en aurais pas eu le courage. »

Isabelle Skøyen, l'ancienne adjointe à la mairie d'Oslo chargée des affaires sociales, critiquait l'actuel conseil de la ville de n'avoir aucun plan d'urgence pour la tempête dite tropicale qui, d'après les prévisions, allait atteindre la côte ouest en début de semaine suivante avec une puissance sans précédent en Norvège. Chose plus inhabituelle encore, la tempête allait s'abattre sur Oslo, avec une force à peine réduite, quelques heures plus tard. Skøyen laissait entendre que la réponse du président du conseil de la ville (« N'étant pas sous les tropiques, nous n'avons pas prévu d'argent pour les tempêtes tropicales, dites donc. ») témoignait d'une arrogance et d'une irresponsabilité frisant l'inconscience. « Il pense manifestement que les changements climatiques sont des opérations auxquelles on se livre à l'étranger », commentait Skøyen, qui était photographiée dans le style poseur qu'on lui connaissait, ce qui, pour Harry, était un signe de retour en politique.

« Quand tu dis que tu n'aurais pas eu le courage de garder le secret sur une incartade, tu veux dire "pas supporté"? demanda Rakel.

— Je veux dire "pas voulu me donner la peine de". C'est fatigant, les secrets. Et puis j'aurais sans doute eu mauvaise conscience. » Il tourna la page. Plus de pages à tourner. « C'est fatigant, la mauvaise conscience.

— Fatigant pour *toi*, oui. Et moi, alors, tu n'aurais pas songé à la douleur que j'aurais éprouvée ? »

Harry jeta un petit coup d'œil sur les mots croisés avant de reposer le journal sur la couette et de se tourner vers elle. « Ma chérie, si la liaison avait été secrète, tu n'aurais rien éprouvé du tout. » Rakel le saisit par le menton et le tint pendant que son autre main explorait son sourcil. « Mais *si* je l'avais appris ? Ou que tu avais appris que j'avais été avec un autre homme. Ça ne t'aurait pas fait mal ? »

Il ressentit une vive douleur quand elle lui arracha un poil, sans aucun doute gris et hors d'atteinte pour lui.

« À coup sûr, répondit-il. D'où ma mauvaise conscience si ç'avait été en sens inverse. »

Elle relâcha son menton. « Mais sacrebleu, Harry, tu parles comme si tu faisais des déductions dans une affaire criminelle. Tu ne *ressens* donc rien ?

— *Sacrebleu* ? » Harry eut un sourire en coin et la regarda par-dessus la monture de ses lunettes. « Ça se dit encore, "sacrebleu"?

— Réponds, bon s… chez… les Grecs. »

Harry rit. « J'ai le *sentiment* d'essayer de répondre aussi franchement que possible à la question que tu me poses. Mais pour ce faire, je dois réfléchir et être réaliste. Si j'avais suivi mon instinct, j'aurais répondu ce que je pensais que tu voulais entendre. Mais laisse-moi te mettre en garde. Je ne suis pas franc, je suis roué. Ma franchise actuelle n'est qu'un investissement à long terme dans ma crédibilité. Il pourrait en effet venir un jour où j'aurais *vraiment* besoin de mentir, et ce serait bien que tu croies que je dis la vérité.

— Chasse donc ce rictus de ton visage, Harry. Ce que tu es en train de dire, finalement, c'est que, en étant réaliste, tu aurais été un porc infidèle si l'infidélité n'avait pas requis tant d'efforts?

— Apparemment. »

Rakel lui donna un coup de coude, sortit du lit et traîna des pieds vers la porte en soufflant dédaigneusement par le nez. Harry l'entendit souffler encore dans l'escalier.

« Tu me remets de l'eau à bouillir pour un café? lança-t-il.

— Cary Grant, cria-t-elle. Et Kurt Cobain. En même temps. »

Elle s'affairait en bas. Le gargouillement de la bouilloire. Harry mit le journal sur la table de chevet et ses mains derrière sa tête. Il sourit. Heureux. Alors qu'il se levait, son regard glissa sur la partie du journal qui était restée sur l'oreiller de Rakel. Il vit une photo, des lieux du crime barrés de rubalises de la police. Il ferma les yeux et alla à la fenêtre, les rouvrit, regarda les sapins. Il sentait qu'il pouvait y arriver. Qu'il pouvait arriver à oublier le nom de celui qui lui avait échappé.

Il se réveilla. Il avait encore rêvé de sa mère. Et d'un homme qui prétendait être son père. Il chercha à identifier quel genre de réveil c'était. Il était reposé. Il était calme. Il était satisfait. La raison principale se trouvait à moins d'un bras de distance. Il se tourna vers elle. La veille, il était entré en mode chasse. Il n'en avait pas eu l'intention, mais quand il l'avait vue – la policière – dans le bar, le destin avait semblé reprendre un instant les rênes. Oslo était une petite ville, on se croisait sans cesse, mais quand même. Il n'avait pas déraillé, il avait appris l'art de la maîtrise de soi. Il examina les lignes du visage, les cheveux, le bras placé dans un angle pas très naturel. Elle était froide et ne respirait pas, l'odeur de lavande avait presque disparu, mais ce n'était pas grave, elle avait fait son boulot.

Il rejeta la couette et alla à la penderie, sortit l'uniforme. Il le brossa. Il sentait déjà le sang circuler plus vite dans son corps. Encore une belle journée qui s'annonçait.

7

Vendredi matin

Harry Hole marchait dans le couloir de l'École supérieure de police avec Ståle Aune. Du haut de son mètre quatre-vingt-treize, Harry mesurait tout juste vingt centimètres de plus que son ami, qui était de cinq ans son aîné et nettement plus rond.

« Je suis surpris que toi, tu ne puisses pas résoudre un cas aussi évident, remarqua Aune en vérifiant que son nœud papillon à pois était bien mis. Ce n'est pas un mystère, tu es devenu prof parce que tes parents l'étaient. Ou plus exactement, parce que ton père l'était. Même de manière posthume, tu recherches son approbation, celle que tu n'as jamais eue comme policier, celle dont tu *n'as pas voulu* en tant que policier, parce que ton règlement de comptes avec ton père, c'était de ne pas devenir comme lui, que tu voyais comme une figure pathétique parce qu'il n'avait pas réussi à sauver ta mère. Tu as transféré ta propre insuffisance sur lui. Et tu es devenu policier pour réparer le fait que toi non plus, tu n'as pas pu sauver ta mère, tu voulais nous sauver tous de la mort, ou plus précisément des meurtriers.

— Hm. Combien les gens te paient-ils par rendez-vous pour ces trucs-là ? »

Aune rit. « À propos de rendez-vous, qu'est-ce que ç'a donné, Rakel et son mal de tête ?

— C'est aujourd'hui, dit Harry. Son père souffrait de migraines, qui sont apparues sur le tard.

— L'hérédité. C'est comme une consultation de voyante que tu regrettes d'avoir demandée. Nous autres, les humains, nous n'avons jamais aimé l'inéluctable. Comme la mort.

— L'hérédité, ce n'est pas inéluctable. Mon grand-père disait que, comme son père, il était devenu alcoolique la première fois qu'il avait bu un verre. Mais mon père, lui, a été amateur d'alcools – *amateur* – pendant toute sa vie sans jamais devenir alcoolique.

— L'alcoolisme aura sauté une génération, ça arrive.

— Ou alors les gènes ne sont qu'une excuse facile pour expliquer ma faiblesse de caractère.

— Oui, tu as raison, mais zut, à la fin, on peut tout de même avoir le droit de mettre sa faiblesse de caractère sur le compte des gènes. »

Harry sourit. Se méprenant, une étudiante qui arrivait en face d'eux lui rendit son sourire.

« Katrine m'a envoyé des photos de la scène de crime à Grünerløkka, poursuivit Aune. Qu'en penses-tu ?

— Je ne lis pas les articles de la rubrique Crime. »

Devant eux, la porte de l'auditorium 2 était ouverte. Le cours s'adressait aux étudiants de dernière année, mais Oleg avait dit à Harry que, avec quelques autres étudiants de première année, ils allaient essayer de se trouver une petite place dans la salle. Et en effet, l'auditorium était bondé. Des étudiants et même quelques profs étaient assis jusque sur les marches ou debout le long des murs.

Harry s'avança au pupitre, alluma le micro. Il contempla l'assistance, chercha instinctivement la trombine d'Oleg. Les conversations se turent, le silence se fit. Harry s'humecta les lèvres. La chose la plus étonnante n'était pas qu'il soit devenu prof, mais que ça lui *plaise*. Que lui, généralement perçu comme peu disert et renfermé, se sente plus à l'aise devant une assistance d'étudiants exigeants qu'au 7-Eleven, quand le type à la caisse posait un paquet de Camel Light sur le comptoir et que Harry aurait voulu répéter « Camel », mais qu'il avait senti la grogne dans la file derrière lui. Il lui était même arrivé – dans des mauvais jours, les nerfs usés jusqu'à la trame – de ressortir de là avec des Camel Light, d'en fumer une seule et de jeter le reste du paquet à la poubelle. Mais ici, il était dans sa zone de confort. Son domaine. Le meurtre. Harry s'éclaircit la voix. Il n'avait pas trouvé le visage toujours sérieux d'Oleg, mais un autre qu'il connaissait bien. Un visage avec un cache-œil noir.

« Je vois que l'un d'entre vous s'est trompé de salle, ceci est le cours d'enquête 3 pour les étudiants de dernière année. »

Rires. Personne ne fit mine de quitter les lieux.

« OK, fit Harry. Pour ceux d'entre vous qui seraient venus assister à un autre cours aride de ma personne sur l'enquête criminelle, je vais malheureusement vous décevoir. Le professeur invité du jour est depuis des années conseiller de la Brigade criminelle et c'est le psychologue le plus publié de Scandinavie sur la violence et le meurtre. Mais avant de donner la parole à Ståle Aune, et parce que je sais qu'il ne me la rendra pas de son plein gré, je vous rappelle que mercredi prochain nous avons un nouveau contre-interrogatoire. L'affaire de l'Étoile du diable. La présentation de l'affaire, les rapports de scènes de crime et les procès-verbaux d'interrogatoires se trouvent comme d'habitude sur ESP/enquête. Ståle ? »

Un tonnerre d'applaudissements éclata et Harry se dirigea vers les marches alors qu'Aune paradait jusqu'au pupitre, le ventre en avant et un sourire satisfait aux lèvres.

« Le syndrome d'Othello ! s'écria Aune avant de baisser la voix en arrivant au micro. Le syndrome d'Othello est un terme désignant ce que nous appelons jalousie morbide et qui est le mobile de la plupart des meurtres commis dans ce pays. Exactement comme dans *Othello*, la pièce de William Shakespeare. Roderigo est amoureux de Desdémone, qui vient d'épouser le général Othello. Ce général est détesté du perfide officier Iago, qui considère avoir été lésé quand le général ne l'a pas choisi comme lieutenant et qu'il n'a ainsi pas obtenu la promotion qui lui était due. Voyant une possibilité de faire avancer sa carrière tout en nuisant à Othello, Iago le retors aide Roderigo à séparer Othello et son épouse. Pour ce faire, il inocule un virus dans le cerveau et le cœur d'Othello, un virus mortellement dangereux et résistant, dont les manifestations sont multiples. La jalousie. Othello est de plus en plus malade, la jalousie déclenche chez lui une crise d'épilepsie qui le laisse en convulsions sur la scène. À la fin, Othello tue son épouse, et se tue lui-même. » Aune tira sur les manches de sa veste en tweed. « Si je vous fais tout ce résumé, ce n'est pas parce que Shakespeare est au programme de l'ESP, mais parce que vous avez, vous aussi, besoin d'un chouia de culture générale. » Rires. « Alors, mesdames et messieurs les non-jaloux, qu'est-ce que le syndrome d'Othello ? »

« Que me vaut l'honneur de cette visite ? » chuchota

Harry. Il était allé se mettre au fond de la salle à côté de Mikael Bellman. « Tu t'intéresses à la jalousie ?

— Non, répondit Bellman. Je voudrais que tu enquêtes sur notre nouvelle affaire de meurtre.

— Alors j'ai bien peur que tu ne sois venu pour rien.

— Je voudrais que tu fasses ce que tu as fait par le passé : diriger un petit groupe qui enquête en parallèle et indépendamment de la grande cellule d'enquête.

— Merci, monsieur le directeur, mais la réponse est non.

— Nous avons besoin de toi, Harry.

— Oui. Ici. »

Bellman eut un petit rire. « Je ne doute pas que tu sois bon prof, mais tu n'es pas unique. En tant qu'enquêteur, en revanche, il se trouve que tu l'es.

— J'en ai terminé avec le meurtre. »

Mikael Bellman secoua la tête en souriant. « Allez, Harry. Combien de temps est-ce que tu crois pouvoir te cacher en prétendant être autre chose que ce que tu es ? Tu n'es pas un herbivore comme l'autre, là, qui est en train de parler, Harry. Tu es un prédateur. Comme moi.

— La réponse est donc non.

— Et, comme chacun sait, les prédateurs ont les dents pointues. C'est ce qui les place au sommet de la chaîne alimentaire. Je vois qu'Oleg est assis là, devant. Qui eût cru qu'il irait à l'École supérieure de police ? »

Harry sentit les poils de sa nuque se hérisser, le mettre en garde. « J'ai la vie que je veux avoir, Bellman. Je ne peux pas revenir, ma réponse est définitive.

— Surtout quand on pense qu'un casier judiciaire vierge est une condition *sine qua non* de l'admission. »

Harry ne répondit pas. Aune récolta une nouvelle

salve de rires et Bellman rit doucement avec les autres. Il posa la main sur l'épaule de Harry, se pencha vers lui et baissa encore la voix. « Ça a beau faire quelques années, maintenant, j'ai des relations qui pourraient témoigner de ce qu'elles ont vu Oleg acheter de l'héroïne dans le temps. Il risquerait une peine de deux ans. Il ne ferait pas de prison ferme, mais il ne deviendrait jamais policier. »

Harry secoua la tête. « Même toi, tu ne ferais pas ça, Bellman. »

Bellman eut encore un petit rire. « Non ? Ce serait peut-être tirer une mouche avec un canon, mais en l'occurrence, c'est important pour moi que cette affaire soit résolue.

— Si je refusais, tu n'aurais rien à gagner à nuire à ma famille.

— Peut-être, mais n'oublions pas que je te… quel est le mot, déjà ? Je te *hais.* »

Harry regarda fixement les dos devant lui. « Tu n'es pas homme à te laisser gouverner par tes sentiments, Bellman, tu en as trop peu. Que répondras-tu quand il apparaîtra que tu as longtemps gardé pour toi cette information sur l'élève policier Oleg Fauke sans rien en faire ? Rien ne sert de bluffer quand ton adversaire sait que tu as de mauvaises cartes, Bellman.

— Si tu veux mettre en jeu l'avenir du garçon en partant du principe que je bluffe, je t'en prie, Harry. C'est seulement cette affaire-là. Résous-la-moi, et on enterre cette histoire. Tu as jusqu'à cet après-midi pour me répondre.

— Par simple curiosité, Bellman, pourquoi cette affaire est-elle si importante pour toi ? »

Bellman haussa les épaules. « La politique. Un prédateur a besoin de viande. Et souviens-toi que je suis un tigre, Harry. Et que toi, tu n'es qu'un lion. Le tigre pèse plus lourd et a plus de cerveau par kilo. C'est pour ça que les Romains du Colisée savaient que le lion serait tué quand ils le lâchaient contre un tigre.»

Harry vit une tête se retourner à l'avant. C'était Oleg qui lui souriait en levant le pouce. Le garçon allait bientôt avoir vingt-deux ans. Il avait la bouche et les yeux de sa mère, mais la crinière lisse et noire d'un père russe dont il n'avait plus de souvenir. Harry leva le pouce en réponse et s'efforça de sourire. Lorsqu'il se retourna vers Bellman, celui-ci n'était plus là.

«Ce sont surtout des hommes qui sont touchés par le syndrome d'Othello, déclara Ståle Aune d'une voix de stentor. Et, alors que les tueurs masculins souffrant du syndrome d'Othello ont tendance à se servir de leurs mains, les Othellos au féminin ont recours aux armes contondantes ou aux couteaux.»

Harry écoutait. La glace fine, si fine, qui recouvrait l'eau noire sous ses pieds.

«Tu m'as l'air bien grave», remarqua Aune quand il revint dans le bureau de Harry après être passé aux toilettes. Il termina son café et enfila son pardessus. «Tu n'as pas aimé le cours?

— Si, si. Bellman était là.

— Que voulait-il?

— Il a essayé de me menacer pour que j'enquête sur la nouvelle affaire de meurtre.

— Et qu'as-tu répondu?

— Non.»

Aune opina de la tête. «Bien. Ça bouffe l'âme d'avoir trop de contacts rapprochés avec le mal pur, comme nous avons pu en avoir, toi et moi. Ça ne se voit peut-être pas, mais une partie de nous est déjà détruite. Et il est temps que nos proches reçoivent l'attention que nous avons donnée aux sociopathes. On a fait notre part, Harry.

— Tu es en train de dire que tu jettes l'éponge?

— Oui.

— Hm. Je comprends ta remarque dans l'absolu, mais y a-t-il aussi quelque chose de plus spécifique?»

Aune haussa les épaules. «Juste que j'ai trop travaillé et que je n'ai pas été assez à la maison. Et puis quand je travaille sur des affaires de meurtre, même quand je suis à la maison c'est comme si j'étais absent. Enfin, tu sais de quoi je parle, Harry. Et Aurora...» Aune emplit ses joues d'air et souffla. «Ses profs disent que ça va un peu mieux. Ça arrive que les enfants deviennent introvertis à cet âge. Et qu'ils testent des choses. Une cicatrice sur le poignet ne signifie pas qu'ils se livrent systématiquement à la scarification, en l'occurrence, ça peut être une curiosité parfaitement naturelle. Mais c'est toujours inquiétant pour un père de ne pas arriver à établir le contact avec son enfant. Et sans doute d'autant plus frustrant quand il est censé être un ponte de la psychologie.

— Elle a quinze ans, n'est-ce pas?

— Et avant ses seize ans, il se pourrait que tout cela soit révolu et oublié. Des phases, des phases et des phases, c'est ce dont il s'agit à cet âge. Mais s'occuper de ses proches, ça ne peut pas se reporter à la fin de l'affaire suivante, à la fin de la journée de travail suivante, c'est maintenant qu'il faut le faire. N'est-ce pas, Harry?»

Harry pinça sa lèvre supérieure entre son pouce et son index tout en hochant lentement la tête. «Hm. Bien sûr.

— Bon, alors j'y vais, annonça Aune en saisissant

son sac dont il sortit une pile de photos. Voici du reste les photos de scène de crime que Katrine m'a envoyées, comme je te le disais, je n'en ai pas besoin.

— Que veux-tu que j'en fasse? demanda Harry en baissant les yeux sur le cadavre d'une femme dans un lit ensanglanté.

— Pour tes cours, je pensais. Je t'ai entendu mentionner l'affaire de l'Étoile du diable, ce qui signifie que tu utilises de véritables affaires de meurtres et de véritables documents.

— Dans ce cas précis, l'affaire est résolue. » Harry essayait d'arracher son regard de la photo de la femme. Il y avait là quelque chose de familier. Comme un écho. L'avait-il déjà vue? « Comment s'appelle la victime?

— Elise Hermansen. »

Le nom ne lui disait rien. Harry regarda la photo suivante. « Et ces plaies sur le cou, qu'est-ce que c'est?

— Tu n'as vraiment rien lu sur l'affaire? Ça fait la une de tous les journaux, pas étonnant que Bellman ait cherché à t'enrôler de force. Des dents de fer, Harry.

— *Des dents de fer?* Un sataniste ou quelque chose dans ce genre?

— Si tu lis *VG*, tu verras qu'ils font référence au tweet de mon confrère Hallstein Smith qui dit que c'est l'œuvre d'un vampiriste.

— Vampiriste? Un vampire, donc?

— Si seulement, fit Aune en tirant de son sac une page déchirée dans *VG*. Les vampires ont pour le moins un fondement dans la zoologie et la fiction. D'après Smith, et quelques rares autres psychologues dans le monde, un vampiriste est quelqu'un qui peut trouver l'assouvissement sexuel en buvant du sang. Lis ça... »

Harry lut le tweet qu'Aune lui présentait. Son regard s'arrêta sur la dernière phrase. *Le vampiriste frappera encore.*

« Hm. Qu'ils soient peu nombreux ne signifie pas qu'ils ont tort, si ?

— Ça ne va pas, la tête ! Bien sûr que non ! Je suis tout à fait pour les opinions à contre-courant et j'aime les gens ambitieux comme Smith. Une bourde pendant ses études lui a hélas valu d'être surnommé le Singe et je crains que ce surnom ne continue de nuire un peu à sa crédibilité dans les cercles de la psychologie. Mais en l'occurrence, c'était un psychologue très prometteur jusqu'à ce qu'il aille s'égarer dans ces histoires de vampirisme. Ses articles n'étaient pas mauvais du tout, mais, naturellement, il n'a pu les publier dans aucune revue universitaire. Enfin, maintenant, il a enfin quelque chose de publié. Dans *VG*.

— Et pourquoi ne crois-tu pas aux vampiristes ? demanda Harry. Tu as toi-même dit que si on imaginait une déviance, c'est que quelqu'un quelque part l'avait.

— Oui, certes, tout existe. Ou existera. Notre sexualité tourne autour de ce que nous sommes capables de penser et de ressentir. Ce qui est plutôt illimité. La dendrophilie, c'est d'être excité par les arbres. L'atychiphilie signifie que l'échec t'émoustille. Mais pour pouvoir attribuer une « philie » ou un « isme » à quelque chose, il faut un certain nombre de cas et quelques dénominateurs communs. Smith et consorts, psychologues mythomanes, ont inventé leur propre « isme ». Ils se trompent, il n'existe pas de groupe de soi-disant vampiristes suivant un *modus operandi* prévisible sur lesquels eux ou d'autres puissent dire quoi que ce soit, observa Aune, qui boutonnait son pardessus tout en se dirigeant vers la porte. Alors qu'avec ta peur de l'intimité, qui te rend incapable de donner l'accolade à ton meilleur ami quand il s'en va, là, on a de quoi nourrir une théorie psychologique. Tu salueras Rakel pour moi en lui disant que je maudis ce mal de tête ? Harry ?

— Quoi ? Oui, bien sûr. Salue les tiens. J'espère que ça va s'arranger pour Aurora. »

Après le départ d'Aune, Harry resta les yeux dans le vide. La veille, il était entré dans le salon pendant que Rakel regardait un film. Il avait jeté un œil sur l'écran et demandé si c'était un film de James Gray. C'étaient des images parfaitement neutres d'une rue, sans acteurs, sans voitures spéciales, sans angle particulier, deux secondes d'un film que Harry n'avait jamais vu. Enfin, une image ne peut sans doute jamais être tout à fait neutre, mais Harry n'avait franchement pas la moindre idée de ce qui lui avait évoqué ce réalisateur précis. Si ce n'est qu'il avait vu un film de James Gray quelques mois auparavant. Ce pouvait être aussi simple que cela, une connexion banale et automatique. Un film qu'il avait vu, et plus tard un segment de deux secondes contenant un ou deux détails qui tourbillonnaient si vite dans son esprit qu'il ne parvenait pas à identifier ce qu'il reconnaissait.

Harry sortit son téléphone.

Il hésita. Puis il y chercha le nom de Katrine Bratt. Leur dernier contact remontait à plus de six mois, un SMS dans lequel elle lui avait souhaité bon anniversaire. Il avait répondu « merci ». Sans capitale ni point. Il savait qu'elle comprenait que ce n'était pas de l'indifférence, juste qu'il n'était pas du genre à envoyer de longs messages.

Elle ne répondit pas à son appel.

Quand il composa son numéro interne à la Brigade criminelle, ce fut Magnus Skarre qui répondit. « Harry Hole lui-même, dis donc. » Son ironie était étalée en couches suffisamment épaisses pour qu'il n'ait pas de doutes à avoir. Harry n'avait jamais eu de gros fan-club à la Brigade criminelle, et Skarre n'en avait jamais fait partie. « Non, je n'ai pas vu Bratt aujourd'hui. Ce qui est curieux de la part de quelqu'un qui vient d'être nommé directrice d'enquête, on a un paquet de boulot, ici.

— Hm. Tu peux lui dire que j'ai…

— Rappelle plutôt plus tard, Hole, on a assez de choses à penser comme ça. »

Harry raccrocha. Ses doigts tambourinaient sur son bureau tandis qu'il regardait la pile de copies d'un côté. La pile de photos de l'autre. Il songea à la métaphore des prédateurs de Bellman. Un lion ? Oui, pourquoi pas. Il avait lu que le taux de réussite des lions qui chassaient en solitaire descendait à environ quinze pour cent. Et que quand ils tuaient de grosses proies, les lions ne pouvaient pas leur ouvrir la gorge, mais devaient les étouffer. Refermer les mâchoires autour de leur gorge pour comprimer la trachée. Ce qui pouvait prendre du temps. Dans le cas d'un grand animal, un buffle, par exemple, il arrivait que le lion persévère dans sa torture lente à la fois du buffle et de lui-même pour finalement devoir lâcher malgré tout. L'enquête criminelle tout craché. Un dur labeur et aucune rétribution. Il avait promis à Rakel de ne pas y retourner. Il se l'était promis à lui-même.

Harry regarda encore la pile de photos. Celle d'Elise Hermansen. Son nom s'était automatiquement fixé en lui. Tout comme les détails de la photo d'elle gisant sur le lit. Mais ce n'étaient pas les détails, c'était l'ensemble. Le film que Rakel avait regardé ce soir-là avait du reste été intitulé *Quand vient la nuit*. Le réalisateur n'était pas James Gray. Harry s'était trompé. Quinze pour cent. Et cependant…

C'était quelque chose dans la façon dont elle était allongée. Dans la façon dont on l'avait allongée. La mise en scène. Comme un écho d'un rêve oublié. Un cri dans la forêt. La voix d'un homme dont il essayait de ne pas se souvenir du nom. Celui qui lui avait échappé.

Harry se rappelait une réflexion qu'il s'était faite un jour. Que quand il craquait, quand il dévissait le bouchon de la bouteille et se versait son premier verre, ce n'était pas vrai, ce qu'il avait cru, que c'était à ce moment-là que sa décision se prenait. Sa décision avait été prise longtemps auparavant. Après, ce n'avait été qu'une question d'occasion. Et l'occasion se présentait forcément. À un moment donné, la bouteille se trouvait là, devant lui. Elle l'avait alors attendu. Et lui, elle. Le reste n'était que charge opposée, magnétisme, inéluctabilité des lois de la physique.

Merde, merde, merde.

Harry se leva brusquement, attrapa sa veste en cuir et se précipita dehors.

Il se regarda dans le miroir, vit que sa veste tombait comme il fallait. Il avait lu une dernière fois sa description. Elle lui déplaisait déjà. Un *w* dans un nom censé s'écrire avec un *v*, comme le sien à lui, rien que ça, ça valait sanction. Il aurait préféré une autre victime, quelqu'un de plus à son goût. Comme Katrine Bratt. Mais la décision avait été prise pour lui. La femme au nom avec un *w* l'attendait.

Il ferma le dernier bouton de sa veste. Puis il sortit.

8

Journée de vendredi

« Comment Bellman a-t-il réussi à te convaincre ? » Gunnar s'était posté à la fenêtre de son bureau et tournait le dos à Harry.

« Eh bien, fit la voix reconnaissable entre toutes derrière lui. Il m'a fait une offre que je ne pouvais pas refuser. » Cette voix était plus rocailleuse que la dernière fois qu'il l'avait entendue, mais elle avait la même profondeur, le même calme. Hagen avait entendu une employée de l'hôtel de police déclarer que la seule chose que Harry Hole avait de beau était sa voix.

« Et cette offre, c'était ?

— Cinquante pour cent du salaire en heures sup et doubles points de retraite. »

Le chef de la brigade rit brièvement. « Et tu ne poses aucune condition ?

— Juste de pouvoir choisir qui est dans mon groupe. J'en veux seulement trois. »

Gunnar Hagen se retourna. Enfoncé dans le fauteuil devant son bureau, Harry étirait ses longues jambes. De nouveaux sillons s'étaient creusés sur son visage, et sa courte et dense chevelure blonde grisonnait sur les tempes. Mais il était moins décharné que la dernière fois que Hagen l'avait vu. Le blanc des yeux autour de ses iris bleus et intenses n'était peut-être pas limpide, mais il n'était plus quadrillé par un réseau rouge comme il avait pu l'être dans les périodes les plus dures.

« Et la bouteille, Harry, tu es toujours sec ?

— Comme un puits de pétrole norvégien.

— Hm. Tu es au courant que les puits de pétrole norvégiens ne sont pas secs, ils sont juste fermés jusqu'à ce que le prix du pétrole remonte ?

— C'était l'image que je cherchais, oui. »

Hagen secoua la tête. « Et moi qui croyais que les années allaient te rendre plus adulte.

— Décevant, n'est-ce pas ? Nous ne devenons pas plus sages, juste plus vieux. Toujours pas de nouvelles de Katrine ? »

Hagen regarda son téléphone. « Néant.

— Est-ce qu'on ne devrait pas la rappeler ? »

« Hallstein ! » L'appel venait du salon. « Les enfants veulent que tu refasses le faucon. »

Hallstein poussa un soupir las mais content, et reposa le livre *Miscellany of Sex* de Frances Twinn sur la table de cuisine. Il était certes intéressant de lire que couper les cils d'une femme avec les dents était considéré comme un acte passionnel sur l'île Tobriand au large de la Nouvelle-Guinée, mais Hallstein n'y avait rien trouvé qu'il puisse utiliser dans sa thèse de doctorat, auquel cas, il avait tout de même plus de plaisir à être avec ses enfants. Peu importait aussi que la séance précédente de jeu l'ait laissé fatigué, il n'y avait d'anniversaire qu'un jour par an. Enfin, quatre quand on avait quatre enfants. Six, quand les enfants insistaient pour avoir des fêtes d'enfants pour l'anniversaire de leurs parents aussi. Douze quand il fallait fêter les semestres. Il se dirigeait vers le salon où il entendait les roucoulements pleins d'attente des colombes quand on sonna à la porte.

La femme sur le perron dévisagea ouvertement Hallstein Smith quand il ouvrit.

« J'ai accidentellement mangé quelque chose qui contenait des noix avant-hier, expliqua-t-il en grattant l'agaçant urticaire rouge vif qu'il avait sur le front. Ça disparaîtra dans quelques jours. »

Il la regarda et comprit que ce n'était pas l'éruption cutanée qui avait attiré son attention.

« Ah, ça, fit-il en enlevant sa coiffe. C'est censé représenter une tête de faucon.

— Ça ressemble peut-être plutôt à une poule, répondit la femme.

— En fait, c'est un poussin de Pâques, mais nous disons que c'est un faucon de basse-cour.

— Je m'appelle Katrine Bratt, je suis de la Brigade criminelle de la police d'Oslo. »

Smith inclina la tête. « Bien sûr, je vous ai vue au journal télévisé hier. C'est à propos de mon tweet ? Le téléphone n'arrête pas de sonner, je ne voulais pas causer un tel grabuge.

— Puis-je entrer ?

— Naturellement, mais j'espère que vous n'avez rien contre un peu de… d'enfants bruyants. »

Smith expliqua à ces derniers qu'ils devaient être leurs propres faucons pendant un moment et emmena la policière dans la cuisine.

« Vous m'avez l'air d'avoir besoin d'un café, observa Smith en la servant sans attendre sa réponse.

— Je n'ai pas fait attention à l'heure hier soir et ce matin je n'ai pas entendu mon réveil, donc je sors juste de mon lit. Et j'ai réussi à oublier mon téléphone à la maison, donc je me demandais si je pourrais vous emprunter le vôtre pour prévenir le bureau. »

Smith lui tendit son téléphone et la vit fixer d'un air désemparé son antiquité Ericsson. « Mes enfants appellent ça un téléphone stupide. Vous voulez que je vous montre ?

— Je crois que je me souviens peut-être, dit Katrine. Dites-moi ce que vous inspire cette photo. »

Pendant qu'elle composait le numéro, Smith étudia la photo qu'elle lui avait tendue.

« Un dentier en fer, dit-il. De Turquie ?

— Non, Caracas.

— D'accord. Je sais juste qu'il existe un dentier en fer similaire au musée archéologique d'Istanbul. Il aurait été utilisé par les soldats de la grande armée d'Alexandre, mais certains historiens mettent en doute cette hypothèse et pensent que les dentiers en fer étaient un instrument employé par la classe supérieure dans des espèces de jeux masochistes, expliqua Smith en grattant son urticaire. Donc il a utilisé un tel dentier ?

— Nous ne le savons pas avec certitude. C'est juste une déduction à partir des morsures de la victime, assorties de la présence de rouille et de restes de peinture noire.

— Ah ha ! s'exclama Smith. Alors nous allons au Japon.

— Ah bon ? »

Bratt porta le téléphone à son oreille.

« Vous avez peut-être déjà vu des femmes japonaises aux dents colorées de noir ? poursuivit Smith. Non ? D'accord, mais c'est en tout cas une tradition appelée *ohaguro*. Ça signifie "l'obscurité après le coucher du soleil" et ç'a commencé pendant l'époque de Heian, environ huit cents ans après Jésus-Christ. Et… euh, vous voulez que je continue ?»

La femme acquiesça d'un geste de la main.

«On prétend qu'au Moyen Âge, un Moghol du Nord faisait porter à ses soldats des dentiers en fer peints en noir. Les dents étaient surtout destinées à effrayer, mais elles pouvaient aussi être employées en combat rapproché. Si l'ennemi venait si près que ni les armes ni les coups de poing ou de pied n'étaient d'aucun secours, les dents pouvaient toujours servir à lui trancher la gorge.»

La policière fit signe qu'elle avait obtenu la communication.

«Salut, Gunnar. Bratt. Je voulais juste te dire que je suis partie directement de chez moi pour aller parler au professeur Smith… Oui, c'est celui du tweet. Et mon téléphone est resté chez moi, donc si on a cherché à me joindre…» Elle écouta. «Tu déconnes…» Elle écouta pendant plusieurs secondes. «Harry Hole a simplement franchi le seuil en annonçant qu'il voulait travailler sur l'affaire ? On en reparlera tout à l'heure.» Elle rendit son téléphone à Smith. «Alors, dites-moi, qu'est-ce que c'est que le vampirisme ?

— Là, répondit Smith, je crois qu'il faut que nous allions faire un petit tour.»

Katrine marchait à côté de Hallstein Smith sur le chemin de terre qui menait de la maison de maître à l'étable. Il lui expliqua que sa femme avait hérité de la ferme et des neuf mille mètres carrés de terrain, et que deux générations plus tôt, vaches et chevaux avaient pâturé sur ces terres de Grini, à seulement deux ou trois kilomètres du centre-ville d'Oslo. Et pourtant, le terrain d'à peine mille mètres carrés sur lequel se trouvait la remise à bateaux de Nesøya qui avait fait partie de l'héritage avait plus de valeur. En tout cas si l'on en jugeait par les offres que leur avaient faites leurs richissimes voisins.

«Nesøya, c'est trop loin pour être pratique, mais nous ne voulons pas vendre avant d'y être obligés. Nous avons juste un bateau en aluminium bon marché avec un moteur de vingt-cinq chevaux, mais j'adore ça. Ne le dites pas à ma femme, mais je préfère la mer à ces terres agricoles.

— Je suis moi-même une fille de la côte, dit Katrine.

— Bergen, n'est-ce pas? J'adore le dialecte de Bergen. J'ai travaillé dans un service psychiatrique à Sandviken pendant un an. Superbe, mais très pluvieux.»

Katrine opina lentement du chef. «Je me suis trempée à Sandviken, oui.»

Ils étaient arrivés à l'étable. Smith sortit une clef pour ouvrir le cadenas.

«Gros cadenas pour une étable, remarqua Katrine.

— Le précédent était trop petit», répondit Smith, et Katrine entendit l'amertume dans sa voix.

Katrine franchit le seuil et lâcha un petit cri en posant les pieds sur un support instable. Elle baissa les yeux pour découvrir, encastré dans le sol en ciment, un plateau métallique d'un mètre et demi de long sur un mètre de large. On l'aurait dit monté sur ressorts, il vibra légèrement et tinta contre le bord en ciment avant de se stabiliser.

«Cinquante-huit kilos, déclara Smith.

— Quoi?»

Il fit un signe de la tête vers la gauche pour montrer une grande flèche qui oscillait entre le 50 et le 60 d'un cadran en forme de demi-lune et elle comprit qu'elle se tenait sur un pèse-bétail d'antan. Elle plissa les yeux.

« Cinquante-sept et demi. »

Smith rit. « Quoi qu'il en soit, on est très loin du poids d'abattage. Personnellement, j'essaie tous les matins de sauter par-dessus la bascule depuis le seuil, je n'aime pas l'idée que chaque jour puisse être le dernier. »

Ils longèrent des stalles avant de s'arrêter devant une porte d'allure plus administrative. La pièce contenait un bureau avec PC, une fenêtre sur le champ, un dessin d'un vampire humain avec de grandes ailes fines de chauve-souris, un long cou et un visage rectangulaire. Derrière le bureau, des classeurs et une dizaine de livres occupaient à peine la moitié d'une bibliothèque.

« Tout ce qui a jamais été publié sur le vampirisme, vous le voyez ici, commenta Smith en passant la main sur les livres. Ce n'est donc pas très difficile d'en faire le compte. Mais pour répondre à votre question sur ce qu'est le vampirisme, commençons par Vandenbergh et Kelly en 1964. » Smith sortit un livre, l'ouvrit et lut. « *Le vampirisme est l'acte d'aspirer le sang d'un objet, en général un objet d'amour, et de parvenir ainsi à l'excitation sexuelle et au plaisir.* C'est la définition brute. Mais vous voulez en savoir plus, n'est-ce pas ?

— Je pense, oui. » Katrine contempla le dessin du vampire humain. C'était une belle œuvre. Simple. Solitaire. Dégageant une froideur qui lui fit instinctivement resserrer son blouson.

« Alors creusons un peu. D'abord, le vampirisme n'est pas une tocade récente. Le nom joue évidemment sur la mythologie des humanoïdes sanguinaires, qui remonte à loin dans l'histoire, particulièrement en Europe de l'Est et en Grèce. Mais la représentation moderne des vampires est surtout venue avec le *Dracula* de Bram Stoker en 1897 et les premiers films de vampires dans les années 1930. Certains chercheurs vivent dans la croyance erronée que le vampiriste, qui est donc une personne ordinaire mais malade, s'inspire en premier lieu de ces mythes. Oubliant que le vampirisme était déjà mentionné dans ce… » Smith attrapa un livre ancien à la reliure marron vermoulue. « *Psychopathia Sexualis* de Richard van Krafft-Ebing en 1886, soit *avant* que les mythes soient connus de tous. » Smith le repoussa délicatement pour en prendre un autre. « Mes propres recherches reposent sur le postulat que le vampirisme est apparenté, par exemple, à la nécrophagie, à la nécrophilie et au sadisme, tout comme le pensait aussi Bourguignon, l'auteur de ce livre. » Smith trouva la page qu'il cherchait. « En 1983, il écrit : *Le vampirisme est un trouble obsessionnel de la personnalité caractérisé par un besoin irrépressible d'ingérer du sang. Le vampiriste a un rituel absolument nécessaire pour obtenir l'apaisement mental, mais, comme dans d'autres maladies mentales, il ne comprend pas lui-même la portée de ce rituel.*

— Donc le vampiriste ne fait qu'accomplir ce que font les vampiristes ? Ils ne peuvent tout bonnement pas agir autrement ?

— C'est très simplifié, mais oui.

— Est-ce qu'un de ces livres pourrait nous aider à établir un profil d'un meurtrier prenant le sang de ses victimes ?

— Non, dit Smith en remettant le livre de Bourguignon à sa place. Il est certes écrit, mais il n'est pas dans cette bibliothèque.

— Pourquoi ?

— Parce qu'il n'a jamais été publié. »

Katrine regarda Smith. « C'est le vôtre ?

— C'est le mien, confirma Smith en souriant avec des yeux tristes.

— Que s'est-il passé ? »

Smith haussa les épaules. « Le milieu n'était pas prêt pour une psychologie aussi radicale. Et puis j'attaquais cet ouvrage, expliqua-t-il en désignant le dos d'un livre. Herschel Prins et son article de 1985 dans le *British Journal of Psychiatry*. Ce qu'on ne fait pas en toute impunité. Mes résultats ont été balayés sous prétexte qu'ils ne se fondaient pas sur des études de cas et n'étaient pas empiriques. Mais l'étude empirique est impossible quand les cas de vampirisme véritable sont si rares et sont diagnostiqués comme schizophrénie par manque de connaissances. Je n'ai pas non plus réussi à attirer l'attention des médias sur la recherche sur le vampirisme. J'ai essayé, mais même les journaux qui sont plus que disposés à écrire des articles sur les célébrités américaines de seconde zone trouvaient que le vampirisme avait quelque chose de fantaisiste et de racoleur. Et quand j'ai enfin rassemblé suffisamment de résultats pour anéantir ces réserves, est intervenu ce cambriolage. Qu'on me vole mon PC, soit, mais là ils ont tout pris. » Smith désigna d'un revers de main les rayonnages vides. « Tous les rapports que j'avais écrits sur mes patients, tous leurs dossiers et puis des choses et d'autres. Et maintenant certains confrères malfaisants prétendent que j'ai été sauvé par le gong, que si ç'avait été publié on m'aurait encore plus ridiculisé parce que l'inexistence des vampiristes aurait été encore plus patente. » Katrine passa son doigt sur le cadre du dessin du vampire humain.

« Qui donc se livre à un cambriolage pour voler des renseignements sur des patients ?

— Dieu seul le sait. Un confrère, je pense. Je m'attendais à voir quelqu'un se présenter avec mes hypothèses et mes résultats, mais il ne s'est rien passé.

— Quelqu'un voulait peut-être vous chiper vos patients ? »

Smith rit. « Bonne chance ! Ils sont tellement fêlés que personne n'en veut, croyez-moi. Ils n'ont d'utilité qu'en recherche, pas comme gagne-pain. Si les écoles de yoga de ma femme n'avaient pas été si lucratives, nous n'aurions pas pu garder la ferme et la remise à bateaux. À propos, j'ai un anniversaire qui a besoin d'un faucon. »

Ils sortirent et, quand Smith verrouilla la porte de son bureau, Katrine remarqua une petite caméra de surveillance installée sur le mur au-dessus des stalles.

« Vous savez que la police n'enquête plus sur les petits cambriolages ? Même si vous avez des images de vidéosurveillance.

— Oui, oui, soupira Smith. C'est pour mon propre compte. S'ils reviennent, je voudrais savoir à quel confrère j'ai affaire. J'ai une caméra à l'extérieur et au portail aussi. »

Katrine ne put que sourire. « Je pensais que les universitaires étaient des gens sympas super intelligents qui avaient le nez plongé dans leurs bouquins, pas de simples voleurs.

— Oh, j'ai bien peur que nous fassions des choses aussi bêtes que des gens supposément moins intelligents, fit Smith en secouant tristement la tête. Y compris moi, que ce soit dit.

— Ah bon ?

— Rien d'intéressant. Juste une bourde que mes confrères ont récompensée en m'affublant d'un surnom. Mais c'est de l'histoire ancienne. »

C'était peut-être du passé, mais Katrine avait tout de même vu le masque de douleur qui se formait sur son visage.

Sur le perron de la maison de maître, Katrine lui tendit sa carte de visite.

« Si les médias vous appellent, j'apprécierais que vous ne fassiez pas mention de cette conversation. Les gens prennent peur quand ils s'imaginent que la police croit à un vampire en goguette.

— Oh, les médias n'appelleront pas, répondit Smith en regardant la carte.

— Ah ? *VG* a pourtant publié votre tweet.

— Mais ils ne m'ont pas interviewé. Certains se souviennent que j'ai crié au loup par le passé.

— Crié au loup ?

— Il y a eu une affaire de meurtre dans les années 1990 dans laquelle j'étais passablement certain qu'un vampiriste avait agi. Et puis une autre il y a trois ans, je ne sais pas si vous vous en souvenez.

— Non ?

— Non, ça n'avait sans doute pas fait les gros titres cette fois-là non plus. Par bonheur, pourrait-on sans doute dire.

— Donc c'est la troisième fois que vous "criez au loup" ? »

Smith hocha lentement la tête et la regarda. « Oui. C'est la troisième fois. Alors, comme vous le comprenez, la liste de mes péchés est assez longue.

— Hallstein ? appela une voix de femme dans la maison. Tu viens ?

— J'arrive, ma chérie ! Lance l'alerte au faucon ! Croâ croâ croâ ! »

En marchant vers le portail, Katrine entendit un cri s'élever de plusieurs gorges dans la maison derrière elle. L'hystérie avant un massacre de colombes.

9

Vendredi après-midi

À quinze heures, Katrine eut un rendez-vous avec la Technique, à seize heures avec la Médecine légale, aussi démoralisants l'un que l'autre, et à dix-sept heures avec le directeur de la police Bellman dans son bureau.

« Je suis content que vous ayez réagi positivement au fait que nous soyons allés chercher Harry Hole, Bratt.

— Pourquoi aurais-je réagi autrement ? Harry est notre enquêteur le plus méritant.

— Certains dirigeants pourraient percevoir comme, quel est le mot, "délicat" d'avoir une ancienne pointure qui vient regarder les cartes qu'on a en main.

— C'est bon, quoi qu'il en soit, je joue toujours cartes sur table, monsieur le directeur. » Katrine fit un petit sourire.

« Bien. De toute façon, Harry va diriger son propre petit groupe indépendant, donc vous n'avez pas à vous inquiéter à l'idée qu'il se mêle de vos affaires. C'est juste un peu de saine concurrence. » Bellman mit ses doigts les uns contre les autres. Elle nota qu'une de ses taches de dépigmentation roses formait un anneau élargi sous son alliance.

« Et en l'occurrence, je soutiens bien sûr la participante féminine. J'espère que nous pourrons compter sur des résultats rapides, Bratt.

— Je comprends, fit Katrine d'une voix atone en consultant sa montre.

— Vous comprenez quoi ? »

Elle entendit l'irritation dans sa voix.

« Que vous espérez des résultats rapides. »

Elle savait qu'elle était en train de provoquer ouvertement un directeur de la police. Ce n'était pas qu'elle le voulait. Mais elle ne pouvait pas faire autrement.

« Et vous aussi, vous devriez l'espérer, inspectrice principale Bratt. Quotas de femmes ou pas, les postes comme le vôtre ne poussent pas sur les arbres.

— Je vais essayer de le mériter honnêtement, alors. »

Son regard ne se détourna pas de celui de Bellman. Dont le cache-œil semblait mettre en valeur son œil intact, son intensité et sa beauté. Et ce silex dur et impitoyable.

Elle retint son souffle.

Puis, soudain, il éclata de rire. « Je vous aime bien, Katrine. Mais je voudrais vous donner quelques conseils. »

Elle attendit, préparée à tout.

« Pour la prochaine conférence de presse, je trouve que c'est vous et pas Hagen qui devriez parler. Et vous devriez insister sur la grande difficulté d'une affaire dans laquelle nous ne disposons pas de la moindre piste et devons nous préparer à une longue enquête. Cela modérera l'impatience des médias et nous donnera une plus grande marge de manœuvre. »

Katrine croisa les bras. « Ça pourrait aussi rendre le meurtrier plus audacieux et le pousser à frapper de nouveau.

— Je ne crois pas que les meurtriers soient guidés par ce qui est écrit dans la presse, Bratt.

— Si vous le dites. Mais là, il faut que j'aille préparer la prochaine réunion de la cellule d'enquête. »

Katrine vit l'avertissement silencieux dans son regard.

« Allez-y. Et faites ce que je vous dis. Expliquez aux médias que cette affaire est la plus difficile que vous ayez jamais eue.

— Je…

— Avec vos mots à vous, évidemment. Quand aura lieu la prochaine conférence de presse ?

— Nous avons annulé celle d'aujourd'hui, parce que nous n'avions rien de nouveau.

— OK. N'oubliez pas que si l'affaire est présentée comme difficile, la gloire de l'avoir résolue en sera d'autant plus grande. D'ailleurs, nous ne mentons pas, nous n'avons rien, n'est-ce pas ? Et puis les médias adorent les grands mystères qui sentent le thriller. Voyez-le comme une situation gagnant-gagnant, Bratt. »

Gagnant-gagnant, ouais, c'est ça, songea Katrine en descendant l'escalier vers la Brigade criminelle au cinquième.

À dix-huit heures, Katrine ouvrit la réunion de la cellule d'enquête en soulignant l'importance de rédiger des procès-verbaux et de les mettre tout de suite dans le système ; cela n'avait pas été fait après la première audition de Geir Sølle, l'homme qui avait eu un rendez-vous Tinder avec Elise Hermansen, et du coup, un autre enquêteur avait pris contact avec lui.

« D'une part, ça fait du travail supplémentaire, de l'autre, ça donne au public l'impression que la main droite de l'hôtel de police ne sait pas ce que fait la gauche.

— Il a dû y avoir un problème avec mon ordinateur ou avec le système, dit Truls Berntsen, bien que Katrine n'ait pas prononcé son nom. Moi, j'ai écrit le truc et je l'ai envoyé.

— Tord ? demanda Katrine.

— Pas d'erreur de système rapportée ces dernières vingt-quatre heures, dit Tord Gren, avant de redresser ses lunettes et de voir le regard implorant de Katrine, qu'il interpréta correctement. Mais il se peut bien sûr qu'il y ait un problème avec ton PC, Berntsen, je vais vérifier.

— Puisque tu as la parole, Tord, peux-tu nous expliquer ton dernier trait de génie ? »

L'informaticien rougit, fit un signe de tête et parla d'un ton figé et peu naturel, comme s'il récitait son texte. « Services de géolocalisation. La plupart des gens qui ont un téléphone mobile laissent une ou plusieurs applis qu'ils ont sur leur téléphone recueillir des données sur leur localisation à tout moment, souvent sans même savoir qu'ils l'autorisent. »

Pause. Tord déglutit. Et Katrine se rendit compte que c'était exactement ce qu'il faisait : il récitait un texte qu'il avait rédigé et appris par cœur quand elle lui avait demandé de faire une présentation à l'ensemble de la cellule d'enquête.

« Dans les termes et conditions de nombreuses applis figure qu'elles peuvent revendre les données de localisation à une tierce partie commerciale, mais pas à la police. L'une de ces tierces parties commerciales est Geopard. Qui recueille les données de localisation et n'a aucune clause indiquant qu'elle ne revend pas les données au service public, à savoir la police.

Quand des gens ayant commis des crimes sexuels sont libérés, nous prenons leurs coordonnées, à savoir leur adresse, leur numéro de mobile et leur adresse électronique, car nous voulons être en mesure de les contacter par procédure standard en cas de crimes semblables à ceux pour lesquels ils ont été condamnés. C'est parce qu'il est communément supposé que les crimes sexuels sont les crimes impliquant le plus haut risque de récidive. Ce que la recherche moderne contredit entièrement, le viol est l'un des crimes qui ont le moins de probabilités de se reproduire. BBC Radio 4 a récemment rapporté que les risques de nouvelle arrestation d'un criminel étaient de soixante pour cent aux États-Unis et de cinquante pour cent au Royaume-Uni. Souvent pour le même crime. Mais *pas* pour viol. Les statistiques du ministère de la Justice américain montrent que soixante-dix-huit virgule huit pour cent de ceux qui s'étaient fait prendre pour vol de véhicule motorisé étaient de nouveau arrêtés pour la même infraction dans les trois ans, que pour ceux qui étaient condamnés pour recel et vente de biens volés, le taux de récidive était de soixante-dix-sept virgule quatre pour cent et ainsi de suite. Alors que ce n'est vrai que dans deux virgule cinq pour cent des affaires de viol. » Tord eut un temps d'hésitation, Katrine supposa qu'il avait perçu la tolérance limitée du groupe pour les digressions de ce genre. Il s'éclaircit la voix. « Bref. Quand nous envoyons notre lot de coordonnées, Geopard peut nous communiquer une carte des lieux où le téléphone de ces personnes se trouvait à un moment ou pendant une période donnés, par exemple, dans le cas présent, mercredi soir, si tant est que les personnes en question aient eu recours à des services de géolocalisation.

— Avec quelle précision ? cria Magnus Skarre.

— À quelques mètres carrés près, dit Katrine. Mais le GPS n'étant que bidimensionnel, nous ne voyons pas la hauteur, à savoir à quel étage se trouvait le téléphone.

— Mais est-ce réellement légal ? s'enquit Gina, une analyste. Je veux dire, les règles de protection de la personne…

— … ont du mal à suivre la technologie, coupa Katrine. J'ai consulté le procureur, qui dit que nous sommes en zone grise, mais que ça ne tombe pas sous le coup de la législation en vigueur. Et comme chacun sait, ce qui n'est pas illégal est… » Elle fit un geste de la main, mais personne dans la pièce ne voulut terminer sa phrase.

« Continue, Tord.

— Avec l'assentiment juridique du procureur et l'assentiment financier de Gunnar Hagen, nous avons acheté les données de géolocalisation. Les cartes de la nuit du meurtre nous donnent la position GPS de quatre-vingt-onze pour cent des anciens condamnés pour crimes sexuels. » Tord s'interrompit. Il réfléchit. « Enfin », fit-il.

Katrine comprit qu'il était arrivé au bout de son texte. Mais elle ne comprenait pas pourquoi aucun bourdonnement d'exaltation ne résonnait dans la pièce.

« Vous ne comprenez pas le travail que ça nous a épargné, les gars, si nous avions dû recourir à l'ancienne méthode pour vérifier que tant de personnes n'étaient pas impliquées dans l'affaire ? »

Un toussotement bas se fit entendre. Wolff, le doyen de l'assistance. Qui aurait dû être à la retraite. « Comme tu parles de ne pas être impliqué, je suppose que ces cartes ne nous ont donné aucun résultat avec l'adresse d'Elise Hermansen.

— En effet, confirma Katrine, en mettant ses mains sur les hanches. Et il ne nous reste que neuf pour cent de personnes dont nous devons vérifier si elles ont un alibi.

— L'endroit où se trouve ton téléphone ne te donne pas précisément un alibi, observa Skarre en promenant son regard dans la pièce, comme en quête de soutien.

— Tu vois ce que je veux dire», fit Katrine d'un ton exaspéré. C'était quoi, le problème de ce groupe ? Ils étaient là pour élucider un meurtre, pas pour se sabrer les uns les autres. «Police scientifique, dit-elle en s'asseyant au premier rang pour ne plus avoir à les voir pendant quelque temps.

— Pas grand-chose, déclara Bjørn Holm en se levant. Le laboratoire a examiné la peinture dans les plaies. C'est assez particulier. Nous pensons que c'est de la limaille de fer dissoute dans du vinaigre, auquel ont été ajoutés des tanins végétaux de thé. Nous avons poursuivi nos recherches et cela pourrait provenir d'une vieille tradition japonaise de noircissement des dents.

— *Ohaguro*, dit Katrine. "L'obscurité après le coucher du soleil."

— Exact. »

Bjørn lui adressa le même regard admiratif que les rares fois où elle l'avait aligné au quiz d'*Aftenposten* quand ils prenaient leur petit déjeuner au café.

«Merci, dit Katrine, et Bjørn se rassit. Venons-en maintenant à ce que tout le monde sait, mais dont personne ne veut parler. Ce que *VG* appelle une source, mais que nous, nous appelons un mouchard. » Dans une pièce déjà calme, le silence se fit assourdissant.

« Le dommage déjà occasionné est une chose, le meurtrier sait maintenant que nous savons et il peut prendre ses dispositions. Mais le pire, c'est que nous ne savons pas si nous pouvons nous faire confiance. C'est pourquoi je vais commencer par poser la question directement. Qui a parlé à *VG* ? »

À sa stupéfaction, elle vit une main se lever.

« Oui, Truls ?

— Müller et moi avons parlé avec Mona Daa après la conférence de presse d'hier.

— Tu veux dire Wyller ?

— Je veux dire le nouveau. Aucun de nous n'a dit quoi que ce soit. Mais la fille nous a donné sa carte, hein, Müller ? »

Tous les regards se braquèrent sur Anders Wyller, qui sous sa mèche blonde avait le visage rouge pivoine.

« Je… oui. Mais…

— Nous savons tous que Mona Daa est la chroniqueuse judiciaire de *VG*, déclara Katrine. Personne n'a besoin d'une carte de visite pour appeler le standard du journal et la trouver.

— C'était vous, Wyller ? demanda Magnus Skarre. Allez, les nouveaux ont tous droit à un quota de bourdes.

— Mais je n'ai *pas* parlé à *VG*, assura Wyller avec du désespoir dans la voix.

— Berntsen vient de dire que vous l'aviez tous les deux fait, s'écria Skarre. Vous êtes en train de dire que Berntsen ment ?

— Non, mais…

— Crachez le morceau !

— Eh bien... Elle m'a dit qu'elle était allergique aux poils de chat et moi, je lui ai dit que j'en avais un.

— Vous voyez, vous vous êtes parlé ! Et de quoi d'autre ?

— Ça pourrait être toi, la source, Skarre. » La voix grave et tranquille venait du fond de la pièce, et tout le monde se retourna. Personne ne l'avait entendu entrer. L'homme longiligne était plus couché qu'assis sur une chaise collée au mur du fond.

« À propos de chat, fit Skarre. Regardez ce qu'il vient de rapporter à la maison. Je n'ai pas parlé à *VG*, Hole.

— Toi ou n'importe qui ici pouvez par inadvertance en être venus à donner un petit peu trop d'informations à un témoin que vous avez vu. Sur quoi la personne en question a pu téléphoner au journal pour raconter ce qu'elle avait entendu directement de la bouche des poulets. D'où la "source policière". Ça arrive sans arrêt.

— Désolée, mais celle-là, personne n'y croit, rétorqua Skarre en soufflant avec mépris.

— Vous devriez, pourtant, poursuivit Harry. Parce que, quoi qu'il advienne, personne ne va admettre avoir parlé à *VG* et si vous vous baladez en pensant qu'il y a une taupe parmi vous, l'enquête va s'enliser.

— Qu'est-ce qu'il fait là, au juste ? demanda Skarre en s'adressant à Katrine.

— Harry va former un groupe qui va travailler en parallèle, répondit Katrine.

— Et qui pour l'heure est un groupe d'une seule personne, précisa Harry. Je suis ici pour passer une petite commande de renseignements. Les neuf pour cent dont on ignore où ils étaient à l'heure du meurtre, on peut en avoir une liste classée selon la durée de leur dernière condamnation ?

— Je peux arranger ça ! » s'exclama Tord, avant de se reprendre et de consulter Katrine du regard.

Elle fit signe que ça ne posait pas de problème. « Autre chose ?

— Une liste des criminels sexuels qu'Elise Hermansen a fait mettre sous les verrous. Ce sera tout.

— C'est noté, dit Katrine. Mais puisque nous t'avons ici, as-tu quelques pistes ?

— Eh bien, fit Harry en regardant autour de lui. Je sais que le médecin légiste a trouvé du lubrifiant provenant très vraisemblablement du meurtrier, mais on ne peut pas exclure que le mobile principal ait été la vengeance et que l'aspect sexuel soit venu en bonus. La présence probable du meurtrier dans l'appartement quand elle est rentrée ne veut pas dire qu'elle lui avait ouvert ni qu'ils se connaissaient personnellement. Je ne limiterai donc pas l'enquête à un stade aussi précoce. Mais je suppose que vous y avez déjà pensé depuis longtemps. »

Katrine eut un sourire en coin. « Quoi qu'il en soit, c'est bon de t'avoir de retour parmi nous, Harry. »

L'enquêteur criminel qui était peut-être le meilleur, peut-être le pire, mais en tout cas le plus mythique de la police d'Oslo parvint tout juste à faire une ébauche de courbette dans sa position aux trois quarts couchée. « Merci, patronne. »

« Tu le pensais. » Katrine était dans l'ascenseur avec Harry.

« Pensais quoi ?

— Tu m'as appelée patronne.

— Bien sûr », répondit Harry.

Ils arrivèrent dans le garage et Katrine appuya sur sa commande de contact. Celle-ci clignota et quelque part dans l'obscurité un *bip* se fit entendre. C'était Harry qui l'avait convaincue d'utiliser la voiture de service qui était automatiquement mise à sa disposition pendant les enquêtes criminelles comme celle-ci. Et, plus avant, de le ramener chez lui en échange d'un café sur le chemin au restaurant Schrøder.

« Qu'est-ce qui est arrivé à ton chauffeur de taxi ? demanda Katrine.

— Øystein ? Il s'est fait virer.

— Par toi ?

— Absolument pas. Par le propriétaire du taxi. Il y a eu un incident. »

Katrine hocha la tête. Elle songea à Øystein Eikeland, ce tas d'os aux cheveux longs, aux dents de junkie et à la voix de buveur de whisky, qui avait l'air d'avoir soixante-dix ans, mais qui était un ami d'enfance de Harry. L'un de ses deux seuls amis d'enfance, d'après Harry. L'autre s'appelait Les Sabots et était, si c'était possible, un individu plus singulier encore, un employé de bureau en surpoids, désagréable, qui la nuit devenait un Mister Hyde du poker.

« Que s'est-il passé ? demanda Katrine.

— Hm. Tu veux le savoir ?

— Non, mais raconte.

— Øystein ne supporte pas la flûte de Pan.

— Il n'est pas le seul.

— Il obtient une course longue pour Trondheim, avec ce gars qui ne peut voyager qu'en taxi parce qu'il a la phobie à la fois de l'avion et du train. Ainsi que des problèmes de colère. Il a emporté un CD de versions à la flûte de Pan de vieux tubes de pop qu'il peut écouter en faisant des exercices de respiration pour ne pas disjoncter. Ce qui se passe, c'est qu'au milieu de la nuit, sur le plateau de Dovre, quand la version à la flûte de Pan de "Careless Whisper" repasse pour la sixième fois, Øystein arrache le CD du lecteur, ouvre sa vitre et le balance dehors. S'ensuit une rixe.

— C'est un joli mot, "rixe". Et cette chanson est déjà assez atroce comme ça chantée par George Michael.

— Finalement, Øystein a réussi à dégager le type de la voiture en le repoussant avec les pieds.

— En roulant ?

— Non, non. Mais au plus désert du plateau de Dovre, en pleine nuit, à vingt bornes de la maison la plus proche. Øystein a dit à sa décharge que c'était le mois de juillet, que la météo ne prévoyait pas de perturbations et que le gars ne pouvait tout de même pas avoir aussi la phobie de la marche. »

Katrine rit. « Et maintenant il est au chômage ? Tu devrais l'embaucher comme chauffeur privé.

— J'essaie de lui trouver un travail, mais, pour le citer lui-même, Øystein est comme fait pour le chômage. »

Malgré son nom, le restaurant Schrøder était plutôt un débit de boissons. Les habitués de l'après-midi étaient à leur poste et ils saluèrent Harry d'un signe de tête clément sans la moindre expression verbale.

La serveuse, en revanche, rayonna comme si le fils prodigue était de retour. Elle leur servit un café qui n'était assurément pas la raison pour laquelle les étrangers s'étaient dernièrement mis à classer Oslo comme l'une des meilleures villes du monde où boire un café.

« Dommage que ça n'ait pas marché entre Bjørn et toi, observa Harry.

— Oui. » Katrine ne savait pas si Harry souhaitait qu'elle approfondisse. Ni si elle-même souhaitait approfondir. Elle se contenta donc de hausser les épaules.

« Alors, fit Harry en portant la tasse de café à ses lèvres. Comment est la vie de célibataire ?

— Tu es tenté ? »

Il rit. Et elle se rendit compte que ce rire lui avait manqué. Il lui avait manqué de *provoquer* ce rire, qui chaque fois faisait l'effet d'une récompense.

« C'est bien, dit-elle. Je vois des hommes. » Elle guetta sa réaction. En *espérait*-elle une ?

« Alors j'espère que Bjørn voit des femmes, lui aussi. Pour lui, je veux dire. »

Elle acquiesça. Mais cette idée ne l'avait pas traversée. Et, comme un à-propos ironique, retentit le joyeux *ding* d'un *match* Tinder, et Katrine vit une femme vêtue de rouge-prêt-à-tout se hâter vers la sortie.

« Pourquoi es-tu revenu, Harry ? La dernière chose que tu m'aies dite, c'était que tu ne travaillerais plus jamais sur des meurtres. »

Harry fit tourner sa tasse. « Bellman menace de virer Oleg de l'École de police. »

Katrine secoua la tête. « Bellman est vraiment le plus gros con sur deux pattes qu'on ait vu depuis l'empereur Néron. Il veut que je mente à la presse en prétendant que c'est une affaire quasi impossible. Pour qu'il puisse en ressortir grandi quand nous la résoudrons. »

Harry consulta sa montre. « Eh bien, Bellman a peut-être raison. Quand un meurtrier mord avec des dents de fer et boit un demi-litre de sang de sa victime, le meurtre en soi a sans doute plus d'importance que l'identité de la victime. Et là, l'affaire est tout de suite plus difficile. »

Katrine hocha la tête. Le soleil brillait dans la rue, mais il lui semblait néanmoins entendre le lointain grondement du tonnerre.

« La photo de scène de crime d'Elise Hermansen, dit Harry. Ça ne te rappelle rien ?

— La morsure au cou ? Non.

— Je ne pense pas aux détails, je pense au… » Harry tourna la tête, regarda par la fenêtre. « … je pense à l'ensemble. Comme quand tu entends une chanson que tu n'as jamais entendue, jouée par un groupe que tu ne connais pas, et que tu sais malgré tout qui l'a composée. Parce qu'il y a quelque chose. Quelque chose sur quoi tu n'arrives pas à mettre le doigt. »

Katrine regarda son profil. Ses cheveux blonds en brosse se dressaient, toujours aussi rebelles, mais peut-être un peu moins drus qu'avant. De nouvelles lignes s'étaient dessinées, les golfes et les sillons s'étaient creusés, et il avait beau avoir désormais des pattes d'oie autour des yeux, la brutalité de ses traits n'avait fait que s'accentuer. Elle n'avait jamais compris pourquoi elle le trouvait si beau.

« Non, répondit-elle en secouant la tête.

— OK.

— Harry ?

— Hm ?

— C'est bien à cause d'Oleg que tu es revenu ? »

Il se retourna vers elle et, le sourcil haussé, la dévisagea. « Pourquoi me poses-tu cette question ? »

Et aujourd'hui comme alors, ce regard lui fit l'effet d'un électrochoc. Lui, qui pouvait être si absent, distant, était capable rien qu'en vous regardant une seconde de faire disparaître tout le reste, d'exiger, et d'obtenir, votre pleine et entière attention. L'espace de cette seconde il était le seul homme au monde.

« Non, c'est vrai, fit-elle en riant un peu. Pourquoi est-ce que je pose cette question ? On y va ? »

« Ewa avec un *w*. Ma mère et mon père voulaient que je sois unique. Et puis il est apparu que dans les pays du bloc de fer, là, c'était très commun. »

Elle rit, but une gorgée de sa pinte, ouvrit grand la bouche, et de son pouce et son index ôta du rouge à lèvres de la commissure de ses lèvres.

« *Rideau* de fer et *bloc* de l'Est, rectifia l'homme.

— Hein ? »

Elle le regarda. N'était-il pas drôlement beau ? Plus beau que ceux avec lesquels elle avait des *matchs* d'habitude. Quelque chose devait donc clocher, quelque chose qui finirait par émerger plus tard, en général, comme c'était généralement le cas.

« Tu bois lentement, nota-t-elle.

— Et toi, tu aimes le rouge. » L'homme désigna du menton le manteau qu'elle avait suspendu au dossier de sa chaise.

« Comme l'autre vampire, là. » Ewa pointa le doigt sur le journal télévisé diffusé sur l'un des immenses écrans de télévision. Le match de foot venait de se terminer et le bar, qui avait été bondé cinq minutes auparavant, commençait à se vider. Elle sentit qu'elle était pompette, légèrement, pas beaucoup. « Tu as lu *VG* ? Il a *bu* son sang, dis donc.

— Oui, répondit l'homme. Et tu sais où elle a pris son dernier verre ? À cent mètres d'ici, au Jealousy Bar.

— C'est vrai ? »

Elle regarda autour d'elle. La plupart des autres clients avaient l'air d'être accompagnés. Elle avait remarqué un homme assis tout seul qui la regardait, mais il n'était plus là. Et ce n'était pas le Saligaud.

« Bien sûr. Un autre verre ?

— Oui, j'en ai besoin, là, répondit-elle en frissonnant. Mon Dieu ! » Elle fit signe au barman qui secoua la tête. L'aiguille des minutes avait franchi la frontière magique.

« J'ai bien l'impression que nous allons devoir remettre ça à un autre jour, conclut l'homme.

— Et toi qui viens de me terrifier, protesta Ewa. Il faut que tu me raccompagnes chez moi, alors.

— Bien sûr. C'est à Tøyen, c'est ça ?

— Viens », fit-elle en boutonnant son manteau rouge sur son corsage rouge.

Elle titubait un peu sur le trottoir, pas beaucoup, mais elle sentit qu'il la soutenait discrètement.

— J'ai eu un de ces *stalkers*, là, qui me suivait, expliqua-t-elle. Je l'appelle le Saligaud. Je l'ai vu une fois et nous… enfin, nous avions passé un bon moment, dans un sens. Mais quand je n'ai plus voulu de lui, il est devenu jaloux, dis donc. Il s'est mis à faire irruption dans des endroits où je rencontrais d'autres hommes.

— Ç'a dû être désagréable.

— Oh, oui… » Elle rit. « Mais c'était un peu chouette aussi, de pouvoir ensorceler quelqu'un au point qu'il ne puisse penser à rien d'autre que toi. »

Elle toussa.

L'homme la laissa glisser sa main sous son bras et l'écouta poliment alors qu'elle parlait d'autres hommes qu'elle avait ensorcelés.

« J'étais belle, tu sais. Donc au début, je n'étais pas très surprise de le voir débarquer, je me disais qu'il avait dû me suivre. Mais ensuite, j'ai réalisé qu'il n'avait aucun moyen de savoir que j'allais être là où j'étais. Et tu sais quoi ? » Elle s'arrêta brusquement et vacilla.

« Euh, non ?

— J'avais parfois le sentiment qu'il était allé dans mon appartement. Tu sais, le cerveau enregistre l'odeur des gens et les reconnaît sans que nous en soyons conscients.

— Ah bon.

— Imagine, si c'était lui le vampire.

— Ce serait une sacrée coïncidence. C'est ici que tu habites ? »

Elle considéra avec stupéfaction la façade devant elle. « Ah oui ! On a fait drôlement vite.

— Comme chacun sait, le temps passe vite en bonne compagnie, Ewa. Bon, alors je te dis merci pour…

— Tu ne pourrais pas monter un moment ? Je crois que j'ai peut-être une bouteille dans mon placard.

— Je crois que nous avons tous les deux eu notre compte…

— Juste pour vérifier qu'il n'est pas là. S'il te plaît.

— C'est assez peu probable.

— Regarde, la lumière est allumée dans la cuisine, dit-elle en montrant l'appartement au rez-de-chaussée. Je suis sûre de l'avoir éteinte avant de partir !

— Ah bon ? » L'homme réprima un bâillement.

« Tu ne me crois pas ?

— Dis, je suis désolé, mais il faut vraiment que je rentre me coucher. »

Elle le dévisagea froidement. « Qu'est-il advenu des vrais gentlemen ? »

Il sourit prudemment. « Ils… euh, ils sont peut-être rentrés se coucher ?

— Ha ! Tu es marié et tu as été tenté, mais maintenant tu as des remords, c'est ça ? »

L'homme la jaugea. Comme s'il avait pitié d'elle. « Oui. C'est ça. Dors bien. »

Elle ouvrit la porte de l'immeuble, monta les marches jusqu'à l'entresol, tendit l'oreille. Elle n'entendait rien. Elle ne se souvenait plus du tout si elle avait éteint la lumière de la cuisine avant de sortir, elle avait dit ça pour le faire monter avec elle. Mais maintenant, c'était comme si ses paroles allaient se réaliser. Le Saligaud était peut-être vraiment à l'intérieur.

Elle entendit un pas traînant derrière la porte du sous-sol, l'interrupteur qu'on tournait, puis elle vit un homme en uniforme de veilleur de nuit sortir. Il verrouilla la porte avec une clef blanche, se retourna, la vit et parut sursauter.

« Je ne vous avais pas entendue, fit-il en riant doucement. Désolé.

— Des problèmes ?

— Il y a eu quelques cambriolages dans les box de la cave, alors la copropriété a commandé quelques patrouilles.

— Donc vous travaillez pour nous ? » Ewa inclina légèrement la tête. Lui non plus n'était pas mal. Et puis pas tout à fait aussi jeune que la plupart des veilleurs de nuit. « Alors je peux peut-être vous demander de vérifier mon appartement ? Moi aussi, j'ai été cambriolée, vous comprenez. Et maintenant je vois qu'il y a une lumière allumée et je sais qu'elle était éteinte avant que je parte. »

Le veilleur de nuit haussa les épaules. « Nous ne sommes pas censés entrer dans les appartements, mais soit.

— Enfin un homme bon à quelque chose. »

Elle coula un autre regard vers lui. Un veilleur de nuit d'âge mûr. Sûrement pas le plus finaud qui soit, mais solide, rassurant. Et facile à vivre. Le dénominateur commun des hommes de sa vie avait été qu'ils avaient tout : un bon nom de famille, la perspective d'un héritage intéressant, des diplômes, un avenir radieux. Et qu'ils l'idolâtraient. Mais hélas, ils étaient aussi portés sur la boisson, tant et si bien que leur radieux avenir commun était parti en eau de boudin. Il était peut-être temps d'essayer autre chose. Ewa se mit de profil et se déhancha pendant qu'elle cherchait son trousseau de clefs. Seigneur, ce qu'elle pouvait avoir comme clefs. Et elle était peut-être un peu plus ivre qu'elle ne le pensait.

Elle trouva la bonne clef, ouvrit, n'ôta pas ses chaussures dans l'entrée, mais alla dans la cuisine. Elle entendit le veilleur de nuit la suivre.

« Personne, déclara-t-il.

— À part vous et moi, fit Ewa en souriant et en se penchant en arrière contre le plan de travail.

— Sympa, cette cuisine. » Dans l'encadrement de la porte, le veilleur de nuit passait la main sur son uniforme.

« Merci. Si j'avais su que j'aurais de la visite, j'aurais rangé.

— Et peut-être fait le ménage, ajouta-t-il en souriant.

— Enfin. Il n'y a que vingt-quatre heures dans une journée. » Elle écarta une mèche de cheveux de son visage, fit un pas sur ses hauts talons pour ne pas perdre l'équilibre. « Mais si vous voulez bien avoir la gentillesse de vérifier le reste de l'appartement, je vais nous mixer un cocktail pendant ce temps. Qu'en dites-vous ? » Elle posa la main sur son nouveau mixeur à smoothies.

Le veilleur de nuit regarda sa montre. « Je dois être à mon adresse suivante dans vingt-cinq minutes, mais on va bien pouvoir s'assurer que personne ne se cache chez vous.

— Il peut se passer beaucoup de choses en vingt-cinq minutes », observa-t-elle.

Le veilleur de nuit croisa son regard, rit doucement, se frotta le menton et sortit de la cuisine.

Il se dirigea vers ce qu'il supposait être la chambre à coucher et fut frappé de constater à quel point les cloisons de l'appartement étaient fines. Il distinguait les mots que prononçait un homme dans l'appartement voisin. Il ouvrit. Sombre. Il trouva un interrupteur à l'intérieur. La lumière chiche d'un plafonnier s'alluma.

Vide. Lit défait. Bouteille vide sur la table de chevet.

Il continua son chemin, ouvrit la porte de la salle de bains. Carreaux striés de crasse. Rideau de douche moisi fermé.

« J'ai l'impression que vous êtes en sécurité ! lança-t-il en direction de la cuisine.

— Asseyez-vous dans le salon, cria-t-elle en réponse.

— OK. Mais je dois partir dans vingt minutes. »

Il alla dans le salon et s'assit sur le canapé au dossier affaissé. Il entendit des bouteilles tinter et sa voix criarde : « Vous voulez boire quelque chose ?

— Oui. »

Il songea qu'elle avait une voix franchement désagréable, le genre de voix qu'un homme aurait voulu couper avec sa télécommande. Mais elle était plantureuse, un peu maternelle. Il tritura quelque chose dans la poche de son uniforme, mais l'objet s'était pris dans la doublure.

« J'ai du gin, du vin blanc », siffla la voix dans la cuisine. Perçante. « J'ai aussi un peu de whisky. Qu'est-ce que vous voulez ?

— Autre chose, dit-il à voix basse pour lui-même.

— Comment ? J'apporte tout !

— Fais donc la mère », chuchota-t-il alors qu'il parvenait à dégager l'objet de la doublure de sa poche. Il le posa sur la table basse, où il était sûr qu'elle le verrait. Il sentait déjà son érection venir. Puis il respira profondément. Il eut l'impression de vider la pièce de son oxygène. Il s'enfonça dans le canapé et mit ses santiags sur la table basse à côté du dentier en fer.

Katrine Bratt laissa ses yeux las glisser sur les photos à la lueur de la lampe de bureau. Rien en eux ne permettait de voir qu'il s'agissait d'agresseurs. Qu'ils avaient violé des femmes, des hommes, des enfants, des vieux, qu'ils les avaient parfois torturés et, dans de rares cas, tués. Certes, si on vous avait raconté ce qu'ils avaient fait jusqu'au moindre détail effroyable, vous auriez sûrement pu détecter quelque chose dans les regards soumis, apeurés souvent, de ces photos d'arrestation. Mais si vous les aviez rencontrés dans la rue, vous les auriez simplement dépassés sans vous douter le moins du monde que vous étiez peut-être observé, évalué et, espérons-le, rejeté comme victime. Elle connaissait certains noms de l'époque où elle travaillait à la Brigade des mœurs, mais certains lui étaient inconnus. Il y avait beaucoup de nouveaux. Il naissait un nouvel agresseur chaque jour. Une petite et innocente pelote d'humain, le cri de l'enfant couvrait celui de la femme, attaché à la taille par un cordon ombilical, un cadeau qui ferait pleurer ses parents de bonhcur, un enfant qui plus tard dans la vie se branlerait en découpant le vagin d'une femme ligotée, ses gémissements rauques étant couverts par les cris de ladite femme.

La moitié des enquêteurs de la cellule avaient commencé à contacter ces agresseurs, en premier ceux dont le casier judiciaire faisait état des crimes les plus graves. Ils étaient allés chercher les alibis et les avaient vérifiés. Mais ils n'avaient encore réussi à situer aucun agresseur connu près des lieux du crime. Les autres étaient en train d'interroger d'anciens amants, amis, collègues et membres de la famille de la victime. Les statistiques du meurtre en Norvège étaient sans ambiguïté : le meurtrier connaissait la victime dans quatre-vingts pour cent des cas, quatre-vingt-dix quand la victime était une femme tuée à son propre domicile. Et, pourtant, Katrine ne s'attendait pas à le trouver dans ces statistiques. Car Harry avait raison. Ce n'était pas ce genre de meurtres. L'identité de la victime était secondaire par rapport à l'acte. Ils avaient aussi examiné la liste des agresseurs sexuels contre lesquels les clients d'Elise avaient témoigné, mais Katrine ne croyait pas beaucoup à la possibilité sous-entendue par Harry que l'agresseur ait fait d'une pierre deux coups : douce vengeance et satisfaction sexuelle. Quoique, satisfaction ? Elle essaya de visualiser un agresseur après l'atrocité, allongé, le bras autour de sa victime, une cigarette entre les lèvres, chuchotant en souriant « qu'est-ce que c'était bien ». Harry avait parlé au contraire de la frustration sexuelle du tueur en série, qui n'obtenait jamais *complètement* ce qu'il recherchait, ce qui rendait nécessaire de poursuivre sa traque, dans l'espoir d'y parvenir avec la *suivante*, d'atteindre la perfection, de jouir et de renaître au son des cris d'une femme avant de sectionner le cordon ombilical de l'humanité.

Elle regarda encore la photo d'Elise Hermansen sur son lit. Elle cherchait ce que Harry avait pu voir. Ou entendre. De la musique, n'était-ce pas ce qu'il avait dit ? Elle abandonna, plongea la tête dans ses mains. Qu'est-ce qui lui avait fait croire qu'elle avait une psyché adaptée à un travail comme celui-ci ? « À part pour quelques artistes, le trouble bipolaire n'est pas forcément un avantage », lui avait dit le psychiatre la dernière fois qu'elle l'avait vu, avant de renouveler l'ordonnance de petits cachets roses qui la maintenaient d'aplomb.

C'était le week-end, les gens normaux faisaient des choses normales, ils n'étaient pas dans un bureau à regarder des photos de scènes de crime atroces et des gens épouvantables, dans l'espoir que leur visage révélerait quelque chose, avant de se trouver un *match* Tinder à baiser pour oublier. Mais à cet instant précis, elle aspirait désespérément à un cordon ombilical pouvant la relier à la normalité. Un dîner du dimanche. Quand ils sortaient ensemble, Bjørn l'avait plusieurs fois invitée à venir dîner le dimanche chez ses parents, Skreia n'était qu'à une heure et demie de route, mais elle avait toujours trouvé un prétexte pour refuser. À cet instant précis, elle n'aurait toutefois rien souhaité d'autre qu'être autour d'une table avec sa belle-famille, passer les pommes de terre, se plaindre du temps, faire l'éloge du nouveau canapé, mastiquer des bouchées sèches de rôti d'élan alors que la conversation allait lentement mais sûrement, et que les regards et signes de tête étaient chaleureux, les plaisanteries anciennes, les motifs d'irritation tolérables, oui, ces motifs d'irritation étaient quelque chose dont, à cet instant précis, elle n'aurait pas voulu être privée.

« Coucou. »

Katrine sursauta. Il y avait un homme dans l'embrasure de la porte.

« J'ai pu vérifier que la dernière personne de ma pile n'était pas impliquée dans l'affaire, annonça Anders Wyller. Donc à moins qu'il n'y ait autre chose, je vais rentrer dormir un peu.

— Bien sûr. Il n'y a plus que vous ?

— Ça m'en a tout l'air.

— Et Berntsen ?

— Il a fini tôt et il est parti. Il doit être plus efficace.

— C'est ça, dit Katrine, qui avait envie de rire, mais n'en avait pas la force. Je suis désolée de vous demander ça, Wyller, mais pourriez-vous vous donner la peine de vérifier sa pile aussi, je crois…

— Je viens de le faire. Ça avait l'air d'aller.

— *Tout* allait ? » Katrine avait chargé Wyller et Berntsen d'appeler les différents opérateurs téléphoniques pour obtenir les listes de numéros et de noms des personnes avec lesquelles la victime avait eu des contacts dans les six derniers mois, de se les partager et de s'assurer qu'ils n'étaient pas impliqués dans l'affaire.

« Oui, oui. C'est juste qu'il y avait un gars d'Åneby, dans la commune de Nittedal, dont le prénom se termine par un *y*. Il avait appelé Elise un peu trop souvent au début de l'été, donc j'ai vérifié son alibi.

— Qui se termine par un *y* ?

— Lenny Hell. Ce n'est pas une plaisanterie.

— En effet. Vous soupçonnez les gens en vous fondant sur les lettres de leur prénom ?

— Entre autres. C'est un fait que les *y* sont surreprésentés dans les statistiques de criminalité.

— Et donc ?

— Donc quand j'ai vu que Berntsen avait noté que l'alibi de Lenny était d'avoir été avec un autre gars à Åneby Pizza & Grill à l'heure où Elise Hermansen a été tuée, chose qui n'était confirmée que par le propriétaire de la pizzeria, j'ai passé un coup de fil au *lensmann*[1] pour me renseigner.

— Parce que le type s'appelle Lenny ?

— Parce que le propriétaire de la pizzeria s'appelle Tommy.

— Et qu'a dit le *lensmann* ?

— Que Lenny et Tommy étaient deux citoyens dignes de confiance et particulièrement respectueux des lois.

— Vous vous êtes trompé, alors.

— Ça reste à voir. Le *lensmann* s'appelle Jimmy. »

Katrine éclata de rire. Elle sentit qu'elle en avait besoin. Anders Wyller sourit en retour. Elle avait sans doute besoin de ce sourire aussi. Tout le monde cherche à faire une bonne première impression, mais elle suspectait que si elle ne le lui avait pas demandé, Wyller ne lui aurait pas dit qu'il avait fait le travail de Berntsen aussi. Et cela montrait que Wyller, comme elle, n'avait pas confiance en Berntsen. Il y avait une idée que Katrine avait initialement chassée, mais elle changea d'avis.

1. Officier chargé notamment du maintien de l'ordre dans certaines communes rurales. *(N.d.T.)*

« Entrez et fermez la porte derrière vous. »

Wyller obéit.

« Il y a une autre chose que je suis désolée de devoir vous demander, Wyller. La fuite à *VG*. Vous êtes celui qui va travailler le plus étroitement avec Berntsen. Pourriez-vous… ?

— Garder les yeux et les oreilles ouverts ? »

Katrine poussa un soupir. « Quelque chose dans ce goût-là. Ça reste entre nous et si vous découvrez quelque chose, vous n'en parlez qu'à moi et à moi seule. Compris ?

— Compris. »

Wyller repartit et Katrine attendit quelques secondes avant de décrocher le téléphone de son bureau. Elle composa le numéro. Bjørn. Elle avait mis une photo de lui, qui apparaissait avec le numéro. Il souriait. Bjørn Holm n'était pas précisément un beau gosse. Il avait le teint blafard, le visage légèrement bouffi, des cheveux roux qui s'étaient parés d'une tonsure blanche luisante. Mais c'était Bjørn. L'antidote contre toutes ces autres photos. De quoi avait-elle eu si peur, au juste ? Si Harry Hole était capable de vivre avec quelqu'un, pourquoi n'y arrivait-elle pas, elle ? Son index approchait du bouton d'appel quand l'avertissement résonna de nouveau dans sa tête. L'avertissement de Harry Hole et de Hallstein Smith. La suivante.

Elle reposa le téléphone et se concentra de nouveau sur les photos.

La suivante.

Et si l'assassin pensait déjà à la suivante ?

« Il faut te donner plus de m-mal, Ewa », chuchota-t-il. Il détestait quand elles ne se donnaient pas de mal.

Quand elles ne nettoyaient pas leur appartement. Quand elles ne prenaient pas soin de leur corps. Quand elles n'arrivaient pas à retenir l'homme qui leur avait fait un enfant. Quand elles ne donnaient pas à l'enfant son repas du soir, mais l'enfermaient dans la penderie avec instruction d'être parfaitement silencieux et promesse de chocolat ensuite, pendant qu'elles accueillaient des hommes à qui elles offraient un souper, tout le chocolat, tout, avec lesquels elles jouaient, en couinant de plaisir, comme la mère ne jouait jamais avec son enfant.

Bien.

Alors l'enfant n'avait qu'à jouer avec la mère. Avec des femmes comme sa mère.

Et il avait joué. Joué fort. Jusqu'à ce qu'il se fasse prendre et enfermer dans un cagibi de Jøssingveien 33. Le centre pénitentiaire d'Ila. Dont les statuts indiquaient que c'était un établissement national pour détenus masculins ayant «… des besoins accrus en mesures d'aide et d'assistance».

L'un de ces pédés de psychologues de la prison lui avait expliqué que les viols et son bégaiement étaient tous dus à des traumatismes d'enfance. Ce con. Il avait hérité son bégaiement d'un père qu'il n'avait jamais vu. Son bégaiement et un costume sale. Et il avait rêvé de violer une femme d'aussi loin que remontaient ses souvenirs. Et puis il avait fait ce que ces femmes n'arrivaient pas à faire. Il s'était donné du mal. Il avait presque arrêté de bégayer. Il avait violé la dentiste de la prison. Il s'était échappé d'Ila. Et il avait continué de jouer. Plus fort que jamais. Avoir la police à ses trousses n'avait fait que pimenter la chose. Jusqu'à ce qu'il se retrouve un jour face à face avec ce policier, qu'il voie la résolution et la haine dans son regard et comprenne que cet homme était capable de le prendre. De le renvoyer dans l'obscurité de son enfance, dans la penderie verrouillée, où il essayait de retenir son souffle afin de ne pas aspirer la puanteur tabagique mêlée de sueur de l'épais costume en laine maculé de gras qui était pendu juste devant lui et que sa mère gardait pour le cas où son père reparaîtrait un jour. Il savait qu'il ne supporterait pas une nouvelle détention. Alors il s'était caché. Il s'était caché du policier au regard d'assassin. Il s'était tenu parfaitement coi pendant trois ans. Trois ans sans jouer. Jusqu'à ce que ça aussi, ce soit en passe de se transformer en cagibi. Et puis cette chance lui avait été donnée. Une possibilité de jouer en sécurité. Il ne fallait pas que ce soit *trop* sûr, naturellement. Il avait besoin de sentir l'odeur de la peur pour être vraiment excité. L'odeur de sa peur à lui *et* de sa peur à elle. Peu importaient leur âge, leur physique, leur corpulence. Tant que c'étaient des femmes. Ou des mères potentielles, comme l'avait dit l'un de ces abrutis de psychiatres. Il inclina la tête et la regarda. Les appartements étaient donc mal insonorisés, mais ça ne l'inquiétait plus. Ce n'était que maintenant, de si près et sous cette lumière, qu'il remarquait qu'Ewa avec un *w* avait de petits boutons autour de sa bouche ouverte. Elle cherchait indubitablement à crier, mais elle pouvait toujours essayer. Car, sous sa bouche ouverte, elle en avait désormais une autre. Un trou béant, sanglant, sur sa gorge, là où avait été son larynx. Il la tenait plaquée contre le mur du salon, et des bulles de sang roses éclataient dans un gargouillis là où le larynx sectionné ressortait. Les muscles de son cou se contractaient et se relâchaient comme chez une personne atteinte d'emphysème, alors qu'elle essayait désespérément de trouver de l'air. Et ses poumons continuant de travailler, elle allait vivre encore quelques secondes. Mais ce qui le fascinait à cet instant précis, ce n'était pas ça. C'était que, avec ses dents de fer, il ait mis un terme final à son insoutenable bavardage en lui sectionnant d'une morsure les cordes vocales.

Et alors que la lumière de ses yeux était sur le point de s'éteindre, il essaya de trouver dans son regard quelque chose qui lui parle de sa peur de mourir, de son souhait de vivre une seconde de plus. Mais il ne trouva rien. Elle aurait dû se donner plus de mal. Peut-être manquait-elle d'imagination. Ou de joie de vivre. Il détestait quand elles renonçaient à la vie si facilement.

10

Samedi matin

Harry courait. Il n'aimait pas ça. Certains pratiquent apparemment la course pour le plaisir. Comme Haruki Murakami. Harry aimait les livres de Murakami, sauf celui sur la course à pied, celui-là, il ne l'avait pas terminé. Harry, lui, courait pour s'arrêter. Il aimait *avoir couru*. La musculation pouvait lui plaire. Cette douleur plus concrète, limitée par la capacité musculaire, et pas par le désir de souffrir. Cela disait probablement quelque chose sur sa faiblesse de caractère, sa propension à fuir, à rechercher l'antalgique avant même d'avoir mal.

Un chien de chasse efflanqué – du genre que possédaient les gens aisés de Holmenkollen même quand ils ne chassaient qu'un week-end tous les deux ans – fit un écart sur le sentier. Son maître arrivait en courant cent mètres derrière. Collection Under Armour de l'année. Harry évalua rapidement sa technique de course alors qu'ils se croisaient comme deux trains. Dommage qu'ils n'aient pas couru dans le même sens. Harry serait alors resté juste derrière lui, lui aurait soufflé dans la nuque, il aurait fait comme s'il était sur le point d'abandonner pour mieux l'anéantir dans les côtes avant Tryvann. Il lui aurait fait voir les semelles éculées de ses Adidas de vingt ans d'âge. Oleg prétendait que Harry était incroyablement puéril quand ils couraient, que même quand ils s'étaient promis de courir tranquillement tout le long, Harry finissait par proposer une course dans la dernière montée. À sa décharge, il fallait dire qu'il tendait le bâton pour se faire battre, car Oleg avait hérité de l'injuste VO2max de sa mère.

Deux femmes en surpoids, qui marchaient plus qu'elles ne couraient, parlaient et soufflaient si fort qu'elles n'entendirent pas Harry arriver. Celui-ci prit donc un sentier plus étroit et, soudain, il se retrouva en terrain inconnu. Les arbres plus serrés ne laissaient pas passer la lumière du matin, et Harry retrouva fugitivement le goût d'une sensation de son enfance avant d'être de nouveau en terrain dégagé. La peur de se perdre, de ne jamais retrouver la maison. Mais il savait exactement où il devait aller à présent, où était sa maison.

Sur ces hauteurs, certains appréciaient le bon air, les descentes et les montées des sentiers moelleux, le silence et l'odeur des sapins. Harry, lui, aimait la vue sur la ville. Il en aimait le bruit et l'odeur. Le sentiment de pouvoir la toucher. La certitude de pouvoir s'y noyer, s'y abîmer. Oleg lui avait dernièrement demandé comment il souhaitait mourir. Harry avait répondu qu'il voulait s'éteindre dans son sommeil. Oleg avait choisi la mort soudaine et indolore. Harry avait menti. Il aurait bu à en crever dans un bar de la ville à leurs pieds. Et il savait qu'Oleg aussi avait menti, qu'il aurait choisi son enfer et son paradis d'antan et se serait injecté une overdose d'héroïne. Alcool et héroïne. Des amours qu'ils pouvaient quitter, mais jamais oublier, quel que soit le temps écoulé.

Harry piqua un sprint final jusqu'à la porte de la maison, entendit le gravier de l'allée gicler derrière ses chaussures, aperçut Mme Syvertsen derrière les rideaux de la maison voisine.

Harry se doucha. Il aimait se doucher. Il aurait fallu écrire un livre sur la douche.

Quand il eut terminé, il regagna la chambre à coucher, Rakel était debout à la fenêtre dans sa tenue de jardinage : bottes en caoutchouc, gants, jean élimé et chapeau de soleil délavé. Elle se retourna à demi et écarta quelques cheveux foncés qui dépassaient de sous son chapeau. Harry se demandait si elle savait combien elle était mignonne dans cette tenue. Probablement.

« Aaaah ! s'écria-t-elle doucement en souriant. Un homme nu ! »

Harry se plaça derrière elle, posa les mains sur ses épaules et les massa légèrement. « Qu'est-ce que tu fais ?

— J'inspecte les fenêtres. Tu crois qu'on devrait faire quelque chose avant l'arrivée d'Emilia ?

— Emilia ? »

Rakel rit.

« Quoi ?

— Tu as interrompu ton massage si brusquement, chéri. Détends-toi, personne ne va nous rendre visite. À part une tempête.

— Ah, cette Emilia-là. Tu sais, cette forteresse supportera bien encore une catastrophe naturelle ou deux.

— C'est ce que nous croyons, nous autres qui vivons sur la colline, n'est-ce pas ?

— Qu'est-ce que nous croyons ?

— Que nos vies sont des forteresses. Inexpugnables. » Elle soupira. « Il faut que j'aille faire des courses.

— Dîner à la maison ? On n'a pas encore essayé le péruvien de Badstugata. Il n'est pas très cher. »

C'était l'une de ses habitudes de vieux garçon que Harry avait essayé de lui faire adopter : ne pas préparer son propre dîner. Elle avait vaguement été convaincue par son argument selon lequel le restaurant était l'une des bonnes idées de la civilisation. Que dès l'âge de pierre, on avait compris qu'il était plus malin d'avoir des cuisines collectives et des repas communs que de voir chaque individu consacrer trois heures par jour à planifier, acheter, cuire et laver. Et quand elle avait objecté qu'elle ressentait la chose comme un tantinet décadente, il avait répondu qu'une famille avec deux enfants qui dépensait un million de couronnes pour se construire une cuisine, *ça*, c'était décadent. Qu'une exploitation des ressources saine et non décadente consistait à payer des cuisiniers diplômés selon leurs vœux pour cuisiner dans une cuisine collective, en échange de quoi ils payaient l'éventuelle assistance juridique de Rakel ou le travail de Harry de formation des policiers.

« C'est mon jour aujourd'hui, donc je paie, dit-il en l'attrapant du bras droit. Reste.

— Il faut que j'aille faire des courses, répéta-t-elle en grimaçant quand il l'attira contre son corps encore chaud et humide. Oleg et Helga viennent dîner. »

Il la tint encore plus fermement. « Ah bon ? Je croyais que tu avais dit que personne ne venait.

— Tu supporteras bien deux ou trois heures avec Oleg et…

— Je blaguais. Ça va être sympa. Mais est-ce qu'on ne pourrait pas plutôt…

— Non, on ne va *pas* les emmener au restaurant. Helga n'est encore jamais venue ici et je voudrais la regarder de plus près.

— Pauvre Helga, chuchota Harry, qui allait mordre le lobe d'oreille de Rakel quand il aperçut quelque chose à la jonction de son cou et de son buste. Qu'est-ce que c'est ?» Harry posa délicatement le doigt sur une marque rouge.

« Quoi donc ? demanda-t-elle en touchant. Ah, ça. Le médecin m'a fait une prise de sang.

— Dans le cou ?

— Ne me demande pas pourquoi. » Elle rit. « Tu es mignon aussi quand tu t'inquiètes.

— Je ne suis pas inquiet, répondit Harry. Je suis jaloux. Ceci est *mon* cou et nous savons que tu as un faible pour les médecins. »

Elle rit et il la serra encore plus fort.

« Non, dit-elle.

— Non ? »

Il entendit aussitôt la respiration de Rakel devenir plus haletante, sentit son corps céder.

« Tu fais chier », gémit-elle.

De son propre aveu, Rakel « souffrait d'un temps d'allumage court » et ses jurons en étaient le signe le plus sûr.

« Nous devrions peut-être en rester là, chuchota-t-il en la relâchant. Le jardin a piètre allure.

— Trop tard », cracha-t-elle.

Il déboutonna le jean de Rakel et le descendit avec sa culotte sur ses genoux, juste au-dessus de ses bottes. Elle se pencha en avant, saisit l'appui de fenêtre d'une main et allait ôter son chapeau de soleil de l'autre.

« Non, chuchota-t-il en s'inclinant de façon à mettre sa tête à côté de celle de Rakel. Garde-le. »

Le gloussement bas de Rakel lui chatouilla l'oreille. Bon Dieu, ce qu'il aimait ce rire. Un autre bruit s'y mêla. Le vibreur d'un téléphone qui grondait sur l'appui de fenêtre à côté de la main de Rakel.

« Balance-le sur le lit, murmura-t-il en évitant de regarder l'écran.

— C'est Katrine Bratt », dit-elle.

Rakel remonta son pantalon en l'observant.

Le visage de Harry était profondément concentré.

« Il y a combien de temps ? demanda-t-il. Je vois. »

Elle le vit disparaître sous ses yeux, se faire happer par la voix d'une autre femme au téléphone. Elle voulait tendre les mains vers lui, mais c'était trop tard, il avait déjà disparu. Le maigre corps nu aux muscles qui s'enroulaient comme des racines sous sa peau pâle était toujours devant elle. Les yeux dont le bleu avait été presque lavé de ses iris après des années d'abus d'alcool étaient toujours fixés sur elle. Mais il ne la voyait plus, son regard était orienté à l'intérieur de lui-même. La veille, il lui avait expliqué pourquoi il devait prendre l'affaire. Elle n'avait pas protesté. Parce que si Oleg était chassé de l'École de police, il pouvait repartir à la dérive. Et entre Harry et Oleg, elle préférait perdre Harry. Elle avait plusieurs années d'entraînement pour ce qui était de perdre Harry, elle savait qu'elle pouvait vivre sans lui. Elle ne savait pas en revanche si elle pourrait vivre sans son fils. Mais alors qu'il lui expliquait que c'était pour Oleg, l'écho de phrases qu'il avait prononcées récemment avait résonné dans sa tête : *Il pourrait en effet venir un jour où j'aurais vraiment besoin de mentir, et ce serait bien que tu croies que je dis la vérité.*

« J'arrive tout de suite, dit Harry. L'adresse ? »

Harry raccrocha et entreprit de s'habiller. Rapide, efficace, chaque geste soigneusement mesuré. Comme une machine qui fait enfin ce pour quoi elle a été construite. Rakel le scrutait, mémorisait tout, comme on mémorise un amant qu'on ne va pas revoir avant un certain temps.

D'une grande enjambée, il passa devant Rakel, sans un regard, sans un mot d'adieu. Elle était refoulée, extraite de son esprit par l'une de ses deux véritables maîtresses. La bouteille et le meurtre. Et c'était ce dernier qu'elle craignait le plus.

Harry était devant les bandes de signalisation orange et blanc quand une fenêtre du rez-de-chaussée s'ouvrit dans un mouvement brusque. Katrine Bratt passa une tête dehors.

« Laissez-le entrer, cria-t-elle au jeune policier en uniforme qui barrait la route à Harry.

— Il n'a pas d'insigne, protesta le policier.

— C'est Harry Hole, cria Katrine.

— Ah bon ? » Le policier jaugea Harry des pieds à la tête avant de soulever la rubalise. « Je croyais que Harry Hole n'était qu'une rumeur. »

Harry grimpa les trois marches qui menaient à la porte ouverte de l'appartement. À l'intérieur, il emprunta le passage entre les minidrapeaux blancs de l'unité de police scientifique qui balisaient les indices. Deux techniciens à genoux grattaient une fente du plancher.

« Où… ?

— Là-bas. »

Harry s'arrêta devant la porte qu'avait désignée le technicien. Il inspira et vida son cerveau de ses pensées. Puis il entra.

Il absorba tout ce qu'il pouvait : la lumière, les odeurs, l'aménagement intérieur, tout ce qui était là. Et tout ce qui n'y était *pas*.

« Bonjour, Harry, dit Bjørn Holm.

— Tu peux te pousser ? » demanda Harry à voix basse.

Bjørn fit un pas pour s'écarter du canapé sur lequel il était penché, et le corps apparut. Au lieu d'approcher, Harry recula. La scène. La composition. L'ensemble. Puis il alla plus près et commença à enregistrer les détails. La femme était assise sur le canapé, ses jambes écartées faisaient remonter sa robe et sa culotte noire était visible. Elle avait la tête renversée en arrière et ses longs cheveux de fausse blonde pendaient par-dessus le dossier. Une partie de sa gorge avait disparu.

« Elle a été tuée là-bas », précisa Bjørn en montrant le mur à côté de la fenêtre.

Harry promena son regard sur le papier peint et le bois brut du parquet.

« Moins de sang, observa Harry. Il n'a pas percé la carotide cette fois.

— Il a pu louper son coup, dit Katrine qui arrivait de la cuisine.

— S'il a mordu, il a des mâchoires puissantes, commenta Bjørn. La pression moyenne exercée par une mâchoire humaine est de soixante-dix kilos par centimètre carré, mais ici, on dirait qu'il a emporté le larynx et une partie de la trachée en une morsure. Même avec des dents en fer pointues, il faut *beaucoup* de force pour y arriver.

— Ou de fureur, suggéra Harry. Est-ce que tu vois de la rouille et de la peinture dans la plaie ?

— Non, mais ce qui devait s'écailler a pu partir quand il a mordu Elise Hermansen.

— Hm. Soit ça ou alors il n'a pas utilisé des dents en fer, mais autre chose. Le corps n'a pas non plus été déplacé sur le lit.

— Je vois à quoi tu penses, Harry, mais l'auteur des faits est bel et bien le même, assura Katrine. Viens voir. »

Harry suivit Katrine dans la cuisine. Un TIC faisait des prélèvements sur l'intérieur du bol de mixeur qui était dans l'évier.

« Il s'est fait un smoothie », expliqua Katrine.

Harry déglutit et regarda le bol en verre. L'intérieur était rouge.

« Avec du sang. Et ce qui semble être des citrons du frigo. »

Elle montra des rubans d'écorce jaune sur le plan de travail.

Harry sentit la nausée monter. Il songea que c'était comme le premier verre, celui qui vous faisait vomir. Deux verres de plus et il était impossible de s'arrêter. Harry fit un signe de tête et ressortit de la pièce. Il inspecta rapidement la salle de bains et la chambre à coucher avant de regagner le salon. Il ferma les yeux, écouta. La femme, la position de son corps, la façon dont elle était exposée. La façon dont Elise Hermansen avait été exposée. Et il revint, l'écho. C'était lui. C'était forcément lui.

Quand il rouvrit les paupières, ses yeux tombèrent droit sur le visage d'un jeune homme aux cheveux clairs qu'il crut reconnaître.

« Anders Wyller, se présenta le garçon. Enquêteur.

— Bien sûr, répondit Harry. Vous êtes sorti de l'École de police l'année dernière ? Il y a deux ans ?

— Deux ans.
— Félicitations pour vos excellentes notes.
— Merci. C'est impressionnant que vous vous souveniez de mes notes.
— Je ne me souviens de rien du tout, c'est de la pure déduction. Vous êtes employé à la Brigade criminelle comme enquêteur après seulement deux ans de service. »

Anders Wyller sourit. « Dites-moi si je dérange et je partirai. Le truc, c'est que je n'ai que deux jours et demi d'expérience dans les pattes et si ceci est un double meurtre, personne n'aura le temps de me former dans un avenir proche. Donc je pensais vous demander si je pouvais rester un peu sur vos talons pendant quelque temps, pour apprendre. Mais seulement si ça vous va. »

Harry observa le garçon. Il se souvenait qu'il était passé dans son bureau, il avait posé beaucoup de questions. Tant de questions, parfois complètement hors sujet, qu'on pouvait le soupçonner d'être un « *holehead* ». C'était un terme qu'on employait à l'École de police pour désigner les étudiants entichés du mythe de Harry Hole, qui, dans certains cas extrêmes, était la raison principale de leur demande d'admission à l'école. Harry les fuyait comme la peste. Mais « *holehead* » ou pas, Harry s'était dit qu'Anders Wyller pourrait aller loin avec les notes qu'il obtenait, son ambition, son sourire et son aisance sociale décomplexée. Et avant d'éventuellement aller loin, ce garçon si éveillé pouvait peut-être avoir le temps de se rendre utile, en élucidant quelques meurtres, par exemple.

« Bien, dit Harry. La première leçon est que vous allez être déçu par vos nouveaux collègues.

— Déçu ?

— Vous êtes exactement comme l'école dit qu'il faut être et vous êtes fier d'avoir atterri dans ce que vous pensez être le sommet de la chaîne alimentaire de la police. Donc la première leçon est que les enquêteurs criminels sont comme les autres. Nous ne sommes pas particulièrement intelligents, nous sommes même carrément bêtes pour certains d'entre nous. Nous faisons des erreurs, beaucoup d'erreurs, et nous n'en tirons pas tellement d'enseignements. Quand nous sommes fatigués, nous choisissons parfois de dormir au lieu de poursuivre notre traque, même si nous savons que nous pourrions être à un cheveu de la solution. Alors si vous pensez que nous allons vous ouvrir les yeux, vous inspirer et vous montrer un tout nouvel univers de subtilités de la technique d'enquête, vous allez être déçu.

— Tout ça, je le sais déjà, Harry.

— Ah bon ?

— J'ai travaillé pendant deux jours avec Truls Berntsen. Je voudrais juste savoir comment vous, vous travaillez.

— Vous avez suivi mon cours d'enquête criminelle.

— Et je sais que ce n'est pas comme ça que vous travaillez. À quoi pensiez-vous ?

— Pensiez ?

— Oui, quand vous aviez les yeux fermés. Je doute que ç'ait figuré au programme de l'École de police. »

Harry vit que Bjørn s'était redressé. Que Katrine s'était postée dans l'embrasure de la porte avec les bras croisés et qu'elle l'encourageait d'un signe de tête.

« Bon, fit Harry. Chacun a ses méthodes. La mienne est d'essayer de me connecter aux pensées qui traversent mon cerveau la première fois que j'arrive sur le lieu d'un crime. Toutes les conclusions apparemment insignifiantes que le cerveau tire automatiquement quand il s'imprègne de ses premières impressions d'un endroit. Des pensées que nous oublions aussi sec parce que nous n'avons pas le temps de les formuler avant que notre attention se fixe sur autre chose, comme les rêves qui vous échappent quand vous vous réveillez et que vous commencez à enregistrer ce qui vous entoure. Pour neuf sur dix d'entre elles, ces pensées n'ont aucune valeur. C'est la dixième dont vous espérez qu'elle a une importance.

— Et là ? demanda Wyller. Y en avait-il qui avaient une importance ? »

Harry hésita. Il vit le regard scrutateur de Katrine.

« Je ne sais pas. Mais je pense que le tueur a un truc avec la propreté.

— La propreté ?

— Il a transporté sa victime précédente de l'endroit où il l'a tuée à son lit. En général, les tueurs en série agissent de façon relativement similaire d'une fois sur l'autre, alors pourquoi a-t-il laissé cette femme dans le salon ? La seule différence entre cette chambre à coucher et celle d'Elise Hermansen est que les draps sont sales. J'ai inspecté l'appartement de Hermansen hier quand les TIC sont allés chercher les draps. Ça sentait la lavande.

— Donc il s'est livré à un acte de nécrophilie avec cette femme-ci dans le salon parce qu'il ne supporte pas les draps sales ?

— J'y viens, dit Harry. Vous avez vu le mixeur dans la cuisine ? OK, vous avez vu qu'il l'avait mis dans le bac à vaisselle après s'en être servi ?

— Où ça ?

— L'évier, dit Katrine. Les jeunes ne savent pas ce que c'est que la vaisselle à la main, Harry.

— L'évier, répéta Harry. Il était inutile de le mettre là, il n'allait rien laver du tout. Donc c'était peut-être un acte compulsif, il a peut-être une phobie de la saleté ? Une phobie des bactéries ? Souvent, ce ne sont pas les phobies qui manquent chez les gens qui s'adonnent au meurtre en série. Mais il n'est pas allé jusqu'au bout, il n'a pas lavé le mixeur, il n'a même pas ouvert le robinet pour faire tremper le bol en verre et rendre les restes de son smoothie sang-citron plus faciles à nettoyer. Pourquoi ? »

Anders Wyller secoua la tête.

« OK, revenons-y plus tard aussi, dit Harry avant de désigner le cadavre du menton. Comme vous le voyez, cette femme…

— Le voisin l'a identifiée comme Ewa Dolmen, dit Katrine. Ewa avec un *w*.

— Merci. Comme vous le voyez, Ewa a encore sa culotte sur elle, contrairement à Elise qu'il avait déshabillée. Dans la poubelle de la salle de bains, sur le dessus, il y avait une boîte de tampons, donc je parie qu'Ewa avait ses règles. Katrine, tu peux jeter un œil ?

— Le médecin légiste est en route.

— Juste pour voir si, comme je le crois, le tampon y est toujours. »

Katrine plissa le front. Puis elle fit ce que demandait Harry tandis que les trois hommes détournaient le regard.

« Oui, il y a bien une ficelle de tampon. »

Harry sortit un paquet de Camel de la poche de son blouson.

« Ce qui signifie que, à moins qu'il n'ait remis le tampon après son passage, le meurtrier ne l'a pas violée par voie vaginale. Parce qu'il est… » Harry pointa une cigarette sur Anders Wyller.

« Propre, compléta Wyller.

— C'est en tout cas une possibilité, poursuivit Harry. La seconde est qu'il n'aime pas le sang.

— Qu'il n'aime pas le sang ? s'exclama Katrine. Mais il en *boit*, bon Dieu.

— Avec du citron, rappela Harry en mettant sa cigarette non allumée entre ses lèvres.

— Quoi ?

— Je me pose la même question, dit Harry. Quoi ? Qu'est-ce que ça veut dire ? Que le sang était trop sucré ?

— Tu essaies d'être drôle ?

— Non, je trouve juste curieux que quelqu'un dont nous pensons qu'il cherche la satisfaction sexuelle en buvant du sang ne prenne pas sa boisson de prédilection pure. Les gens mettent du citron dans leur gin et sur leur poisson, ils prétendent que ça rehausse le goût. Mais c'est faux, le citron paralyse les organes gustatifs et couvre tout le reste. Nous ajoutons du citron pour *atténuer* le goût de quelque chose que nous n'aimons pas vraiment. L'huile de foie de morue a commencé à bien mieux se vendre quand on y a ajouté du citron. Donc il se pourrait que notre vampiriste n'aime pas le goût du sang, le fait qu'il en ingère est peut-être un comportement compulsif aussi.

— Il est peut-être superstitieux et boit du sang pour puiser les forces de ses victimes, proposa Wyller.

— C'est en tout cas un agresseur poussé par sa démence sexuelle qui, dans le cas présent, s'est malgré tout abstenu de toucher le sexe d'une femme. Et il se *pourrait* que ce soit parce qu'elle saigne.

— Un vampiriste qui ne supporte pas le sang

menstruel, remarqua Katrine. Les voies de l'esprit humain…

— Ce qui nous ramène au bol du mixeur, dit Harry. Avons-nous d'autres preuves matérielles de l'auteur des faits ?

— La porte d'entrée, répondit Bjørn.

— La porte ? s'étonna Harry. Pourtant j'ai jeté un œil sur la serrure en arrivant et elle avait l'air intacte.

— Pas d'effraction. Mais tu n'as pas vu l'extérieur. »

Les trois autres restèrent sur les marches pendant que Bjørn détachait la corde qui avait maintenu la porte ouverte contre le mur. Elle se referma lentement et la face externe apparut.

Harry la regardait fixement. Il sentit son cœur battre lourdement dans sa poitrine, sa bouche s'assécher.

« J'avais attaché la porte pour qu'aucun de vous ne la touche en arrivant », expliqua Bjørn.

Sur le battant était dessiné un *V*, de plus d'un mètre de haut. Il était dentelé sur le bas, là où le sang ayant servi à le peindre avait bavé.

« C'est pour ça qu'on nous a appelés, précisa Katrine. Les voisins ont entendu le chat d'Ewa miauler dans le couloir. Ce n'était pas la première fois qu'il se retrouvait enfermé dehors et ils avaient l'habitude de le faire entrer chez eux quand Ewa mettait trop longtemps à ouvrir. Ils ont expliqué que le chat avait fini par ne plus trop savoir où il habitait. Quoi qu'il en soit, ils allaient le faire entrer quand ils l'ont vu lécher la porte. Et comme en temps normal, les chats n'aiment pas la peinture, ils ont compris que le *V* avait dû être peint avec du sang. »

Ils contemplèrent tous quatre la porte sans un mot.

Bjørn fut le premier à rompre le silence. « Le *V* de victoire ?

— Le *V* de vampiriste, répondit Katrine.

— Ou alors il a juste coché sa nouvelle victime », suggéra Wyller.

Trois paires d'yeux se tournèrent vers Harry.

« Alors ? fit Katrine avec impatience.

— Je ne sais pas », dit Harry.

De nouveau le regard perçant de Katrine. « Allez, je vois que tu réfléchis à quelque chose.

— Hm. *V* pour vampiriste n'est peut-être pas une mauvaise proposition. Ça pourrait cadrer avec toute l'énergie qu'il dépense à nous dire précisément cela.

— Précisément quoi ?

— Qu'il est franchement exceptionnel. Les dents en fer, le mixeur, cette lettre sur la porte. Il se considère comme unique et nous distribue des pièces du puzzle pour que nous aussi, nous le comprenions. Il veut qu'on s'approche de lui. »

Katrine acquiesça d'un signe de tête.

Wyller hésita, comme s'il comprenait que son temps de parole était écoulé, mais il tenta sa chance malgré tout. « Vous voulez dire que, en son for intérieur, le meurtrier souhaite révéler qui il est ? »

Harry ne répondit pas.

« Pas qui il est, mais quoi, dit Katrine. Il annonce la couleur.

— Puis-je demander ce que ça veut dire ?

— Je vous en prie, fit Katrine. Posez la question à notre spécialiste du meurtre en série. »

Harry avait le regard rivé à la lettre sur la porte. Ce n'était plus l'écho d'un cri, c'était le cri lui-même. Le cri du démon.

« Ça veut dire… » Harry alluma son briquet, le leva devant sa cigarette, aspira une profonde bouffée, recracha la fumée. « … qu'il veut jouer. »

« Tu pensais que le *V* représentait autre chose, dit Katrine une heure plus tard, quand elle et Harry quittèrent ensemble l'appartement.

— Ah bon ? » Harry regarda des deux côtés de la rue. Tøyen. Le quartier immigré. Rues étroites, épiceries pakistanaises, pavés, profs de norvégien à bicyclette, cafés turcs, mères en hidjab à la démarche dandinante, jeunes vivant de leur prêt étudiant, d'amour et d'eau fraîche, un minuscule disquaire dealant des vinyles et du hard-rock. Harry adorait Tøyen. Au point qu'il se demandait ce qu'il fabriquait là-haut, parmi les bons bourgeois de la colline.

« C'est juste que tu ne veux pas le dire tout haut, poursuivit Katrine.

— Tu sais ce que mon grand-père disait quand il me prenait à proférer un juron blasphématoire ? "Si tu invoques le diable, il viendra." Eh bien…

— Eh bien quoi ?

— Tu veux que le diable vienne ?

— Nous avons un double meurtre, Harry, peut-être un tueur en série. Est-ce que ça peut vraiment être pire ?

— Oui, dit Harry. Ça peut. »

11

Samedi après-midi

« Nous supposons que nous avons affaire à un tueur en série », déclara l'inspectrice principale Bratt en contemplant la salle du K-O et une cellule d'enquête au grand complet. Plus Harry, dont ils étaient convenus qu'il participerait aux réunions jusqu'à ce qu'il ait formé son propre groupe.

Il régnait une autre atmosphère, plus attentive, qu'aux réunions précédentes. Cela avait bien sûr un rapport avec l'évolution de l'affaire, mais Katrine était relativement certaine que la présence de Harry jouait également un rôle. Harry avait certes été un enfant terrible de la Brigade criminelle, soiffard et arrogant, quelqu'un qui, directement et indirectement, avait causé la mort de collègues et dont les méthodes de travail étaient éminemment douteuses. Mais il les faisait néanmoins se tenir plus droits sur leurs sièges. Car il possédait toujours ce charisme lugubre, presque effrayant, et ses résultats étaient indiscutables. À brûle-pourpoint, elle ne se souvenait que d'une seule personne qu'il n'ait pas réussi à capturer. Peut-être était-ce vrai, ce que disait Harry, que même une mère maquerelle obtenait le respect si elle exerçait suffisamment longtemps.

« Un tel criminel est difficile à démasquer pour plusieurs raisons, mais les principales sont que, comme dans le cas présent, il est méthodique, il choisit des victimes au hasard et il ne laisse sur les lieux du crime que les indices qu'il souhaite que nous trouvions. C'est pourquoi les dossiers que vous avez devant vous et qui contiennent les rapports technico-scientifiques et médico-légaux et les rapports d'enquête judiciaire sont si minces. Nous n'avons toujours pas réussi à relier de criminels sexuels connus à Elise Hermansen ou Ewa Dolmen ni aux lieux des crimes. Mais nous avons pu identifier une méthode pour les meurtres. Tord ? »

L'informaticien émit un petit rire déplacé, comme s'il avait vu de l'humour dans ce que disait Katrine, avant de répondre.

« Ewa Dolmen a envoyé un SMS qui nous indique qu'elle avait un rendez-vous Tinder dans un bar sportif qui s'appelle le Dicky.

— Le Dicky ? s'exclama Magnus Skarre. C'est presque juste en face du Jealousy Bar. »

L'assistance poussa un gémissement à l'unisson.

« Donc si se servir de Tinder et avoir des rendez-vous à Grünerløkka est bien un mode opératoire de la part du tueur, nous avons au moins quelque chose, dit Katrine.

— Quoi, au juste ? demanda l'un des enquêteurs.

— Une idée de comment ça va se passer la prochaine fois.

— Et s'il n'y avait pas de prochaine fois ? »

Katrine retint son souffle. « Harry ? »

Harry bascula sur sa chaise. « Eh bien. D'habitude, les tueurs en série qui apprennent le métier ont besoin de plus de temps entre leurs premiers meurtres. Il peut s'écouler des mois, voire des années, entre deux meurtres. Le schéma classique est qu'à un meurtre succède une période de refroidissement avant que la frustration sexuelle recommence à croître. Typiquement, ces cycles raccourcissent de plus en plus entre les meurtres. Avec un cycle aussi court que deux jours, on n'est donc pas loin de supposer que ce n'est pas la première fois qu'il commet ce genre de crimes. »

S'ensuivit un blanc, pendant lequel tout le monde attendit la suite, qui ne vint pas.

Katrine toussota. « Le problème, c'est que nous ne trouvons en Norvège ces cinq dernières années aucun crime violent aggravé qui ait le moindre point commun avec ces deux meurtres. Nous nous sommes renseignés auprès d'Interpol pour savoir si un tel assassin aurait pu changer de terrain de chasse et venir en Norvège. Il y a une douzaine de suspects, mais aucun d'eux ne semble avoir bougé dernièrement. Donc ce que nous ne savons pas, c'est qui c'est. Ce que nous savons, c'est que l'expérience laisse entendre que cela va se reproduire. Auquel cas, ce sera bientôt.

— Bientôt comment ? demanda une voix.

— C'est difficile à dire, répondit Katrine en regardant Harry, qui lui montra discrètement un seul doigt. Mais cela pourrait être dans les vingt-quatre heures.

— Et il n'est rien que nous puissions faire pour l'arrêter ? »

Katrine bascula le poids de son corps sur son autre pied. « Nous avons pris contact avec le directeur de la police pour lui demander si nous pouvions lancer un avertissement public aux habitants de la ville pendant la conférence de presse. Avec un peu de chance, le tueur annulera ou au moins reportera ses nouveaux projets de meurtre s'il comprend que la vigilance des gens est renforcée.

— Vraiment ? demanda Wolff.

— Je crois…, commença Katrine, mais elle fut interrompue.

— Avec tout le respect que jc te dois, Bratt, ma question était pour Hole. »

Katrine déglutit en s'efforçant de ne pas se laisser gagner par l'agacement. « Qu'en dis-tu, Harry ? Un avis à la population l'arrêterait-il ?

— Je n'en ai aucune idée. Oubliez ce que vous avez vu à la télé, les tueurs en série ne sont pas des robots tous programmés avec le même logiciel, qui suivent un mode opératoire déterminé, ils sont tout aussi divers et imprévisibles que les autres.

— Sage réponse, Hole. » L'assistance se retourna vers la porte où le directeur de la police venait d'arriver et s'appuyait au chambranle, les bras croisés. « Personne ne sait quel effet produirait un avis au public. Ça ne ferait peut-être que stimuler ce meurtrier malade, lui donner le sentiment qu'il maîtrise la situation, qu'il est invulnérable et n'a qu'à continuer. Ce que, en revanche, nous *savons*, c'est qu'un avis à la population donnerait l'impression que nous, à l'hôtel de police, avons perdu le contrôle de la situation. Et les seuls à qui ça ferait peur seraient les habitants de cette ville. Encore plus peur, devrions-nous dire ; ceux d'entre vous qui ont lu les journaux sur Internet au cours de ces dernières heures ont pu voir qu'on se perd en conjectures sur une corrélation entre les deux meurtres. J'ai donc une meilleure proposition. » Mikael Bellman tira sur les manches de sa chemise blanche pour les faire ressortir de sa veste de costume. « Et c'est tout bonnement que nous prenions ce type avant qu'il commette d'autres atrocités. » Bellman sourit à l'assistance. « Qu'est-ce que vous en dites, les gars ? »

Katrine vit quelques têtes opiner.

« Bien, fit Bellman en consultant sa montre. Continuez, inspectrice principale Bratt. »

Le carillon de l'hôtel de ville soulignait qu'il était huit heures du soir quand une voiture de police banalisée de modèle Volkswagen Passat passa lentement.

« C'est la conférence de presse la plus merdique que j'aie jamais donnée, observa Katrine en dirigeant la Passat vers Dronning Mauds gate.

— Vingt-neuf fois, précisa Harry.

— Quoi ?

— Tu as dit "Nous ne pouvons pas faire de commentaires" vingt-neuf fois. J'ai compté.

— J'étais à ça de dire "désolée, mais le directeur de la police nous a muselés". Qu'est-ce qu'il fabrique, Bellman ? À ne pas mettre en garde, à ne pas dire franchement qu'un tueur en série est en liberté et que les gens devraient faire attention ?

— Il a raison sur le fait que ça provoquerait une peur irrationnelle.

— Irrationnelle ? siffla Katrine. Regarde ! On est samedi soir et la moitié des femmes que tu vois se hâter sur le trottoir sont en route pour aller rencontrer un homme qu'elles ne connaissent pas, un prince dont elles espèrent qu'il va changer leur vie. Et si ton estimation de vingt-quatre heures est bonne, l'une d'entre elles aura *foutrement* raison.

— Tu savais qu'il y avait eu un gros accident de bus à Londres le jour des attentats de Paris ? Presque autant de morts qu'à Paris. Les Norvégiens qui connaissaient des gens à Paris leur téléphonaient, ils craignaient qu'ils soient parmi les morts. Mais personne ne s'est particulièrement inquiété pour ses amis et relations de Londres. Après les attentats, les gens avaient peur d'aller à Paris, bien que la police soit en alerte attentat. Mais personne n'a exprimé d'inquiétude à l'idée de prendre le bus à Londres, même si la sécurité routière n'avait pas été améliorée.

— Où veux-tu en venir ?

— Au fait que les gens ont plus peur que ne le justifie la probabilité de rencontrer le vampiriste. Parce que c'est en une des journaux et parce qu'ils ont lu qu'il buvait le sang de ses victimes. Tout en allumant les cigarettes qui les tueront très certainement.

— Dis-moi, tu es dans le camp de Bellman ou quoi ?

— Non, dit Harry en regardant la rue. Je ne fais que chicaner. Parce que j'essaie de me mettre à la place de Bellman pour comprendre ce qu'il veut. Bellman cherche toujours à obtenir quelque chose.

— Et qu'est-ce que c'est ?

— Je ne sais pas. Mais il veut en tout cas que cette affaire ne prenne pas trop d'importance et qu'elle soit résolue le plus rapidement possible. Comme un boxeur qui défend son titre.

— De quoi tu parles, là, Harry ?

— Quand tu as la ceinture de champion, tu préfères éviter les combats. Parce que le mieux que tu puisses obtenir, c'est de conserver ce que tu as déjà.

— Théorie intéressante. Tu en as une autre ?

— Je t'ai dit que je n'étais pas sûr.

— *Il* a peint un *V* sur la porte d'Ewa Dolmen. C'est *son* initiale, Harry. Et tu m'as dit que tu reconnaissais les scènes de crime de l'époque où il était en activité.

— Oui, mais comme je te le disais, je n'arrive pas à concrétiser ce que je reconnais.

— Comme un metteur en scène, tu disais.

— Et je n'arrête pas de me tromper, Katrine. Écoute, mordre le larynx, porter des dents en fer, boire du sang, ce n'est pas sa méthode. Les agresseurs en série et les tueurs sont peut-être imprévisibles pour ce qui est des détails, mais ils ne changent pas de méthode.

— Il en a de nombreuses, Harry.

— Il aime la douleur et la peur de ses victimes. Pas le sang.

— Tu disais que le meurtrier avait ajouté du citron parce qu'il n'aimait pas le sang.

— Katrine, ça ne nous aiderait même pas de savoir que c'est effectivement lui. Ça fait combien de temps que vous le chassez, avec Interpol ?

— Presque quatre ans.

— Et c'est pourquoi je considère qu'il serait contre-productif d'informer les autres de ce soupçon et de risquer de limiter l'enquête uniquement à lui.

— Ou alors c'est parce que tu veux l'avoir pour toi tout seul.

— Quoi ?

— C'est à cause de lui que tu es revenu, Harry, n'est-ce pas ? Tu sens que c'est lui depuis le début. Oleg n'est qu'un prétexte.

— Restons-en là, Katrine.

— Parce que Bellman n'aurait jamais divulgué cette information sur le passé d'Oleg, ça lui serait retombé dessus de ne l'avoir pas fait plus tôt. »

Harry monta le son de la radio. « Tu la connais, cette chanson ? Aurora Aksnes, pas mal du…

— Tu détestes la musique électronique, Harry.

— Pas plus que cette conversation. »

Katrine soupira. Ils s'arrêtèrent au feu rouge. Elle s'avança vers le pare-brise. « Regarde, c'est la pleine lune. »

« C'est la pleine lune », remarqua Mona Daa en contemplant par la fenêtre de la cuisine les champs vallonnés.

Leur surface scintillait au clair de lune, comme s'il venait de neiger.

« Pensez-vous que cela accroisse la probabilité qu'il frappe pour la troisième fois dès ce soir ? »

Hallstein Smith sourit. « Pas vraiment. D'après ce que vous m'avez indiqué au sujet des deux meurtres, les paraphilies de ce vampiriste sont la nécrophilie et le sadisme plus qu'une obsession des mythes ou l'illusion d'être une créature surnaturelle. Mais il va encore frapper, c'est certain.

— Intéressant. » Mona Daa écrivit sur son calepin, qui se trouvait sur la table de cuisine à côté de la tasse de thé vert au piment fraîchement infusé.

« Comment et où pensez-vous que cela se passera ?

— Vous disiez que la dernière femme avait eu un rendez-vous Tinder, elle aussi ? »

Mona Daa hocha la tête tout en continuant d'écrire. La plupart de ses confrères recouraient à des dictaphones, mais elle avait beau être de la jeune garde parmi les reporters d'investigation, elle utilisait l'ancienne méthode. Son explication officielle était que dans la course pour être la première sur une affaire, elle prenait toujours de l'avance sur les autres parce qu'elle commençait à rédiger son papier dès la prise de notes. C'était particulièrement avantageux quand elle devait couvrir des conférences de presse. Étant entendu qu'à la conférence de presse qui avait eu lieu dans l'après-midi à l'hôtel de police, on aurait pu s'en sortir sans dictaphones ni calepins. Le refrain « nous ne pouvons pas commenter ce point » de Katrine Bratt avait fini par exaspérer jusqu'aux chroniqueurs judiciaires les plus aguerris. « Nous n'avons pas encore écrit qu'il y avait eu une rencontre Tinder dans le journal, mais d'après une source policière, Ewa Dolmen a envoyé un SMS à une copine disant qu'elle était à un rendez-vous Tinder au Dicky à Grünerløkka.

— Je vois, fit Smith en redressant ses lunettes. Je suis relativement sûr qu'il s'en tiendra à la méthode qui lui a réussi jusqu'ici.

— Donc que diriez-vous à celles qui envisagent de rencontrer de nouveaux hommes par Tinder ces prochains jours ?

— Qu'elles devraient attendre que ce vampiriste soit pris.

— Mais pensez-vous qu'il utiliserait Tinder même après avoir lu le papier que je suis en train d'écrire et compris que tout le monde connaît sa méthode ?

— Ceci est une psychose, il ne se laisse pas arrêter par des évaluations rationnelles des risques. Nous ne sommes pas en présence du tueur en série classique qui planifie tranquillement, du psychopathe de sang-froid qui ne laisse aucune empreinte, qui sait se cacher dans les fissures et les recoins, qui tisse sa toile et prend son temps entre les meurtres.

— D'après notre source, la direction de l'enquête pense qu'il s'agit d'un tueur en série classique.

— Ceci est une autre forme de folie. Le meurtre est secondaire par rapport à la morsure ; le sang, c'est ça qui le pousse. Et il ne veut que continuer, il est au point d'ébullition à présent, sa psychose est en pleine floraison. Notre espoir, c'est qu'étant – contrairement au tueur en série – si incontrôlable, si indifférent à la perspective d'être découvert, il se fasse rapidement identifier et prendre. Le tueur en série classique et le vampiriste sont tous deux des catastrophes naturelles dans la mesure où ce sont des gens tout à fait ordinaires qui ont l'esprit malade. Mais là où le tueur en série est une tempête qui peut sévir à répétition sans que vous ayez la moindre idée de quand ça se terminera, le vampiriste est un éboulement. Il sera passé sous peu. En attendant, un éboulement peut éradiquer un village entier, n'est-ce pas ?

— C'est vrai, fit Mona en écrivant : *Éradiquer un village entier*. Alors je vous dis merci, Smith, j'ai tout ce qu'il me faut. »

Smith fit un geste des bras. « Ce n'était pas grand-chose. Je suis surpris que vous ayez fait le déplacement rien que pour ça. »

Mona Daa sortit son iPad. « Nous allions faire le déplacement de toute façon pour prendre une photo, donc je pouvais aussi bien venir, moi aussi. Willy ?

— J'aimerais bien en faire une dans le champ, déclara le photographe, qui était resté à écouter l'interview sans rien dire. Vous, le paysage dégagé et la jolie lumière de la pleine lune. »

Mona savait bien sûr ce que le photographe avait en tête. Homme seul de nuit, dans un champ noir, pleine lune, vampire. Elle lui fit un signe de tête imperceptible. Mieux valait parfois ne pas expliquer l'idée de la photo au sujet photographié, car on ne faisait alors que risquer des refus.

« Y a-t-il une quelconque possibilité que ma femme puisse être sur la photo ? demanda Smith, qui semblait de toute évidence gêné. *VG*... c'est un assez gros événement pour nous, tout ça. »

Mona Daa ne put s'empêcher de sourire. Mignon. L'espace d'un instant, une idée traversa son cerveau : photographier le psychologue mordant le cou de sa femme pour illustrer le papier, mais ç'aurait bien sûr été aller trop loin, ç'aurait été trop grotesque dans une grave affaire de meurtre.

« Mon chef de rubrique et ma rédactrice en chef préféreront sans doute vous avoir seul, répondit-elle.

— Je comprends, mais je voulais tout de même vous poser la question, expliqua Smith en s'excusant d'un sourire.

— Je vais rester ici pour écrire mon papier, comme ça nous pourrons peut-être le mettre en ligne avant même que nous repartions. Vous avez le WiFi, ici ? »

Mona obtint le mot de passe « freudundjoie » et elle avait déjà à moitié terminé quand elle vit le flash briller dans le champ.

La raison non officielle pour laquelle Mona Daa évitait les dictaphones était qu'ils attestaient indiscutablement de ce qui avait *réellement* été dit. Non qu'elle eût jamais sciemment écrit de texte allant à l'encontre de ce qu'elle avait perçu comme étant le propos de l'interviewé, mais cette méthode lui donnait le loisir d'écrire « percutant », comme on disait. De traduire les citations dans une langue tabloïde que les lecteurs comprenaient. Et qui faisait du clic.

Un psychologue : Le vampiriste pourrait éradiquer des villages entiers !

Elle consulta sa montre. Truls Berntsen avait dit qu'il téléphonerait à vingt-deux heures s'il avait du neuf.

« Je n'aime pas les films de science-fiction, déclara l'homme qui était assis en face de Penelope Rasch. Le plus horripilant, c'est le bruit du vaisseau spatial qui passe devant la caméra. » Il plissa ses lèvres pour produire un bref *chuit*. « Il n'y a pas d'air dans l'espace, il n'y a aucun bruit, rien que le silence complet. On nous ment.

— Amen, fit Penelope dans un rire en levant son verre d'eau.

— J'aime bien Alejandro González Iñárritu, poursuivit l'homme en levant son propre verre, qui contenait de l'eau minérale lui aussi. Et *Biutiful* et *Babel* plus que *Birdman* et *The Revenant*. J'ai peur qu'il soit en train de devenir *mainstream*. »

Penelope eut un frisson de délectation. Pas tant parce qu'il avait cité deux de ses films préférés que parce qu'il avait prononcé le nom complet d'Iñárritu, sans omettre le nom de son père, que l'on entendait rarement. À quoi s'ajoutait qu'il venait d'évoquer son écrivain préféré (Cormac McCarthy) et sa destination de voyage de prédilection (Florence).

La porte s'ouvrit. Ils avaient été les seuls clients du petit restaurant peu connu qu'il avait proposé, mais voilà qu'entrait un autre couple. Il se tourna. Pas vers la porte pour voir, mais de l'autre côté. Et elle eut ainsi quelques secondes pour l'observer sans qu'il s'en aperçoive. Elle avait déjà déterminé qu'il était svelte, à peu près aussi grand qu'elle, qu'il avait de bonnes manières et qu'il était bien habillé. Mais était-il beau ? C'était dur à dire. Il n'était pas laid, ça, c'était certain, mais il avait un côté un peu lisse. Et quelque chose la faisait douter qu'il n'ait que les quarante ans qu'il prétendait. Sa peau paraissait tirée autour de ses yeux et sur le cou, comme s'il s'était fait lifter.

« Je ne connaissais pas ce restaurant, dit-elle. C'est très calme.

— T-trop calme ?

— Non, calme, c'est bien.

— La prochaine fois, on pourrait aller dans un endroit où ils servent de la Kirin et du riz noir, proposa-t-il. Si tu aimes. »

Elle manqua de laisser échapper un petit cri. C'était hallucinant. Comment pouvait-il savoir qu'elle a-dorait le riz noir ? Encore une fois, la plupart de ses amis en ignoraient jusqu'à l'existence. Roar avait détesté, il prétendait que ça avait un goût d'aliment diététique et que c'était snob. Deux choses qui du reste étaient vraies, puisque le riz noir était apparemment plus riche en antioxydants que les myrtilles et que ç'avait été un ingrédient des sushis interdits réservés à l'empereur et à sa famille.

« J'adore ça, dit-elle. Qu'est-ce que tu aimes d'autre ?

— Mon boulot, répondit-il.

— Qui est ?

— Je suis artiste visuel.

— Passionnant ! Qu'est-ce que…

— Des installations.

— Roar… mon ex, est aussi artiste visuel, tu le connais peut-être ?

— J'en doute, j'opère hors des cercles établis. Et je suis autodidacte, si tu veux savoir.

— Mais si tu arrives à vivre de ton art, c'est étonnant que je n'aie pas entendu parler de toi. Oslo est une petite ville.

— Je fais d'autres choses pour survivre.

— Comme quoi ?

— Veilleur de nuit.

— Mais tu exposes ?
— C'est surtout des expos fermées pour un public restreint et auxquelles la presse n'a pas accès.
— Ouah, ça doit être palpitant de se faire si sélect, je disais à Roar qu'il devrait essayer cette option. Qu'est-ce que tu utilises dans tes installations ? »
Il essuya son verre avec une serviette. « Des modèles.
— Modèles comme dans… personnes vivantes ? »
Il sourit. « Les deux. Parle-moi de toi, Penelope. Qu'est-ce que tu aimes, toi ? »
Elle mit un doigt sous son menton. Oui, qu'aimait-elle ? À cet instant précis, elle avait l'impression qu'il avait déjà tout dit. Comme s'il avait lu un livre sur elle.
« J'aime les gens, dit-elle. Et la franchise. Et ma famille. Et les enfants.
— Et la contrainte physique, ajouta-t-il en lançant un regard sur le couple qui s'était installé deux tables plus loin.
— Pardon ?
— Tu aimes bien être tenue de force et jouer sans limites, dit-il en se penchant par-dessus la table. Je le vois sur toi, Penelope. Et ce n'est pas un problème, moi aussi j'aime ça. Il commence à y avoir beaucoup de monde ici, on va chez toi ? »
Il fallut une seconde à Penelope pour comprendre que ce n'était pas une plaisanterie. Elle baissa les yeux et vit qu'il avait posé sa main si près de la sienne que leurs doigts se frôlaient presque. Elle déglutit. Qu'avait-elle donc pour toujours tomber sur les mauvais numéros ? C'étaient ses copines qui lui avaient dit que le meilleur moyen de se remettre de Roar était de voir d'autres hommes. Et elle avait essayé, mais soit c'étaient des nerds tâtonnants et socialement inaptes avec lesquels elle avait dû assurer toute la conver-

sation, soit c'étaient, comme celui-ci, des hommes recherchant uniquement une petite partie de jambes en l'air.

« Je crois que je vais rentrer seule, dit-elle en cherchant un serveur du regard. L'addition est pour moi. »

Ils n'étaient là que depuis vingt minutes à peine, mais c'était, d'après ses copines, le troisième et principal commandement de Tinder : *Don't play games, leave if you don't click*.

« Ces deux bouteilles d'eau minérale sont pour moi, répondit l'homme en souriant et en tirant légèrement sur son col de chemise bleu pâle. Cours, Cendrillon.

— Alors, merci. »

Penelope attrapa son sac et s'empressa de sortir. L'air d'automne vif était délicieux sur ses joues chaudes. Elle remonta Bogstadveien. Comme on était samedi soir, les rues fourmillaient de gens d'humeur festive et il y avait la queue aux stations de taxi. C'était aussi bien ; vu les prix qu'ils pratiquaient, elle évitait les taxis d'Oslo, sauf en cas de pluies diluviennes. Elle passa devant Sorgenfrigata où elle avait rêvé d'habiter un jour avec Roar, dans l'un des beaux immeubles. Ils étaient d'accord que l'appartement n'avait pas besoin de mesurer plus de soixante-dix, quatre-vingts mètres carrés, du moment que la salle de bains était rénovée. Ils étaient conscients que ce serait hors de prix, mais ses parents comme ceux de Roar avaient promis de les aider financièrement. Par « aider », ils voulaient naturellement dire financer l'intégralité de l'appartement. Elle était après tout designer fraîchement diplômée en recherche d'emploi, et le marché de l'art n'avait pas encore découvert l'immense talent de Roar. À part cette foutue galeriste qui lui avait mis le grappin dessus. Les premiers temps après son départ, Penelope était persuadée que Roar allait percer à jour cette femme, qu'il allait comprendre qu'elle n'était qu'une cougar fripée qui voulait un jeune garçon trophée avec lequel s'amuser un moment. Mais ce n'était pas arrivé, au contraire, ils avaient annoncé leurs prétendues fiançailles sous la forme d'une stupide installation en barbe à papa.

À la station de métro de Majorstua, Penelope sauta dans le premier train qui allait vers l'ouest. Elle descendit à Hovseter, également connu comme le quartier est des quartiers ouest. Une enfilade de tours aux appartements relativement bon marché, dont elle et Roar avaient loué le moins cher. La salle de bains était épouvantable. Roar l'avait consolée en lui offrant *Just Kids* de Patti Smith, un récit autobiographique sur deux artistes ambitieux qui vivaient d'espoir, d'amour et d'eau fraîche au début des années 1970 à New York, et qui bien sûr finissaient par avoir du succès. Mais bon, ils se perdaient l'un l'autre.

Elle quitta la station et marcha en direction de l'immeuble devant elle qui paraissait entouré d'une auréole. Penelope se souvint que c'était la pleine lune ce soir-là, qu'elle devait se trouver juste derrière l'immeuble. Quatre. Elle avait couché avec quatre hommes depuis que Roar était parti, onze mois et treize jours auparavant. Deux d'entre eux avaient été meilleurs que Roar, deux moins bons. Mais ce n'était pas pour le sexe qu'elle aimait Roar. C'était parce qu'il… enfin, au diable Roar.

Elle sentit qu'elle pressait le pas devant le petit bosquet à gauche de la route. À Hovseter, les rues se vidaient dès le début de soirée, mais Penelope était une fille grande et sportive et, par le passé, l'idée ne l'avait même pas effleurée qu'il puisse être dangereux de se promener ici à la nuit tombée. C'était peut-être cet assassin dont parlaient les journaux. Enfin, non, ce n'était pas ça, c'était que quelqu'un se soit introduit dans son appartement. L'incident remontait maintenant à trois mois, et elle avait d'abord espéré que Roar souhaite revenir auprès d'elle. Elle avait compris que quelqu'un était venu dans l'appartement quand elle avait trouvé des mottes de terre qui ne provenaient en tout cas pas de ses chaussures à elle. Et quand elle en avait découvert une autre devant la commode de sa chambre à coucher, elle avait compté ses culottes dans le stupide espoir que Roar en ait emporté une. Mais non, ça n'en avait pas l'air. Puis elle s'était aperçue de ce qui manquait. La boîte qui contenait sa bague de fiançailles, que Roar lui avait achetée à Londres. Pouvait-ce avoir été un cambrioleur malgré tout ? Non, c'était Roar. Il s'était faufilé dans l'appartement et l'avait prise pour la donner à sa foutue galeriste ! Furieuse, naturellement, Penelope avait appelé Roar et l'avait confronté à la situation. Mais il avait nié, prétendant avoir perdu les clefs de l'appartement pendant son déménagement, sans quoi il les lui aurait bien sûr renvoyées. Mensonge, bien sûr, comme tout le reste, mais elle avait quoi qu'il en soit fait changer les verrous de la porte de l'immeuble et de son appartement au troisième.

Penelope sortit les clefs de son sac à main, elles étaient à côté de la bombe lacrymogène qu'elle s'était procurée. Elle entra dans l'immeuble, entendit le sifflement bas de la pompe hydraulique qui repoussait la porte derrière elle, vit que l'ascenseur était au cinquième et entreprit de monter les marches jusqu'au troisième. En passant devant la porte d'Amundsen, elle s'arrêta, elle se sentait essoufflée. Curieux, elle était pourtant en forme, n'avait jamais été fatiguée en montant cet escalier. Quelque chose clochait. Mais quoi ?

Elle leva les yeux vers la porte de son appartement.

Il s'agissait là de vieux immeubles conçus autrefois pour la classe ouvrière qui existait alors dans l'ouest d'Oslo et on avait rogné sur l'éclairage. Une seule lampe murale en métal par étage, vissée haut sur le mur au-dessus de l'escalier. Elle retint son souffle et tendit l'oreille. Elle n'avait pas entendu un bruit depuis qu'elle était entrée dans l'immeuble.

Rien depuis le sifflement de la pompe hydraulique.

Pas un bruit.

C'était ça qui clochait.

Elle n'avait pas entendu la porte se refermer.

Penelope n'eut pas le temps de se retourner, elle n'eut pas le temps de plonger la main dans son sac, elle n'eut le temps de rien avant qu'un bras arrive par-derrière et comprime si fortement sa poitrine qu'elle en eut le souffle coupé. Son sac tomba dans l'escalier et fut la seule chose que son pied atteignit quand elle se débattit violemment. Elle cria sans bruit dans la main qui s'était posée sur sa bouche. Et qui sentait le savon.

« Allons, allons, Penelope, lui chuchota une voix à l'oreille. Dans l'espace, personne ne peut t-t'entendre, tu sais. » Il produisit un *chuit*.

Il y eut un petit choc en bas, à la porte de l'immeuble, et elle espéra une seconde que quelqu'un venait, avant de comprendre que c'était son sac à main, avec son gaz lacrymogène, qui avait volé à travers la rampe et heurté le sol du rez-de-chaussée.

« Qu'est-ce qu'il y a ? » demanda Rakel sans se retourner ni cesser d'émincer l'oignon de la salade.

Elle avait vu dans le reflet de la fenêtre au-dessus du plan de travail que Harry s'arrêtait de mettre le couvert pour aller à la fenêtre du salon.

« J'ai cru entendre quelque chose, dit-il.

— Sûrement Oleg et Helga.

— Non, c'était autre chose. C'était… autre chose. »

Rakel soupira. « Harry, tu viens à peine de rentrer à la maison et tu grimpes déjà aux rideaux. Tu vois ce que ça te fait.

— Juste cette affaire et ensuite c'est terminé. » Harry s'approcha du plan de travail, lui embrassa la nuque. « Comment te sens-tu ?

— Bien », mentit-elle. Son corps lui faisait mal, sa tête lui faisait mal. Son cœur lui faisait mal.

« Tu mens.

— Je mens bien ? »

Il sourit et lui massa la nuque.

« Si je devais disparaître, dit-elle, tu te trouverais quelqu'un d'autre ?

— Me *trouverais* ? Ça me paraît fatigant. Ç'a été assez de boulot comme ça de te convaincre, toi.

— Une femme plus jeune. Avec qui tu pourrais avoir un enfant. Je ne serais pas jalouse, tu sais.

— Tu ne mens pas *si* bien que ça, ma chérie. »

Elle rit, lâcha son couteau, pencha la tête en avant, sentit les doigts chauds et secs de Harry chasser ses élancements, lui accorder un répit dans la douleur.

« Je t'aime, dit-elle.

— Hm ?

— Je t'aime. Surtout si tu me fais un thé.

— À vos ordres, chef. »

Harry lâcha prise et Rakel resta à attendre. À espérer. Mais, non, la douleur revenait comme un poing serré.

Les deux mains sur le plan de travail, Harry regardait fixement la bouilloire électrique. Il attendait le grondement bas. Qui allait monter et monter encore jusqu'à ce que la bouilloire entière vibre. Comme un cri. Il entendait des cris. Des cris silencieux qui emplissaient sa tête, son corps, la pièce. Il bascula le poids de son corps sur son autre jambe. Des cris qui voulaient sortir, qui *devaient* sortir. Était-il en train de devenir fou ? Il leva les yeux sur la fenêtre. Tout ce qu'il voyait dans l'obscurité était son propre reflet. C'était lui. Il était là. Il les attendait. Il chantait. Venez jouer !

Harry ferma les yeux.

Non, ce n'était pas *eux* qu'il attendait. C'était *lui*, Harry. Viens jouer !

Il sentit qu'elle était différente des autres. Penelope Rasch voulait vivre. Elle était grande et forte. Et son sac avec les clefs de l'appartement était trois étages plus bas. Comme elle relâchait de l'air de ses poumons, il resserra prise. Comme un serpent étouffeur. Un constricteur. Un muscle qui se contractait un peu plus chaque fois qu'elle relâchait de l'air de ses poumons. Il voulait l'avoir vivante. Vivante et chaude. Avec cet exquis désir de survie. Qu'il allait briser, fragment par fragment. Mais comment ? Même s'il était sans doute capable de la traîner jusqu'au rez-de-chaussée pour récupérer les clefs, il risquait que des voisins les entendent et donnent l'alerte. Il sentit monter la fureur. Il aurait dû sauter le cas Penelope Rasch. Il aurait dû décider de passer à autre chose trois jours auparavant, quand il s'était aperçu qu'elle avait changé les verrous. Mais il avait ensuite eu la chance d'entrer en relation avec elle sur Tinder, elle avait accepté une rencontre dans cet endroit discret, et il s'était dit que ça allait marcher quand même. Mais qui disait petit resto calme disait aussi qu'on se faisait d'autant plus remarquer par les rares clients présents. L'un d'eux l'avait regardé juste un peu trop longtemps. Et il était devenu stressé, trop impatient de partir et avait précipité les choses. Freinant alors des quatre fers, Penelope avait décliné et était partie. Il avait anticipé cette éventualité et sa voiture était garée juste à côté. Il avait roulé vite. Pas au point de risquer de se faire arrêter par la police, mais assez pour avoir le temps de se poster dans le bosquet avant que Penelope sorte du T-bane. Elle ne s'était pas retournée quand il l'avait suivie, ni non plus quand elle avait sorti ses clefs et était entrée dans l'immeuble. Il avait réussi à glisser son pied dans la porte avant qu'elle se referme.

Un tremblement traversant le corps de Penelope, il sut qu'elle allait bientôt s'évanouir. Son érection frottait contre ses fesses. Un large postérieur féminin charnu. Sa mère aussi avait eu le derrière charnu.

Il sentit que le garçon arrivait, qu'il voulait prendre les rênes, qu'il criait là-dedans, qu'il voulait être nourri. Maintenant. Ici.

« Je t'aime, lui murmura-t-il. Je t'aime vraiment, Penelope, et c'est pourquoi je vais faire de toi une femme honorable avant que nous allions plus loin. »

Elle devint molle dans son étreinte et il se dépêcha, la maintenant debout avec un bras pendant qu'il attrapait quelque chose dans la poche de sa veste.

Penelope Rasch se réveilla et comprit qu'elle avait perdu connaissance. Il faisait plus sombre. Elle était suspendue et quelque chose tirait sur ses bras, quelque chose qui lui entaillait les poignets. Elle leva les yeux. Elle vit des menottes. Et quelque chose sur son annulaire, quelque chose qui scintillait d'un éclat mat.

Puis elle sentit la douleur entre ses jambes et baissa les yeux alors qu'il retirait sa main d'elle.

Son visage était partiellement plongé dans l'ombre, mais elle le vit porter ses doigts à son nez et les humer. Elle voulut crier, mais n'en fut pas capable.

« Bien, mon amour, dit-il. Tu es propre, alors nous pouvons commencer. »

Il déboutonna sa veste, sa chemise, en écarta les pans et dénuda sa poitrine. Un tatouage apparut, un visage qui criait aussi silencieusement qu'elle. Il se tenait torse bombé, comme si ce tatouage était une chose qu'il voulait lui montrer. À moins que ce ne fût l'inverse. Peut-être était-ce *elle* qui était montrée. Montrée à cette image de diable grondant.

Il plongea la main dans sa poche, saisit un objet et le lui montra. Noir. Fer. Dents.

Penelope suffoquait. Elle cria.

« Oui, c'est ça, mon amour, fit-il en riant. C'est ça. Travaillons en musique. »

Puis il ouvrit grand la bouche et y plaça les dents.

Et le chant résonna entre les murs. Son rire à lui et ses cris à elle.

Voix et journaux télévisés internationaux bourdonnaient sur de grands écrans de télévision aux murs des locaux de *VG*, où le directeur de l'information et le chef d'édition éditaient le journal en ligne en continu.

Penchés derrière la chaise du directeur de l'information, Mona Daa et le photographe examinaient la photo sur son tableau de bord.

« J'ai tout essayé, mais je n'ai pas pu lui donner l'air sinistre », soupira le photographe.

Mona Daa constata qu'il avait raison, Hallstein Smith, avec la pleine lune au-dessus de lui, avait tout bonnement l'air un peu trop jovial.

« Apparemment, ça marche quand même, observa le directeur de l'information. Regardez les clics. Neuf cents par minute, maintenant. »

Mona regarda le compteur sur la droite de l'écran.

« C'est un gagnant, déclara le directeur de l'information. On le met en première place de l'édition en ligne. On devrait peut-être demander à la directrice du *desk* si elle veut changer la une aussi. »

Le photographe présenta son poing à Mona, qui effleura obligeamment ses jointures des siennes. Son père prétendait que c'était Tiger Woods et son caddy qui avaient mis ce geste au goût du jour. Ils l'avaient adopté à la défaveur de l'obligatoire *high five* après que le caddy avait blessé la main de son golfeur dans un *high five* un peu trop violent quand Tiger avait effectué un pitch au seizième trou lors du dernier round des Masters. Le grand regret du père de Mona était que sa malformation congénitale de la hanche l'ait empêchée de devenir la golfeuse qu'il avait espéré. Quant à elle, elle avait détesté le golf dès la première fois qu'il l'avait emmenée sur un *driving range*. Son niveau était comiquement bas, elle avait gagné ce qu'il y avait à gagner avec un swing si court et si vilain que le sélectionneur de l'équipe nationale junior avait refusé de la prendre, expliquant qu'il préférait se faire écraser avec une équipe ayant au moins *l'air* de jouer au golf. Mona avait donc remisé ses clubs à la cave pour se retirer dans la salle de musculation, où personne n'avait eu de préventions contre sa *manière* de faire des soulevés de terre de cent vingt kilos. Kilos, coups, clics. Le succès était mesurable en chiffres, si certains affirmaient le contraire, c'était simplement qu'ils avaient peur de la vérité, tous autant qu'ils étaient, et qu'ils considéraient tout à fait sérieusement le mensonge existentiel comme une nécessité pour le citoyen lambda. Mais à cet instant précis, ce qui la préoccupait surtout, c'étaient les commentaires. Car elle avait eu une idée quand Smith avait déclaré que le vampiriste se fichait du risque. Il était possible que le vampiriste lise *VG*. Il se *pouvait* qu'il écrive un commentaire sur Internet.

Son regard parcourait les commentaires à mesure qu'ils arrivaient.

Mais c'étaient les mêmes que d'habitude.

Il y avait les émotifs, qui exprimaient de la compassion pour les victimes.

Les sociologues autoproclamés qui expliquaient en quoi tel ou tel parti politique était responsable de ce que la société produisait tel ou tel type d'individus indésirables, en l'espèce un vampiriste.

Vous aviez les bourreaux, qui criaient à la peine de mort et à la castration dès que l'occasion se présentait.

Et les aspirants comiques, dont les modèles défendaient la conception qu'on pouvait rire de tout. « Groupe à découvrir : Wampire. » « Vendez vos actions Tinder sans tarder ! »

Et si jamais elle voyait un commentaire lui paraissant suspect, que ferait-elle donc ? Irait-elle le signaler à Katrine Bratt et compagnie ? Peut-être. Elle le devait à Truls Berntsen. Ou alors elle pouvait appeler le blond, Wyller. Le mettre en position de lui devoir quelque chose. On avait beau ne pas être sur Tinder, on faisait glisser à gauche et à droite.

Elle bâilla, alla à son bureau, ramassa son sac.

« Je vais à la salle de sport, lança-t-elle à la directrice du *desk*.

— *Maintenant ?* C'est bientôt l'heure de se coucher.

— Appelle-moi s'il se passe quelque chose.

— Ta permanence est finie depuis une heure, Daa, il y a d'autres gens qui…

— C'est mon sujet et c'est moi que tu appelles, OK ? »

Elle entendit des rires alors que la porte se refermait derrière elle. Peut-être se moquait-on de sa démarche, peut-être de son truc fatigant de fille-travailleuse-qui-doit-arriver-à-tout-par-ses-propres-moyens. Elle s'en foutait. Elle avait bel et bien une démarche bizarre. Et elle voulait effectivement arriver à tout par elle-même.

Ascenseur, sas, porte à tambour, elle sortit de l'immeuble en verre pour entrer dans la lumière de la pleine lune.

Mona respira profondément. Quelque chose de grand se préparait, elle le *savait*. Et elle savait qu'elle allait y prendre part.

Truls Berntsen s'était garé à côté de la rue sinueuse et escarpée. Dans l'obscurité en contrebas s'élevaient des bâtiments en brique devenus muets, l'industrie désaffectée d'Oslo, des chemins de fer avec de l'herbe entre les rails. Et derrière, Barcode, le nouveau jeu de cubes des architectes, le nouveau ludisme du monde des affaires comme contraste avec la sombre gravité du monde du travail d'antan, où le minimalisme avait été une fonctionnalité de réduction des coûts, pas un idéal esthétique.

Truls leva les yeux vers la maison baignée de lune au sommet de la colline.

Les fenêtres étaient éclairées et il savait qu'Ulla y était. Peut-être était-elle installée comme à son habitude, les jambes recroquevillées sous elle, à lire. Il pourrait le découvrir en montant sur la hauteur dans la forêt avec une paire de jumelles. Et si elle était bel et bien en train de lire, il la verrait glisser ses cheveux blonds derrière son oreille, comme si elle avait besoin d'entendre. Les enfants se réveillant. Mikael désirant quelque chose. Ou simplement des prédateurs. Comme une gazelle à un point d'eau.

Sifflements, crépitements, voix prononçant de courts messages avant de disparaître de nouveau. Le son d'une ville, transmis par une radio de police. Plus apaisant que la musique.

Truls regardait fixement la boîte à gants qu'il venait d'ouvrir. Les jumelles étaient derrière le pistolet de service. Il s'était promis d'arrêter. Il était temps, il n'en avait plus besoin maintenant qu'il avait découvert la présence d'autres poissons dans l'océan. Enfin. Des baudroies, des chabots et des vives. Truls s'entendit grouiner. C'était ce rire étrange qui lui avait valu le surnom de Beavis. Ça, et son prognathisme prononcé. Et là-haut se trouvait Ulla, prisonnière de cette maison bien trop grande, bien trop chère, avec une terrasse coulée par Truls, dans le ciment frais de laquelle il avait enseveli le corps d'un dealer, corps dont il était seul à connaître l'existence et qui ne lui avait pas donné la moindre nuit sans sommeil.

Un crépitement de la radio. La voix du standard des appels urgents.

« Est-ce qu'on a une voiture près de Hovseter ?

— 31, à Skøyen.

— Hovseterveien 44, entrée B. Nous avons des résidents relativement hystériques qui disent qu'un fou maltraite une habitante de l'immeuble dans la montée d'escalier, mais ils n'osent pas intervenir parce qu'il a cassé une lampe et c'est le noir complet.

— Il la maltraite avec une arme ?

— Ils ne savent pas. Ils disent qu'ils l'ont vu la mordre avant que l'obscurité se fasse. Les témoins s'appellent Amundsen. »

Truls réagit aussitôt, il enfonça le bouton « appel » de sa radio. « Brigadier Truls Berntsen, je suis plus près, je m'en occupe. »

Ayant déjà démarré le moteur, il accéléra et tourna sur la route, au son du klaxon enragé d'une voiture qui débouchait du virage.

« D'accord, fit le standard des urgences. Et où êtes-vous, Berntsen ?

— Juste à côté, j'ai dit. 31, je vous veux en renfort, donc attendez-moi si jamais vous arrivez avant moi. Suspicion que l'auteur des faits est armé. Je répète, armé. »

Samedi soir, presque pas de circulation. À fond dans le tunnel de l'Opéra, qui coupait perpendiculairement le centre-ville, il n'allait arriver que sept ou huit minutes après la 31. Bien sûr, ces minutes *pouvaient* être critiques, mais le brigadier Truls Berntsen *pouvait* aussi être le policier qui allait arrêter le vampiriste. Sans parler de la somme que paierait *VG* pour un rapport du premier homme sur les lieux du crime. Il se coucha sur le klaxon, une Volvo s'écarta. Deux voies maintenant. Trois. Pleins gaz. Son cœur martelait sa cage thoracique. Dans le tunnel, le flash d'un radar s'alluma. Policier en service, licence de dire à tout le monde dans cette putain de ville d'aller se faire foutre.

En service. Son sang fouettait dans ses veines, divin, comme d'être sur le point d'avoir la gaule.

« *Ace of Space!* hurla Truls. *Ace of Space!* »

« Oui, nous sommes la 31, ça fait plusieurs minutes qu'on attend. »

L'homme et la femme s'étaient postés derrière la voiture de patrouille qu'ils avaient garée juste devant l'entrée B.

« Je suis tombé sur un camion qui roulait lentement et qui refusait de me laisser passer, expliqua Truls en s'assurant que son pistolet était chargé et que le chargeur était plein. Entendu quelque chose ?

— C'est calme à l'intérieur. Personne n'est entré ni sorti.

— Alors on y va, fit Truls en pointant le doigt sur le policier. Vous, vous m'accompagnez avec une lampe de poche. » Puis il désigna la femme du menton. « Et vous, vous restez ici pour surveiller. »

Les deux hommes rejoignirent la porte de l'immeuble. Truls observa par la vitre la montée d'escalier plongée dans le noir. Il appuya sur la sonnette au nom d'Amundsen.

« Oui ? chuchota une voix.

— Police. Vous avez entendu quelque chose depuis que vous avez appelé ?

— Non, mais il est peut-être encore là.

— OK. Ouvrez. »

Le verrou gronda et Truls tira la porte. « Passez devant en éclairant. »

Truls entendit le policier déglutir. « Je croyais que vous aviez dit renfort, pas première ligne.

— Estimez-vous heureux de ne pas être venu seul, chuchota Truls. Allez. »

Rakel observa Harry.

Deux meurtres. Un nouveau tueur en série. Son genre de chasse.

Il mangeait, faisait semblant de suivre la conversation autour de la table, était poli avec Helga, écoutait Oleg avec un intérêt apparent. Peut-être se trompait-elle, peut-être était-il intéressé. Peut-être n'était-il pas captif, peut-être avait-il changé.

« Le contrôle des armes va devenir absurde quand les gens s'achèteront des imprimantes 3D et se fabriqueront leurs propres pistolets, déclara Oleg.

— J'avais cru comprendre que les imprimantes 3D fabriquaient uniquement des objets en plastique, répondit Harry.

— Les imprimantes domestiques, oui. Mais le plastique fait largement l'affaire quand tu veux une arme à feu simple à usage unique pour mener à bien un meurtre. » Oleg se pencha au-dessus de la table avec ferveur. « Tu n'as pas besoin de posséder le pistolet original pour le copier. Tu en empruntes un pendant cinq minutes, tu le démontes, tu fais une empreinte en cire des pièces et tu t'en sers pour créer un fichier informatique 3D que tu mets ensuite sur l'ordinateur qui dirige l'imprimante. Une fois le meurtre commis, il te suffit de faire fondre tout le pistolet. Et si on comprenait malgré tout que c'est l'arme du crime, ce pistolet ne serait de toute façon enregistré au nom de personne.

— Hm. Mais le pistolet permettrait peut-être de remonter à l'imprimante avec laquelle il a été fabriqué. Ça, en l'occurrence, la Scientifique y arrive avec certaines imprimantes à jet d'encre. »

Rakel jeta un coup d'œil à Helga, qui avait l'air un peu perdue.

« Les garçons…, fit Rakel.

— Quoi qu'il en soit, dit Oleg. C'est complètement dément, ces imprimantes peuvent fabriquer n'importe quoi. Pour l'instant on n'en a vendu qu'un peu plus de deux mille en Norvège, mais imagine quand tout le monde en aura, quand lcs terroristes pourront imprimer des bombes H en 3D.

— Les garçons, on ne pourrait pas parler d'un sujet sympa ? » Rakel sentait sa respiration singulièrement entravée. « Quelque chose d'un peu plus civilisé pour une fois, comme nous avons de la visite. »

Oleg et Rakel se tournèrent vers Helga, qui sourit en haussant les épaules, comme pour dire qu'à peu près tout lui allait.

« OK, dit Oleg. Que dites-vous de Shakespeare ?

— Ça me paraît mieux, répondit Rakel en jetant un regard soupçonneux sur son fils avant de passer les pommes de terre à Helga.

— OK, alors parlons de Ståle Aune et du syndrome d'Othello. Je ne vous ai pas raconté qu'avec Jesus, on avait enregistré tout le cours. J'avais un micro et un émetteur cachés sous ma chemise, et Jesus enregistrait depuis la salle de travaux de groupe. Tu crois que Ståle serait d'accord pour qu'on mette l'enregistrement en ligne ? Qu'est-ce que t'en dis, Harry ? »

Harry ne répondit pas. Rakel le scruta. Était-il en train de repartir ?

« Harry ? fit-elle.

— Je ne peux évidemment pas répondre, dit-il en s'adressant à son assiette. Mais pourquoi est-ce que vous ne l'avez pas simplement enregistré sur votre téléphone ? Ce n'est pas interdit d'enregistrer des cours pour usage privé.

— Ils s'entraînent », expliqua Helga.

Tout le monde se tourna vers elle. « Jesus et Oleg rêvent de travailler comme agents infiltrés.

— Du vin, Helga ? proposa Rakel en levant la bouteille.

— Oui, s'il vous plaît. Mais vous n'en voulez pas ?

— J'ai pris un cachet pour le mal de tête, expliqua Rakel. Et Harry ne boit pas.

— Je suis ce qu'on appelle alcoolique, précisa Harry. Ce qui est dommage, parce qu'il paraît que c'est un très bon vin. »

Voyant le rougissement consumer les pommettes de Helga, Rakel s'empressa de poser une question :

« Donc Ståle vous a fait cours sur Shakespeare ?

— Oui et non, répondit Oleg. L'expression syndrome d'Othello porte à croire que c'est la jalousie qui est le mobile du meurtre dans la pièce de théâtre, or ce n'est pas vrai. Avec Helga, on a lu *Othello* hier…

— Vous l'avez lu ensemble ? » Rakel posa la main sur le bras de Harry. « Ils sont mignons, non ? »

Oleg leva les yeux au ciel.

« Quoi qu'il en soit, mon interprétation est que la cause réelle et profonde de tous les meurtres n'est pas la jalousie, mais l'envie et les ambitions d'un homme offensé. À savoir Iago. Othello n'est qu'une marionnette. La pièce aurait dû s'appeler « Iago », pas *Othello*.

— Et tu es d'accord, Helga ? »

Rakel aimait bien cette jolie fille légèrement anémique et bien élevée, qui semblait avoir rapidement repris du poil de la bête.

« J'aime *Othello* comme titre. Et peut-être qu'il n'y a pas de raison profonde. C'est peut-être vrai, ce que dit Othello. Que c'est la pleine lune la coupable, qu'elle rend les hommes fous.

— *No reason*, fit Harry d'une voix solennelle dans un anglais sobre. *I just like doing things like that*.

— Impressionnant, Harry, dit Rakel. Tu cites Shakespeare.

— Walter Hill, rectifia Harry. *Les guerriers de la nuit*, 1979.

— Yeah ! s'écria Oleg en riant. Le meilleur film de gang *ever*. »

Rakel et Helga rirent aussi. Harry leva son verre d'eau et regarda Rakel. Il sourit. Rires autour de la table familiale. Et Rakel songea qu'à cet instant précis, il était là, auprès d'eux. Elle essaya de retenir son regard, de le retenir, lui. Mais imperceptiblement, comme quand la mer passe du vert au bleu, cela se produisit. Son regard se tourna de nouveau vers l'intérieur. Et elle savait qu'avant même que les rires se soient tus, il dérivait de nouveau dans l'obscurité, loin d'eux.

Recroquevillé avec son pistolet à la main derrière le grand policier en tenue et sa lampe de poche, Truls montait les marches dans l'obscurité. Le silence n'était interrompu que par un tic-tac, comme d'une horloge, plus haut dans les étages. Le cône lumineux de la lampe de poche semblait repousser l'obscurité devant eux, la densifier, l'alourdir, comme la neige qu'ils pelletaient avec Mikael à Manglerud quand ils étaient ados. Avant d'arracher les billets de cent des mains osseuses tremblantes de retraités auxquels ils disaient qu'ils allaient leur rapporter la monnaie. Si jamais ils l'avaient attendue, ils attendaient toujours.

Le sol crissa sous ses chaussures.

Truls saisit la veste du policier, qui s'arrêta et braqua sa torche vers le sol. Un scintillement d'éclats de verre, entre lesquels Truls vit des empreintes de bottes mal dessinées dans ce dont il était passablement certain que c'était du sang. Le talon et l'avant de la semelle étaient bien séparés, mais il suspectait que l'empreinte était trop grande pour être celle d'une femme. Les empreintes pointaient vers le bas de l'escalier et il pensait qu'il l'aurait vu s'il y avait eu quelque chose plus bas. Le tic-tac s'était accentué. D'un signal de la main, Truls indiqua au policier de continuer de monter. Il gardait un œil sur les marches, vit que les empreintes sanglantes se faisaient plus nettes. Il leva les yeux vers la cage d'escalier. Il s'arrêta et leva son pistolet. Laissant le policier continuer. Truls avait vu quelque chose. Quelque chose qui tombait dans la lumière. Qui tombait en brillant. Quelque chose de rouge. Ce n'était pas un tic-tac qu'ils entendaient, c'était la chute de gouttes de sang sur les marches.

« Éclairez vers le haut », ordonna-t-il.

Le policier s'arrêta, se retourna et, pendant un instant, il parut déconcerté de voir son collègue, qu'il avait cru être juste derrière lui, plus bas dans l'escalier, les yeux levés au plafond. Mais il fit ce que lui disait Truls.

« Doux Jésus, chuchota-t-il.

— Amen », fit Truls.

Une femme était pendue au mur au-dessus d'eux.

Sa jupe à carreaux était remontée, faisant apparaître le bas de sa culotte blanche. Sur sa cuisse, à la hauteur de la tête du policier, du sang perlait d'une grande plaie. Il coulait sur sa jambe, dans sa chaussure. Chaussure manifestement pleine car le sang débordait et les gouttes s'accumulaient tout au bout, d'où elles tombaient pour former une flaque rouge sur la marche. La femme avait les bras étirés au-dessus de sa tête basculée en avant. Ses poignets étaient reliés par d'étranges menottes passées sur le bras en acier de la lampe murale. Celui qui l'avait hissée là-haut devait avoir de la force. Ses cheveux recouvraient son visage et son cou, et Truls ne pouvait donc pas voir de trace de morsure, mais la taille dc la flaque lui disait que de toute façon elle s'était vidée de son sang, à sec.

Truls la scruta. Il mémorisait le moindre détail. Elle ressemblait à une peinture. Il allait employer ce terme quand il parlerait à Mona Daa. *Comme une peinture accrochée au mur*. Une porte s'entrebâilla sur le palier au-dessus d'eux. Un visage blême regarda dehors. « Il est parti ?

— On dirait. Amundsen ?

— Oui. »

Il y eut un flot de lumière quand la porte s'ouvrit complètement de l'autre côté du couloir. Ils entendirent un halètement horrifié. Un homme d'un certain âge claudiqua sur le palier tandis que sa femme l'observait d'un air apeuré par l'ouverture de la porte.

« C'est le diable en personne qui nous a rendu visite, déclara l'homme. Regardez ce qu'il a fait.

— N'approchez pas plus, s'il vous plaît, dit Truls. Ceci est la scène d'un meurtre. Quelqu'un sait-il où est passé l'auteur des faits ?

— Si nous avions su qu'il était parti, nous serions sortis voir si nous pouvions faire quelque chose, répliqua le vieux. Mais nous avons vu un homme par la fenêtre du salon. Il sortait de l'immeuble et descendait vers le T-bane. Je ne sais pas si c'était lui, parce qu'il marchait très calmement.

— Ça fait combien de temps ?

— Maximum un quart d'heure.

— À quoi ressemblait-il ?

— Allez savoir. » L'homme se retourna pour solliciter l'assistance de sa femme.

« Ordinaire, dit-elle.

— Oui, confirma l'homme. Ni grand ni petit. Les cheveux ni blonds ni noirs. Costume.

— Gris », ajouta la femme.

Truls fit un signe de tête au policier, qui comprit ce qu'il avait à faire et entreprit de parler dans la radio fixée à sa poche de poitrine. « Demandons assistance à Hovseterveien 44. Suspect observé à pied en direction du T-bane il y a quinze minutes. Environ un mètre soixante-quinze, peut-être d'ethnicité norvégienne, costume gris. »

Mme Amundsen était sortie de derrière la porte. Elle semblait avoir le pied encore moins sûr que son mari et ses chaussons traînaient sur le sol alors qu'elle dirigeait un index tremblant vers la femme au mur. Elle rappelait à Truls les retraités pour lesquels il avait pelleté de la neige. Il éleva la voix. « Vous ne pouvez pas approcher plus près, j'ai dit.

— Mais…, commença la femme.

— Dans l'appartement ! La scène de crime ne doit pas être polluée avant l'arrivée des TIC, on sonnera quand on aura des questions.

— Mais… mais elle n'est pas morte. »

Truls se retourna. À la lumière de la porte ouverte, il vit que le pied droit de la femme trépidait légèrement, comme si elle avait une crampe. Et l'idée lui vint sans qu'il y puisse quoi que ce soit. Elle était contaminée. Elle était devenue vampire. Et maintenant, elle se réveillait.

12

Samedi soir

L'écho brutal du métal contre le métal résonna quand la barre de poids heurta le portant au-dessus du banc étroit. Pour certains, c'était du bruit, pour Mona Daa, c'était un joli carillon. Et puis elle ne dérangeait personne, elle était seule au Gain. Inspiré sans doute par les salles de sport de New York et de Los Angeles, le Gain pratiquait depuis six mois l'ouverture vingt-quatre heures sur vingt-quatre, mais elle demandait encore à voir quelqu'un s'entraîner après minuit. Les journées de travail des Norvégiens n'étaient pas longues au point qu'ils aient du mal à trouver le temps de faire du sport de jour. Mona était une exception. Elle *voulait* être une exception. Une mutante. Parce que c'était comme pour l'évolution, c'étaient les exceptions qui faisaient avancer le monde. Qui le perfectionnaient.

Son téléphone sonna et elle se leva du banc.

C'était Nora. Mona mit son écouteur et répondit.

« Tu es encore en train de faire du *sport*, espèce de chienne, gémit son amie.

— Juste un peu.

— Tu mens, je vois que tu y es depuis deux heures. »

Mona, Nora et quelques autres copines de fac

pouvaient se suivre avec les GPS de leur téléphone. Elles avaient activé un service de suivi volontaire des téléphones des autres. C'était à la fois sociable et rassurant. Mais Mona trouvait parfois que c'était légèrement étouffant. Il faisait bon avoir une sororité professionnelle, mais elles n'avaient peut-être pas besoin de se coller comme des adolescentes qui vont aux toilettes ensemble. Il était temps qu'elles reconnaissent que les portes de leur carrière professionnelle étaient grandes ouvertes aux jeunes femmes de talent et que ce qui les empêchait de les franchir le torse bombé, c'étaient les limites de leur propre courage et de leurs véritables ambitions, ambitions de faire la différence, pas seulement d'obtenir que les autres reconnaissent leur talent.

« Je te déteste un peu quand je pense à toutes les calories qui ruissellent de ton corps à cet instant précis, dit Nora. Alors que moi, je suis assise sur mon gros cul et je me console avec encore une piña colada. Écoute… »

Mona faillit retirer ses écouteurs quand le bruit prolongé de succion d'une paille lui déchira les tympans. Nora prétendait que la piña colada était le seul antidote à la dépression automnale.

« Il faut qu'on parle de quelque chose, là, Nora ? Je suis en pleine…

— Ouaip, fit Nora. De boulot. »

Nora et Mona avaient fait l'École supérieure de journalisme ensemble. Quelques années auparavant, cette école avait imposé des critères d'admission plus rigoureux que n'importe quelle autre formation en Norvège, on aurait dit que la moitié des garçons et des filles doués en classe rêvaient d'avoir leur propre colonne dans un journal ou de se montrer à la télé.

Ç'avait en tout cas été le but de Mona et Nora. À d'autres de se charger de la recherche sur le cancer et du gouvernement. Mais Mona avait noté que l'École supérieure de journalisme subissait désormais la concurrence de toutes les écoles régionales, qui, aidées de subventions de l'État, proposaient aux jeunes des formations dans des domaines prisés comme le journalisme, le film, la musique et la beauté, sans tenir compte des compétences dont la société manquait et qu'elle recherchait. Celles-ci, le pays le plus riche du monde n'avait qu'à les importer de nations plus travailleuses, tandis que, après ses études de cinéma, on restait chez papa-maman, sans travail ni soucis, une paille profondément enfoncée dans le milk-shake étatique, tout en regardant – et, si on en avait la force, en critiquant – des films étrangers. Une autre raison pour laquelle les conditions d'admission s'étaient assouplies était bien entendu que les jeunes avaient découvert le marché des blogs. Ils n'avaient plus besoin de travailler très dur en classe pour avoir un bulletin leur donnant accès aux études de journalisme, puisqu'ils pouvaient avec les blogs gagner une visibilité équivalente à celle offerte par la télévision et la presse écrite. Mona avait écrit un article sur le sujet, sur les médias qui n'exigeaient plus de compétences professionnelles de leurs journalistes, parce qu'ils n'en avaient pas besoin. Parce que, avec sa focalisation triviale sur les célébrités, la communauté des nouveaux médias qui était de plus en plus dominante avait réduit le rôle du journaliste à du commérage de petite ville de province. Mona citait l'exemple de son propre quotidien, le plus gros de Norvège. Son article n'avait jamais été publié. « Il est trop long », lui avait expliqué le chef de la rubrique Reportage en la renvoyant vers le rédacteur en chef du magazine. « S'il est une chose qui déplaît à la presse soi-disant critique, c'est d'être elle-même critiquée », avait argué un collègue favorablement disposé à l'égard de son papier. Mais Mona soupçonnait que c'était le rédacteur en chef du magazine qui avait vu juste en déclarant : « Mais Mona, aucun people ne s'exprime dans ton article. »

Mona se posta près des fenêtres et contempla le Frognerpark. Le temps s'était couvert et, hormis sur les sentiers éclairés, une obscurité lourde et quasiment palpable pesait sur le parc. C'était toujours comme ça en automne avant que les arbres perdent leurs feuilles et que tout redevienne un peu plus transparent, que la ville redevienne dure et froide. Mais de la fin du mois d'août à la fin du mois de septembre, Oslo était un nounours chaud et doux qu'elle ne voulait que serrer dans ses bras encore et encore.

« Je suis tout ouïe, Nora.

— C'est à propos du vampiriste.

— On t'a demandé de l'inviter. Tu crois qu'il donne dans les talk-shows ?

— Pour la dernière fois, "Le Magazine du dimanche" est une émission de débat, Mona. J'ai appelé Harry Hole, mais il refuse et dit que c'est la fille, là, Katrine Bratt, qui dirige l'enquête.

— Mais elle n'est pas bien, elle ? Tu te plains toujours que c'est difficile de trouver de bonnes invitées.

— Oui, mais Hole est l'enquêteur le plus célèbre que nous ayons, quoi. Tu te souviens qu'il était bourré pendant l'émission à laquelle il avait participé ? Scandale, bien sûr, mais les gens avaient adoré !

— Tu le lui as dit ?

— Non, mais je lui ai dit que la télé avait besoin

de célébrités et qu'un visage connu donnerait plus de visibilité au travail que fait la police dans cette ville.

— Finaud. Mais il n'a pas marché ?

— Il m'a répondu que si je voulais qu'il participe à "Danse avec les stars" au nom de la police, il commencerait à travailler son fox-trot dès demain. Mais que cette affaire en particulier était une affaire criminelle grave. Et que Katrine Bratt était celle qui connaissait le dossier et qui était autorisée à s'exprimer. »

Mona rit.

« Quoi ?

— Rien, j'imagine juste Harry Hole dans "Danse avec les stars".

— Quoi ? Tu crois qu'il *était sérieux* ? »

Le rire de Mona redoubla.

« J'appelle pour savoir ce que tu penses de cette Katrine Bratt, toi qui es dans le milieu. »

Mona attrapa une paire d'haltères légers sur le portant devant elle, fit quelques rapides *curls* pour maintenir la circulation du sang et éliminer les toxines de ses muscles.

« Bratt est intelligente. Et elle s'exprime bien. Un peu sévère, peut-être.

— Mais tu crois qu'elle *passera* bien à l'écran ? Sur les enregistrements de conférences de presse, elle a l'air un peu…

— Terne ? Oui, mais elle peut avoir l'air canon quand elle veut. Je connais deux ou trois mecs à la rubrique Crime qui trouvent qu'on ne fait pas plus sexy à l'hôtel de police. Mais elle est de celles qui modèrent la chose pour avoir l'air pro.

— Je sens que je la déteste déjà un peu. Et Hallstein Smith ?

— Là, tu as un pilier potentiel de ton émission.

Excentrique à souhait, assez bavard, mais talentueux. Vas-y.

— OK, merci. *Sisters are doin' it for themselves*, OK?

— On n'en a pas un peu fini avec cette formule ?

— Si, donc maintenant, c'est de l'ironie.

— Ah oui, ha ha.

— Ha ha, toi-même. Et au fait ?

— Oui.

— Il court toujours.

— Je sais.

— Je veux dire littéralement. Hovseter n'est pas très loin du Frognerpark.

— De quoi tu parles ?

— Ouh là, tu n'es pas au courant ? Il a encore frappé.

— Merde ! s'écria Mona en voyant du coin de l'œil que le garçon de l'accueil levait le nez. La putain de directrice du *desk* m'avait dit qu'elle m'appellerait. Elle l'a donné à quelqu'un d'autre. Ciao, Nora. »

Mona regagna le vestiaire, fourra sa veste dans son sac, descendit les marches en courant, sortit dans la rue. Elle poursuivit en direction de l'immeuble de *VG* tout en cherchant un taxi libre dans la circulation. Par un coup de chance, elle put en héler un à un feu rouge et se laissa choir sur la banquette arrière avant de sortir son téléphone. Elle composa le numéro de Truls Berntsen. Au bout de seulement deux sonneries, elle entendit ce singulier rire proche du grouinement.

« Quoi ? fit-elle.

— Je me demandais combien de temps il vous faudrait. »

13

Samedi, fin de soirée

« Elle avait perdu plus d'un litre et demi de sang quand elle est arrivée chez nous, expliqua le médecin qui accompagnait Harry et Katrine dans le couloir de l'hôpital d'Ullevål. Si la morsure avait sectionné l'artère fémorale plus haut, là où son diamètre est plus large, nous n'aurions pas pu la sauver. En temps normal, nous ne permettons pas que des patients dans son état soient interrogés par la police, mais comme la vie d'autres personnes est en jeu…

— Merci, dit Katrine. Nous n'allons lui demander que le strict nécessaire. »

Le médecin ouvrit la porte et resta sur le seuil avec Harry alors que Katrine rejoignait le lit de la malade et l'infirmière assise à son chevet.

« C'est impressionnant, observa le médecin. Vous ne trouvez pas, Harry ? »

Harry se tourna vers lui, le sourcil haussé.

« Enfin, si ça ne vous dérange pas que je vous appelle par votre prénom, poursuivit-il. Oslo est une petite ville et c'est moi qui soigne votre femme, vous comprenez.

— Vraiment ? Je ne savais pas que son rendez-vous était à l'hôpital d'Ullevål même.

— Je m'en suis rendu compte quand elle a rempli l'un de nos formulaires et vous a indiqué comme personne à contacter. Et je me souviens d'avoir lu votre nom dans les journaux.

— Alors vous avez bonne mémoire… » Harry regarda le badge sur la blouse blanche. « … chef de service John D. Steffens. Parce que ça fait longtemps que mon nom n'y a pas figuré. Qu'est-ce que vous trouvez d'impressionnant ?

— Que quelqu'un puisse mordre à travers une cuisse comme ça. On croit souvent que l'homme moderne a la mâchoire faible, mais comparées à la plupart des mammifères, nos mâchoires sont très puissantes, vous le saviez ?

— Non.

— À votre avis, quelle est la pression exercée par une mâchoire humaine, Harry ? »

Harry comprit au bout de quelques secondes que Steffens attendait vraiment une réponse. « Eh bien. Notre technicien du crime dit soixante-dix kilos par centimètre carré.

— Mais Harry, alors vous savez déjà que nous mordons fort. »

Harry haussa les épaules.

« Ce chiffre ne m'évoque rien. Si on m'avait dit cent cinquante kilos, je n'aurais été ni plus ni moins impressionné. À propos de chiffres, comment savez-vous que c'est exactement un litre et demi que Penelope Rasch a perdu ? Je ne pensais pas que le pouls et la pression artérielle étaient des indicateurs si précis.

— On m'a envoyé des photos des lieux du crime, expliqua Steffens. Je suis acheteur et vendeur de sang, j'ai un œil exceptionnel. »

Harry allait lui demander ce qu'il voulait dire, mais au même instant Katrine lui fit signe.

Harry entra et se rangea à ses côtés. Le visage de Penelope Rasch était aussi blanc que la taie d'oreiller qui l'encadrait. Elle avait les yeux ouverts, mais son regard était voilé.

« Nous n'allons pas vous importuner longtemps, Penelope, dit Katrine. Nous avons été en contact avec le policier qui vous a parlé sur place et nous savons que vous veniez de sortir en ville avec le coupable, qu'il vous a agressée dans la montée d'escalier et qu'il s'est servi de dents en fer pour vous mordre. Mais pouvez-vous nous en dire plus sur qui c'était ? Vous a-t-il donné un autre nom que Vidar ? Savez-vous où il habite, où il travaille ?

— Vidar Hansen. Je ne lui ai pas demandé où il habitait, répondit-elle d'une voix évoquant à Harry de la porcelaine fine. Il m'a dit qu'il était artiste, mais travaillait comme veilleur de nuit.

— Vous l'avez cru ?

— Je ne sais pas. Il pourrait bien être veilleur de nuit. C'est quelqu'un qui a accès à des clefs en tout cas, parce qu'il est allé dans mon appartement.

— Ah ? »

Avec ce qui semblait être un gros effort, elle sortit sa main gauche de sous la couette et la leva. « La bague de fiançailles que Roar m'a offerte. Il l'a prise dans ma commode. »

Katrine fixa d'un air incrédule l'anneau en or à l'éclat mat. « Vous voulez dire… qu'il vous l'a mise dans l'escalier ? »

Penelope le confirma d'un signe de tête et crispa les paupières. « Et la dernière chose qu'il m'ait dite, c'est…

— Oui ?

— C'est qu'il n'était pas comme les autres hommes et qu'il allait revenir pour m'épouser. »

Elle laissa échapper un petit sanglot.

Harry vit que Katrine était bouleversée, mais restait concentrée. « À quoi ressemble-t-il, Penelope ? »

Penelope ouvrit la bouche puis la referma. Elle les regarda d'un air de désespoir. « Je ne me souviens pas. J'ai... j'ai dû oublier. Comment... » Elle se mordit la lèvre et des larmes lui montèrent aux yeux.

« Ça ne fait rien, dit Katrine. C'est relativement courant dans votre situation, des choses vous reviendront plus tard. Vous vous souvenez de ce qu'il portait ?

— Un costume. Et une chemise. Il l'a déboutonnée. Il avait... » Elle s'interrompit.

« Oui ?

— Un tatouage sur la poitrine. »

Harry vit Katrine suffoquer.

« Quel genre de tatouage, Penelope ?

— Un visage.

— Comme un démon qui essaie de sortir ? »

Penelope acquiesça. Une unique larme roula sur sa joue. Comme si elle n'avait pas en elle assez de fluide pour deux larmes, songea Harry.

« Et on aurait dit qu'il... » Penelope émit un sanglot, un seul. « ... qu'il voulait me le montrer. »

Harry ferma les yeux.

« Il faut qu'elle se repose, maintenant », déclara l'infirmière.

Katrine acquiesça d'un signe de tête et posa la main sur le bras à la blancheur de lait de Penelope. « Merci, Penelope, vous nous avez été d'une grande aide. »

Harry et Katrine sortaient quand l'infirmière les rappela. Ils retournèrent près du lit.

« Je me souviens d'encore une chose, chuchota Penelope. Il avait l'air de s'être fait opérer le visage. Et puis je me posais une question…

— Oui ? fit Katrine en se penchant vers la voix presque inaudible.

— Pourquoi ne m'a-t-il pas tuée ? »

Du regard, Katrine appela Harry à la rescousse. Il respira, lui fit un signe de tête et se pencha vers Penelope.

« Parce qu'il n'y est pas arrivé, dit-il. Parce que vous ne l'avez pas laissé faire. »

« Bon, alors on sait avec certitude que c'est lui, observa Katrine alors qu'ils avançaient à grands pas vers la sortie.

— Hm. Donc il a changé de méthode. Et de préférence.

— Quel sentiment cela te procure-t-il ?

— Quoi donc ? Que ce soit lui ? demanda Harry en haussant les épaules. Aucun sentiment. C'est un meurtrier qu'il faut capturer, point final.

— Ne mens pas, Harry, pas à moi. Il est la raison pour laquelle tu es ici.

— Parce qu'il va tuer d'autres personnes. C'est important pour moi de le prendre, mais ce n'est pas personnel, OK ?

— Je t'entends.

— Bien.

— Quand il dit qu'il va revenir pour l'épouser, tu crois que c'est…

— … métaphorique ? Oui. Il va la hanter dans ses rêves.

— Mais ça signifie…

— Qu'il s'est volontairement abstenu de la tuer.

— Tu lui as menti.

— Je lui ai menti. »

Harry poussa la porte de sortie et ils s'installèrent dans la voiture qui les attendait juste devant l'hôpital, Katrine devant, Harry derrière.

« Hôtel de police ? demanda Anders Wyller, qui était au volant.

— Oui, répondit Katrine en prenant son téléphone mobile, qu'elle avait laissé dans la voiture pour le recharger. J'ai un SMS de Bjørn qui me dit que les traces de sang dans l'escalier sont probablement des empreintes de santiags.

— Des santiags, répéta Harry sur la banquette arrière.

— Oui, des bottes de cow-boy étroites avec un talon et…

— Je sais à quoi ressemblent des santiags. C'était mentionné dans l'un des témoignages.

— Lequel ? demanda Katrine en parcourant les autres messages qu'elle avait reçus pendant qu'elle était à l'hôpital.

— Le barman du Jealousy Bar. Mehmet quelque chose.

— Ta mémoire est restée intacte, reconnaissons-le. Il est écrit ici que “Le Magazine du dimanche” veut m'inviter pour parler du vampiriste. » Elle pianota.

« Qu'est-ce que tu réponds ?

— Non, bien sûr. Bellman a clairement dit qu'il souhaitait le moins de publicité possible autour de l'affaire.

— Même si elle est résolue ? »

Katrine se tourna vers Harry. « Qu'est-ce que tu veux dire ? »

Harry haussa les épaules. « D'abord, le directeur de la police peut se vanter à la télévision nationale d'avoir élucidé l'affaire en trois jours. Ensuite, nous pourrions avoir besoin de cette publicité pour le capturer.

— Avons-nous résolu l'affaire ? »

Le regard de Wyller croisa celui de Harry dans le rétroviseur.

« Élucidé, précisa Harry. Pas résolu. »

Wyller se tourna vers Katrine. « Qu'est-ce qu'il veut dire ?

— Que nous savons qui est le coupable, mais que l'affaire ne sera pas résolue tant que le bras de la justice n'aura pas capturé ladite personne. Et en l'espèce, le bras de la justice s'est déjà révélé ne pas être assez long. Cet individu est recherché dans le monde entier depuis trois ans.

— Qui est-ce ? »

Katrine poussa un gros soupir. « Je n'ai même pas la force de prononcer son nom. Raconte, toi, Harry. »

Harry regardait fixement par la fenêtre. Bien sûr que Katrine avait raison. Il pouvait nier, mais il était là pour une seule et égoïste raison. Pas pour les victimes, pas pour le bien de la ville, pas pour l'honneur de la police. Même pas pour son propre honneur. Pour aucune autre raison que la suivante : il lui avait échappé. Certes, chaque jour que cet homme pouvait passer en liberté, Harry ressentait de la culpabilité de ne pas l'avoir arrêté, de la culpabilité à l'égard des victimes. Mais la seule et unique chose à laquelle il pouvait penser était qu'il fallait qu'il le prenne. Que lui, Harry, devait le prendre. Il ne savait pas pourquoi.

Se trouvait-il vraiment qu'il avait besoin du pire tueur en série et agresseur qui soit pour donner un sens et une direction à sa propre vie ? Le diable seul le savait. Et le diable seul savait si ce n'était pas réciproque. Si cet homme n'était pas sorti de sa cachette à cause de lui, Harry. Il avait dessiné un *V* sur la porte d'Ewa Dolmen et montré son tatouage de démon à Penelope Rasch. Penelope avait demandé pourquoi il ne l'avait pas tuée. Et Harry avait menti. La raison pour laquelle l'homme ne l'avait pas tuée, c'était qu'il voulait qu'elle raconte. Qu'elle raconte ce qu'elle avait vu.

Qu'elle transmette à Harry ce qu'il savait déjà. Qu'il fallait qu'il vienne jouer dehors.

« Eh bien, fit Harry. Tu veux la version courte ou longue ? »

14
Dimanche matin

« Valentin Gjertsen », déclara Harry Hole en désignant le visage sur les trois mètres carrés de l'écran de projection de la cellule d'enquête.

Katrine examina le visage étroit. Cheveux bruns, yeux enfoncés. À moins que ce n'ait été qu'une impression, parce qu'il avançait le front et que la lumière l'éclairait d'une façon particulière. Katrine songea qu'il était surprenant que le photographe de la police l'ait laissé faire. Et puis il y avait l'expression de son visage. Les photos d'arrestation montrent en général la peur, la perplexité ou la résignation. Mais celle-ci montrait de la jubilation. Comme si Valentin Gjertsen savait une chose qu'eux ne savaient pas. Pas *encore*.

Harry donna quelques secondes au visage pour qu'il imprègne les esprits avant de poursuivre. « Arrêté quand il avait seize ans pour attouchements sur une fillette de neuf ans qu'il avait convaincue de faire un tour à la rame avec lui. Dix-sept ans quand la voisine a porté plainte contre lui pour tentative de viol dans sa buanderie. Quand Valentin Gjertsen avait vingt-six ans et qu'il exécutait une peine pour agression sur mineurs, il a eu un rendez-vous chez la dentiste de la prison d'Ila. Il s'est servi d'une de ses fraises pour la forcer à ôter son collant et se l'enfiler sur la tête. D'abord il l'a violée dans le fauteuil de dentiste et ensuite il a mis le feu au collant en nylon. »

Harry pianota sur le PC et l'image sur l'écran changea. L'assistance émit un gémissement sourd et Katrine vit que même certains des enquêteurs les plus expérimentés baissaient les yeux.

« Je ne vous montre pas ça pour le plaisir, c'est pour que vous compreniez à quel genre d'individu nous avons affaire. Du reste, il avait laissé la vie sauve à la dentiste. Exactement comme avec Penelope Rasch. Je ne crois pas que ç'ait été un accident. Je crois que Valentin Gjertsen joue avec nous. »

Harry tapa sur les touches et la même photo de Valentin reparut, mais sur le site d'Interpol, cette fois.

« Valentin s'est échappé d'Ila il y a près de quatre ans de façon spectaculaire. Il a frappé un codétenu, Judas Johansen, jusqu'à le rendre méconnaissable, puis il a tatoué sur la poitrine du cadavre une copie du visage de démon qu'il a lui-même sur le torse. Ensuite, il a caché le corps dans la bibliothèque de la prison, où il travaillait, si bien que quand Judas ne s'est pas présenté à l'appel, on l'a déclaré fugitif. La nuit de sa propre évasion, Valentin a vêtu le cadavre de ses vêtements et l'a couché sur le sol de sa cellule. Les gardiens de prison n'ont pas été surpris de découvrir le corps non identifiable, dont ils ont bien sûr pris pour acquis que c'était celui de Valentin. Comme tous les autres condamnés pour pédophilie, Valentin Gjertsen était haï des autres détenus. On n'a même pas songé à vérifier les empreintes digitales ni à faire un test d'ADN. Et c'est pourquoi nous avons longtemps cru que Valentin Gjertsen était une histoire révolue.

Jusqu'à ce qu'il refasse surface dans le cadre d'une autre affaire de meurtre. Nous ne savons évidemment pas combien de personnes Valentin Gjertsen a tuées ou agressées, mais c'est en tout cas plus que celles pour lesquelles il a été suspecté ou condamné. Ce que nous savons, en revanche, c'est que sa dernière victime avant qu'il disparaisse a été Irja Jacobsen, son ancienne logeuse. »

Nouveau pianotage.

« Voici une photo de l'appartement communautaire dans lequel elle habitait et où se cachait Valentin. Si je ne m'abuse, c'est toi, Berntsen, qui es arrivé le premier sur les lieux du crime quand nous l'avons trouvée étouffée sous une pile de planches de surf pour enfants avec, comme vous le voyez, un motif de requin. »

Grouinements en manière de rire au fond de la salle de réunion. « Exact. C'étaient des planches volées qu'ils n'avaient pas réussi à revendre, ces pauvres junkies.

— Irja Jacobsen a probablement été tuée parce qu'elle avait donné des renseignements sur Valentin à la police, reprit Harry. Cela pourrait expliquer pourquoi on a eu tant de mal à obtenir le moindre mot de qui que ce soit sur l'endroit où il se trouve. Ceux qui le connaissent n'osent tout simplement pas. » Harry s'éclaircit la voix. « Une autre raison pour laquelle Valentin est impossible à retrouver, c'est que, depuis son évasion, il a subi d'importantes opérations de chirurgie plastique, en plusieurs fois. La personne que vous voyez sur cette photo ne ressemble pas à celle que nous avons vue plus tard sur le grain grossier d'une photo de surveillance prise pendant un match de foot au stade d'Ullevål. Photo de surveillance qu'il nous a laissés voir sciemment, et comme nous ne l'avons pas retrouvé, nous soupçonnons qu'il ait subi d'autres opérations depuis, probablement à l'étranger, puisque nous avons vérifié auprès de tout ce qui marche et qui respire en tant que chirurgiens plastiques en Scandinavie. Notre soupçon d'altérations physionomiques est renforcé par le fait que Penelope Rasch ne reconnaît pas Valentin sur les photos que nous lui avons montrées. Malheureusement, elle n'arrive pas non plus à nous donner une bonne description de lui, et la photo Tinder dudit Vidar sur son téléphone n'est sûrement pas lui.

— Tord a d'ailleurs regardé le profil Facebook de ce Vidar, glissa Katrine. Sans surprise, il est faux, ouvert dernièrement sur un ordinateur que nous n'arrivons pas à tracer. Chose qui, d'après Tord, signifie qu'il doit s'y connaître un tant soit peu en informatique.

— Ou s'être fait aider, suggéra Harry. Mais nous avons en tout cas quelqu'un qui a vu Valentin et qui lui a parlé juste avant qu'il disparaisse des radars il y a trois ans. Ståle a malheureusement pris sa retraite de consultant de la Brigade criminelle, mais il a accepté de venir aujourd'hui. »

Ståle Aune se leva en fermant un bouton de sa veste en tweed. « Pendant une brève période, j'ai eu le plaisir douteux d'avoir un patient qui se faisait appeler Paul Stavnes. En tant que psychopathe schizophrène, il se distinguait par la conscience qu'il avait de sa propre maladie, du moins jusqu'à un certain point. Il arrivait aussi à me manipuler, si bien que je n'ai jamais réussi à savoir qui il était ni ce qu'il faisait. Jusqu'au jour où il s'est accidentellement trahi et a essayé de me tuer avant de disparaître pour de bon.

— Le signalement de Ståle nous a servi de fondement pour ce portrait-robot, expliqua Harry en tapant sur son clavier. Qui n'est donc plus valable, mais est en tout cas meilleur que la photo de surveillance du match de foot. »

Katrine pencha la tête sur le côté. Le dessin montrait des cheveux, un nez et une forme des yeux changés ainsi qu'un visage plus pointu que sur la photo. Mais c'était toujours la même mine réjouie. Enfin, ce qu'on supposait être une mine réjouie. Comme on *croit* que le crocodile sourit.

« Comment est-il devenu vampiriste ? demanda quelqu'un à la fenêtre.

— Tout d'abord, je ne suis pas encore convaincu de l'existence de vampiristes, répondit Aune, mais il pourrait bien sûr y avoir tout un ensemble de raisons pour lesquelles Valentin Gjertsen boit du sang, sans que je puisse vous en donner une de but en blanc. »

Un long silence s'ensuivit.

Harry toussota. « Nous n'avons vu de traces de morsures ou d'ingestion de sang dans aucune des précédentes affaires qui peuvent être rattachées à Valentin Gjertsen. Et, enfin, oui, c'est un fait que, en règle générale, les agresseurs s'en tiennent à un mode opératoire donné, qu'ils revisitent encore et encore les mêmes fantasmes.

— Quelle certitude avons-nous que c'est vraiment Valentin Gjertsen ? demanda Skarre. Et pas seulement quelqu'un qui cherche à nous faire croire que c'est lui.

— Une certitude à quatre-vingt-neuf pour cent. » C'était Bjørn Holm qui répondait.

Skarre rit.

« Quatre-vingt-neuf exactement ?

— Oui. Nous avons trouvé des poils provenant peut-être du revers de sa main sur les menottes qu'il a utilisées avec Penelope Rasch. L'analyse d'ADN permet une confirmation de correspondance relativement rapide, avec une probabilité de quatre-vingts, quatre-vingt-dix pour cent, ce sont les dix pour cent restants qu'on met du temps à confirmer. Nous aurons la réponse définitive dans deux jours. Les menottes sont du reste un modèle qui se vend sur Internet, une réplique de menottes médiévales. C'est pourquoi elles sont en fer et pas en acier. Elles sont apparemment particulièrement prisées des gens qui aiment aménager leur nid d'amour comme un cachot médiéval. »

Rire grouinant isolé.

« Et ces dents en fer ? demanda une enquêtrice. Où a-t-il pu se les procurer ?

— C'est plus difficile, répondit Bjørn Holm. Nous n'avons pas trouvé de producteurs de ce genre de dents, du moins pas en fer. Il a pu les commander spécialement chez un forgeron. Ou les fabriquer lui-même. C'est en tout cas une nouveauté, par le passé, nous n'avons jamais vu personne utiliser de dents pareilles.

— Nouveau comportement, observa Aune en déboutonnant sa veste pour libérer son abdomen. On n'assiste quasiment jamais à des changements de comportement fondamentaux. Les gens insistent notoirement pour commettre inlassablement les mêmes erreurs, même avec de nouvelles informations à leur disposition. Ceci est une affirmation personnelle et elle est suffisamment contestée dans les cercles de la psychologie pour être appelée postulat d'Aune. Quand nous voyons néanmoins des individus changer de comportement, c'est qu'ils s'adaptent à un changement dans leur environnement. Alors que la motivation fondamentale de leur comportement reste inchangée. Il n'est absolument pas exceptionnel qu'un criminel sexuel se découvre de nouveaux fantasmes et plaisirs, mais c'est parce que le goût se développe progressivement, pas parce que l'individu subit un changement fondamental. Quand j'étais adolescent, mon père me disait que quand je serais plus âgé, j'apprendrais à apprécier Beethoven. À l'époque, je détestais Beethoven et j'étais convaincu qu'il se trompait. À un jeune âge déjà, Valentin Gjertsen faisait preuve d'un goût éclectique en matière de sexualité. Il a violé des femmes jeunes et vieilles, peut-être des garçons, pas d'hommes adultes à notre connaissance, mais ça pourrait s'expliquer par des raisons pratiques, les hommes sont plus en mesure d'opposer de la résistance. Pédophilie, nécrophilie, sadisme, tout cela était au menu de Valentin Gjertsen. Avec Svein "le Fiancé" Finne, Valentin Gjertsen est l'individu que la police d'Oslo a corrélé au plus grand nombre de meurtres de motivation sexuelle. Qu'il ait maintenant le goût du sang signifie simplement qu'il marque beaucoup de points en *openness*, l'ouverture aux nouvelles expériences. Je dis le "goût de" car certaines observations, comme le fait que Valentin Gjertsen ajoute du citron dans le sang, laissent entendre que c'est une expérimentation plutôt qu'une obsession.

— Il n'est pas obsédé ? s'écria Skarre. Il en est à une victime par jour ! Pendant que nous sommes assis dans cette salle, il est probablement reparti à la chasse. Hein, professeur ? »

Le titre était employé sans masquer l'ironie.

Aune battit l'air de ses bras courts.

« Encore une fois, je ne sais pas. *Nous* ne savons pas. Personne ne sait. »

«Valentin Gjertsen, répéta Mikael Bellman. Et nous en sommes parfaitement sûrs, Bratt? Dans ce cas, donnez-moi deux minutes pour réfléchir à la question. Oui, j'ai compris que c'était urgent.»

Bellman coupa la communication et reposa son mobile sur la table en verre. Isabelle venait de lui expliquer que c'était du verre soufflé à la bouche de ClassiCon, plus de cinquante plaques la table. Qu'elle préférait quelques meubles de qualité à un appartement bourré de pacotille. D'où il était assis, il voyait une plage artificielle et les ferries qui allaient et venaient sur le fjord d'Oslo. Plus loin, des rafales sévères fouettaient de blanc la mer presque violette.

«Alors? demanda Isabelle dans le lit derrière lui.

— La directrice d'enquête se demande si elle doit accepter de participer au "Magazine du dimanche" de ce soir. Le thème est bien sûr les meurtres vampiristes. Nous savons qui est le coupable, mais pas où il peut se trouver.

— Simple. Si le gars s'était fait prendre, tu aurais dû y aller toi-même. Mais avec un succès partiel, la meilleure chose à faire est d'envoyer un représentant. Rappelle-lui de dire "nous" et pas "moi". Et ça ne gâcherait rien qu'elle laisse entendre que l'auteur des faits a pu réussir à franchir la frontière.

— La frontière? Pourquoi cela?»

Isabelle Skøyen soupira.

«Ne te fais pas plus bête que tu n'es, mon amour, c'est agaçant.»

Bellman se leva et se dirigea vers la porte du balcon. Il resta à regarder les touristes du dimanche qui affluaient à Tjuvholmen. Certains pour visiter le musée d'art contemporain Astrup Fearnley, d'autres pour voir de l'architecture hyper moderne et boire des cappuccinos hors de prix. Et d'autres encore pour rêver d'un des appartements ridiculement chers qui n'étaient pas encore vendus. Il avait du reste entendu dire que le musée avait exposé une Mercedes dont l'étoile du capot était remplacée par le marron d'une déjection humaine bien consistante. Soit, pour certains les excréments étaient un symbole de statut social. D'autres avaient besoin de l'appartement le plus cher, de la voiture la plus chère ou du yacht le plus grand pour se sentir bien. Et puis vous aviez ceux – comme Isabelle et lui-même – qui voulaient absolument tout : le pouvoir, mais sans les étouffantes obligations. La considération et le respect, mais suffisamment d'anonymat pour pouvoir évoluer librement. La famille qui offrait un cadre rassurant et perpétuait les gènes, mais également un accès libre au sexe en dehors des quatre murs du foyer. L'appartement et la voiture. *Et* l'excrément ferme.

« Donc, suggéra Mikael Bellman. Tu penses que si Valentin Gjertsen disparaissait pendant un moment, le public conclurait automatiquement qu'il s'est tiré à l'étranger, pas que la police d'Oslo est incapable de le capturer. Et que si nous le capturions, en revanche, nous aurions fait preuve de résolution. Et si jamais il commet un nouveau meurtre, tout ce que nous aurons pu dire sera oublié de toute façon. »

Il se tourna vers elle. Ce choix d'installer le lit double dans le salon quand elle avait une chambre à coucher adéquate lui échappait totalement. D'autant plus que les voisins pouvaient voir chez elle. Quoiqu'il suspectât que c'en était justement la raison. Isabelle Skøyen était une femme imposante, sous le lourd drap de soie dorée qui était drapé autour de ses formes opulentes, ses longs membres robustes s'écartèrent. Ce simple spectacle le mit de nouveau en condition.

« Un mot et tu as semé l'idée de l'étranger dans les esprits, dit-elle. En psychologie, on appelle ça l'ancrage. C'est simple et ça marche systématiquement. Parce que les gens *sont* simples. » Elle baissa les yeux sur le corps de Bellman, afficha un grand sourire. « Surtout les hommes. »

Elle éjecta le drap en soie sur le parquet dans un violent soubresaut.

Il la regarda. Parfois, il se disait qu'il préférait le spectacle de son corps à son contact alors que c'était l'inverse avec sa femme. Chose curieuse, puisque, objectivement, le corps d'Ulla était plus beau que celui d'Isabelle. Mais le désir énorme, furieux d'Isabelle l'excitait plus que la tendresse d'Ulla et ses orgasmes sanglotés silencieux.

« Branle-toi », ordonna-t-elle, avant de se mettre à califourchon sur le lit, les genoux comme les ailes à demi déployées d'un oiseau de proie, et de poser deux robustes doigts sur son propre sexe.

Il obéit, ferma les yeux, et entendit un tintement sur la table en verre. Mince, il avait déjà oublié Katrine Bratt. Il saisit le téléphone qui vibrait, appuya sur « répondre ».

« Oui ? »

La voix de femme au bout du fil dit quelque chose, mais Mikael n'entendit pas en raison de la corne pénétrante d'un ferry qui résonnait au même instant.

« La réponse est oui, s'écria-t-il avec impatience. Allez au "Magazine du dimanche", je suis occupé là, mais je vous rappelle plus tard pour vous donner des instructions, d'accord ?

— C'est moi. »

Mikael Bellman se figea.

« Trésor, c'est toi ? Je croyais que c'était Katrine Bratt.

— Où es-tu ?

— Où ? Au bureau, évidemment. »

Et dans la pause bien trop longue qui suivit, il comprit qu'elle aussi avait bien sûr entendu la corne du bateau, que c'était pour cela qu'elle avait posé la question. Il respira fort par le nez en contemplant son érection retombante.

« Le dîner ne sera pas prêt avant dix-sept heures trente.

— D'accord. Qu'est-ce que…

— Du rôti de bœuf », répondit-elle avant de raccrocher.

Harry et Anders Wyller sortirent de la voiture devant Jøssingveien 33. Harry alluma une cigarette en regardant le bâtiment rouge ceint d'une clôture haute. Ils étaient partis de l'hôtel de police sous le soleil, avec des couleurs d'automne éclatantes, mais pendant leur trajet, des nuages s'étaient amoncelés et lambinaient désormais au-dessus des collines, formant un toit de ciment qui retirait ses couleurs au paysage.

« Voilà donc la prison d'Ila », commenta Wyller.

Harry acquiesça d'un signe de tête en tirant une violente bouffée de sa cigarette.

« Pourquoi l'appelle-t-on le Fiancé ?

— Parce qu'il mettait ses victimes enceintes en les violant et leur faisait ensuite promettre sous la menace qu'elles allaient porter l'enfant jusqu'au bout.

— Sans quoi… ?

— Sans quoi il reviendrait pour effectuer personnellement une césarienne. »

Harry inhala une dernière fois, frotta la braise contre le paquet et remit le mégot dedans. « Allez, finissons-en. »

« Le règlement nous empêche de l'enchaîner, mais on va vous suivre sur la caméra de surveillance, annonça l'agent qui les avait fait entrer par le sas et les conduisait au bout d'un long corridor flanqué de portes en acier grises. Nous avons pour règle de ne pas approcher à plus d'un mètre.

« Dites donc ! Il vous attaque ?

— Non, dit l'agent en enfonçant une clef dans la serrure de la dernière porte, depuis vingt ans qu'il est ici, Svein Finne n'a pas eu un seul avertissement.

— Mais ? »

L'agent haussa les épaules en tournant la clef. « Je pense que vous allez comprendre ce que je veux dire. »

Il ouvrit, fit un pas de côté, et Wyller et Harry entrèrent dans la cellule.

L'homme sur le lit était assis dans l'ombre.

« Finne, dit Harry.

— Hole. » La voix de l'ombre semblait moudre des pierres.

Harry désigna d'un revers de la main la seule chaise de la pièce. « Ça ne vous dérange pas si je m'assieds ?

— Si vous pensez en avoir le temps. J'ai entendu dire que vous aviez un peu de travail en ce moment. »

Harry s'assit. Wyller s'était posté derrière lui, devant la porte.

« Hm. C'est lui ?

— Qui ?

— Vous savez qui je veux dire.

— Je vais répondre à votre question si vous répondez franchement à la mienne. Ça vous a manqué ?

— Qu'est-ce qui m'a manqué, Finne ?
— D'avoir un camarade de jeu de votre niveau. Comme quand vous m'aviez moi ? »

L'homme dans l'ombre s'avança dans la lumière de la fenêtre haut sur le mur, et Harry entendit la respiration de Wyller s'accélérer derrière lui. La grille formait des raies d'ombre sur le cuivre d'un visage vérolé. Sa peau tannée était labourée de profonds sillons si creusés et acérés qu'on les aurait dits coupés au couteau, jusqu'à l'os. Il avait un foulard rouge autour du front, comme un Indien, et une moustache encadrait ses épaisses lèvres humides. Ses pupilles étaient petites dans ses iris marron et le blanc de ses yeux jaunâtre, mais il avait le corps musclé et svelte d'un homme de vingt ans. Harry fit le calcul. Svein « le Fiancé » Finne devait en avoir soixante-quinze à présent.

« On n'oublie jamais le premier. N'est-ce pas, Hole ? Mon nom trônera toujours au sommet de votre palmarès. Je vous ai dépucelé, non ? » Son rire résonna comme s'il se gargarisait avec du gravier.

« Eh bien, fit Harry en joignant les mains, si ma franchise est récompensée par la vôtre, ma réponse est que ça ne me manque pas. Et que je ne vous oublierai jamais, Svein Finne. Ni aucune des femmes que vous avez mutilées et tuées. Vous me rendez régulièrement visite la nuit.

— Moi, c'est pareil. Elles sont fidèles, mes fiancées. » Les lèvres charnues de Finne s'écartèrent en un rictus alors qu'il mettait sa main droite devant son œil droit. Harry entendit Wyller heurter la porte en reculant d'un pas. L'œil de Finne fixait Wyller à travers un trou dans sa main par lequel on aurait pu faire passer une balle de golf. « N'ayez pas peur, mon garçon. C'est votre chef, là, dont il faut avoir peur. Il était aussi jeune que vous l'êtes maintenant et j'étais déjà à terre, sans moyen de me défendre. Et cependant, il a placé son pistolet contre ma main et a fait feu. Votre chef a un cœur noir, mon garçon, souvenez-vous-en. Et maintenant, il a de nouveau soif. Exactement comme l'homme qui court dehors en ce moment. Et la soif est comme un incendie, c'est pourquoi on parle de l'*éteindre*. Tant qu'elle n'est pas éteinte, elle continue de dévorer tout ce qu'elle touche. N'est-ce pas, Hole ? »

Harry toussota. « Votre tour, maintenant, Finne. Où se cache Valentin ?

— Vous êtes déjà venus me poser la question et je ne peux que me répéter. Quand Valentin était détenu ici, je lui ai à peine parlé. Et ça fait près de quatre ans qu'il s'est évadé.

— Ses méthodes ressemblent aux vôtres. Certains prétendent que c'est vous qui l'avez formé.

— Sottises. Valentin est né déjà formé. Croyez-moi.

— Où vous cacheriez-vous si vous étiez lui ?

— Assez près pour être dans votre champ de vision, Hole. Je serais préparé à vous, cette fois.

— Habite-t-il en ville ? Évolue-t-il dans la ville ? Nouvelle identité ? Est-il seul ou collabore-t-il avec quelqu'un ?

— Il fait les choses différemment cette fois, non ? Ces morsures, ce sang bu. Ce n'est peut-être pas Valentin ?

— C'est Valentin. Alors comment est-ce que je le capture ?

— Vous ne le capturerez pas.

— Non ?

— Il préférerait mourir plutôt qu'échouer de nouveau ici. Les fantasmes ne lui ont jamais suffi, il fallait qu'il *agisse*.

— Vous m'avez l'air de le connaître quand même.

— Je sais de quoi il est fait.

— La même chose que vous ? Des hormones de l'enfer ? »

Le vieil homme haussa ses épaules larges.

« Tout le monde sait que le choix moral libre est une illusion, que seule la chimie du cerveau gouverne votre comportement et le mien, Hole. Certains comportements sont diagnostiqués comme "hyper actifs" ou "hyper anxieux" et traités avec des médicaments et du réconfort. D'autres personnes reçoivent le diagnostic "maléfiques et criminels" et se font enfermer. Mais c'est la même chose. Une association malheureuse de substances dans le cerveau. Qu'on nous enferme, je suis pour. Nous violons vos filles, merde. » Finne eut un rire râpeux. « Donc dégagez-nous des rues, menacez-nous de sanctions afin que nous n'adoptions pas le comportement que la chimie de notre cerveau nous aurait sinon intimé. Ce qui rend la chose si pathétique, c'est que vous êtes si lâches qu'il vous faut un prétexte moral pour nous enfermer. Vous vous fabriquez une histoire mensongère de libre arbitre et de sacro-sainte *sanction*, qui trouverait sa place dans une espèce de justice céleste fondée sur une morale universelle et éternelle. Mais la morale n'est ni universelle ni éternelle, elle dépend éminemment de l'air du temps, Hole. Les hommes qui baisaient les hommes, ça ne posait pas de problème il y a quelques millénaires, et puis ensuite on les a mis en prison, et maintenant ils défilent dans des parades avec des hommes politiques. Tout est déterminé par ce dont la société a besoin ou pas à l'instant T, la morale est flexible et utilitariste. Mon problème est que je suis né à une époque et dans un pays où les hommes qui répandent aussi libéralement leur sperme sont indésirables. Mais au lendemain d'une pandémie, s'il fallait remettre sur pied l'espèce, Svein "le Fiancé" Finne serait un pilier de la société et un sauveur de l'humanité, non, Hole ?

— Vous forciez les femmes à mettre au monde vos enfants, dit Harry. Valentin les tue. Alors pourquoi refusez-vous de m'aider à le prendre ?

— Je ne vous aide pas ?

— Vous me donnez des réponses générales et de la philosophie morale mal digérée. Si vous nous aidez, je parlerai en votre faveur pour une réduction de peine. »

Harry entendit Wyller bouger les pieds.

« Vraiment ? fit Finne en lissant sa moustache. Même si vous savez que je vais recommencer à violer dès que je serai sorti ? Je vois qu'il est très important pour vous de capturer Valentin puisque vous êtes prêt à sacrifier la vertu de tant de femmes innocentes. Mais vous ne pouvez sans doute pas faire autrement. » Il tapota sa tempe. « La chimie… »

Harry ne répondit pas.

« Quoi qu'il en soit, dit Finne. Pour commencer, j'aurai purgé ma peine l'année prochaine, le premier samedi de mars, il est donc trop tard pour une remise de peine qui ait une quelconque valeur. Ensuite, j'ai eu une permission il y a quinze jours et vous savez quoi ? La prison m'a manqué. Donc merci, mais non merci. Dites-moi plutôt comment vous allez, Hole. Vous êtes marié, paraît-il. Et vous avez un bâtard, hein ? Vous habitez en sécurité ?

— Hm. C'est tout ce que vous aviez à dire, Finne ?

— Oui. Mais je vais vous suivre avec intérêt.

— Valentin et moi ?

— Votre famille et vous. J'espère vous voir dans le comité d'accueil quand je serai libéré. » Le rire de Finne se mua en toux grasse.

Harry se leva et fit signe à Wyller de frapper à la porte. « Merci de nous avoir accordé votre précieux temps, Finne. »

Finne leva la main droite devant son visage et l'agita. « Au revoir, Hole. Je suis content que nous ayons pu échanger sur nos projets d'a-avenir. »

Harry voyait l'image papillotante de son rictus apparaître et disparaître derrière le trou de sa main.

15

Dimanche soir

Rakel s'installa à la table de la cuisine. Les douleurs, que couvraient le bruit et la distraction d'occupations prenantes, étaient plus difficiles à ignorer dès lors qu'elle s'arrêtait. Elle se gratta le bras. L'éruption cutanée avait été à peine visible la veille. Quand le médecin lui avait demandé si elle urinait régulièrement, elle avait répondu oui par réflexe, mais maintenant que son attention était attirée sur le sujet, elle se rendait compte qu'elle ne l'avait presque pas fait ces dernières quarante-huit heures. Et son souffle. Comme si elle ne faisait pas assez d'exercice, ce qui pourtant n'était pas le cas.

Des clefs cliquetèrent à la porte de la maison et Rakel se leva.

La porte s'ouvrit, laissant entrer Harry. Il avait l'air pâle et fatigué.

« Je viens juste me changer, dit-il en lui caressant la joue avant de poursuivre vers l'escalier.

— Comment ça se passe ? demanda-t-elle en restant sur place à regarder le dos de Harry disparaître vers leur chambre à coucher à l'étage.

— Bien ! cria-t-il. Nous savons qui c'est.

— Il serait temps de rentrer, alors ? fit-elle à mi-voix, sans conviction.

— Comment ? »

Elle entendit des bruits sourds sur le plancher et sut qu'il ôtait son pantalon en dansant d'un pied sur l'autre, comme un gamin ou un homme ivre.

« Si toi et ton grand cerveau resplendissant avez résolu l'affaire...

— Justement. » Il apparut à la porte là-haut. Il avait enfilé un maillot en laine à manches longues et s'appuyait au chambranle en mettant une paire de chaussettes fines en laine. Elle l'avait taquiné en disant qu'il n'y avait que les vieux bonshommes pour porter à toute force de la laine hiver comme été. Mais Harry avait rétorqué que la meilleure stratégie de survie était de *toujours* imiter les vieux bonshommes, c'étaient après tout eux les gagnants, les survivants. « Je n'ai rien résolu du tout. Il a choisi de se démasquer lui-même. » Harry se redressa à la porte. Il palpa ses poches. « Mes clefs », dit-il en disparaissant de nouveau dans la chambre.

« J'ai rencontré le docteur Steffens à Ullevål, cria-t-il. Il me dit qu'il te *soigne*.

— Ah bon ? Mon chéri, je crois que tu as besoin de quelques heures de sommeil, tes clefs sont dans la serrure de la porte d'entrée.

— Tu m'avais dit qu'on t'avait juste examinée ?

— Quelle est la différence ? »

Harry ressortit de la chambre et dévala les marches. Il l'enlaça. « Avait examinée, c'est du passé, lui chuchota-t-il à l'oreille. Soigne, c'est du présent. Et, dans mon entendement, le traitement intervient après que l'examen a révélé quelque chose. »

Rakel rit en se collant contre lui. « Le mal de tête, je

l'ai découvert moi-même et c'est ça qu'il faut traiter. On appelle ça des cachets antidouleur. »

Il la tint à bout de bras, la scruta du regard. « Tu ne me cacherais jamais rien, si?

— Alors ce genre d'âneries, tu as du temps à y consacrer? » Rakel s'avança, força ses douleurs à disparaître, lui mordit l'oreille et le poussa vers la porte. « Va donc finir ce boulot maintenant, et ensuite tu reviens directement chez maman. Sinon je m'imprime un mari casanier en plastique blanc. »

Harry sourit et se dirigea vers la porte. Il retira le trousseau de clefs de la serrure, puis se figea en le contemplant.

« Quoi? » fit Rakel.

« Il avait les clefs de l'appartement d'Elise Hermansen, déclara Harry en claquant la portière du côté passager. Et probablement celles d'Ewa Dolmen aussi.

— Ah? demanda Wyller alors qu'il desserrait le frein à main et redescendait l'allée. Nous avons vérifié chez tous les fabricants de clefs de la ville et personne n'a copié de clefs protégées pour aucun des immeubles.

— C'est parce qu'il l'a fait lui-même. En plastique blanc.

— En plastique blanc?

— Avec une imprimante 3D ordinaire à quinze mille couronnes qui se met sur un bureau. Tout ce dont il a eu besoin, c'est de quelques secondes d'accès à l'original des clefs. Il a pu les prendre en photo ou en faire une empreinte dans la cire pour créer un fichier électronique 3D. Quand Elise Hermansen est rentrée chez elle, il était donc déjà dans son appartement.

C'est pour ça qu'elle a accroché la chaîne de sécurité, elle se croyait seule.

— Et comment penses-tu qu'il ait eu accès aux clefs ? Aucun des immeubles dans lesquels habitaient les victimes n'avait recours à des services de gardiennage, ils avaient leurs propres concierges. Qui ont tous des alibis et assurent qu'ils n'ont pas prêté de clefs.

— Je sais. Et je ne sais pas comment ça s'est passé, je sais seulement que ça s'est passé. »

Harry n'eut pas besoin de regarder son jeune collègue pour voir son scepticisme. Que la chaîne de sécurité d'Elise Hermansen ait été accrochée pouvait s'expliquer de cent façons différentes. La déduction de Harry n'en excluait pas une seule. Les Sabots, le copain joueur de poker de Harry, disait que le calcul des probabilités et la manière de jouer ses cartes selon le manuel étaient ce qu'il y avait de plus facile à apprendre. Que ce qui distinguait les bons joueurs des médiocres, c'était l'aptitude à comprendre comment son adversaire pensait, ce qui requérait de tenir compte de tellement de paramètres qu'on avait le sentiment d'écouter un chuchotement par une tempête rugissante. Peut-être bien. Car dans la tempête de toutes les informations que Harry avait sur Valentin Gjertsen, tous les rapports, toute son expérience d'autres meurtres en série, tous les fantômes des victimes de meurtres qu'il n'avait pas réussi à sauver au fil des ans, chuchotait une voix. Celle de Valentin Gjertsen. Il chuchotait qu'il les avait eus de l'intérieur. Qu'il s'était trouvé dans leur champ de vision.

Harry sortit son téléphone. Katrine répondit à la deuxième sonnerie.

« Je suis au maquillage, dit-elle.

— Je crois que Valentin possède une imprimante 3D. Qui peut nous mener à lui.

— Comment ?

— Quand la vente dépasse un certain montant, les magasins de matériel électronique enregistrent le nom du client et son adresse. Il n'y a pas plus de deux mille imprimantes 3D qui ont été vendues en Norvège. Si tous les membres du groupe lâchent ce qu'ils ont entre les mains, nous pourrons peut-être avoir dressé une liste d'ici vingt-quatre heures et éliminé de l'affaire quatre-vingt-quinze pour cent des acheteurs d'ici deux jours. Auquel cas il nous resterait une liste de vingt acheteurs. Faux nom ou nom d'emprunt, nous le découvrirons s'il ne figure pas dans les registres d'état civil à l'adresse donnée ou si nous appelons des gens qui nient avoir acheté une imprimante 3D. La plupart des magasins d'électronique sont équipés de caméras de surveillance et nous pourrons regarder les enregistrements pour les acheteurs que nous soupçonnons. Il n'y a aucune raison qu'il ne soit pas allé au magasin le plus proche de chez lui, donc ça nous donnerait une zone de recherche. Et en publiant des images de surveillance, nous pourrions obtenir du public qu'il nous aiguille.

— Comment as-tu eu cette idée d'imprimante 3D, Harry ?

— Je discutais avec Oleg d'imprimantes et d'armes et…

— Que je lâche tout le reste, Harry ? Pour miser sur une idée qui t'est venue pendant une conversation avec Oleg ?

— Ouaip.

— C'est précisément ce genre de piste que tu es censé suivre avec ton groupe de guérilleros, Harry.

— Pour l'instant, ce groupe n'est constitué que de moi-même et j'ai besoin de tes ressources. »

Harry entendit Katrine s'esclaffer. « Si tu ne t'appelais pas Harry Hole, j'aurais déjà raccroché.

— Ça tombe bien que je m'appelle comme ça, alors. Écoute, nous avons passé trois ans à chercher Valentin Gjertsen sans succès. C'est la seule nouvelle piste dont nous disposions.

— Laisse-moi y réfléchir jusqu'à la fin de l'émission, on va bientôt être à l'antenne et j'ai la tête pleine de trucs que je dois penser à dire et ne pas dire. Et puis, pour être honnête, j'ai le trac.

— Hm.

— Tu as des tuyaux à donner à quelqu'un qui fait ses débuts à la télé ?

— Détends-toi, aie du génie et sois relax et drôle. »

Il l'entendait sourire. « Comme toi quand tu étais à la télé ?

— Je n'étais rien de tout cela. Ah oui, et ne bois pas avant d'aller sur le plateau. »

Harry rangea son téléphone dans la poche de son blouson. Ils approchaient de l'*endroit*. Là où Slemdalsveien croise Rasmus Winderens vei à Vinderen. Et le feu passa au rouge. Ils s'arrêtèrent. Si bien que Harry ne put s'en empêcher. Il ne pouvait jamais s'en empêcher. Il lança un coup d'œil sur le quai de l'autre côté de la voie de T-bane. L'endroit où, lors d'une course-poursuite, une demi-vie auparavant, il avait perdu le contrôle de sa voiture de police, volé par-dessus la voie et heurté le béton. Son collègue sur le siège passager était mort. À quel point avait-il été ivre ? Harry n'avait jamais soufflé dans le ballon et le rapport qu'ils avaient écrit indiquait qu'il avait occupé le siège passager, pas celui du conducteur. Tout pour le bien du corps de police.

« Tu l'as fait pour sauver des vies ?

— Quoi donc ? demanda Harry.

— Travailler à la Brigade criminelle, dit Wyller. Ou c'était pour attraper des assassins ?

— Hm. Tu penses à ce que disait le Fiancé ?

— Je me souviens de tes cours. Je te croyais enquêteur criminel uniquement par amour de ce travail. »

Harry secoua la tête. « Je l'ai fait parce que c'était la seule chose pour laquelle je suis bon. Je détestais ça.

— Vraiment ? »

Harry haussa les épaules alors que le feu passait au vert. Ils descendirent vers Majorstua et l'obscurité vespérale qui semblait sourdre lentement de la marmite d'Oslo en contrebas.

« Dépose-moi à ce bar, là, demanda Harry. Celui de la première victime. »

Dans les coulisses, Katrine observait le petit îlot désert au milieu du cercle de lumière. C'était un plateau noir avec trois fauteuils et une table. Dans l'un des fauteuils était installé le présentateur du « Magazine du dimanche », qui allait bientôt accueillir sa première invitée. Katrine s'efforça de ne pas penser à l'océan de regards. À son cœur qui battait la chamade. À Valentin qui était en liberté à cet instant précis ni au fait qu'ils avaient beau savoir que c'était lui, ils ne pouvaient rien y faire. Elle se répétait à la place les instructions que lui avait données Bellman : paraître convaincante et sûre de son fait quand elle disait que l'affaire était élucidée, mais que le coupable était toujours en liberté, qu'il avait peut-être fui à l'étranger.

Entre les caméras et l'îlot, Katrine vit la scripte,

avec son *clipboard* et son micro-casque, qui criait qu'il restait dix secondes avant le début de l'émission, puis commençait le compte à rebours. Et, sans aucun signe annonciateur, lui revint à l'esprit cet incident anodin survenu plus tôt dans la journée. C'était peut-être parce qu'elle était fatiguée et nerveuse, et que son esprit se réfugiait dans ce genre de broutilles quand il aurait dû se concentrer sur ce qui l'accablait et l'effrayait. Elle avait fait un saut chez Bjørn à la Technique pour lui demander de hâter l'analyse des indices techniques de la montée d'escalier car elle voulait les utiliser à la télévision afin de paraître plus convaincante. Comme on pouvait s'y attendre un dimanche, il n'y avait pas grand monde dans les locaux de la Technique, les seuls gens présents travaillaient sur les meurtres vampiristes. C'était sûrement à cause de ce désert, si Katrine avait été déstabilisée par la situation. Comme à son habitude, elle était entrée sans frapper dans le bureau exigu de Bjørn. Une femme se tenait devant la chaise de ce dernier, elle était presque penchée sur lui, même. Et l'un des deux avait dû faire une plaisanterie, parce qu'ils étaient tous les deux en train de rire. Quand ils s'étaient retournés vers elle, Katrine avait reconnu la nouvelle directrice de la Scientifique, Machine-Truc Lien. Bjørn lui avait parlé de l'embauche de cette fille et Katrine avait pensé qu'elle était bien trop jeune et inexpérimentée, que c'était Bjørn qui aurait dû avoir le poste. Ou plus exactement, que Bjørn aurait dû *prendre* le poste, on le lui avait après tout proposé. Mais sa réponse avait été du Bjørn Holm classique : Pourquoi se débarrasser d'un TIC plutôt bon pour se procurer un directeur plutôt mauvais ? Et dans ces circonstances, Mme ou Mlle Lien avait dû être un bon choix. Katrine n'avait en tout cas jamais entendu parler d'une Lien s'étant illustrée dans un quelconque poste de la maison. Quand Katrine avait exprimé son vœu de voir son analyse avancer, Bjørn avait tranquillement répondu qu'il appartenait à sa directrice de le décider, que c'était elle qui était chargée d'établir les priorités. Et Machine-Truc Lien avait déclaré avec un sourire prétendument empreint de bonne volonté qu'elle allait voir avec les autres techniciens du crime quand ça pourrait être fait. C'est là que Katrine avait haussé le ton en expliquant qu'il ne suffisait pas de « voir », que les meurtres vampiristes étaient l'affaire avec un grand A désormais, que n'importe qui d'un tant soit peu expérimenté l'aurait compris. Et que ça ferait mauvais effet qu'elle soit obligée de dire à la télé qu'elle ne pouvait pas répondre à une question parce que la nouvelle directrice de la Technique ne jugeait pas l'affaire assez importante.

Et Berna Lien – oui, elle se souvenait de son nom maintenant, parce qu'elle ressemblait à Bernadette dans *The Big Bang Theory*, petite avec des lunettes et des seins disproportionnés – avait rétorqué : « Et si je vous donne la priorité, vous me *promettez* de ne dire à personne que je ne trouve pas l'affaire de maltraitance d'enfants d'Aker ou les crimes d'honneur de Stovner assez importants. » Katrine n'avait compris qu'elle affectait ce ton implorant que lorsqu'elle avait enchaîné sur un ton normal et sérieux : « Je conviens bien sûr de l'urgence particulière de l'analyse si elle permet d'empêcher d'autres meurtres, Bratt. Mais c'est ça, et pas votre apparition à la télévision, qui pèsera dans ma décision. Je reviens vers vous dans vingt minutes, ça vous va ? »

Katrine Bratt s'était contentée d'un signe de tête

et était repartie. Elle était descendue directement à l'hôtel de police, s'était enfermée dans les toilettes pour femmes, et avait nettoyé le maquillage qu'elle s'était mis avant de monter à la Technique.

Le générique commença et le présentateur, qui était déjà bien droit sur son siège, se redressa encore un peu tout en échauffant ses muscles faciaux avec quelques sourires démesurés qu'il n'allait de toute façon pas utiliser vu la thématique du soir.

Katrine sentit son téléphone vibrer dans la poche de son pantalon. En tant que directrice d'une enquête requérant qu'elle soit joignable en permanence, elle avait ignoré l'injonction d'éteindre complètement son téléphone pendant l'émission. C'était un SMS de Bjørn.

« Trouvé correspondance pour empreintes digitales sur porte de l'immeuble de Penelope. Valentin Gjertsen. Je suis devant la télé. Merde. »

Katrine fit oui de la tête à la fille à ses côtés qui lui répétait qu'elle devait rejoindre le présentateur dès qu'elle entendrait son nom et qui lui rappelait dans quel fauteuil elle devait s'asseoir. Merde. Comme si elle allait sur une scène de théâtre. Mais Katrine se sentit sourire intérieurement malgré tout.

Harry s'arrêta après avoir franchi les portes du Jealousy Bar. Et il constata que le brouhaha des conversations n'était pas réel. Parce qu'à moins que des gens ne se cachent dans les box, il était le seul client. Et il se rendit compte que le bruit venait du match de foot diffusé sur le poste de télévision derrière le comptoir. Harry s'assit sur un tabouret de bar et regarda.

« Beşiktaş-Galatasaray, précisa le barman en souriant.

— Turc, répondit Harry.

— Oui, fit le barman d'un ton sombre. Ça vous intéresse ?

— Pas vraiment.

— C'est aussi bien. C'est de la folie, de toute façon. Là-bas, si vous êtes supporter de l'équipe qui joue à l'extérieur et qu'elle gagne, il faut rentrer directement à la maison si vous ne voulez pas risquer de vous prendre une balle.

— Hm. C'est une question de différences de religion ou de lutte des classes ? »

Le barman cessa d'essuyer son verre et observa Harry. « C'est une question de victoire. »

Harry haussa les épaules. « Bien sûr. Je m'appelle Harry Hole, je suis… j'étais inspecteur principal à la Brigade criminelle. J'ai repris du service dans le cadre de…

— Elise Hermansen.

— Précisément. J'ai lu dans votre témoignage que vous aviez eu un client en santiags en même temps qu'Elise et son cavalier.

— Exact.

— Pouvez-vous m'en dire plus sur lui ?

— Pas vraiment. Parce que dans mon souvenir il est entré juste après Elise Hermansen et s'est assis dans le box là-bas.

— Vous l'avez vu ?

— Oui, mais pas franchement assez longtemps et pas suffisamment pour pouvoir le décrire. Comme vous pouvez le constater, on ne voit pas le box d'ici. Il n'avait rien commandé et, tout à coup, il était reparti. Ça arrive souvent, les gens doivent trouver que c'est trop calme ici. C'est ça, le truc avec un bar, il faut arriver à faire venir du monde. Mais je ne l'ai pas vu repartir, donc je n'y ai plus pensé. Et puis elle a été tuée dans son appartement, non ?

— Oui.

— Vous pensez qu'il l'a suivie ?

— C'est en tout cas une possibilité. » Harry lança un coup d'œil au barman. « Mehmet, c'est ça ?

— Exact. »

Il y avait quelque chose chez ce type qui d'instinct plaisait à Harry, et il décida de dire tout haut ce qu'il pensait. « Quand je n'aime pas l'allure d'un bar, je tourne les talons à la porte, et si j'entre, je commande quelque chose, je ne reste pas juste à une table. Il a pu la suivre jusqu'ici, puis quand il a vu comment cela se passait et compris qu'elle n'allait pas tarder à rentrer chez elle sans ramener le gars, aller l'attendre dans son appartement.

— Vraiment ? Un malade. Et la pauvre fille. À propos de pauvre, voilà son rendez-vous galant de l'autre soir. » Mehmet montra la porte du menton et Harry se retourna. Les fans du Galatasaray avaient assourdi l'entrée d'un homme chauve rondouillard en doudoune et chemise noire. Il s'installa au bar et salua le barman de la tête, le visage figé.

« Une pinte.

— Geir Sølle ? demanda Harry.

— J'aimerais mieux pas, répondit l'homme, qui lâcha un rire creux sans changer d'expression faciale. Journaliste ?

— Police. Je voudrais savoir si l'un de vous deux reconnaît cet homme. » Harry posa une copie du portrait-robot de Valentin Gjertsen sur le comptoir. « Il a probablement subi d'importantes opérations de chirurgie plastique du visage depuis, donc faites appel à votre imagination. »

Mehmet et Sølle examinèrent la photo. Tous deux secouèrent la tête.

« Finalement, laissez tomber la bière, dit Sølle. Je viens de me souvenir qu'il fallait que je rentre à la maison.

— Mais elle est déjà tirée, protesta Mehmet.

— Il faut que je sorte le chien, donnez-la donc à ce policier, il a l'air d'avoir soif.

— Hm. Si vous pouviez répondre à une dernière question, Sølle. Dans votre témoignage, il était écrit qu'elle vous avait parlé d'un traqueur qui la suivait et qui menaçait les hommes avec qui elle sortait. Avez-vous eu l'impression qu'elle disait la vérité ?

— La vérité ?

— Que ce n'était pas juste des histoires pour vous tenir à l'écart.

— Hé hé, dans ce sens-là... Allez savoir. Elle avait sûrement ses stratégies pour se débarrasser des crapauds. » La tentative de sourire de Geir Sølle se mua en grimace. « Des crapauds comme moi.

— Hm. Et vous pensez qu'il lui avait fallu en embrasser beaucoup ?

— Ça peut être décevant, Tinder, mais on ne cesse jamais d'espérer, si ?

— Ce traqueur, à votre avis, c'était un cinglé débarqué de nulle part ou un homme avec qui elle avait eu une liaison ?

— Je ne sais pas, répondit Geir Sølle en remontant la fermeture Éclair de sa doudoune jusqu'à son menton malgré le temps doux. J'y vais maintenant. »

Quand la porte claqua derrière lui, Harry posa un billet de cent sur le comptoir.

« Un homme avec qui elle avait eu une liaison ? demanda le barman en lui rendant la monnaie. Je croyais que, dans ces meurtres, il était question de boire du sang. Et de sexe.

— Peut-être, dit Harry. Mais, en règle générale, il est aussi question de jalousie.

— Et quand ce n'est pas ça ?

— Il s'agit peut-être de ce que vous dites.

— De sang et de sexe ?

— De gagner. » Harry baissa les yeux sur le verre. Il s'était toujours senti lourd et fatigué quand il buvait de la bière. Il aimait les premières gorgées, mais ensuite il trouvait ça fade. « À propos de gagner… On dirait que le Galatasaray perd, donc ça vous ennuie si on met "Le Magazine du dimanche" sur NRK1 à la place ?

— Et si j'étais supporter du Beşiktaş ? »

Harry fit un signe de tête vers la plus haute des étagères miroirs. « Vous n'auriez pas eu le fanion du Galatasaray derrière la bouteille de Jim Beam là-haut, Mehmet. »

Le barman regarda Harry. Puis il sourit de toutes ses dents, secoua la tête et appuya sur la télécommande.

« Nous ne pouvons pas affirmer avec cent pour cent de certitude que la personne qui a agressé la femme de Hovseter hier est la même que celle qui a tué Elise Hermansen et Ewa Dolmen, expliquait Katrine, qui était frappée par le *silence* du studio, comme si tout autour d'eux tendait l'oreille. Mais ce que je peux dire, c'est que, d'après nos indices et les témoignages, nous pouvons relier une personne en particulier à l'attaque d'hier. Et comme cette personne a déjà été condamnée pour crimes sexuels et qu'elle est recherchée depuis son évasion de prison, nous avons décidé de rendre son nom public.

— Et vous le faites ici, pour la première fois, au "Magazine du dimanche"?

— C'est exact. Son vrai nom est Valentin Gjertsen, mais il en utilise probablement un autre. »

Elle constata que le présentateur semblait un peu déçu qu'elle se soit contentée de lâcher son nom en passant, qu'il aurait souhaité un roulement de tambour verbal au préalable.

« Et ceci est ce qu'on appelle un portrait-robot, qui montre à quoi il ressemblait il y a trois ans, ajouta-t-elle. Il a probablement subi d'importantes opérations de chirurgie plastique depuis, mais cela donne en tout cas une idée. » Katrine leva le dessin vers la petite tribune d'une cinquantaine de spectateurs, qui, d'après la scripte, étaient là pour donner un peu plus de « punch ». Katrine attendit, vit s'allumer le voyant rouge de la caméra juste devant elle, laissa aux téléspectateurs dans leur salon le temps de s'imprégner du dessin. Le présentateur la contemplait avec un regard béat.

« Toute personne détenant des informations est priée d'appeler notre ligne de renseignements, dit-elle. Le portrait-robot, le nom et les alias connus du suspect ainsi que le numéro de téléphone sont disponibles sur le site Internet de la police d'Oslo.

— Et, bien sûr, c'est urgent, ajouta le présentateur en s'adressant à la caméra. Car il y a un risque qu'il frappe encore dès ce soir. » Il se tourna vers Katrine. « À cet instant, même, n'est-ce pas ? »

Katrine vit qu'il souhaitait qu'elle l'aide à semer chez les gens les images live d'un vampiriste aspirant du sang frais chambré dans un corps humain.

« Nous ne voulons rien exclure », dit-elle.

C'était la formule dont Bellman l'avait abreuvée,

mot par mot. En lui expliquant que, à la différence de « nous ne *pouvons* rien exclure », « ne *voulons* rien exclure » donnait l'impression que la police d'Oslo avait une vue d'ensemble suffisante pour exclure tout un tas de choses, mais choisissait néanmoins de ne pas le faire. « Mais je dispose de renseignements indiquant que Valentin Gjertsen pourrait avoir eu le temps de quitter le pays entre sa dernière agression et le moment où nous avons obtenu les résultats d'analyse qui l'ont maintenant identifié. Il est probable qu'il dispose d'un refuge hors de Norvège, celui-là même qu'il utilise depuis qu'il est recherché. »

Ce choix de mots là, Bellman n'avait pas eu besoin de le lui expliquer, elle apprenait vite. « Je dispose de renseignements » évoquait les filatures, les informateurs secrets et un travail de fond de la police, alors qu'elle parlait en fait d'horaires de vols aériens, de trains et de ferries aisément accessibles, mais cela ne signifiait pas pour autant qu'elle mentait. Tant que ce n'était pas invraisemblable, ils étaient fondés à formuler des hypothèses de départ à l'étranger, qui de surcroît repoussaient discrètement la responsabilité de toutes ces années où Valentin Gjertsen ne s'était pas fait arrêter « à l'étranger ».

« Et comment donc trouve-t-on un vampiriste ? demanda le présentateur en se tournant vers l'autre fauteuil. Nous avons fait venir Hallstein Smith, professeur de psychologie et auteur de nombreux articles sur le vampirisme. Pouvez-vous nous répondre sur ce sujet, Smith ? »

Katrine regarda Smith qui, hors champ, avait rejoint le troisième fauteuil. Il portait de grandes lunettes et une pittoresque veste de costume bariolée qui avait l'air d'être faite maison. Son apparence contrastait fortement avec le sévère pantalon en cuir noir ajusté de Katrine, sa veste près du corps en latex noir et ses cheveux luisants ramenés en arrière. Elle savait qu'elle avait belle allure et qu'il y aurait des commentaires et des invitations sur leur site quand elle regarderait ce soir. Mais elle s'en foutait, Bellman n'avait rien dit sur la tenue à porter. Elle espérait seulement que cette chienne de Machine-Truc Lien regardait.

« Euh », fit Smith avec un sourire penaud.

Katrine remarqua que, craignant un blocage du psychologue, le présentateur s'apprêtait à intervenir.

« Tout d'abord, je ne suis pas professeur, je suis encore en train d'écrire ma thèse. Mais si j'ai mon doctorat, je vous préviendrai, hein. »

Les gens rirent.

« Ensuite, les articles que j'ai écrits n'ont pas été publiés dans des revues professionnelles, seulement dans des magazines plutôt douteux qui s'attachent aux confins plus obscurs de la psychologie. L'un d'eux s'intitule *Psychose*, comme le film. Cette publication a du reste eu lieu au niveau zéro de ma carrière universitaire. »

Nouveaux rires.

« Je suis toutefois bel et bien psychologue, poursuivit-il en s'adressant au public. Université Mykolas Romeris, Vilnius, notes largement au-dessus de la moyenne. Et je possède effectivement l'un de ces divans sur lesquels vous pouvez vous allonger en regardant le plafond pour quinze cents couronnes de l'heure pendant que je fais semblant de prendre des notes. »

Pendant un temps, le présentateur comme le public

hilare parurent avoir oublié la gravité de la thématique. Mais Smith les y ramena :

« Mais je ne sais pas comment on capture un vampiriste. »

Silence.

« En tout cas pas dans l'absolu. Les vampiristes sont rares et ils font encore plus rarement surface. Permettez-moi d'abord de dire que nous en distinguons deux types. Les premiers sont relativement inoffensifs, il s'agit de personnes qui se sentent attirées par le mythe du demi-dieu buveur de sang et immortel sur lequel se bâtissent les récits de vampires modernes, comme celui de Dracula. Cette forme de vampirisme a des accents érotiques appuyés et a même été commentée par notre cher Sigmund Freud. Ils tuent rarement. Ensuite, vous avez les personnes qui souffrent de ce que nous appelons vampirisme clinique ou syndrome de Renfield, qui est caractérisé par une obsession de boire du sang. La plupart des articles sur le sujet ont été publiés dans des revues de psychiatrie légale, puisqu'ils traitent en général de crimes extrêmement violents. Mais le vampirisme en tant que phénomène n'a jamais été reconnu par l'establishment de la psychiatrie, on l'a rejeté comme sensationnalisme, territoire de charlatans, oui, il n'est même pas mentionné dans les ouvrages de référence de psychiatrie. Nous autres qui faisons des recherches sur le vampirisme avons été accusés d'inventer des personnalités qui n'existaient pas. Et ces trois derniers jours, j'aurais voulu que ce soit vrai. Malheureusement, ça ne l'est pas. Les vampires n'existent pas, mais les vampiristes si.

— Comment est-ce qu'un individu devient vampiriste, Smith ?

— Il n'existe évidemment pas de réponse toute faite à cette question, mais la réponse classique est que cela commence par un événement clef dans l'enfance, la personne en question vit une situation où elle-même ou quelqu'un d'autre saigne abondamment. Ou alors boit du sang. Et c'est vécu comme une expérience exaltante. La mère très religieuse du célèbre vampiriste et tueur en série John George Haigh, par exemple, le punissait en le frappant avec une brosse à cheveux, il avait donc pris l'habitude de lécher son sang. Plus tard, à la puberté, le sang devient typiquement une source d'excitation sexuelle. Le vampiriste en herbe commence alors à jouer avec le sang, souvent en pratiquant d'abord ce qu'on appelle l'autovampirisme, il se coupe et boit son propre sang. Ensuite, il tuera peut-être une souris, un rat ou un chat, dont il boira le sang. Puis, à un autre moment, il franchit le pas et boit le sang d'une autre personne. Il est aussi fréquent qu'après avoir bu son sang, il tue cette personne. C'est maintenant devenu un vampiriste pur-sang. Euh... jeu de mots involontaire.

— Et le viol, à quel moment intervient-il ? Nous savons qu'Elise Hermansen a été victime d'abus sexuels.

— Oui, mais même si l'aspect sexuel ne disparaît jamais, le sentiment de pouvoir et de contrôle peut compter tout autant pour le vampiriste adulte. John George Haigh, par exemple, n'était pas particulièrement porté sur le sexe, c'était tout bonnement, disait-il, qu'il avait besoin du sang de ses victimes. Il le buvait du reste dans un verre. Et je suis passablement sûr que pour notre vampiriste d'Oslo aussi, le sang compte plus que l'agression sexuelle.

— Inspectrice principale Bratt ?

— Euh, oui ?

— Êtes-vous d'accord ? Le sang semble-t-il plus important que le sexe pour ce vampiriste ?

— Je ne peux ni ne veux le commenter. »

Katrine vit le présentateur réfléchir rapidement et se retourner vers Smith, il avait dû comprendre qu'il n'y avait rien d'autre à tirer d'elle.

« Smith, les vampiristes se prennent-ils pour des vampires ? Autrement dit, pensent-ils être immortels tant qu'ils évitent la lumière, qu'ils contaminent les autres en les mordant et ainsi de suite ?

— Pas le vampiriste clinique souffrant du syndrome de Renfield. À cet égard, c'est une mauvaise plaisanterie que d'avoir nommé le syndrome d'après Renfield, qui était le serviteur de Dracula dans le conte de Bram Stoker. On aurait dû parler de syndrome de Noll, d'après le psychiatre qui a été le premier à en parler. D'un autre côté, Noll non plus ne prenait pas le vampirisme au sérieux, l'article qu'il a écrit sur le sujet était censé être parodique.

— Est-il concevable que cette personne ne soit pas malade en tant que telle, mais prenne une drogue qui crée cette soif de sang humain, tout comme à New York et Miami en 2012 la drogue MDPV, appelée aussi "sels de bain", faisait que des individus qui en abusaient agressaient des gens pour manger leur chair ?

— Non. Quand les consommateurs de MDPV deviennent cannibales, ils sont fortement psychotiques, dans l'incapacité d'avoir une pensée rationnelle ou de prévoir, la police les prend en flagrant délit sans même qu'ils cherchent à se cacher. Maintenant, le vampiriste typique est tellement guidé par sa soif de sang que sa préoccupation première n'est pas de réfléchir à comment s'en sortir, mais, dans le cas présent, la planification est si rigoureuse qu'il ou elle ne laisse même pas de traces, si l'on en croit *VG*.

— Elle ?

— Je… euh, j'essaie juste d'être politiquement correct. En général le vampiriste est un homme, en tout cas quand c'est conjugué avec des agressions violentes comme ici. Les femmes s'en tiennent souvent à l'autovampirisme, elles recherchent des gens de même inclination avec qui échanger du sang, elles se procurent du sang dans des abattoirs ou traînent à proximité des banques du sang. J'avais du reste une patiente en Lituanie qui avait mangé vivants les canaris de sa mère… »

Katrine remarqua le premier halètement du public de la soirée, et un rire isolé qui rompait le silence.

« Mes confrères et moi avons d'abord cru à ce qu'on appelle la dysphorie d'espèce, à savoir que la patiente considérait être née dans la mauvaise espèce et être en réalité un chat. Jusqu'à ce que nous comprenions que nous étions en présence d'un cas de vampirisme. Malheureusement, *Psychology Today* n'était pas d'accord, donc si vous voulez lire cette étude de cas, il faut aller sur hallstein.psychologue.com.

— Inspectrice principale Bratt, pouvons-nous affirmer que nous avons affaire à un tueur en série ? »

Katrine réfléchit deux secondes avant de répondre. « Non.

— Mais *VG* écrit que Harry Hole, qui n'est pas vraiment totalement inconnu en tant que spécialiste du meurtre en série, est mis sur l'affaire. Cela ne signifie-t-il pas que…

— Il nous arrive de consulter des pompiers sans qu'il y ait d'incendie. »

Smith fut seul à rire.

« Bien répondu ! Les psychiatres et les psychologues mourraient de faim s'ils n'avaient que des patients qui ont un problème. »

Cette réplique-là, en revanche, récolta les rires, et le présentateur adressa un sourire reconnaissant à Smith. Katrine soupçonnait que d'elle et lui, Smith était celui qui avait le plus de chances d'être invité à revenir.

« Tueur en série ou pas, pensez-vous, Bratt et Smith, que le vampiriste frappera de nouveau ? Ou va-t-il attendre la prochaine pleine lune ?

— Je ne ferai pas de conjectures sur le sujet », répondit Katrine en percevant une once d'irritation dans le regard du présentateur.

Merde quoi, s'attendait-il à ce qu'elle entre dans ses jeux de société tabloïdesques ?

« Moi non plus, je ne ferai pas de conjectures, déclara Hallstein Smith. Je n'en ai pas besoin, puisque je *sais*. Sans traitement, un paraphile – à savoir une personne que nous qualifions avec inexactitude de sexuellement pervertie – s'arrête très rarement de lui-même. Et un vampiriste jamais. Je pense du reste que si la dernière tentative de meurtre a eu lieu un soir de pleine lune, ce qui vous a réjouis, vous les médias, davantage que le vampiriste, c'était une pure coïncidence. »

Le présentateur ne parut pas affecté par la pique de Smith. Le front barré d'une ride de gravité, il lui demanda : « Smith, diriez-vous qu'il est critiquable de la part de la police de n'avoir pas averti le public plus tôt qu'un vampiriste courait les rues, comme vous l'avez vous-même fait dans *VG* ?

— Hm, fit Smith en grimaçant avant de lever les

yeux vers un projecteur. Là, ça revient un peu à dire que la police aurait dû mieux connaître le sujet, non ? Comme je le disais, le vampirisme fait partie des recoins sombres de la psychologie où la lumière n'est pas encore arrivée, et nous ne pouvons tout de même pas exiger de la police qu'elle soit spécialiste de tout ce qui existe entre le ciel et la terre. Donc, non. Je dirais que c'est malheureux, mais pas critiquable.

— Mais maintenant, la police sait. Donc que devrait-elle faire ?

— Acquérir des connaissances dans ce domaine.

— Et pour finir, combien de vampiristes avez-vous rencontrés ? »

Smith gonfla ses joues d'air puis le relâcha. « Des vrais ?

— Oui.

— Deux.

— Comment réagissez-vous vous-même à la vue du sang ?

— Je me trouve mal.

— Et pourtant vous faites des recherches et vous écrivez sur le sujet ? »

Smith eut un sourire en coin. « C'est peut-être justement pour ça. Nous sommes tous un peu fous.

— Vous l'êtes aussi, inspectrice principale Bratt ? » Katrine sursauta, elle avait un instant oublié qu'elle n'était pas simplement en train de regarder la télévision, mais y était. « Quoi donc ?

— Un peu folle ? »

Katrine cherchait une réponse. Une réflexion pleine d'esprit et de génie, comme le lui avait conseillé Harry. Elle savait qu'elle trouverait la repartie une fois qu'elle se mettrait au lit. Ce qui de préférence ne devrait pas trop tarder, car elle sentait son besoin de sommeil se faire pressant maintenant que l'adrénaline se tarissait après le pic de son passage sur le petit écran.

« Je…, commença-t-elle avant d'abandonner et d'échouer sur un : Allez savoir.

— Suffisamment folle pour envisager de rencontrer un vampiriste ? Pas un meurtrier comme dans cette affaire, mais un vampiriste qui vous mordrait un peu. »

Katrine se doutait que c'était une plaisanterie, une allusion à sa tenue en cuir d'inspiration légèrement SM, peut-être. « Un peu ? répéta-t-elle en haussant un sourcil fin souligné de noir. Oui, pourquoi pas ? »

Et cette fois, sans avoir essayé, elle eut, elle aussi, droit à des rires.

« Bonne chance dans votre traque, Bratt. À vous le dernier mot, Smith. Vous n'avez pas répondu à la question de savoir comment on attrape un vampiriste. Avez-vous des conseils à donner à Bratt en la matière ?

— Le vampirisme est une paraphilie tellement extrême qu'elle survient souvent en conjugaison avec d'autres diagnostics psychiatriques. C'est pourquoi je voudrais encourager tous les psychologues et psychiatres à aider la police en consultant leurs registres pour voir s'ils n'ont pas des patients dont le comportement corresponde aux critères du vampirisme clinique. Je crois que nous pouvons nous accorder sur le fait que ceci est un cas où le secret professionnel doit céder.

— Et sur ces paroles, "Le Magazine du dimanche" vous… »

L'écran de télévision derrière le bar s'éteignit.

« Affreux, ces histoires, commenta Mehmet. Mais votre collègue avait belle allure.

— Hm. C'est toujours aussi désert, ici ?

— Non, non, dit Mehmet en regardant la salle, puis il toussota. Enfin, si.

— Ça me plaît.

— Ah bon ? Vous n'avez pas touché à votre bière. Regardez, elle a perdu toute sa mousse.

— Bien, déclara le policier.

— Je peux vous servir quelque chose d'un peu plus énergique. »

Mehmet fit un signe de tête en direction du fanion du Galatasaray.

Katrine marchait d'un pas vif dans le dédale de couloirs déserts de l'immeuble de télévision quand elle entendit des pas pesants et une respiration lourde derrière elle. Elle se retourna à demi sans s'arrêter. C'était Hallstein Smith. Katrine constata que, consciemment ou non, il avait développé une technique de course aussi peu orthodoxe que ses recherches, ou alors il avait les genoux particulièrement cagneux.

« Bratt », appela Smith.

Katrine s'arrêta et attendit.

« D'abord, je dois vous demander pardon, dit Smith quand il se retrouva devant elle, à bout de souffle.

— Pourquoi ?

— Parce que j'ai bien trop parlé. L'attention me monte à la tête, ma femme n'arrête pas de me le dire. Mais plus important, ce portrait-robot…

— Oui ?

— Je ne pouvais rien dire en direct dans le studio, mais je crois que je l'ai peut-être eu comme patient.

— Valentin Gjertsen ? »

Smith secoua la tête.

« Comme je le disais, je ne suis pas sûr, ça doit faire

au moins deux ans et si c'est bien le cas, ça n'a été que deux ou trois séances de thérapie dans le bureau que je louais en ville. La ressemblance n'est même pas frappante, mais j'ai pensé à ce patient quand vous avez parlé de chirurgie plastique. Parce que je me souviens qu'il avait sous le menton une cicatrice comme celles que laissent les points de suture.

— Était-il vampiriste ?

— Qu'en sais-je ? Il n'en a rien dit, sinon je l'aurais bien sûr incorporé dans mes recherches.

— Il était peut-être venu vous trouver vous par curiosité, justement, parce qu'il savait que vous faisiez des recherches sur sa… quel était le mot, déjà ?

— Paraphilie. Ce n'est pas impossible du tout. Comme je le disais, je suis relativement certain que nous avons affaire à un vampiriste intelligent, qui a connaissance de sa propre maladie. Quoi qu'il en soit, cela me rend d'autant plus amer que mes dossiers de patients aient été volés.

— Vous ne vous rappelez pas comment ce patient se faisait appeler, où il travaillait ou où il habitait ? »

Smith poussa un gros soupir. « J'ai bien peur que ma mémoire ne soit plus ce qu'elle était. »

Katrine fit un signe de tête. « Nous pouvons toujours espérer qu'il ait vu d'autres psychologues et qu'eux se souviennent. Et qu'ils ne soient pas trop orthodoxes sur le secret professionnel.

— *Un peu* d'orthodoxie, ce n'est sans doute pas à dédaigner. »

Katrine haussa un sourcil. « Que voulez-vous dire ? »

Smith ferma les yeux d'un air découragé tout en ayant l'air de ravaler un juron. « Rien.

— Allez, Smith. »

Le psychologue fit un geste des mains. « Je ne fais

qu'additionner deux plus deux, Bratt. Votre réaction quand le présentateur vous a demandé si vous étiez folle et le fait que vous m'ayez dit avoir été mouillée à Sandviken. Souvent, nous communiquons inconsciemment, ce que vous communiquiez là, c'était que vous aviez été internée en psychiatrie à Sandviken. Et vous qui êtes une dirigeante de la Brigade criminelle, cela vous arrange sans doute qu'il y ait un secret professionnel pour protéger ceux qui ont demandé de l'aide et leur éviter d'être hanté par cela ultérieurement dans leur carrière. »

S'apercevant qu'elle restait bouche bée, Katrine Bratt essaya en vain de formuler une phrase.

« Vous n'avez du reste pas besoin de répondre à mes suppositions idiotes, précisa Smith. Je suis en l'occurrence soumis au secret professionnel en ce qui les concerne aussi, que ce soit dit. Bonsoir, Bratt. »

Katrine regardait Hallstein Smith marcher au pas de charge dans le couloir, les genoux cagneux comme la tour Eiffel, quand son téléphone sonna.

C'était Bellman.

Il était nu et enfermé dans un brouillard impénétrable et brûlant, qui consumait les zones qu'il récurait jusqu'à la chair, faisant ruisseler le sang sur la banquette sous lui. Il ferma les yeux, sentit les larmes monter et visualisa le déroulement de l'opération. Ces putains de règles. Elles restreignaient le plaisir, restreignaient la douleur, faisaient qu'il ne pouvait pas s'exprimer comme il l'aurait voulu. Mais d'autres temps viendraient. Le policier avait reçu ses messages et le chassait à présent. En ce moment précis. Il essayait de le flairer, mais il ne pouvait pas. Parce qu'il était propre.

Il sursauta en entendant un toussotement dans le brouillard et comprit qu'il n'était plus seul.

« *Kapatıyoruz*.

— *Yes* », répondit Valentin Gjertsen d'une voix pâteuse.

Il resta assis à ravaler ses larmes. Heure de la fermeture.

Il toucha délicatement son pénis. Il savait exactement où elle était. Comment jouer avec elle. Il était prêt. Valentin emplit ses poumons d'air humide. Et Harry Hole qui s'imaginait que c'était lui, le chasseur.

Valentin Gjertsen se leva d'un bond et se dirigea vers la porte.

16

Dimanche soir

Aurora sortit de son lit et alla sans bruit dans le couloir. Elle dépassa la chambre de papa et maman, puis l'escalier qui descendait au salon. Elle ne put s'empêcher d'écouter le roulement silencieux de l'obscurité du rez-de-chaussée avant de se faufiler dans la salle de bains et d'allumer la lumière. Elle verrouilla la porte, baissa sa culotte et s'assit sur les toilettes. Elle attendit, mais rien ne se produisit. Elle avait eu tellement envie de faire pipi qu'elle n'avait pas pu dormir, alors pourquoi n'y arrivait-elle pas maintenant? Était-ce qu'elle n'avait pas réellement envie, qu'elle s'était raconté que c'était la raison de son insomnie? Et que cette pièce était éclairée et rassurante? Elle avait verrouillé la porte. Quand elle était petite, ses parents lui disaient qu'elle n'avait pas le droit de le faire, sauf quand ils avaient des invités. Il fallait qu'ils puissent entrer si jamais elle avait un problème.

Aurora ferma les yeux. Elle tendit l'oreille. Et s'ils avaient des invités? Parce que c'était un bruit qui l'avait réveillée, elle s'en souvenait maintenant. Le bruit de chaussures qui grinçaient. Non, de bottes. De longues bottes pointues qui grinçaient quand il approchait à pas de loup. Il s'arrêtait et attendait devant la porte de la salle de bains. Il l'attendait elle. Se sentant suffoquer, Aurora regarda par réflexe sous la porte. Mais l'interstice était occulté par la barre de seuil et elle ne pouvait pas voir s'il y avait une ombre de l'autre côté. De toute façon, il faisait complètement noir. La première fois qu'elle l'avait vu, elle faisait de la balançoire dans le jardin. Il avait le soleil dans le dos, si bien qu'elle ne l'avait pas bien vu. La deuxième fois, il lui avait demandé un verre d'eau et l'avait presque suivie dans la maison, mais il avait disparu en entendant la voiture de maman arriver. La troisième fois c'était dans les toilettes des filles pendant le tournoi de handball.

Aurora écouta. Elle savait qu'il était là. Dans l'obscurité de l'autre côté de la porte. Il avait dit qu'il reviendrait. Si elle parlait. Donc elle n'avait pas dit un mot. C'était le plus sûr. Et elle savait maintenant pourquoi elle n'arrivait pas à faire pipi. C'était parce que si elle le faisait, il saurait qu'elle était là. Elle ferma les yeux et écouta de toutes ses forces. Non. Rien. Et elle put respirer de nouveau. Il était parti.

Aurora remonta sa culotte, ouvrit la porte et sortit promptement de la salle de bains. Elle passa à toute vitesse devant l'escalier et alla jusqu'à la chambre de papa et maman. Elle ouvrit délicatement la porte et regarda à l'intérieur. Un rayon de lune filtrait entre les rideaux et tombait sur le visage de papa. Elle ne voyait pas s'il respirait, mais son visage était très blanc, exactement comme celui de grand-mère quand Aurora l'avait vue dans son cercueil. Aurora se rapprocha du lit sur la pointe des pieds. La respiration de maman avait la même sonorité que la pompe à pied en caoutchouc bleue quand Aurora gonflait les matelas au chalet. Elle avança jusqu'à papa et plaqua son oreille aussi près de sa bouche qu'elle osa. Et elle sentit son cœur bondir de joie en percevant son haleine chaude contre sa peau.

Quand elle regagna son lit, ce fut comme si ce n'était jamais arrivé. Comme si tout cela n'était qu'un cauchemar qu'elle pouvait maintenant chasser en fermant les yeux et en s'endormant.

Rakel ouvrit les yeux.

Elle avait fait un cauchemar. Mais ce n'était pas ce qui l'avait réveillée. Au rez-de-chaussée, quelqu'un était entré dans la maison. Elle regarda à côté d'elle dans le lit. Harry n'y était pas. Ce devait être lui qui rentrait, alors. Elle entendait ses pas dans l'escalier à présent et elle se mit automatiquement à guetter leur familiarité. Mais non, ceux-ci étaient différents. Et ils ne résonnaient pas comme ceux d'Oleg, au cas où il serait passé faire un tour à la maison.

Elle regarda fixement la porte close de la chambre à coucher.

Les pas se rapprochaient.

La porte s'ouvrit.

Une grande silhouette sombre remplit l'embrasure.

Et Rakel se souvint de quoi elle avait rêvé. C'était la pleine lune et il s'était enchaîné au lit dont le drap était en lambeaux. Il se tordait de douleur, tirait sur ses chaînes, hurlait comme un blessé vers le ciel nocturne et finissait par arracher sa propre peau. Sous laquelle apparaissait son deuxième moi. Un loup-garou avec des griffes et des crocs, avec la chasse et le meurtre dans le bleu glacier de son regard fou.

« Harry ? chuchota-t-elle.

— Je t'ai réveillée ? » Sa voix grave et tranquille était la même, inchangée.

« J'ai rêvé de toi. »

Il se glissa dans la chambre sans allumer la lumière pendant qu'il défaisait sa ceinture et passait son maillot en laine par-dessus sa tête.

« De moi ? C'est du temps de rêve gâché, je suis à toi.

— Où étais-tu ?

— Dans un bar. » Le rythme inhabituel de ses pas.

— Tu as bu ? »

Il se glissa dans le lit à côté d'elle.

« Oui, j'ai bu. Et toi, tu t'es couchée tôt. »

Elle retint son souffle.

« Qu'est-ce que tu as bu, Harry ? Et combien ?

— Deux tasses. De café turc.

— Harry ! » Elle le frappa avec son oreiller.

« Désolé ! fit-il en riant. Tu savais qu'il ne faut pas faire bouillir le café turc ? Et qu'à Istanbul, il y a trois grands clubs de foot qui se haïssent comme la peste depuis cent ans ? J'ai oublié pourquoi. À part qu'il est sans doute humain de détester quelqu'un parce qu'il te déteste. »

Elle se glissa contre lui, passa son bras autour de sa poitrine. « Tout cela est tout nouveau pour moi, Harry.

— Je sais que tu apprécies d'avoir régulièrement des petits topos sur le fonctionnement du monde.

— Je ne sais pas comment je m'en sortirais sans.

— Tu ne m'as pas dit pourquoi tu t'étais couchée tôt.

— Tu ne m'as pas posé la question, tu l'as juste constaté.

— Je te la pose maintenant.

— J'étais très fatiguée. Et puis j'ai un rendez-vous tôt demain matin à Ullevål, avant le boulot.

— Tu ne m'en avais pas parlé.

— Non, je n'ai eu la convocation qu'aujourd'hui. Le docteur Steffens, il m'a appelée personnellement.

— Tu es sûre que c'est un rendez-vous et pas un simple prétexte ? »

Rakel rit doucement, lui tourna le dos et se colla dans ses bras. « Tu es sûr que tu ne joues pas les jaloux uniquement pour me faire plaisir ? »

Il lui mordit délicatement la nuque. Rakel ferma les yeux, en espérant que son mal de tête serait bientôt vaincu par le désir, ce désir suave et analgésique. Mais le désir ne vint pas. Et Harry le remarqua peut-être, car il resta sans bouger, simplement à la tenir dans ses bras. Sa respiration était régulière et profonde, mais elle savait qu'il ne dormait pas. Qu'il était ailleurs. Chez sa maîtresse.

Mona Daa courait sur le tapis de course. Sa malformation de la hanche lui conférant la course d'un crabe, elle ne montait jamais sur le tapis roulant avant d'être parfaitement sûre qu'elle était seule. Mais elle aimait faire quelques kilomètres de jogging après une grosse séance de musculation, elle aimait sentir l'acide lactique suinter lentement de ses muscles pendant qu'elle contemplait le Frognerpark. The Rubinoos, un groupe de *power pop* des années 1970, qui avait composé une chanson de *Revenge of the Nerds*, l'un de ses films préférés quand elle était petite, chantait de la pop douce-amère dans les écouteurs branchés sur son téléphone. Jusqu'à ce qu'ils soient interrompus par un appel entrant.

Elle sentit que, inconsciemment, elle l'avait attendu.

Ce n'était pas qu'elle *souhaitait* qu'il frappe encore. Elle ne souhaitait rien du tout. Elle ne faisait que transmettre ce qui se passait. Du moins était-ce ce qu'elle se racontait à elle-même.

Sur l'écran s'affichait « numéro inconnu ». Alors ce n'était pas la rédaction. Elle hésita, un paquet de gens bizarres se présentaient lors de grandes affaires de meurtre comme celle-ci, mais sa curiosité l'emporta et elle répondit.

« Bonsoir, Mona. » Une voix d'homme. « Je crois que nous sommes seuls. »

Mona regarda par réflexe autour d'elle. La fille de la réception était accaparée par son propre téléphone. « Comment ça ?

— Vous avez toute la salle de sport pour vous, j'ai tout le Frognerpark pour moi. Oui, en fait, nous semblons avoir tout Oslo pour nous, Mona. Vous avec vos articles exceptionnellement bien renseignés, moi comme leur protagoniste. »

Mona jeta un œil sur la montre cardio à son poignet. Son pouls avait accéléré, mais juste un peu. Tous ses amis savaient qu'elle faisait du sport le soir dans une salle qui avait vue sur le parc. Ce n'était pas la première fois qu'on essayait de lui faire une mauvaise blague, et sans doute pas la dernière non plus.

« Je ne sais pas qui vous êtes ni ce que vous voulez. Vous avez dix secondes pour me convaincre de ne pas raccrocher.

— Je ne suis pas entièrement satisfait de la couverture de l'affaire, plusieurs détails de mes œuvres semblent vous passer largement au-dessus de la tête. Je vous propose une rencontre pour vous expliquer ce que j'essaie de vous montrer. Et ce qui va se passer dans un avenir proche. »

Son pouls accéléra encore. « Tentant, je dois dire. Si ce n'est que vous n'avez probablement pas envie de vous faire arrêter et que moi, je n'ai pas envie de me faire mordre.

— Il y a une vieille cage du jardin zoologique de Kristiansand abandonnée au terminal conteneur d'Ormøya. Il n'y a pas de cadenas dessus, donc vous emportez un cadenas, vous vous enfermez à l'intérieur et je viendrai vous parler de l'extérieur. Pour moi, cela signifie que j'ai le contrôle sur vous et pour vous, que vous êtes en sécurité. Vous pouvez prendre une arme pour vous défendre si vous voulez.

— Comme un harpon, vous pensiez ?

— Un harpon ?

— Oui, puisque nous allons jouer au requin blanc et au plongeur en cage.

— Vous ne me prenez pas au sérieux.

— Et vous, vous m'auriez prise au sérieux ?

— Si j'étais vous, avant de me décider, j'aurais demandé des informations sur les meurtres que seul leur auteur puisse connaître.

— Allez-y.

— J'ai utilisé le mixeur à smoothie d'Ewa Dolmen pour me faire un cocktail, un Bloody Ewa, si vous voulez. Vous pouvez le vérifier auprès de votre source dans la police, parce que je n'ai pas fait la vaisselle avant de partir. »

Mona réfléchit. C'était de la folie. Et ça pouvait être le scoop de tous les temps, qui ferait d'elle une journaliste reconnue à tout jamais. « OK, je vais contacter ma source maintenant, je peux vous rappeler dans cinq minutes ? »

Petit rire. « La confiance, ça ne se construit pas en tentant des manœuvres au rabais, Mona. C'est *moi* qui vous rappelle dans cinq minutes.

— D'accord. »

Truls Berntsen traîna pour répondre. Il avait la voix ensommeillée.

« Je croyais que vous étiez tous au boulot, dit Mona.

— Il faut bien que certains aient fini leur journée aussi.

— J'ai juste une question.

— Je fais des réductions de gros si vous en avez plusieurs. »

Quand Mona raccrocha, elle sut qu'elle était tombée sur une mine d'or. Ou plus exactement, que l'or l'avait trouvée.

Et quand un numéro inconnu appela de nouveau, elle eut deux questions. Où et quand.

« Havnegate 3. Demain soir à huit heures. Et, Mona ?

— Oui.

— N'en dites pas un mot à âme qui vive. Souvenez-vous que je vous vois en permanence.

— Y a-t-il une raison pour laquelle nous ne pouvons pas procéder par téléphone ?

— C'est que je *veux* vous voir en permanence. Et que vous voulez me voir moi. Dormez bien. Si vous en avez terminé avec ce tapis de course. »

Allongé sur le dos, Harry fixait le plafond. Il pouvait bien sûr mettre son insomnie sur le compte des deux tasses de café fort comme de l'asphalte que Mehmet lui avait servies, mais il savait que ce n'était pas ça. Il savait qu'il s'y trouvait de nouveau, là où il était impossible d'éteindre son cerveau avant que tout soit terminé, là où ça moulinait et moulinait jusqu'à ce que le coupable soit pris, et parfois longtemps après. Trois ans. Trois ans sans le moindre signe de vie. Ou de mort. Mais maintenant Valentin Gjertsen s'était montré. Pas juste un bout de sa queue de diable, il s'était volontairement placé sous les projecteurs, tels un acteur, un scénariste et un réalisateur réunis en une personne imbue d'elle-même. Car il y avait bel et bien une mise en scène ici, ceci n'était pas l'œuvre d'une personne psychotique en bloc. C'était là quelqu'un qu'ils n'allaient pas attraper au petit bonheur la chance. L'un de ceux dont ils ne pouvaient qu'attendre le mouvement suivant en priant qu'il commette une erreur. Et d'ici là, il ne leur restait qu'à chercher en espérant découvrir la petite erreur déjà commise. Parce que tout le monde commettait des erreurs. Presque tout le monde.

Harry écouta le souffle régulier de Rakel, puis il se glissa hors de la couette, marcha sur la pointe des pieds jusqu'à la porte et descendit dans le salon.

Il obtint une réponse dès la deuxième sonnerie.

« Je pensais que tu dormirais, dit Harry.

— Et cependant tu m'as appelé ? demanda Ståle Aune d'une voix endormie.

— Il faut que tu m'aides à trouver Valentin Gjertsen.

— *M*'aide ? Ou *nous* aide ?

— Moi. Nous. L'humanité, merde. Il faut l'arrêter.

— Je t'ai dit que j'avais fait mon temps, Harry.

— Il est réveillé et il est dehors en ce moment précis, Ståle. Pendant que nous, on est en train de dormir.

— Avec mauvaise conscience. Mais nous dormons. Parce que nous sommes fatigués. Je suis fatigué, Harry. *Trop* fatigué.

— J'ai besoin de quelqu'un qui puisse le comprendre, prévoir son prochain mouvement, Ståle. Voir où il pourrait commettre une erreur. Identifier son point faible.

— Je ne peux pas…

— Hallstein Smith, dit Harry. Qu'est-ce que tu penses de lui ? »

Il y eut un blanc.

« Tu ne m'appelles pas pour me convaincre, en fait, dit Ståle, et Harry entendit à sa voix qu'il était légèrement blessé.

— Ceci est un plan B, répondit Harry. Hallstein Smith a été le premier à dire qu'il s'agissait d'un vampiriste et qu'il allait frapper de nouveau. Il avait raison sur le fait que Valentin s'en tiendrait à la méthode qui lui avait réussi, les rencontres Tinder. Raison sur le fait qu'il prendrait des risques et laisserait des traces. Raison sur le fait que Valentin se moquait d'être découvert. Et puis il a dit à un stade précoce que la police devrait rechercher un agresseur sexuel. Jusqu'ici, Smith a vu assez juste. Qu'il soit à contre-courant est une bonne chose, parce que j'envisage de l'utiliser dans mon petit groupe à contre-courant. Mais ce qui compte le plus, c'est que tu m'as dit qu'il était bon psychologue.

— Il l'est. Oui, Hallstein Smith pourrait être un bon choix.

— Il y a juste une chose que je me demande. Ce surnom qu'on lui a donné…

— Le Singe ?

— Tu disais qu'aujourd'hui encore ça lui posait toujours des problèmes de crédibilité auprès de ses confrères.

— Seigneur, Harry, ça fait un bail.

— Raconte. »

Ståle sembla réfléchir. Puis il rit doucement au téléphone. « J'ai bien peur que ce surnom ait été ma faute. Mais la sienne à lui aussi, bien sûr. Quand il était à la fac ici, à Oslo, nous nous sommes aperçus qu'il nous manquait de l'argent dans le petit coffre-fort du bar de psycho. Notre suspect principal était Hallstein parce que, subitement, il avait eu les moyens de participer à un voyage d'étude à Vienne qu'il avait d'abord décliné en raison de ses finances particulièrement mauvaises. Mais le problème, c'était qu'il était impossible de prouver que Hallstein avait mis la main sur le code du coffre-fort et il n'avait pu prendre l'argent autrement. Je lui ai donc tendu un piège à singe.

— Un quoi ?

— Papa ! »

Harry entendit une voix stridente de jeune fille à l'autre bout du fil. « Est-ce que tout va bien ? »

Harry entendit la main de Ståle racler le micro. « Je ne voulais pas te réveiller, Aurora. Je parle avec Harry. »

La voix de sa mère, Ingrid : « Mais tu as l'air terrifiée, ma chérie. Tu as fait un cauchemar ? Allez, viens, je vais te border. Ou alors on peut se faire un petit thé. »

Pieds frottant sur le plancher.

« Où en étions-nous ? demanda Ståle Aune.

— Au piège à singe, répondit Harry.

— Précisément. As-tu lu *Le traité du zen et de l'entretien des motocyclettes* de Robert Pirsig ?

— Je sais juste que ça parle relativement peu de mécanique.

— Exact, c'est avant tout un livre qui parle de philosophie, mais aussi un peu de psychologie et de la lutte entre intellect et sentiments. Comme le piège à singe. Tu fais un trou dans une noix de coco, juste assez grand pour qu'un singe puisse y glisser sa main. Tu remplis la noix de coco de nourriture et tu l'attaches à un pilier. Puis tu te caches et tu attends. Le singe sent la nourriture, vient, glisse sa main dans le trou, et c'est là que tu déboules en courant. Le singe veut se dépêcher de s'enfuir, mais il s'aperçoit qu'il ne peut pas sortir sa main sans renoncer à la nourriture. La chose intéressante est que même si le singe devrait être assez intelligent pour comprendre que s'il se fait prendre, il ne pourra pas savourer la nourriture de toute façon, il refuse de lâcher. L'instinct, la faim, le désir sont plus forts que la raison. Et ils signent la chute du singe. Chaque fois. Donc le patron du bar et moi avons organisé un grand quiz de psycho en invitant toute la fac. Les gens sont venus nombreux, grand engagement et grand suspense. Une fois que le patron du bar et moi avions passé en revue les réponses, j'ai annoncé qu'il y avait égalité parfaite entre les deux cerveaux les plus aiguisés de la fac, Smith et un certain Olavsen, et que le résultat final allait être déterminé en testant les aptitudes de détecteurs de mensonges vivants de ces psychologues en devenir. Puis je leur ai présenté une jeune fille, qui était une employée du bar, je l'ai installée dans un fauteuil et j'ai donné pour mission aux candidats de découvrir le code du coffre-fort. Nous avons fait s'asseoir Smith et Olavsen juste en face d'elle pendant qu'on lui demandait d'abord le premier des quatre chiffres du code, de zéro à neuf en ordre aléatoire. Puis le deuxième et ainsi de suite. La fille était chargée de répondre « non, ce n'est pas le bon chiffre » chaque fois, pendant que Smith et Olavsen étudiaient son langage corporel, la dilatation de ses pupilles, les signes d'accélération du pouls, les changements de fréquence de sa voix, la perspiration, les mouvements d'yeux involontaires, oui, tout l'arsenal qu'un psychologue ambitieux met un point d'honneur à interpréter convenablement. Le gagnant serait celui qui devinerait le plus de chiffres exacts. Ils étaient tous deux là, à prendre des notes, profondément concentrés, pendant que je posais mes quarante questions. Car représente-toi ce qui était en jeu. Le titre de deuxième psychologue le plus brillant de l'université.

— Oui, puisque c'était une évidence pour tous que le plus brillant…

— … ne pouvait pas participer puisqu'il organisait le quiz, oui. À la fin, chacun m'a rendu son papier avec sa proposition. Il est apparu que les quatre chiffres de Smith étaient les bons. Grande jubilation dans la salle ! Ceci était fort impressionnant. Frisant le suspect, pourrait-on dire. Maintenant, Hallstein Smith est d'une intelligence supérieure à celle d'un singe moyen, oui, je n'exclus pas qu'il ait même compris de quoi il retournait. Et pourtant il n'a pas réussi à laisser échapper la victoire. Il n'a tout simplement pas pu ! Peut-être parce que Hallstein Smith était à ce moment-là un jeune homme ignoré, sans moyens, boutonneux, qui ne plaisait pas aux filles ni à qui que ce soit, bref, qui, plus que la plupart des gens, était prêt à tout pour une telle victoire. Ou parce qu'il savait que si cela créait un soupçon que c'était lui qui avait pris l'argent du coffre-fort, cela ne *prouvait* rien, il se pouvait après tout qu'il soit ce formidable connaisseur des hommes et interprète de maints signaux du corps. Mais…

— Hm.

— Quoi ?

— Rien.

— Si, dis-le.

— La fille dans le fauteuil. Elle ne connaissait pas le code. »

Ståle ricana doucement. « Ce n'était même pas une employée du bar.

— Comment savais-tu que Smith tomberait dans ton piège à singe ?

— Parce que je suis ce formidable connaisseur des hommes et ainsi de suite. La question, c'est que penses-tu de ton candidat maintenant que tu sais qu'il a un passé de voleur ?

— De combien parlons-nous ?

— De deux mille couronnes, si je me souviens bien.

— Pas beaucoup. Et tu as dit qu'il manquait de l'argent dans le coffre, ce qui signifie qu'il ne l'avait pas vidé entièrement, n'est-ce pas ?

— Sur le coup, nous avons pensé que c'était parce qu'il espérait que le vol ne serait pas découvert.

— Mais plus tard, tu t'es dit qu'il avait pris exactement ce qu'il lui fallait pour pouvoir participer avec vous à ce voyage d'étude.

— On lui a gentiment demandé de renoncer à sa place en fac en échange de quoi personne ne porterait plainte auprès de la police. Il a été admis en fac de psychologie en Lituanie.

— Après ta manœuvre, il est parti en exil, avec le surnom "le Singe".

— Ensuite il est rentré, il a complété avec des cours en Norvège. Il a obtenu le titre de psychologue. Il s'en est sorti.

— Tu sais qu'on croirait que tu n'as pas la conscience tranquille ?

— Et toi, on croirait que tu envisages d'embaucher un voleur.

— Je n'ai jamais eu tellement de préventions contre les voleurs qui avaient des mobiles acceptables.

— Ha ! s'exclama Ståle. Il te plaît encore plus maintenant. Parce que tu comprends le truc du piège à singe, toi non plus, tu n'es pas capable de laisser filer, Harry. Tu perds ce qui est grand parce que tu n'arrives pas à renoncer au petit. Il *faut* que tu attrapes Valentin Gjertsen, même si tu comprends que c'est en train de te coûter tout ce qui t'est cher, toi-même et ceux qui t'entourent, tu n'es tout simplement pas capable de lâcher prise.

— Joli parallèle, mais tu te trompes.

— Vraiment ?

— Oui.

— Dans ce cas, je m'en réjouis. Je devrais aller voir comment vont mes femmes.

— Bien sûr. Si Smith nous rejoint, pourras-tu lui donner une brève introduction sur ce qu'on attend de lui en tant que psychologue ?

— Évidemment, c'est le moins que je puisse faire.

— Pour la Brigade criminelle ? Ou pour celui que tu as fait baptiser “le Singe” ?

— Bonne nuit, Harry. »

Harry remonta se mettre au lit. Sans la toucher, il se coucha tout près d'elle pour pouvoir sentir la chaleur irradier de son corps endormi. Il ferma les yeux. *Le traité du zen et de l'entretien des motocyclettes.*

Et au bout d'un moment, il glissa. Hors du lit, par la fenêtre, dans la nuit, vers la ville scintillante dont les lumières ne s'éteignaient jamais, dans les rues, les passages, par-dessus les poubelles, là où les lumières de la ville n'arrivaient jamais. Et il était là. Sa chemise était ouverte et de sa poitrine nue, un visage criait vers lui, essayant d'arracher la peau pour sortir.

C'était un visage qu'il connaissait.

Traqué et traquant, apeuré et affamé, haï et haïssant.

Harry rouvrit brusquement les yeux.

Il avait vu son propre visage.

17

Lundi matin

Katrine observa la collection de visages blafards de la cellule d'enquête. La plupart avaient passé la nuit à travailler et les autres n'avaient de toute évidence pas beaucoup dormi non plus. Ils avaient parcouru la liste de contacts connus de Valentin Gjertsen, en majorité des criminels, détenus pour certains, morts pour d'autres. Ensuite, Tord Gren les avait briefés sur les relevés de communications que Telenor leur avait envoyés et qui indiquaient les noms de toutes les personnes avec lesquelles les trois victimes avaient eu des contacts téléphoniques dans les heures et les jours précédant les agressions. Il n'y avait pour l'instant ni convergences de numéros ni appels ou SMS douteux. Le seul appel potentiellement suspect venait d'un numéro inconnu auquel Ewa Dolmen n'avait pas répondu deux jours avant le meurtre. Il provenait d'un téléphone jetable qu'on ne pouvait pas tracer, ce qui pouvait signifier qu'il était éteint, détruit, que la carte SIM avait été ôtée ou tout simplement que le crédit était épuisé.

Anders Wyller avait présenté les résultats préliminaires concernant les ventes d'imprimantes 3D et constaté qu'il y en avait tout bonnement trop, que le pourcentage vendu sans que les magasins aient enregistré ni nom ni adresse était trop élevé pour que ça ait un sens de poursuivre cette piste.

Katrine avait lancé un regard vers Harry, qui avait secoué la tête en entendant le résultat, la hochant ensuite pour lui signifier qu'il était d'accord avec cette conclusion.

Bjørn Holm avait expliqué que, comme les preuves matérielles relevées sur les lieux du crime avaient désigné un coupable, la Technique allait désormais travailler à en réunir d'autres pouvant relier Valentin Gjertsen aux trois lieux de crime et aux victimes.

Katrine se préparait à répartir les missions du jour quand Magnus Skarre leva la main et prit la parole avant qu'elle ait pu la lui donner.

« Pourquoi avez-vous décidé de rendre public que Valentin Gjertsen était soupçonné ?

— Pourquoi ? répéta Katrine. Pour avoir des tuyaux sur l'endroit où il pourrait se trouver, évidemment.

— Et maintenant nous allons en recevoir des centaines ou des milliers, fondés sur le dessin au crayon d'un visage qui aurait pu être celui de deux de mes oncles. Et nous allons devoir les vérifier un par un, parce que imaginez qu'il apparaisse plus tard que la police avait déjà un tuyau sur la nouvelle identité de Gjertsen et l'endroit où il habitait quand il a mordu et tué les victimes numéro quatre et cinq. Il y aurait quelques têtes qui tomberaient par ici. »

Skarre regarda autour de lui comme pour guetter l'approbation des autres. À moins, se rendit compte Katrine, qu'il se soit exprimé au nom de plusieurs.

« C'est toujours un dilemme, Skarre, mais c'est la conclusion à laquelle nous sommes parvenus. »

Skarre fit un signe de tête à une analyste qui prit

le relais. « Skarre a raison, Katrine, nous pourrions franchement avoir besoin d'un peu de tranquillité pour travailler. Nous avons appelé le public à nous donner des renseignements sur Valentin Gjertsen par le passé et ça ne nous a menés nulle part, ça n'a fait que détourner notre attention de ce qui aurait *peut-être* pu aboutir.

— Et autre chose, ajouta Skarre. Maintenant, il sait que nous savons et nous l'avons peut-être fait fuir. Il a une planque où il a réussi à se terrer pendant trois ans et nous risquons qu'il y file de nouveau. Je dis ça comme ça. »

Katrine vit Skarre croiser les bras avec un air de triomphe.

« *Risquons ?* » La voix qui venait du fond de la salle fut suivie d'un rire nasal. « Celles qui risquent quelque chose, ça doit tout de même être toutes les femmes dont tu voudrais te servir comme appâts pendant que nous gardons le secret sur son identité, Skarre. Et si nous n'attrapons pas ce salopard, autant le traquer dans sa planque si tu veux mon avis. »

Skarre secoua la tête en souriant. « Tu apprendras, Berntsen, quand tu auras passé un *petit* peu plus longtemps dans la brigade, que les gens comme Valentin Gjertsen n'arrêtent pas. Il ne ferait que recommencer ailleurs ce qu'il a fait ici. Tu as entendu notre directrice… » Il prononçait *notre directrice* en traînant exagérément sur les syllabes. « … à la télévision hier soir. Valentin est peut-être déjà à l'étranger. Mais si tu crois que, là où il se trouve actuellement, il reste à la maison avec son pop-corn et son tricot, eh bien, tu comprendras quand tu auras légèrement plus d'*expérience*, et avec un peu de chance, que tu te trompes. »

Truls Berntsen baissa les yeux sur les paumes de

ses mains en marmonnant une phrase que Katrine ne saisit pas.

« On n'entend pas, Berntsen ! cria Skarre sans se retourner vers lui.

— Je dis que les photos que vous avez présentées l'autre jour de cette Jacobsen, la femme sous les planches de surf, ne montraient pas tout, articula Truls Berntsen d'une voix haute et distincte. Quand je suis arrivé sur place, elle respirait encore. Mais elle ne pouvait pas parler parce qu'il avait pris une pince pour lui arracher la langue et la lui fourrer où je pense. Tu sais tout ce qui vient avec quand tu arraches la langue au lieu de la couper, Skarre ? Quoi qu'il en soit, on aurait dit qu'elle essayait de me demander de l'abattre. Et si j'avais eu un pistolet, putain, je l'aurais envisagé. Mais elle est morte juste après, donc soit, n'en parlons plus. Je dis ça comme ça, puisqu'on parle d'expérience. »

Dans le silence qui suivit pendant que Truls reprenait son souffle, Katrine songea que finalement elle pourrait en arriver à apprécier le brigadier Berntsen. Pensée qui fut immédiatement ruinée par le final de Truls Berntsen : « Et pour autant que je sache, notre responsabilité, c'est la Norvège, Skarre. Si Valentin se tape des métèques et des bamboulas dans d'autres pays, que les autres pays s'en chargent. Mieux vaut ça que de l'avoir qui s'occupe de nos filles à nous.

— Et nous en resterons là », intervint Katrine.

Les visages médusés indiquaient en tout cas qu'ils étaient désormais réveillés.

« Nous nous retrouvons cet après-midi pour une réunion à seize heures, conférence de presse à dix-huit heures ; autant que possible, j'essaie de faire en sorte que tout le monde puisse me joindre au téléphone, donc soyez brefs et concis dans vos rapports. Et pour mémoire, *tout* est urgent. Qu'il n'ait pas frappé hier ne signifie pas forcément qu'il ne frappera pas aujourd'hui. Dieu aussi s'est reposé le dimanche. »

La salle de réunion se vida rapidement. Katrine rassembla ses papiers, claqua le capot de son ordinateur et s'apprêtait à leur emboîter le pas.

« Je veux Wyller et Bjørn. » Harry. Il était encore là, les mains derrière la tête et les jambes étirées devant lui.

« Wyller, c'est bon, mais pour Bjørn il faut que tu demandes à la nouvelle de la Technique, Machine-Truc Lien.

— J'ai demandé à Bjørn et il m'a dit qu'il allait lui en parler.

— Oui, j'imagine, laissa-t-elle échapper. Tu as parlé à Wyller.

— Oui, ça l'a mis en joie.

— Et le dernier ?

— Hallstein Smith.

— Vraiment ?

— Pourquoi pas ? »

Katrine haussa les épaules. « Un excentrique, allergique aux noix, sans expérience du travail policier ? »

Harry se pencha en arrière sur son siège, fourra une main dans sa poche et en tira un paquet de Camel froissé. « S'il y a dans la jungle un nouvel animal appelé vampiriste, j'ai envie d'avoir la personne qui en sait le plus long sur la bête constamment à mes côtés. Mais tu penses donc que ça joue en sa défaveur qu'il soit allergique aux noix ? »

Katrine soupira. « C'est juste que je commence à en avoir marre des allergiques. Anders Wyller est allergique au latex, il ne peut pas mettre de gants jetables. Ni de capotes, je suppose. Imagine.

— J'aime mieux pas. » Harry jeta un œil dans son paquet et glissa une cigarette entre ses lèvres. Le bout cassé en pendait tristement.

« Pourquoi ne mets-tu pas tes cigarettes dans la poche de ton blouson comme tout le monde, Harry ? »

Harry haussa les épaules.

« Les cigarettes cassées ont plus de goût. Au fait, j'imagine que la Chaufferie n'étant pas homologuée comme bureau, la loi contre le tabagisme ne s'y applique pas ? »

« Je regrette, dit Hallstein Smith au téléphone. Merci de me l'avoir proposé. »

Il raccrocha, enfonça son téléphone dans sa poche et regarda sa femme, May, assise en face de lui à la table de la cuisine.

« Quelque chose ne va pas ? demanda-t-elle, la mine inquiète.

— C'était la police. Ils me demandaient si je voulais faire partie d'un petit groupe qui va capturer ce vampiriste.

— Et ?

— Et j'ai des délais à respecter pour ma thèse. Je n'ai pas le temps. Et ce genre de chasse à l'homme ne m'intéresse pas. J'ai assez avec le faucon et les colombes à la maison.

— Et qu'ont-ils répondu ?

— Qu'a-t-*il* répondu. C'était un homme. Harry. » Hallstein Smith rit. « Qu'il me comprenait et que de toute façon l'enquête policière, c'était un travail de détail minutieux et rébarbatif, qui n'avait rien à voir avec la représentation qui en est faite à la télé.

— Dans ce cas, fit May en portant sa tasse de thé à ses lèvres.

— Dans ce cas », répéta Hallstein en l'imitant avec la sienne.

Les pas de Harry et d'Anders Wyller faisaient de l'écho et couvraient les claquements doux des gouttes d'eau qui tombaient du plafond.

« Où sommes-nous ? demanda Wyller qui portait l'écran et le clavier d'un ordinateur de bureau d'ancienne facture.

— Sous le parc, quelque part entre l'hôtel de police et la prison, répondit Harry. On appelle ça le Souterrain.

— Et il y a un bureau secret ?

— Pas secret. Juste libre.

— Qui voudrait d'un bureau *ici*, sous la terre ?

— Personne. C'est pour ça qu'il est libre. »

Harry s'arrêta devant une porte métallique. Il glissa la clef dans la serrure et la tourna. Il tira sur la poignée.

« Elle est toujours verrouillée ? demanda Wyller.

— Elle a du jeu. »

Harry s'arc-bouta contre le mur à côté de la porte et l'ouvrit d'un geste brusque. Une chaleur humide et des relents de sous-sol les assaillirent. Harry les respira goulûment. De retour dans la Chaufferie.

Il bascula l'interrupteur à l'intérieur. Après quelques secondes de réflexion, un néon bleu commença à clignoter au plafond. Une fois la lumière stabilisée, ils virent une pièce carrée, au sol revêtu d'un lino bleu grisâtre, sans fenêtres aux murs, de béton nu et gris. Harry jeta un coup d'œil sur Wyller. Il se demandait si le spectacle de leurs locaux de travail n'allait pas modérer la joie spontanée que le jeune agent avait manifestée quand Harry l'avait invité à rejoindre son groupe de guérilla. Mais ça n'en avait pas l'air.

« Rock'n'roll, commenta Anders Wyller avec un grand sourire.

— On est les premiers, donc à toi de choisir. »

Harry désigna du menton les trois bureaux. Sur le premier se trouvait une cafetière à filtre brunie par la chaleur, un bidon d'eau et quatre tasses blanches portant des noms manuscrits.

Wyller venait de connecter son ordinateur et Harry de mettre en marche la cafetière quand la porte s'ouvrit avec fracas.

« Oups, il fait meilleur que dans mon souvenir, fit Bjørn Holm. On y est, Hallstein. »

Derrière Bjørn Holm apparut un homme à grandes lunettes, cheveux en bataille et veste de costume à carreaux.

« Smith, fit Harry en lui tendant la main. Je suis content que vous ayez changé d'avis. »

Hallstein Smith serra la main de Harry.

« J'ai du mal à résister à la psychologie inversée. Si c'est bien ce dont il s'agissait. À moins que vous ne soyez le pire vendeur par téléphone auquel j'aie jamais eu affaire. Quoi qu'il en soit, c'est la première fois que je *rappelle* le vendeur pour accepter son offre.

— Ça ne sert à rien de faire du forcing, nous n'avons besoin que de gens motivés par le boulot, répondit Harry. Vous préférez votre café fort ?

— Non, plutôt un peu… je veux dire, je le prendrai comme vous.

— Bien. Ça m'a l'air d'être votre tasse. »

Harry tendit à Smith l'une des chopes blanches.

Smith redressa ses lunettes pour lire l'inscription au feutre. « Lev Vygotski ?

— Et celle-ci est pour notre TIC, poursuivit Harry en tendant une autre tasse à Bjørn Holm.

— Toujours Hank Williams, lut Bjørn d'une voix satisfaite. Cela signifie-t-il que la tasse n'a pas été lavée depuis trois ans ?

— Marqueur indélébile, précisa Harry. Et voici la tienne, Wyller.

— Popeye Doyle ? Qui c'est ?

— Un policier formidable. Cherche et tu verras. »

Bjørn tourna la quatrième tasse. « Et pourquoi n'est-il pas écrit Valentin Gjertsen sur la tienne, Harry ?

— Un oubli, sans doute. »

Harry retira la verseuse de la cafetière et servit le café dans les quatre tasses.

Bjørn se retourna vers les visages interrogateurs des deux autres. « C'est la tradition, nous avons le nom de nos héros sur nos tasses et Harry a celui du suspect principal. Yin et yang.

— Ça ne fait rien, hein, dit Smith. Mais juste pour que ce soit dit, Lev Vygotski n'est pas mon psychologue préféré. C'était certes un pionnier, mais…

— Vous avez eu la tasse de Ståle Aune, expliqua Harry en disposant la dernière chaise de façon à ce que les quatre sièges forment un cercle au centre de la pièce. Récapitulons. Nous sommes donc libres, nous sommes nos propres patrons et nous ne sommes sous l'autorité de personne. Mais nous tenons Katrine Bratt au courant et vice versa. Asseyez-vous. Chacun va commencer par dire en toute franchise ce qu'il pense de cette affaire. Fondez-vous sur les faits et l'expérience ou sur l'intuition, sur un unique détail idiot ou sur rien du tout. Rien de ce que vous dites ne sera utilisé contre vous plus tard et il est permis d'être complètement à l'ouest. Qui veut commencer ? »

Tous les quatre prirent place.

« Ce n'est bien sûr pas moi qui décide, dit Smith. Mais je trouve que… euh, vous devriez commencer, Harry. » Smith agrippait la tasse comme s'il avait froid bien que la pièce soit accolée aux cuves qui chauffaient la prison entière. « Vous pourriez peut-être nous expliquer pourquoi vous pensez que ce n'est pas Valentin Gjertsen. »

Harry regarda Smith. Il prit une petite gorgée de son café, avala. « OK, je commence. Je ne pense *pas* que ce ne soit *pas* Valentin Gjertsen. Même si l'idée m'a effleuré. Un assassin commet deux meurtres sans laisser de traces. Ce qui requiert de la planification et du sang-froid. Et puis soudain, il agresse en répandant à tout-va des pistes et des preuves qui convergent toutes vers Valentin Gjertsen. Il y a là une insistance, comme si la personne en question désirait vivement annoncer qui elle est. Ce qui, naturellement, éveille les soupçons. S'agit-il de quelqu'un qui chercherait à nous manipuler en désignant quelqu'un d'autre ? Auquel cas, Valentin Gjertsen serait le bouc émissaire parfait. » Harry observa les autres, il nota les grands yeux concentrés d'Anders Wyller, le regard presque endormi de Bjørn Holm et celui invitant, amical, de Hallstein Smith, comme si, en pareil contexte, il endossait automatiquement le rôle du psychologue. « Avec son casier judiciaire, Valentin Gjertsen est un coupable vraisemblable, poursuivit Harry. Et puis c'est quelqu'un dont le tueur sait que nous ne le retrouverons pas puisque ça fait déjà très longtemps que nous essayons sans résultats. Ou parce qu'il est mort et enterré et que le meurtrier le sait. Car il l'a fait de ses mains. Un Valentin secrètement enterré ne pourrait pas écarter le soupçon en produisant un alibi, mais continuerait de sa tombe de détourner l'attention d'autres coupables.

— Les empreintes, dit Bjørn Holm. Le tatouage du visage de démon. L'ADN des menottes.

— Eh bien, fit Harry en buvant une autre gorgée, le meurtrier a pu polluer la scène de crime avec les empreintes digitales en coupant un doigt de Valentin et en l'emportant à Hovseter. Le tatouage peut être une fausse copie qui part à l'eau. Les poils sur les menottes peuvent provenir du cadavre de Valentin Gjertsen et les menottes avoir été laissées volontairement. »

Le silence de la pièce ne fut interrompu que par un ultime gargouillement de la cafetière.

« Mince alors, fit Anders Wyller en riant.

— Cette hypothèse serait entrée directement à la première place de mon top 10 des théories de la conspiration échafaudées par mes patients paranoïaques, commenta Smith. C'est… euh, un compliment.

— Et c'est pour cela que nous sommes ici, dit Harry en se penchant en avant sur sa chaise. Nous devons penser autrement, voir les possibilités qui passent largement au-dessus de la tête de la cellule d'enquête de Katrine. Parce qu'ils se sont fabriqué un scénario des événements et que plus la cellule est grosse, plus il est difficile de s'arracher aux idées et conclusions prédominantes. À certains égards, ça marche comme les religions, on a le réflexe immédiat de se dire que tant de personnes autour de soi ne peuvent pas se tromper. Eh bien, dit Harry en levant sa tasse sans nom, elles le peuvent. Et elles le font. Sans arrêt.

— Amen, fit Smith. Euh, le double sens n'était pas intentionnel.

— Alors continuons et passons à la fausse théorie suivante, dit Harry. Wyller ? »

Anders Wyller plongea les yeux dans sa tasse. Il prit sa respiration et commença. « Smith, à la télé, vous avez décrit le développement d'un vampiriste étape par étape. En Scandinavie, les jeunes personnes sont suivies de si près que si elles manifestaient des tendances aussi extrêmes, elles seraient repérées par les services de santé avant d'atteindre le dernier stade. Le vampiriste n'est pas norvégien, il vient d'un autre pays. C'est ma théorie. »

Il leva les yeux.

« Merci, dit Harry. Je pourrais ajouter que dans l'histoire criminelle écrite des tueurs en série, il n'y a pas un seul Scandinave buveur de sang.

— Le meurtre d'Atlas à Stockholm en 1932, rappela Smith.

— Hm. Je ne suis pas au courant.

— C'est sans doute parce qu'on n'a jamais retrouvé le vampiriste ni pu affirmer que c'était un tueur en série.

— Intéressant. Et la victime était une femme, comme ici ?

— Lilly Lindeström, trente-deux ans, prostituée. Et je suis prêt à avaler le chapeau de paille que j'ai à la maison si elle a été la seule. Par la suite, on s'est mis à parler du meurtre du Vampire.

— Des détails ? »

Smith cligna des yeux deux fois, ses paupières se refermèrent à demi et il commença à parler comme s'il récitait mot à mot : « Le 4 mai, la nuit de Walpurgis, Sankt Eriksplan 11, appartement une pièce. Lilly avait reçu un homme chez elle. Elle était descendue chez son amie du rez-de-chaussée pour lui demander si elle pouvait lui emprunter un préservatif. Quand les policiers ont forcé la porte de l'appartement, ils ont retrouvé Lilly morte, couchée sur une méridienne. Aucune empreinte digitale, aucune autre trace. De toute évidence, le meurtrier avait tout nettoyé sur son passage, même les vêtements de Lilly étaient soigneusement pliés. Dans l'évier de la cuisine, ils ont trouvé une louche couverte de sang. »

Bjørn échangea un regard avec Harry avant que Smith reprenne. « Aucun nom de son carnet d'adresses, qui certes ne contenait qu'une foule de prénoms, n'a mené la police à un suspect. Ils n'ont jamais été près de trouver le vampiriste qui était passé par là.

— Mais si ç'avait été un vampiriste, il aurait frappé de nouveau, non ? demanda Wyller.

— Oui, répondit Smith. Et qui dit qu'il ne l'a pas fait ? En faisant le ménage derrière lui avec encore plus de soin ?

— Smith a raison, dit Harry. Le nombre de personnes disparues chaque année dépasse le nombre de meurtres enregistrés. Mais Wyller n'a peut-être pas tort quand il dit qu'en Scandinavie un vampiriste en devenir serait découvert à un stade précoce.

— Ce que j'ai décrit à la télévision, c'était le développement *typique*. Il y a des gens qui découvrent le vampiriste en eux sur le tard, tout comme les gens ordinaires peuvent mettre du temps à découvrir leur véritable orientation sexuelle. L'un des vampiristes les plus connus de l'histoire, Peter Kürten, dit le "Vampire de Düsseldorf", avait quarante-cinq ans la première fois qu'il a bu le sang d'un animal, un cygne qu'il avait tué aux abords de la ville en décembre 1929. Moins de deux ans plus tard, il avait tué neuf personnes et tenté d'en tuer sept autres.

— Hm. Donc vous ne trouvez pas étonnant que le casier judiciaire par ailleurs terrifiant de Valentin Gjertsen n'ait pas contenu d'ingestion de sang ou de cannibalisme par le passé ?

— Non.

— Et toi, Bjørn, qu'en penses-tu ? »

Bjørn se redressa sur sa chaise, se frotta les yeux. « La même chose que toi, Harry.

— Qui est ?

— Que le meurtre d'Ewa Dolmen est une reproduction du meurtre de Stockholm. Le canapé, le fait que tout ait été bien rangé, que le récipient qu'il a utilisé pour boire du sang, le mixeur, ait été placé dans l'évier.

— Cela paraît-il plausible, Smith ? demanda Harry.

— Une reproduction ? Ce serait dans ce cas quelque chose de nouveau. Euh, paradoxe non intentionnel. Il existe certes des vampiristes qui se sont vus comme des réincarnations du comte Dracula, mais qu'un vampiriste se voie comme le meurtrier d'Atlas réincarné paraît peu vraisemblable. Et ce ne sont pas des traits de personnalité typiques des vampiristes.

— Harry pense que notre vampiriste est extrêmement soucieux de la propreté, dit Wyller.

— Voyez-vous ça, répondit Smith. Le vampiriste John George Haigh était un obsédé du lavage de mains et il portait des gants été comme hiver. Il détestait la saleté et ne buvait le sang de ses victimes que dans des verres qui venaient d'être lavés.

— Et vous, Smith, demanda Harry. Comment décririez-vous le vampiriste ? »

Smith mit son index et son majeur entre ses lèvres et les remua de haut en bas, produisant un bruit d'ébrouement pendant qu'il inspirait et expirait.

« Je pense que, à l'instar de nombreux vampiristes, c'est un homme intelligent qui a torturé des animaux et peut-être des gens depuis son plus jeune âge, qu'il est issu d'une famille bien intégrée socialement, dont il était le seul membre mal adapté. Il va bientôt lui falloir encore du sang et je pense qu'il trouve une satisfaction sexuelle non seulement à boire du sang, mais à en voir. Il recherche l'orgasme parfait, qu'il imagine pouvoir lui être donné par la combinaison viol et sang. Peter Kürten… le tueur de cygne de Düsseldorf, donc, a expliqué que le nombre de coups de couteau dont il frappait ses victimes dépendait de la quantité de sang qui coulait, qui à son tour déterminait à quelle vitesse il atteignait l'orgasme. »

Un silence de mort s'abattit sur la pièce.

« Et où et comment trouvons-nous une telle personne ? demanda Harry.

— Katrine avait peut-être raison à l'émission d'hier, dit Bjørn. Valentin a peut-être filé à l'étranger. Il est peut-être allé faire un tour sur la place rouge, par exemple.

— Moscou ? s'étonna Smith.

— Copenhague, précisa Harry. Dans le quartier multiculturel de Nørrebro. Il y a un parc surveillé par des gens qui font du trafic humain. Surtout de l'import, un peu d'export. Vous vous asseyez sur un banc ou sur les balançoires et vous levez un billet, un billet de bus, d'avion, n'importe quoi. Un gars viendra vous trouver et vous demander où vous allez. Puis il vous pose d'autres questions, rien qui le trahisse, pendant qu'un de ses collègues assis ailleurs dans le parc vous a photographié à votre insu et vérifie sur Internet que vous êtes bien celui que vous prétendez être et pas un flic en civil. Cette agence de voyages est discrète et onéreuse et cependant personne ne voyage en *business class*. Les places les moins chères sont dans un conteneur. »

Smith secoua la tête. « Mais les vampiristes n'évaluent pas le risque de manière rationnelle comme nous, donc je ne pense pas qu'il ait filé.

— Moi non plus, dit Harry. Alors où est-il ? Vit-il seul ? Fréquente-t-il d'autres gens ? Se cache-t-il dans la foule ou habite-t-il dans un lieu désert ? A-t-il des amis ? Est-il concevable qu'il ait une petite amie ?

— Je ne sais pas.

— Tout le monde ici comprend que personne ne peut savoir, Smith, psychologue ou pas. Tout ce que je vous demande, c'est votre première intuition.

— Nous les chercheurs, nous sommes assez mauvais en pures intuitions. Mais il est seul. J'en suis relativement certain. Très seul, même. Un ermite. »

On frappa à la porte.

« Tirez fort et entrez ! » cria Harry.

La porte s'ouvrit.

« Bonjour, valeureux chasseurs de vampires, déclara Ståle Aune en entrant panse la première, main dans la main avec une jeune fille au dos voûté et tant de cheveux foncés dans les yeux que Harry ne voyait pas son visage. J'ai accepté de vous donner un cours intensif sur le rôle des psychologues dans le travail policier, Smith. »

Smith s'illumina.

« Je vous en suis très reconnaissant, cher confrère. »

Ståle Aune bascula sur ses talons. « Vous pouvez. Mais je n'ai pas l'intention de travailler un jour de plus dans ces catacombes, Katrine nous prête son bureau. » Il posa la main sur l'épaule de la jeune fille. « Aurora est venue parce qu'elle a besoin d'un nouveau passeport. Pourrais-tu l'aider à couper la file d'attente pendant que Smith et moi parlons boulot, Harry ? »

La jeune fille écarta ses cheveux. Harry ne put d'abord croire que ce visage pâle à la peau grasse et boutonneuse appartenait à la jolie petite fille dont il se souvenait qu'elle était il y a seulement deux ans. À en juger par ses vêtements sombres et son maquillage appuyé, elle était pour l'heure goth, ou ce qu'Oleg appelait emo. Mais il n'y avait dans son regard aucune opposition ni rébellion. Ni non plus d'ennui adolescent ou de signe de joie de revoir Harry, son non-oncle-préféré, comme elle avait coutume de l'appeler. Il n'y avait rien du tout. Enfin si, il y avait quelque chose. Quelque chose sur quoi il n'arrivait pas à mettre le doigt.

« On va gruger la queue, oui, nous ne sommes pas si intègres que nous ne puissions pas faire ça, déclara Harry, recueillant un infime sourire d'Aurora. Montons au service des passeports. »

Ils quittèrent la Chaufferie. Harry et Aurora marchaient en silence dans le Souterrain avec Ståle Aune et Hallstein Smith bavardant deux pas derrière eux.

« J'avais donc ce patient qui parlait si indirectement de ses véritables problèmes que je ne le comprenais pas, disait Aune. Quand, par une coïncidence, je l'ai démasqué comme étant le Valentin Gjertsen qu'on recherchait, il m'a attaqué physiquement. Si Harry n'était pas venu à ma rescousse, il m'aurait tué. »

Harry remarqua un sursaut chez Aurora.

« Il s'en est tiré, mais pendant qu'il me menaçait, je me suis fait une image plus claire de lui. Il tenait un couteau contre ma gorge en essayant de me forcer à formuler un diagnostic. Lui-même se qualifiait de produit défectueux. Et disait que si je ne répondais pas, il me viderait de mon sang pendant que sa bite se gonflait.

— Intéressant. Avez-vous pu voir s'il était effectivement en érection ?

— Je n'ai pas vu, non, mais j'ai senti. Tout comme je sentais la lame crantée de son couteau de chasse. Je me souviens que j'espérais être sauvé par mon double menton. » Ståle ricana doucement.

Ce qui n'empêcha pas Harry d'entendre le sanglot étouffé d'Aurora, il se retourna à demi pour lancer un regard éloquent à Aune.

« Oh, pardon, ma chérie ! s'exclama le père.

— De quoi parliez-vous ? demanda Smith.

— De beaucoup de choses. Il s'intéressait aux voix à l'arrière-plan du *Dark Side of the Moon* de Pink Floyd.

— Ah oui, je m'en souviens ! C'est-à-dire qu'il ne se faisait pas appeler Paul, je crois. Et malheureusement mon registre de patients a été volé.

— Tu entends ça, Harry ?

— J'entends. »

Ils montèrent l'escalier jusqu'au rez-de-chaussée, où Aune et Smith se postèrent devant l'ascenseur tandis que Harry et Aurora continuaient dans l'atrium. Une feuille sur la vitre du guichet indiquait que l'appareil photo du service était en panne et que les gens venus demander un passeport devaient utiliser le Photomaton du fond de la salle.

Harry emmena Aurora dans cette boîte aux allures de Sanisette, écarta le rideau et lui donna quelques pièces avant qu'elle s'installe.

« Ah oui, dit-il. Il ne faut pas que tu montres tes dents. » Puis il referma le rideau.

Aurora fixait son reflet dans le verre noir qui cachait l'appareil photo.

Elle sentait les larmes monter.

Ce matin-là, ça lui avait paru être une bonne idée de dire à papa qu'elle voulait l'accompagner à l'hôtel de police quand il irait voir Harry. Qu'elle avait besoin d'un nouveau passeport pour son voyage de classe à Londres. De toute façon, il ne se souvenait jamais des dates de ces choses-là, c'était maman qui s'en occupait. Elle avait pour plan de trouver un prétexte pour être seule avec Harry pendant quelques minutes et de tout lui raconter. Mais maintenant qu'ils étaient en tête à tête, elle n'y arrivait pas quand même. Ce que papa avait dit dans le tunnel, à propos du couteau, lui avait fait tellement peur que ses tremblements avaient repris et que ses genoux avaient manqué de se dérober sous elle. C'était ce même couteau cranté que l'homme avait plaqué contre sa gorge à elle. Et il était de retour. Aurora ferma les yeux pour éviter sa propre expression terrifiée. Il était de retour et il allait tous les tuer si elle parlait. Et puis qu'est-ce que ça changerait qu'elle parle ? Elle ne savait rien qui permette de le retrouver. Cela ne sauverait ni papa ni qui que ce soit d'autre. Aurora rouvrit les yeux. Elle regarda autour d'elle dans l'étroite cabine, exactement comme dans les toilettes du gymnase à l'époque. Son regard descendit machinalement et les trouva, là où s'arrêtait le rideau. Les bottes, sur le sol, juste devant. Elles l'attendaient, voulaient entrer, voulaient…

Aurora ouvrit le rideau d'un geste brusque et passa devant Harry pour se précipiter vers la sortie. Elle l'entendit crier son nom derrière elle. Puis elle fut dehors à la lumière du jour, en terrain dégagé. Elle courut sur l'herbe, traversant le parc vers Grønlandsleiret. Elle entendait les sanglots se mêler à sa respiration râpeuse, comme si, même dehors, il n'y avait pas assez d'air. Mais elle ne s'arrêta pas. Elle courait. Elle savait qu'elle allait courir jusqu'à ce qu'elle tombe.

« Paul, ou Valentin, ne m'a jamais parlé d'une attirance particulière pour le sang en tant que tel, expliqua Aune, qui avait pris la place de Katrine à son bureau. Et vu son casier judiciaire, on doit pouvoir affirmer que ce n'est pas quelqu'un qui a des inhibitions quand il s'agit de vivre ses préférences sexuelles. Or il est rare qu'une telle personne découvre de tout nouveaux aspects de sa personnalité sexuelle à l'âge adulte.

— Les préférences peuvent avoir été là depuis le début, dit Smith. C'est juste qu'il n'avait pas trouvé de moyen de vivre ses fantasmes. Si son désir réel était de mordre des gens au sang et de boire directement à la source, pour ainsi dire, il lui fallait peut-être découvrir ces dents de fer pour pouvoir le mettre à l'œuvre.

— Boire le sang d'autres gens est un rituel ancestral corrélé à l'idée de prendre les forces et aptitudes des autres, souvent de ses ennemis, n'est-ce pas ?

— C'est exact.

— Si vous deviez faire un profil de ce tueur en série, Smith, je vous recommanderais de prendre comme point de départ une personne mue par le besoin de contrôle, comme nous le voyons chez des violeurs plus conventionnels et des gens qui tuent pour le plaisir. Ou plus exactement le besoin de retrouver un contrôle, un pouvoir, qui leur a été enlevé à un moment donné. La restauration.

— Merci, répondit Smith. Restauration. Je suis d'accord et je vais absolument l'inclure dans mon évaluation.

— Que signifie "restauration"? demanda Katrine, qui s'était assise sur l'appui de la fenêtre quand les deux psychologues lui avaient accordé le permis de séjour.

— Nous souhaitons tous réparer nos blessures, expliqua Aune. Ou les venger, ce qui est la même chose. Moi, par exemple, j'ai décidé de devenir le psychologue de génie que je suis parce que j'étais si mauvais en foot que personne ne voulait m'avoir dans son équipe. Harry n'était qu'un gamin quand sa mère est morte et il a décidé de devenir enquêteur pour punir ceux qui tuent. »

On toqua à la porte.

« Quand on parle du loup…, fit Aune.

— Désolé de vous interrompre, dit Harry. Mais Aurora s'est enfuie en courant. Je ne sais pas ce que c'était, mais quelque chose n'allait pas. »

Des nuages passèrent sur le visage de Ståle Aune, qui se leva de son siège dans un gémissement. « Oui, Dieu seul le sait, avec ces adolescents. Bon, je vais partir à sa recherche, alors. Ç'aura été une brève entrevue, Smith, appelez-moi et nous reprendrons cette conversation.

— Du nouveau ? demanda Harry quand Aune fut sorti.

— Oui et non, dit Katrine. La médecine légale

confirme avec cent pour cent de certitude que l'ADN des menottes correspond à celui de Gjertsen. Seuls un psychologue et deux sexologues ont pris contact avec nous après l'invitation de Smith à parcourir leurs registres de patients, mais les noms qu'ils avaient ont déjà été exclus de l'affaire. Et, comme nous nous y attendions, nous avons reçu plusieurs centaines d'appels de gens qui font état de tout et n'importe quoi, des voisins sinistres et des chiens avec des marques de morsures aux loups-garous et vampires, en passant par les créatures souterraines et les trolls. Mais il y en a aussi certains qui valent la peine d'être vérifiés. Au fait, Rakel a essayé de te joindre.

— Oui, j'ai manqué ses appels, il n'y a pas beaucoup de réseau dans notre bunker. Est-ce qu'on peut changer ça ?

— Je vais demander à Tord si on peut monter un réseau local. Je peux récupérer mon bureau maintenant ? »

Harry et Smith étaient seuls dans l'ascenseur.

« Vous évitez le contact visuel, dit Smith.

— C'est une convention dans les ascenseurs, non ? demanda Harry.

— Je voulais dire de manière générale.

— Si ne pas rechercher le contact visuel, c'est l'éviter, alors vous avez sûrement raison.

— Et vous n'aimez pas prendre l'ascenseur.

— Hm. Ça se voit tant que ça ?

— Le langage corporel ne ment pas. Et puis vous trouvez que je jacasse trop.

— C'est votre premier jour, vous êtes peut-être un peu nerveux.

— Non, je suis comme ça presque tout le temps.

— OK. Je ne vous ai du reste pas dit merci d'avoir changé d'avis.

— Je vous en prie, c'est à moi de m'excuser d'avoir eu une première réponse si égoïste quand il y a des vies en jeu.

— Je comprends très bien que ce doctorat soit important pour vous. »

Smith sourit. « Oui, vous comprenez parce que vous êtes l'un de nous.

— L'un de qui ?

— De l'élite tordue. Vous connaissez peut-être le dilemme de Goldman des années 1980. On a demandé à des sportifs s'ils seraient prêts à prendre une drogue qui leur assurerait la médaille d'or, mais qui les ferait mourir cinq ans plus tard. Plus de la moitié ont répondu oui. Quand on a posé la même question au reste de la population, seul un sur deux cent cinquante a répondu oui. Je sais que pour la plupart des gens, ça paraît dingue, mais pas pour les gens comme vous et moi, Harry. Parce que vous sacrifieriez votre vie pour attraper cet assassin, n'est-ce pas ? »

Harry observa longuement le psychologue. Il entendait l'écho des paroles de Ståle. *Parce que tu comprends le truc du piège à singe, toi non plus, tu n'es pas capable de laisser filer.*

« D'autres questions que vous vous posez, Smith ?

— Oui. A-t-elle grossi ?

— Qui ça ?

— La fille de Ståle.

— Aurora ? » Harry haussa un sourcil. « Moui. Elle était plus mince avant. »

Smith fit un signe de tête. « Je pense que vous n'allez pas aimer ma question suivante, Harry.

— Dites toujours.

— Pensez-vous que Ståle puisse avoir une relation incestueuse avec sa fille ? »

Harry dévisagea Smith. Il l'avait choisi parce qu'il voulait des gens capables de pensée originale et tant que Smith était à la hauteur, Harry était prêt à accepter presque tout. *Presque*.

Smith leva les mains devant son visage. « Je vois que vous vous mettez en colère, Harry. Mais je pose la question uniquement parce qu'elle en montre tous les signes classiques.

— OK, dit Harry à mi-voix. Vous avez vingt secondes pour vous sortir de cette galère. Utilisez-les.

— Je dis juste que…

— Plus que dix-huit.

— OK, OK. Scarifications. Son tee-shirt à manches longues cachait des plaies sur ses avant-bras qu'elle était constamment en train de gratter. Mauvaise hygiène. Quand on est près d'elle, on sent qu'elle pourrait avoir une meilleure hygiène personnelle. Nourriture. La consommation excessive ou insuffisante de nourriture est typique chez les victimes d'agression. État mental. D'une manière générale, elle paraissait déprimée, elle souffre peut-être d'anxiété. Je suis conscient que les vêtements et le maquillage peuvent être trompeurs à cet égard, mais le langage corporel et l'expression faciale ne mentent pas. Intimité. Dans la Chaufferie, j'ai vu à votre langage corporel que vous vous apprêtiez à l'embrasser. Et elle a fait comme si elle ne le voyait pas, c'est pour cela qu'elle avait tiré tous ses cheveux devant ses yeux avant d'entrer, vous vous connaissez bien, vous vous êtes déjà embrassés, et elle avait anticipé la situation. Les victimes d'agression évitent le contact physique. Ai-je dépassé le temps imparti ? »

L'ascenseur s'arrêta dans une secousse.

Harry fit un pas en avant et se retrouva à toiser Smith, il appuya sur le bouton pour maintenir les portes de l'ascenseur fermées. « Supposons un instant que vous ayez raison, Smith. » Harry se mit à chuchoter. « Qu'est-ce que ça a à voir avec Ståle, bordel ? À part qu'il vous a fait virer de la fac de psychologie d'Oslo et vous a surnommé le Singe ? »

Harry vit des larmes de douleur dans les yeux de Smith, comme s'il avait reçu une gifle. Smith cligna des yeux et déglutit. « Mince. Vous avez sûrement raison, Harry. Je ne fais que voir quelque chose parce qu'en mon for intérieur je suis encore en colère. C'était une intuition et, comme je vous le disais, ce n'est pas mon point fort. »

Harry hocha lentement la tête. « Et ça, vous le savez, donc ce n'était pas votre première idée. Qu'avez-vous vu ? »

Hallstein Smith se redressa. « J'ai vu un père qui tenait par la main sa fille de… quel âge ? Seize, dix-sept ans ? Et ma première réaction, c'est que c'est mignon qu'ils se tiennent encore par la main et que j'espère que mes filles et moi continuerons de le faire jusqu'à un stade avancé de leur adolescence.

— Mais ?

— Mais on peut voir le contraire, on peut voir que c'est le père qui exerce pouvoir et contrôle en la retenant, en la faisant marcher au pas.

— Et qu'est-ce qui vous a fait penser ça ?

— Le fait qu'elle s'enfuie à la première occasion. J'ai travaillé sur des cas où il existait des soupçons d'inceste, Harry, et la fugue est justement l'un des critères que nous recherchons. Les symptômes que j'indique là peuvent signifier mille autres choses, mais s'il y a un millième de chance qu'elle subisse des sévices à la maison, ce serait commettre un péché professionnel par omission que de ne pas le mentionner, vous n'êtes pas d'accord ? J'ai compris que vous étiez un ami de la famille, et c'est pour cette raison que je partage avec vous mes interrogations. Vous êtes quelqu'un qui peut lui parler. »

Harry relâcha le bouton, les portes coulissèrent et Hallstein Smith sortit.

Harry resta dans l'ascenseur jusqu'à ce que les portes se referment, puis, parvenant à intercaler son pied entre les deux battants, il emboîta le pas à Smith, qui descendait l'escalier du Souterrain. Son téléphone vibra dans sa poche.

Il répondit à l'appel.

« Salut, Harry. »

La voix masculine mais roucoulante, taquine, d'Isabelle Skøyen était facilement reconnaissable.

« J'ai entendu dire que vous étiez remonté en selle.

— Je n'en suis pas tout à fait sûr.

— Nous avons chevauché ensemble pendant un temps, Harry. C'était sympathique. Ç'aurait pu l'être encore plus.

— Je pense que c'était aussi sympathique que ça pouvait l'être.

— Quoi qu'il en soit, Harry, l'eau a coulé sous les ponts. J'appelle pour vous demander un service. Notre agence de communication travaille un peu pour Mikael et vous avez peut-être vu que *Dagbladet* vient de publier un papier dans son édition en ligne assez dur à son égard.

— Non.

— Ils écrivent, je cite : "La ville paie actuellement pour que la police d'Oslo, sous la direction de Mikael

Bellman, ne parvienne pas à faire ce pour quoi nous la payons : capturer des gens comme Valentin Gjertsen. Que Gjertsen joue au chat et à la souris avec la police depuis trois ans est un scandale, un aveu d'échec. Et voilà maintenant qu'il n'a plus envie de jouer la souris et continue le jeu en faisant le chat." Qu'en pensez-vous ?

— Ç'aurait pu être mieux écrit.

— Ce que nous souhaiterions, c'est que quelqu'un aille sur le devant de la scène pour expliquer que cette critique de Mikael est totalement injustifiée, quelqu'un qui puisse rappeler le pourcentage d'affaires élucidées sous la direction de Bellman, quelqu'un qui ait lui-même travaillé sur ces affaires et qui soit perçu comme intègre. Et vu que vous êtes maintenant maître de conférences à l'École supérieure de police, on ne peut pas non plus vous accuser de flagornerie. Vous êtes parfait, Harry. Qu'en dites-vous ?

— Bien sûr que je voudrais vous aider, vous et Bellman.

— Vous voulez ? Super !

— De la meilleure façon que je puisse. Qui est de trouver Valentin Gjertsen. Ce à quoi je suis assez occupé, là, donc si vous voulez bien m'excuser, Skøyen.

— Je sais que vous travaillez dur, Harry, mais cette histoire pourrait prendre du temps.

— Et pourquoi est-ce tout à coup si urgent d'arranger la réputation de Bellman ? Permettez-moi de nous faire gagner du temps à tous les deux. Je n'irai *jamais* devant un micro dire une chose dictée par des consultants en com. Si nous raccrochons maintenant, nous pourrons dire que nous avons eu une conversation civilisée sans que je vous aie demandé d'aller vous faire voir en enfer. »

Isabelle Skøyen éclata de rire. « Vous ne changez pas, Harry. Toujours fiancé avec cette splendide juriste aux cheveux noirs ?

— Non.

— Ah bon ? Nous devrions peut-être aller boire un verre un soir ?

— Rakel et moi ne sommes pas fiancés, nous sommes mariés.

— Ah, voyez-vous ça. Mais ça n'empêche pas, si ?

— Pour moi, si. Pour vous, c'est peut-être un défi ?

— Les hommes mariés, c'est ce qu'il y a de mieux. Ils ne font jamais de problèmes.

— Comme Bellman ?

— Mikael est super mignon et il a les meilleures lèvres à embrasser de la ville. Mais cette conversation devient lassante, Harry, donc je raccroche. Vous avez mon numéro.

— Non, je ne l'ai pas. Au revoir.

— OK, mais si vous ne voulez pas chanter les louanges de Mikael, je peux au moins le saluer et dire que vous avez hâte de mettre des menottes à ce pauvre pervers ?

— Dites ce que vous voulez. Je vous souhaite une journée fabuleuse. »

La communication fut coupée. Rakel. Il avait oublié qu'elle avait appelé. Il trouva son numéro tout en se penchant, pour le fun, sur ce qu'il ressentait. L'invitation d'Isabelle Skøyen avait-elle exercé un quelconque effet sur lui, avait-elle réussi à l'émoustiller *un peu* ? Non. Si. Un peu. Cela signifiait-il quelque chose ? Non. Cela signifiait si peu qu'il ne voulait même pas se donner la peine de se demander quel genre de porc il était. Non qu'il ne fût *pas* un porc, mais *ça*, ce petit chatouillis, ce demi-songe involontaire d'un bout de scène – avec ses longues jambes et ses hanches larges –, disparu aussi vite qu'il était apparu, ça ne suffisait pas à le condamner. Non, merde. Il l'avait éconduite. Même s'il savait que ce rejet était précisément ce qui allait inciter Isabelle Skøyen à le rappeler.

« Vous appelez le numéro de Rakel Fauke. Je suis le docteur Steffens. »

Harry sentit un léger picotement dans sa nuque. « Je suis Harry Hole, Rakel est-elle ici ?

— Non, Hole. »

Harry sentit sa gorge se nouer. La panique s'insinuer. La glace craquer. Il fit un effort pour respirer. « Où est-elle ? »

Pendant la longue pause qui suivit, et comme s'il suspectait qu'elle n'était pas marquée sans raison, Harry eut le temps de beaucoup réfléchir. Et de toutes les conclusions que son cerveau tirait automatiquement, il en fut une dont il savait qu'il se souviendrait. Que ça s'arrêtait là, qu'il n'aurait plus la seule chose qu'il voulait. Que tous ses jours, tous ses lendemains, allaient être des copies de la veille.

« Elle est dans le coma. »

Dans son trouble, ou par pur désespoir, son cerveau essaya de lui expliquer que Le Coma était une région géographique. « Mais elle a cherché à me joindre. Il y a moins d'une heure.

— Oui, dit Steffens. Et vous n'avez pas répondu. »

18

Journée de lundi

Absurde. Assis sur une chaise dure, Harry essayait de se concentrer sur les paroles de l'homme à lunettes en blouse blanche de l'autre côté du bureau. Mais ses paroles avaient aussi peu de sens que le chant d'oiseau qu'il entendait par la fenêtre ouverte derrière lui. Elles étaient aussi absurdes que le ciel bleu et le soleil qui avait choisi ce jour pour briller plus fort qu'il ne l'avait fait depuis des semaines. Aussi absurdes que les planches au mur qui montraient des gens au système veineux exposé en rouge pétant, avec des organes gris, aussi absurdes que le crucifix, à côté, et son Christ se vidant de son sang.

Rakel.

C'était la seule chose dans sa vie qui ait un sens.

Pas la science, pas la religion, pas la justice, pas un monde meilleur, pas le plaisir, pas l'ivresse, pas l'absence de douleur, même pas le bonheur. Seulement ces cinq lettres. R-A-K-E-L. Ce n'était pas comme si ç'aurait été une autre si ce n'avait pas été elle. Si ce n'avait pas été elle, ça n'aurait été personne.

Et personne, ç'aurait été mieux que ça.

Personne, on ne peut pas vous l'enlever.

Alors Harry finit par fendre le flot de paroles.

« Ça veut dire quoi ?

— Ça veut dire, répondit le chef de clinique John D. Steffens, que nous ne savons pas. Nous savons que ses reins ne fonctionnent pas convenablement. Ce qui peut être dû à tout un ensemble de facteurs, mais, comme je le disais, nous avons déjà éliminé les plus évidents.

— Mais à quoi pensez-vous ?

— À un syndrome. Le problème, c'est qu'il en existe des milliers, plus obscurs et plus rares les uns que les autres.

— Ce qui signifie ?

— Qu'il ne nous reste qu'à continuer de chercher. En attendant, nous l'avons donc mise dans le coma, parce qu'elle commençait à avoir des problèmes respiratoires.

— Combien de temps…

— Jusqu'à nouvel ordre. Nous ne devons pas seulement trouver ce qui ne va pas chez votre femme, nous devons aussi pouvoir le traiter. Ce n'est qu'une fois que nous serons sûrs qu'elle pourra respirer par ses propres moyens que nous la sortirons du coma.

— Risque-t-elle… risque-t-elle…

— Oui ?

— Risque-t-elle de mourir pendant qu'elle est dans le coma ?

— Nous ne savons pas.

— Si, vous savez. »

Steffens joignit le bout de ses doigts. Il attendit, comme pour forcer la conversation à adopter un rythme plus lent.

« Elle pourrait mourir, finit-il par dire. Nous pouvons tous mourir, à tout moment le cœur peut cesser de battre, mais c'est bien sûr une question de probabilités. »

Harry savait que la fureur qu'il sentait bouillonner n'était pas due en fait au médecin et aux évidences qu'il débitait. Il avait parlé avec suffisamment de proches dans des affaires de meurtre pour savoir que la frustration se cherchait une cible, comme elle n'en trouvait pas, la rage ne faisait que décupler. Il respira profondément. « Et de quelles probabilités parlons-nous ici ? »

Steffens ouvrit les mains. « Comme je le disais, nous ne connaissons pas la cause de cette insuffisance rénale.

— Vous ne savez pas, c'est pour ça que ça s'appelle probabilité. » Harry s'interrompit, déglutit, baissa le ton. « Donc dites-moi simplement ce que vous pensez être l'issue probable à partir des quelques éléments dont vous disposez.

— L'insuffisance rénale n'est pas le problème en soi, c'est un symptôme. Il pourrait s'agir d'une maladie du sang, d'une intoxication ou d'une infection. C'est en ce moment la haute saison des intoxications par les champignons, mais votre femme m'a dit que vous n'en aviez pas mangé dernièrement. Et vous avez mangé la même chose. Vous vous sentez mal, Hole ?

— Oui.

— Vous… OK, je vois. Ce qui nous reste, les syndromes, ce sont essentiellement des choses graves.

— Plus ou moins de cinquante pour cent, Steffens ?

— Je ne peux pas…

— Steffens, coupa Harry. Nous ne sommes pas là pour jouer aux devinettes, je vous en prie. S'il vous plaît. »

Le médecin scruta Harry d'un long regard puis sembla prendre une décision.

« Telle que la situation se présente actuellement, en me fondant sur les valeurs des analyses, je crois que le risque que nous la perdions est un peu au-dessus de cinquante pour cent. Pas beaucoup plus de cinquante pour cent, mais donc un peu. La raison pour laquelle je n'aime pas donner ces pourcentages aux proches, c'est que, en règle générale, ils y accordent trop d'importance. Quand un patient meurt lors d'une opération où le risque de mourir est estimé à vingt-cinq pour cent, les proches nous accusent souvent de les avoir trompés.

— Quarante-cinq pour cent ? Quarante-cinq pour cent qu'elle survive ?

— En ce moment précis. Son état empire, donc un peu moins si nous n'identifions pas la cause dans les prochaines vingt-quatre ou quarante-huit heures.

— Merci. » Harry se leva. Il fut pris de vertiges. Et l'idée se manifesta automatiquement : l'espoir que le noir complet se fasse. Une sortie rapide et sans douleur, stupide et banale, et pourtant pas plus absurde que tout le reste.

« Il serait du reste bien de savoir avec quelle facilité ou difficulté nous pourrions vous joindre si…

— Je vais faire en sorte d'être joignable vingt-quatre heures sur vingt-quatre, dit Harry. S'il n'y a rien d'autre que j'aie besoin de savoir, je vais retourner la voir.

— Permettez-moi de vous accompagner, Hole. »

Ils repartirent vers la chambre 301. Le couloir s'étirait vers une lueur iridescente dans laquelle il disparaissait. Ce devait être une fenêtre sur laquelle tapait le soleil bas d'automne. Ils croisèrent des infirmières en blanc fantôme et des patients en robe de chambre, qui traînaient des pieds vers la lumière dans une lente démarche de morts-vivants. La veille, Rakel et lui s'étaient serrés dans les bras l'un de l'autre, dans le grand lit au matelas un peu trop mou, et maintenant, elle était là, dans la région Le Coma, entre fantômes et revenants. Il fallait qu'il appelle Oleg. Il fallait qu'il réfléchisse à la façon de lui dire. Il fallait qu'il boive un verre. Harry ne savait pas d'où lui venait cette pensée, mais elle était présente, comme si quelqu'un l'avait criée tout haut, la lui avait épelée à l'oreille. Cette pensée devait être mise en sourdine, et vite.

« Pourquoi étiez-vous le médecin de Penelope Rasch ? demanda-t-il à voix haute. Elle n'était pourtant pas dans votre service.

— Parce qu'elle avait besoin d'une transfusion, répondit Steffens. Je suis hématologue et je dirige la banque. Mais je fais des gardes aux urgences.

— Vous dirigez la banque ? »

Steffens observa Harry. Et peut-être comprit-il que le cerveau de Harry avait besoin d'une distraction, d'une infime pause de ce à quoi il faisait face.

« L'unité d'Oslo de la banque du sang. C'est-à-dire qu'on devrait sans doute me qualifier de maître-nageur. Nous avons repris l'ancien bain thermal qui se trouvait au sous-sol de ce bâtiment, nous l'appelons le bain de sang. Ne venez pas me dire que les hématologues n'ont pas le sens de l'humour.

— Hm. Donc c'est ça que vous vouliez dire, quand vous disiez être acheteur et vendeur de sang.

— Pardon ?

— C'est la raison que vous avez invoquée pour expliquer comment vous pouviez déterminer le volume de sang laissé par Penelope Rasch dans la montée d'escalier à partir de la photo de scène de crime. Estimation visuelle.

— Vous avez bonne mémoire.

— Comment va-t-elle ?

— Oh, Penelope Rasch va mieux physiquement. Mais elle va avoir besoin d'une aide psychologique. Rencontrer un vampire…

— Un vampiriste…

— … c'est un avertissement, vous savez.

— Un avertissement ?

— Oh, oui. Il est prédit et décrit dans l'Ancien Testament.

— Un vampiriste ? »

Steffens eut un maigre sourire. « "*Il est un homme dont les dents sont des glaives et les mâchoires des couteaux, pour dévorer les malheureux sur la terre et les indigents parmi les hommes.*" Nous y voilà. »

Steffens lui tint la porte et Harry entra. Dans la nuit. De l'autre côté des rideaux fermés, le soleil brillait, mais ici, la seule lumière était une ligne verte sur un écran noir qui bondissait brusquement, encore et encore. Harry regarda son visage. Elle avait l'air si paisible. Et tellement, tellement loin, en apesanteur dans l'obscurité intersidérale, où il ne pouvait pas l'atteindre. Il s'assit sur le fauteuil à côté du lit, attendit le bruit de la porte qui se refermait. Puis il lui prit la main et enfonça son visage dans la couette. « Pas plus loin, maintenant, mon amour, chuchota-t-il. Pas plus loin. »

Truls Berntsen avait déplacé les paravents de l'*open space* pour isoler entièrement des regards le box qu'il partageait avec Anders Wyller. C'est pourquoi il était agacé que le seul regard qui y accédait, à savoir celui de Wyller, soit si foutrement curieux de tout, surtout des personnes à qui il parlait au téléphone. Mais en ce moment précis, le fouinard était chez un tatoueur-pierceur qui, d'après leurs informations, importait des accessoires de vampire, notamment ce qui ressemblait à des dentiers en métal avec des canines pointues, et Truls avait l'intention de profiter pleinement de cette pause. Il avait téléchargé le dernier épisode de *The Shield* et mis le son juste assez fort pour entendre. Il ne se réjouit donc pas que son portable s'éclaire et ronronne comme un vibromasseur tout en jouant « I'm not a girl » de Britney Spears, chanson que, pour des raisons assez obscures, il affectionnait. Les paroles dans lesquelles elle expliquait qu'elle n'était toutefois pas encore femme éveillaient de vagues représentations de fille en dessous de la majorité sexuelle, mais Truls espérait que ce n'était pas là ce qui avait motivé son choix de sonnerie. Quoique ? Britney Spears en uniforme d'écolière, c'était pervers de se branler là-dessus ? OK, dans ce cas, il était pervers. Mais ce qui inquiétait Truls davantage, c'était que le numéro sur l'écran lui semblait familier. Fisc ? Police des polices ? Une vieille relation douteuse pour laquelle il avait fait un boulot de brûleur ? Ce n'était en tout cas pas le numéro de Mona Daa. Le plus vraisemblable était bien entendu qu'il s'agisse d'un appel professionnel, en tout cas un appel qui l'obligerait à faire quelque chose. Quoi qu'il en soit, sa conclusion fut qu'il ne gagnerait rien à y répondre. Il rangea donc le téléphone dans un tiroir et se concentra sur Vic Mackey et ses collègues de la Brigade de choc. Il adorait Vic, *The Shield* était tout bonnement la seule série qui ait compris comment les policiers de la vraie vie pensaient. Puis, tout à fait soudainement, il comprit pourquoi le numéro lui avait semblé connu. Il ouvrit le tiroir d'un coup sec et empoigna le téléphone. « Enquêteur criminel Berntsen. »

Deux secondes s'écoulèrent sans qu'il entende quoi que ce soit au bout du fil et il se dit qu'elle avait raccroché. Puis sa voix vint, tout contre son oreille, douce et caressante.

« Salut, Truls, c'est Ulla.

— Ulla... ?

— Ulla Bellman.

— Ah, salut, Ulla, c'est toi ? »

Truls espérait que son ton était convaincant. « En quoi puis-je t'aider ? »

Elle rit doucement. « Aider, aider. Je t'ai aperçu dans l'atrium de l'hôtel de police l'autre jour et je me disais que ça faisait longtemps que nous n'avions pas eu de vraie conversation. Tu sais, comme nous en avions dans le temps. »

Nous n'avons *jamais* eu de vraie conversation, songea Truls.

« On pourrait se voir un de ces jours ?

— Oui, bien sûr. » Truls s'efforça de réprimer son curieux rire nasal.

« Bien. Que dirais-tu de demain ? Maman aura les enfants. Boire un verre ou grignoter quelque chose. »

Truls en croyait à peine ses deux oreilles. Ulla voulait le voir. Pour l'interroger encore sur Mikael ? Non, elle devait savoir qu'ils ne se voyaient pas beaucoup ces temps-ci. Et puis : boire un verre ou grignoter quelque chose ? « Ce serait sympa, ouais. Tu pensais à un truc en particulier ?

— Non, juste que ce serait sympa de se voir, il n'y a plus grand monde de cette époque avec qui je sois restée en contact.

— Je vois, dit Truls. Où ça ? »

Ulla rit. « Ça fait des années que je ne suis pas sortie. Je ne connais plus rien à Manglerud. Parce que tu y habites toujours, non ?

— Si. Euh… Olsen, à Bryn, existe toujours.

— Vraiment ? Oui, bien sûr. Alors, on fait comme ça. À huit heures ? »

Truls hocha la tête sans rien dire avant de retrouver ses esprits et d'articuler un « oui ».

« Et, Truls ?

— Oui ?

— Ne parle pas de ce rendez-vous à Mikael, s'il te plaît. »

Truls toussa. « Non ?

— Non. On se voit demain à huit heures, alors. »

Il resta à fixer le téléphone longtemps après qu'Ulla eut raccroché. La scène s'était-elle réellement produite ou n'était-elle que l'écho d'une des rêveries qu'il avait concoctées quand il avait seize, dix-sept ans ? Truls ressentit un bonheur si intense que sa poitrine en aurait explosé. Puis vint la panique. Ça allait foirer. Oui, bien sûr que, d'une manière ou d'une autre, ça allait foirer.

Ç'avait foiré.

Ça ne pouvait bien sûr pas durer, son éviction du paradis n'était qu'une question de temps.

« Une bière », demanda-t-il en levant les yeux sur la jeune femme aux taches de rousseur qui était venue se poster à côté de sa table.

Elle n'était pas maquillée, avait les cheveux rassemblés en une simple queue-de-cheval et les manches de son chemisier blanc étaient retroussées comme si elle était prête à donner un gros coup de collier.

Elle nota sur son carnet comme si elle attendait une commande plus longue, ce qui fit conclure à Harry qu'elle venait d'être embauchée puisque, au Schrøder, neuf commandes sur dix s'arrêtaient là. Elle allait détester son boulot pendant les premières semaines. Les plaisanteries grossières des clients, la jalousie mal dissimulée des clientes les plus alcoolisées. Maigrichon du côté pourboires, pas de musique sur laquelle se déhancher dans la salle, pas de beaux garçons dont recevoir les regards, mais de vieux poivrots batailleurs à soutenir vers la sortie à la fermeture. Elle allait se demander si le complément que cela apportait à son prêt étudiant et qui lui permettait de vivre en coloc dans un appartement si central en valait vraiment la peine. Mais Harry savait que si elle arrivait à tenir le premier mois sans démissionner, les choses allaient progressivement changer. Elle se mettrait à rire de l'humour absurde de leurs commentaires, elle apprendrait à leur rendre la monnaie de leur pièce en termes tout aussi lamentables. Quand les femmes comprendraient qu'elle ne menaçait pas leur territoire, elles se confieraient à elle. Et elle aurait des pourboires. Pas beaucoup, mais des pourboires sincères, encouragements simples et déclarations d'amour de tous les jours. Et ils lui donneraient un surnom. Quelque chose d'une justesse inconfortable, mais qui n'en serait pas moins un sobriquet affectueux qui vous anoblissait dans cette assistance plébéienne. Kari la Courte, Lénine, Le Garde-Boue, L'Ourse. Dans le cas présent, ce serait sans doute quelque chose ayant trait à ses taches de son ou à sa chevelure rousse. Et alors que des gens quitteraient la coloc et que d'autres s'y installeraient, alors que des amoureux présomptifs iraient et viendraient, cet endroit finirait par devenir sa famille. Une famille gentille, généreuse, paumée.

La fille leva les yeux de son carnet. « Ce sera tout ?

— Oui », répondit Harry en souriant.

Elle rejoignit promptement le comptoir, comme si on la chronométrait. Et qui sait, peut-être que Nina le faisait derrière le comptoir.

Anders Wyller lui avait envoyé un SMS l'informant qu'il l'attendait chez Tattoos & Piercing, situé sur Storgata. Harry commençait à taper une réponse lui disant de s'en occuper tout seul quand il entendit quelqu'un se poser sur la chaise en face de lui.

« Salut, Nina, dit-il sans lever les yeux.

— Salut, Harry. Journée difficile ?

— Oui. » Il tapa le smiley souriant à l'ancienne : avec un deux-points et une parenthèse.

« Et tu viens ici pour la rendre encore plus pénible ? »

Harry ne répondit pas.

« Tu sais ce que je crois, Harry ?

— Qu'est-ce que tu crois, Nina ? » Son doigt chercha la touche « envoyer ».

« Je crois que tu n'es pas en train de craquer.

— Je viens de commander une bière à Rikke la Rouquine.

— Que nous allons pour l'instant laisser s'appeler Marte. Et ta bière, je l'ai décommandée. Le diable sur ton épaule droite voulait peut-être un verre, Harry, mais l'ange sur la gauche t'a dirigé vers un endroit qui ne sert pas d'alcools forts, mais a une Nina dont tu sais qu'elle va te servir un café à la place d'une bière, discuter un peu et te demander de rentrer auprès de Rakel.

— Elle n'est pas à la maison, Nina.

— Ah, c'est pour ça. Harry Hole a encore une fois

réussi à foutre les choses en l'air. Vous les hommes, vous savez y faire, ah, ça…

— Rakel est malade. Et j'ai besoin d'une bière avant d'appeler Oleg. » Harry regarda son téléphone. Il cherchait le bouton « envoyer » quand il sentit la main chaude et potelée de Nina se poser sur la sienne. « En règle générale, ça s'arrange à la fin, Harry. »

Il la regarda. « Non, ça ne s'arrange pas. À moins que tu ne connaisses des survivants ? »

Elle rit. « *À la fin*, ça se situe quelque part entre ce qui t'accable aujourd'hui et le jour où plus rien ne nous accable, Harry. »

Harry regarda son téléphone encore une fois. Puis il tapa le nom d'Oleg et appuya sur la touche d'appel.

Nina se leva et le quitta.

Oleg répondit à la première sonnerie. « Ça tombe bien que tu appelles ! On fait un travail de groupe et on a un débat sur l'article 20 du code de la police. Pas vrai qu'il faut interpréter que si la situation l'indique, tout policier est subordonné à un policier plus gradé et doit obéir à ses ordres même s'ils ne travaillent pas dans la même brigade ou ne sont même pas du même commissariat ? L'article 20 dit que le *rang* prime si la situation est délicate et l'exige. Allez, dis-moi que j'ai raison ! Parce que j'ai parié une pinte de bière contre les autres taches, là… » Harry entendit les rires enjoués de ses camarades de promo à l'arrière-plan.

Il ferma les yeux. Bien sûr qu'il y avait de l'espoir à avoir, une perspective réjouissante : le temps qui succédait à ce qui vous accablait aujourd'hui. Le jour où plus rien ne vous accablait.

« Mauvaises nouvelles, Oleg. Maman a été hospitalisée à Ullevål. »

« Je prendrai le poisson, dit Mona au serveur. Laissez tomber les pommes de terre, la sauce et les légumes.

— Alors il ne restera plus que le poisson, protesta le serveur suédois.

— Exactement. » Mona lui rendit le menu.

Elle promena son regard sur les clients venus déjeuner dans ce restaurant récemment ouvert, mais déjà prisé, où elles avaient obtenu la dernière table pour deux.

« *Uniquement* du poisson ? » demanda Nora, qui avait certes commandé sa salade César sans sauce, mais Mona savait d'ores et déjà que son amie capitulerait et commanderait un dessert avec son café.

« Période de sèche, expliqua Mona.

— De sèche ?

— Tu élimines la graisse sous-cutanée pour mieux faire apparaître les muscles. C'est le championnat de Norvège dans trois semaines.

— De culturisme ? Tu vas vraiment participer, alors ? »

Mona rit. « Tu veux dire avec mes hanches ? Je mise sur le fait que mes jambes et mon torse glaneront suffisamment de points. Ainsi que ma nature engageante, bien entendu.

— Tu as l'air anxieuse.

— Forcément.

— C'est dans trois semaines et tu n'es *jamais* anxieuse. Qu'est-ce qui se passe ? Ça a un rapport avec les meurtres vampiristes ? Merci des tuyaux, au fait, Smith était génial. Et Bratt a été à la hauteur, à sa façon, elle aussi. Elle a fait une bonne prestation *visuelle*, en tout cas. Tu as vu Isabelle Skøyen, l'ex-adjointe à la mairie ? Elle m'a appelée pour me demander si “Le Magazine du dimanche” pourrait avoir envie d’inviter Mikael Bellman.

— Pour qu’il puisse réfuter les critiques reprochant à la police de n’avoir jamais réussi à prendre Valentin Gjertsen ? Oui, merci, elle nous a appelés aussi pour nous mettre sur le coup. *Too much*, la nana !

— Vous n’en avez pas voulu ? Bon sang, pourtant tout ce qui commence par vampiriste fait les gros titres en ce moment.

— Moi, je n’en ai pas voulu. Mais mes collègues ne sont pas aussi regardants. »

Mona surfa sur son iPad et le tendit à Nora qui lut à voix haute le site de *VG* : « *Isabelle Skøyen, ancienne adjointe à la mairie, rejette les critiques de la police d’Oslo et affirme que le directeur de la police a pris les choses en main : “Mikael Bellman et ses policiers ont déjà démasqué le meurtrier vampiriste et emploient actuellement toutes leurs ressources à le retrouver. Entre autres choses, le directeur de la police a fait revenir à l’hôtel de police le célèbre enquêteur criminel Harry Hole, lequel s’est dit plus que disposé à aider son ancien directeur et se réjouit à la perspective de menotter ce pauvre pervers.”* » Nora lui rendit l’iPad. « C’est passablement vulgos. Que penses-tu de Hole, au fait ? Tu l’aurais viré de ton lit à coups de pied ?

— Absolument. Pas toi ?

— Je ne sais pas, moi. » Nora regarda dans le vide. « Pas à coups de pied. Peut-être juste poussé un peu. Dans le genre s’il-te-plaît-va-t’en-et-ne-me-touche-pas-là-ni-là-et-surtout-pas-ici. » Nora pouffa de rire.

« Mon Dieu, fit Mona en secouant la tête. C’est les filles comme toi qui font monter les chiffres de viols par malentendu.

— Viols par malentendu ? C'est un concept, ça ? Est-ce que ça a un sens ?

— *You tell me*. Moi, personne ne m'a jamais mal comprise.

— Ce qui me rappelle que j'ai enfin découvert pourquoi tu mettais de l'Old Spice.

— Non, c'est pas vrai, fit Mona d'un ton las.

— Si ! Protection antiviol. Pas vrai ? De l'après-rasage qui sent la testostérone. Ça les chasse aussi efficacement que le gaz lacrymogène. Mais est-ce que tu as songé que ça repoussait aussi tous les autres hommes, Mona ?

— Je rends les armes, gémit Mona.

— Oui, rends les armes ! Raconte !

— C'est à cause de mon père.

— Hein ?

— Il mettait de l'Old Spice.

— Bien sûr ! Vous étiez si *close*, tous les deux. Il te manque, ma pauvre…

— Je m'en sers comme d'un rappel constant de la chose la plus importante qu'il m'ait apprise. »

Nora lui fit un clin d'œil. « Le rasage ? »

Mona eut un rire bref et saisit son verre. « De ne jamais capituler. *Jamais*. »

Nora inclina la tête et considéra son amie d'un air grave. « Tu es véritablement nerveuse, Mona. Qu'est-ce qu'il y a ? Et pourquoi n'as-tu pas voulu prendre le papier de Skøyen ? Tu *connais* pourtant les meurtres du vampiriste.

— Parce que j'ai de *bigger fish to fry*. » Mona ôta ses mains de la table quand le serveur revint.

« Je l'espère », répondit Nora en contemplant le misérable filet de poisson que le serveur posait devant son amie.

Mona promena sa fourchette sur son plat. « Et puis je suis stressée parce que je suis sans doute surveillée.

— Qu'est-ce que tu dis ?

— Je ne peux pas te l'expliquer, Nora. Ni à personne d'autre. Parce que c'est le marché et que, si ça se trouve, nous sommes sur écoute en ce moment même.

— Nous sommes sur écoute ? Tu plaisantes ! Et moi qui ai dit que Hole pourrait… » Nora mit sa main devant sa bouche.

Mona sourit. « Ce ne sera pas utilisé contre toi. Le truc, c'est qu'en matière d'affaires criminelles je pourrais me trouver face au plus grand scoop de tous les temps. Et quand je dis de tous les temps, c'est de tous les temps et à tous égards.

— Il faut que tu me racontes ! »

Mona secoua résolument la tête. « Ce que je *peux* te raconter, c'est que j'ai un pistolet. » Elle tapota son sac à main.

« Tu me fais peur, Mona ! Et s'ils entendent que tu as un pistolet ?

— Je *veux* qu'ils l'entendent. Comme ça ils comprendront qu'il ne faut pas qu'ils déconnent. »

Nora poussa un gémissement découragé. « Mais pourquoi le fais-tu seule si c'est dangereux ?

— Parce que c'est *là* que mon article rentre dans la légende, ma chère Nora. »

Mona afficha un grand sourire et leva son verre d'eau. « Si les choses se passent comme il faut, l'addition de notre prochain déjeuner sera pour moi. Et championnat de Norvège ou pas, nous boirons du champagne.

— Oui ! »

« Désolé de ce retard, s'excusa Harry en refermant la porte de Tattoos & Piercing derrière lui.

— Nous sommes en train de regarder la gamme de produits », fit Anders Wyller en souriant. Debout derrière une table, il feuilletait un catalogue en compagnie d'un homme aux jambes arquées, avec une casquette du Vålerenga Fotballklubb, un tee-shirt noir de Hüsker Dü et une barbe, Harry en était sûr, qu'il avait dû commencer à faire pousser bien avant que les hipsters toujours synchrones cessent de se raser.

« Faites comme si je n'étais pas là, dit Harry en restant à la porte.

— Comme je le disais, expliqua la barbe en pointant le doigt sur le catalogue, celles-là, c'est juste pour faire joli, on ne peut pas se les mettre dans la bouche. Et puis les dents ne sont pas pointues, à part les canines.

— Et celles-ci ? »

Harry regarda autour de lui. Il n'y avait personne d'autre dans le magasin et, de toute façon, il aurait été difficile de trouver de la place pour caser davantage de monde. Le moindre mètre carré, pour ne pas dire cube, était exploité. Table de tatouage au centre de la pièce, tee-shirts suspendus au plafond, présentoirs de bijoux de piercing et vitrines de bibelots plus grands, têtes de mort et personnages de bande dessinée en métal chromé. Toute surface libre sur les murs était tapissée de dessins et de photos de tatouages. Il reconnut un tatouage de prison russe, un pistolet Makarov dont les initiés savaient qu'il symbolisait que son détenteur avait tué un policier. Et le manque de netteté du tracé pouvait laisser entendre qu'il avait été piqué à l'ancienne, avec une corde de guitare fixée sur un rasoir électrique, de la semelle de chaussure fondue et de l'urine.

« Ces tatouages sont-ils tous les vôtres ? demanda Harry.

— Aucun, répondit l'homme. Ils ont été collectés un peu partout. Beaucoup de trucs cool, hein ?

— Nous aurons bientôt terminé, précisa Anders.

— Prenez le temps qu'il vous… » Harry s'arrêta tout net.

« Désolé de ne pas avoir pu vous aider, s'excusa la barbe auprès de Wyller. Ce que vous décrivez m'a plutôt l'air d'être un truc que vous pourriez trouver dans une boutique fétichiste.

— Merci, mais nous avons déjà vérifié.

— D'accord. Enfin, prévenez-moi s'il y a autre chose…

— Il y a autre chose. »

Ils se retournèrent tous deux vers le policier longiligne qui pointait l'index sur un dessin en hauteur. « Celui-ci, vous l'avez trouvé où ? »

Wyller et la barbe le rejoignirent.

« À la prison d'Ila, répondit la barbe. C'est l'un des dessins laissés par Rico Herrem, détenu et tatoueur. Il est mort à Pattaya, en Thaïlande, juste après sa libération il y a deux ou trois ans. Gangrène.

— Avez-vous tatoué ce motif à quelqu'un ? s'enquit Harry qui sentait combien son regard était aspiré par la bouche hurlante.

— Jamais. Et personne ne me l'a demandé non plus, ce n'est pas précisément le genre de choses avec lesquelles on a envie de se trimballer.

— Personne ?

— Personne que j'aie vu. Mais puisque vous en parlez, quelqu'un qui a travaillé ici quelque temps m'avait fait remarquer qu'il avait déjà vu ce tatouage. Il parlait de *cin*. Je m'en souviens parce que avec *Şeytan*, c'est tout ce que je sais encore dire en turc. *Cin* signifie démon.

— Avait-il dit où il l'avait vu ?

— Non, et il est reparti en Turquie. Mais si c'est important, j'ai son numéro de téléphone. »

Harry et Wyller attendirent que l'homme revienne de l'arrière-boutique avec le numéro recopié à la main sur un papier.

« Mais je vous préviens, il parle à peine l'anglais.

— Comment…

— Langue des signes, mon turc de fortune et son norvégien de kebab. Qu'il a sûrement oublié aussi. Je vous conseille d'avoir un interprète.

— Merci encore, dit Harry. Et j'ai bien peur que nous soyons obligés d'emporter ce dessin. »

Alors qu'il se retournait pour voir s'il trouvait une chaise sur laquelle monter pour atteindre le dessin, il s'aperçut que Wyller lui en avait déjà avancé une.

Harry observa un instant son jeune collègue souriant avant de grimper sur la chaise.

« Qu'est-ce qu'on fait maintenant ? » demanda Wyller quand ils furent sur Storgata et que le tramway passa en grondant sur ses rails.

Harry glissa le dessin dans la poche intérieure de son blouson et leva les yeux sur l'emblème de la Croix-Bleue sur la façade.

« Maintenant, on va au bar. »

Il marchait dans le couloir d'hôpital. En tenant le bouquet de fleurs devant lui de façon à cacher en partie son visage. Aucune des personnes qu'il croisait, que ce soit des visiteurs ou des gens en blanc, ne tenait compte de sa présence. Pouls de repos. Il avait un pouls de repos. À treize ans, il était tombé d'un escabeau en voulant regarder la voisine de l'autre côté de la clôture, sa tête avait tapé contre la terrasse en ciment et il avait perdu connaissance. À son réveil, sa mère était couchée sur lui avec l'oreille plaquée contre sa poitrine, et il avait senti son odeur, l'odeur de son parfum à la lavande. Elle lui avait dit qu'elle l'avait cru mort parce qu'elle n'entendait pas son cœur battre ni ne trouvait son pouls. On n'aurait su déterminer si sa voix était empreinte de soulagement ou de déception. Toujours est-il qu'elle l'avait emmené chez un jeune médecin qui n'avait trouvé son pouls qu'après de gros efforts et l'avait déclaré anormalement bas. Habituellement, les traumatismes crâniens entraînaient un pouls élevé. Quoi qu'il en soit, il avait été hospitalisé et avait passé une semaine dans un lit blanc à faire des rêves blancs aveuglants, comme des photos surexposées, à peu près comme la représentation au cinéma de la vie après la mort. Blanc d'ange. Rien dans un hôpital ne vous prépare au noir qui suit.

Le noir qui attendait à présent celle qui se trouvait dans la chambre dont on lui avait indiqué le numéro.

Le noir qui attendait le policier au regard particulier quand il apprendrait ce qui s'était passé.

Le noir qui nous attend tous.

Harry contempla les bouteilles sur l'étagère devant le miroir. Leur contenu doré qui scintillait avec chaleur dans la lumière reflétée. Rakel dormait. Elle dormait maintenant. Quarante-cinq. Les chances de survie et le degré d'alcool étaient à peu près identiques. Dormir. Il pouvait y être avec elle. Il déporta son regard. Sur la bouche de Mehmet, sur ses lèvres qui formaient des mots insaisissables. Harry avait lu quelque part que la grammaire turque était considérée comme la troisième la plus difficile du monde. Le téléphone qu'il tenait était celui de Harry.

« *Sağ olun*, fit Mehmet en rendant son téléphone à Harry. Il dit qu'il a vu le visage de *cin* dans un bain turc de Sagene qui s'appelle Cağaloğlu Hamame. Il l'a vu quelquefois, la dernière était probablement il y a moins d'un an, juste avant qu'il reparte en Turquie. Cet homme avait l'habitude de rester en peignoir, même dans le sauna. La seule fois où il l'a vu sans était dans le *hararet*.

— *Hara*-quoi ?

— La salle de vapeur. La porte s'était ouverte, dégageant la vapeur pendant quelques secondes, et c'est là qu'il l'a entrevu. Il dit qu'un tatouage pareil ne s'oublie pas, que c'était comme de voir *Seytan* en personne essayer de se libérer.

— Hm. Et vous lui avez demandé s'il avait des signes distinctifs ?

— Oui. Il n'avait pas remarqué les cicatrices sous le menton que vous avez évoquées, ni d'ailleurs quoi que ce soit d'autre. »

Harry hocha pensivement la tête alors que Mehmet allait les resservir en café.

« Surveillance du hammam ? » demanda Wyller, qui était assis sur le tabouret de bar à côté de Harry.

Harry secoua la tête. « Nous ne savons pas quand, ni même si, Valentin fera son apparition et, le cas échéant, nous ne savons même pas à quoi il ressemble actuellement. »

Mehmet revint, posa les tasses sur le comptoir devant eux.

« Merci de votre aide, Mehmet, dit Harry. Il nous

aurait sûrement fallu toute une journée pour mettre la main sur un traducteur accrédité du turc. »

Mehmet haussa les épaules. « Je me sens un devoir d'aider. Après tout, c'est ici qu'était Elise avant d'être tuée.

— Hm, fit Harry en plongeant les yeux dans sa tasse. Anders ?

— Oui ? » Anders Wyller paraissait content, sans doute parce que c'était la première fois qu'il entendait Harry employer son prénom.

« Tu vas chercher la voiture et tu viens la garer devant le bar ?

— Mais elle est juste à…

— Et puis je te retrouve dehors. »

Quand Wyller eut passé la porte, Harry but une gorgée de café. « Ça ne me regarde pas, mais avez-vous des problèmes, Mehmet ?

— Des problèmes ?

— Vous avez un casier judiciaire vierge, j'ai vérifié. Mais ce n'est pas le cas du gars qui était ici et qui est parti dès qu'il nous a vus arriver. Et il a beau ne m'avoir pas dit bonjour, Danial Banks et moi sommes de vieilles connaissances. Vous êtes dans ses griffes ?

— Qu'est-ce que vous voulez dire ?

— Je veux dire que vous venez d'ouvrir un bar et que votre avis d'imposition indique un patrimoine de zéro couronne. Banks est spécialisé dans le prêt aux gens comme vous.

— Aux gens comme moi ?

— Aux gens auxquels la banque ne veut pas toucher. Son business est illégal, vous êtes au courant ? Usure, article 295 du Code pénal. Vous pouvez porter plainte et vous sortirez de ce guêpier. Laissez-moi vous aider. »

Mehmet regarda le policier aux yeux bleus. Puis il opina de la tête. « Vous avez raison, Harry…

— Bien.

— … ça ne vous regarde pas. J'ai l'impression que votre collègue vous attend déjà. »

Il referma la porte de la chambre d'hôpital. Les stores vénitiens étaient baissés et ne filtraient qu'un peu de lumière. Il posa son bouquet de fleurs sur la table de chevet, baissa les yeux sur la femme endormie. Elle avait l'air si seule.

Il ferma les rideaux, s'assit sur le fauteuil à côté du lit, sortit une seringue de la poche de sa veste et retira le capuchon de l'aiguille. Il attrapa son bras. Il regarda la peau. De la vraie peau. Il adorait la vraie peau. Il eut envie de l'embrasser, mais savait qu'il devait se maîtriser. Le plan. S'en tenir au plan. Puis il planta la pointe de l'aiguille dans le bras de la femme. Il la sentit s'enfoncer à travers la peau sans rencontrer de résistance.

« Voilà, chuchota-t-il. Maintenant je t'enlève à lui. Maintenant tu es à moi. À moi seul. »

Il appuya sur le piston et vit le contenu sombre être expulsé, s'injecter dans la femme. L'emplir de noir. Et de sommeil.

« Hôtel de police ? » demanda Wyller.

Harry regarda sa montre. Quatorze heures. Il s'était mis d'accord avec Oleg pour le retrouver à l'hôpital une heure plus tard.

« Hôpital d'Ullevål, répondit-il.

— Tu es malade ?

— Non. »

Wyller attendit, mais comme il n'en venait pas davantage, il enclencha la vitesse et roula.

Harry regardait par la vitre en se demandant pourquoi il n'en avait parlé à personne.

Il allait être obligé de le dire à Katrine, naturellement, pour des raisons pratiques. Mais au-delà de ça… Pourquoi, au juste ?

« J'ai téléchargé Father John Misty hier, déclara Wyller.

— Pourquoi ça ?

— Ben, parce que tu me l'as recommandé.

— Ah bon. Ça doit être bien, alors. »

Ils n'échangèrent pas un mot jusqu'à ce qu'ils se retrouvent dans les embouteillages en remontant Ullevålsveien, puis en passant devant la cathédrale Sankt Olav et Nordal Bruns gate.

« Arrête-toi devant l'arrêt de bus, là, dit Harry. J'ai vu quelqu'un que je connaissais. »

Wyller ralentit et se rangea devant l'arrêt de bus où se trouvaient des adolescents qui venaient manifestement de sortir de classe. Katedralskolen, oui, c'était son lycée. Les cheveux dans les yeux, elle se tenait un peu à l'écart du groupe qui papotait. Sans avoir réellement préparé ce qu'il allait dire, Harry baissa sa vitre et l'interpella.

« Aurora ! »

La fille aux longues jambes sursauta et, telle une antilope, partit au galop.

Harry resta à la regarder dans son rétroviseur alors qu'elle disparaissait vers la cathédrale.

« Tu fais toujours cet effet aux jeunes filles ? » demanda Wyller.

Elle court en sens inverse de la voiture, songea Harry. Elle n'avait même pas eu à réfléchir. Parce qu'elle y avait pensé au préalable. Pour fuir quelqu'un qui arrivait en voiture, il fallait partir à l'opposé du sens de circulation. Mais ce que ça signifiait, il n'en avait pas la moindre idée. L'angoisse de l'adolescence, sans doute. Ou une *phase*, comme disait Ståle.

La circulation se fluidifia un peu plus haut sur Ullevålsveien.

« J'attends dans la voiture, annonça Anders, qui s'était arrêté devant l'entrée du bâtiment 3 dans l'enceinte de l'hôpital.

— Ça risque de prendre un certain temps, dit Harry. Tu ne veux pas plutôt patienter dans la salle d'attente ? »

Il sourit tristement. « Mauvais souvenirs de l'hôpital.

— Hm. Ta mère ?

— Comment le sais-tu ? »

Harry haussa les épaules. « C'était forcément quelqu'un de très proche. Moi aussi, j'ai perdu ma mère à l'hôpital quand j'étais gamin.

— Et là aussi, c'était la faute du médecin ? »

Harry secoua la tête. « On ne pouvait pas la soigner, alors j'ai endossé la faute moi-même. »

Wyller eut un sourire en coin. « Dans le cas de ma mère, c'était un dieu autoproclamé en blouse blanche. C'est pour ça que je ne remets pas les pieds ici. »

En entrant, Harry remarqua un homme avec un bouquet de fleurs devant le visage, cela attira son attention parce que, d'habitude, c'est en entrant à l'hôpital que les gens ont des fleurs, pas en sortant.

Oleg attendait sur l'un des canapés réunis en petits coins salons. Ils s'étreignirent tandis que, autour d'eux, patients et visiteurs poursuivaient leurs conversations à mi-voix et leur lecture en diagonale de vieux hebdomadaires. Oleg ne mesurait plus à présent qu'un ou deux centimètres de moins que Harry. Et il arrivait à ce dernier d'oublier que le garçon avait atteint sa taille adulte, que Harry avait gagné leur pari.

« Ils en ont dit plus ? demanda Oleg. Sur ce que c'est, si c'est dangereux ?

— Non. Mais comme je le disais, il ne faut pas trop t'inquiéter, ils savent ce qu'ils font. Elle a été plongée dans un coma *artificiel* de manière contrôlée. OK ? »

Oleg ouvrit la bouche. Il la referma et acquiesça d'un signe de tête. Harry le vit. Qu'Oleg avait compris que Harry le protégeait de la vérité. Et il le laissait faire.

Une infirmière vint leur dire qu'ils pouvaient aller la voir.

Harry entra le premier.

Les stores étaient baissés.

Il s'approcha du lit, vit le visage pâle. Elle avait l'air d'être loin. Bien trop loin.

« E… elle respire ? »

C'était Oleg. Il s'était posté juste derrière Harry, comme il avait eu l'habitude de le faire quand il était petit et qu'ils allaient passer devant l'un des nombreux gros chiens de Holmenkollen.

« Oui », dit Harry en désignant du menton les appareils qui clignotaient.

Ils s'assirent de part et d'autre du lit. Ne lançant de coups d'œil sur la ligne verte bondissante de l'écran que quand ils pensaient ne pas être vus de l'autre.

Katrine regarda la forêt de mains levées.

La conférence de presse avait duré un quart d'heure à peine et l'impatience de la salle était déjà palpable. Elle se demandait ce qui les exaspérait le plus. Qu'il n'y ait rien de neuf dans la chasse à Valentin Gjertsen. Ou qu'il n'y ait rien de neuf dans la chasse aux nouvelles victimes de Valentin Gjertsen. Quarante-six heures s'étaient écoulées depuis la découverte de la dernière.

« J'ai bien peur de ne faire que répéter les mêmes réponses aux mêmes questions, dit-elle. Donc à moins qu'il n'y ait de nouvelles…

— Comment réagissez-vous au fait que vous avez maintenant affaire à trois meurtres et non deux ? »

La question avait été criée par un journaliste tout au fond.

Katrine vit le trouble s'étendre dans la salle comme l'onde sur l'eau. Elle se tourna vers Bjørn Holm, qui était assis au premier rang, mais n'eut qu'un haussement d'épaules en réponse. Elle s'avança vers les micros : « Il est possible que quelqu'un ici dispose d'informations qui ne me sont pas encore parvenues, il faudra donc que j'y revienne ultérieurement. »

Une autre voix : « L'hôpital vient d'envoyer un communiqué. Penelope Rasch est morte. »

Katrine espérait que son visage n'exhibait pas totalement la perplexité qu'elle ressentait. Penelope Rasch était pourtant hors de danger.

« On en reste là et puis nous reviendrons vers vous quand nous en saurons plus. » Katrine rassembla ses papiers et descendit prestement de l'estrade avant de sortir par la porte latérale. « Quand nous en saurons plus *que vous* », marmonna-t-elle en jurant à part soi.

Elle traversa le couloir au pas de charge. Que s'était-il passé, bordel ? Y avait-il eu un problème avec son traitement ? Elle l'espérait. Elle espérait une explication médicale, des complications inattendues, un malaise, même une erreur de l'hôpital. Tout sauf l'autre option. Que Valentin ait tenu sa promesse et soit revenu. Non, c'était impossible, ils avaient mis

Penelope dans une chambre secrète dont seuls ses proches avaient obtenu le numéro.

Bjørn la rejoignit en courant. « Je viens d'avoir Ullevål. Ils disent que c'était un empoisonnement qu'ils n'avaient pas dépisté, mais pour lequel ils n'auraient de toute façon rien pu faire.

— Un empoisonnement ? Dû à la morsure ou survenu à l'hôpital ?

— Ce n'est pas clair, ils disent qu'ils en sauront davantage demain. »

Putain de chaos. Katrine détestait le chaos. Et où était Harry ? Bordel, bordel.

« Fais attention à ne pas transpercer le sol avec tes talons », dit Bjørn tout bas.

Harry avait expliqué à Oleg que les médecins ne savaient pas. Il lui avait exposé leur incertitude quant à l'évolution des choses. Il lui avait indiqué les aspects pratiques qu'il fallait régler, même s'ils n'étaient pas nombreux. Puis un silence de plomb avait pesé entre eux.

Harry consulta sa montre. Dix-neuf heures.

« Tu devrais rentrer, dit-il. Manger quelque chose et dormir. Tu as cours demain.

— Seulement si je sais que tu es ici, dit Oleg. On ne peut pas la laisser seule.

— Je vais rester ici jusqu'à ce qu'on me jette dehors, ce qui ne devrait pas tarder.

— Mais tu restes jusque-là ? Tu ne vas pas au boulot ?

— Boulot ?

— Oui. Tu restes ici, maintenant, tu ne vas pas sur… l'affaire ?

— Bien sûr que non.

— Je sais comment tu es quand tu travailles sur une affaire de meurtre.

— Ah bon ?

— Je m'en souviens un peu. Et maman m'a raconté. »

Harry soupira. « Je reste ici, maintenant. Je te promets, croix de bois croix de fer. Le monde continue sans moi, mais… » Il s'arrêta, et la suite resta en suspens entre eux… *Mais pas sans elle.*

Harry respira. « Qu'est-ce que tu ressens ? »

Oleg haussa les épaules. « J'ai peur. Et j'ai mal.

— Je sais. Vas-y maintenant et reviens demain après l'école. Je serai ici à partir de demain matin.

— Harry ?

— Oui ?

— Ça ira mieux demain ? »

Harry le regarda. Pas une goutte de son sang ne circulait dans les veines du garçon aux yeux bruns et aux cheveux noirs, et pourtant c'était comme de regarder dans un miroir. « Qu'est-ce que tu en penses, toi ? »

Oleg secoua la tête et Harry vit qu'il luttait pour ne pas pleurer.

« Eh bien, dit Harry, j'ai été assis comme tu l'es maintenant auprès de ma mère quand elle était malade. Heure après heure, jour après jour. Je n'étais qu'un gamin et ça m'a bouffé intérieurement. »

Oleg essuya ses larmes naissantes du revers de sa main, renifla. « Tu aurais préféré ne pas l'avoir fait ? »

Harry secoua la tête. « C'était ça le plus étrange. Nous n'avons pas pu nous dire grand-chose, elle était trop faible. Elle était juste couchée avec un sourire pâle, à disparaître peu à peu, comme les couleurs d'une photo qui reste au soleil. C'est mon pire souvenir d'enfance, mais c'est aussi le meilleur. Tu peux le comprendre ? »

Oleg hocha lentement la tête. « Je crois. »

Ils se quittèrent en s'embrassant.

« Papa… », chuchota Oleg, et Harry sentit une larme chaude au creux de son cou.

Lui-même ne pouvait pas pleurer. Il ne voulait pas pleurer. Quarante-cinq pour cent, quarante-cinq *bons* pour cent.

« Je suis là, mon garçon », dit Harry. La voix assurée. Le cœur engourdi. Il se sentait fort. Il pouvait y arriver.

19

Lundi soir

Mona Daa avait mis des baskets, mais ses pas résonnaient néanmoins entre les conteneurs. Elle avait garé sa petite voiture électrique au portail et était entrée directement dans l'obscurité du terminal désert, cimetière de ce qui autrefois avait été une activité portuaire dynamique. Les rangées de conteneurs étaient les stèles d'envois morts et oubliés, de destinataires qui avaient fait faillite ou ne voulaient pas reconnaître les commandes, d'expéditeurs qui n'étaient plus là pour réceptionner les retours. Les biens reposaient donc en transit éternel à Ormøya et contrastaient fortement avec le renouveau et l'embellissement de Bjørvika à peine plus loin à l'intérieur. Les bâtiments d'apparat s'y étaient dressés les uns après les autres, avec comme joyau de la couronne les allures d'iceberg de l'Opéra, dont Mona était convaincue qu'il allait demeurer comme un monument à l'ère du pétrole, un Taj Mahal de la social-démocratie.

Mona se servit de la lampe de poche qu'elle avait emportée pour trouver son chemin. Des chiffres et des lettres peints sur l'asphalte lui montraient le chemin. Elle avait revêtu des leggings noirs et un blouson de sport noir. Dans une poche se trouvaient sa bombe de gaz lacrymogène et un cadenas, dans l'autre, son pistolet, un Walter 9 mm emprunté en cachette à son père, qui, après ses études de médecine, avait servi un an comme lieutenant du service de santé de l'armée et n'avait jamais rendu son arme.

Et dessous, sous son sous-pull en laine fine, sous sa ceinture cardio, son cœur battait de plus en plus vite.

H23 se trouvait entre deux rangées de trois conteneurs de hauteur.

C'était en effet une cage.

Sa dimension suggérait qu'elle avait été utilisée pour transporter quelque chose de grand. Un éléphant, peut-être une girafe ou un hippopotame. La cage pouvait s'ouvrir sur toute sa largeur, mais elle était fermée par un énorme cadenas brun de rouille. Il y avait toutefois au milieu de la longueur une porte plus petite qui n'était pas fermée et dont Mona supposait qu'elle était destinée aux soigneurs qui devaient nourrir l'animal et nettoyer la cage.

Les gonds gémirent lorsqu'elle saisit un barreau de la porte pour l'ouvrir. Elle lança un dernier regard à la ronde. Il était probablement déjà là, caché dans les ombres ou derrière un conteneur, et il vérifiait qu'elle était bien venue seule comme convenu.

Mais il n'y avait plus de place pour le doute et l'hésitation, elle fit comme quand elle devait soulever du lourd dans une compétition, elle se dit que sa décision était prise, que c'était simple, le temps de la réflexion était passé et il ne restait plus qu'à agir. Elle entra, sortit de sa poche le cadenas qu'elle avait apporté et le fixa à la porte et un barreau. Elle verrouilla, rangea la clef dans sa poche.

La cage sentait l'urine, mais elle ne savait pas si

c'était de l'urine humaine ou animale. Elle se posta au milieu.

Il pouvait arriver par la droite ou la gauche, en face des extrémités de la cage. Elle leva les yeux. Ou alors il pouvait avoir grimpé sur les piles de conteneurs pour lui parler d'en haut. Elle alluma l'enregistreur de son téléphone et le posa sur le sol métallique malodorant. Puis elle remonta la manche gauche de son blouson pour consulter sa montre. Dix-neuf heures cinquante-neuf. Elle remonta sa manche droite. Son cardiofréquencemètre indiquait 128.

« Salut Katrine, c'est moi.

— Ça tombe bien que tu appelles, Harry, j'ai essayé de te joindre, tu n'as pas eu mes messages ? Où es-tu ?

— Chez moi.

— Penelope Rasch est morte.

— Des complications. J'ai vu ça sur le site de *VG*.

— Et ?

— Et j'ai autre chose à penser.

— Ah oui. Comme quoi ?

— Rakel est hospitalisée à Ullevål.

— Mince. C'est grave ?

— Oui.

— Mon Dieu, Harry. Grave comment… ?

— Nous ne savons pas. Mais je ne peux plus participer à l'enquête. Je vais rester à l'hôpital jusqu'à nouvel ordre. »

Pause.

« Katrine ?

— Oui ? Oui, je comprends. Je suis désolée, ça faisait un peu beaucoup d'un seul coup. Tu as bien sûr ma compréhension totale et toute ma sympathie.

Mais, mon Dieu, Harry, est-ce que tu as quelqu'un avec qui parler ? Tu veux que je vienne…

— Merci, Katrine, mais tu as un homme à capturer. Je dissous le groupe et tu n'auras qu'à te servir des cartes dont tu disposes. Fais appel à Smith. Il est certes encore plus socialement inapte que moi, mais il est hardi et il ose penser hors des sentiers battus. Et Anders Wyller est intéressant. Donne-lui un peu plus de responsabilités dès maintenant et vois ce qu'il en sort.

— J'y avais pensé. Appelle-moi s'il y a quelque chose, n'importe quoi.

— Ouaip. »

Ils raccrochèrent et Harry se leva. Il alla à la machine à café, entendit ses propres pas traîner sur le sol. Il n'avait jamais traîné des pieds par le passé, jamais. La cafetière vide à la main, il regarda autour de lui dans la cuisine déserte, il avait oublié où il avait mis sa tasse. Il reposa la cafetière, s'assit à la table et composa le numéro de Mikael Bellman. Il tomba sur le répondeur. Tant mieux, il n'avait pas grand-chose à dire.

« C'est Hole. Ma femme est malade et je laisse tomber. C'est définitif. »

Il resta à regarder par la fenêtre, les lumières de la ville.

Il songea au buffle d'une tonne avec un lion solitaire accroché à sa gorge. Le buffle saignait, mais il n'était pas encore exsangue, si seulement il arrivait à s'ébrouer et à dégager le prédateur, il pourrait facilement le piétiner sous ses sabots et l'embrocher avec ses cornes. C'était toutefois urgent, il avait la trachée comprimée et il avait besoin d'air. Et d'autres lions approchaient, le groupe avait flairé le sang.

Harry voyait les lumières, mais il se disait qu'elles n'avaient jamais semblé plus lointaines.

La bague de fiançailles. Valentin lui avait donné un anneau et il était revenu. Exactement comme le Fiancé. Putain. Il écarta cette idée. Il était temps d'éteindre son cerveau maintenant. Éteindre, verrouiller et rentrer à la maison. Comme ça, oui.

Il était vingt heures quatorze quand Mona entendit un bruit. Il venait de la nuit qui s'était progressivement densifiée depuis qu'elle était arrivée dans la cage. Elle vit un mouvement. Quelque chose approchait. Elle avait revu les quelques questions qu'elle avait préparées en se demandant ce qui lui faisait le plus peur : qu'il vienne ou qu'il ne vienne pas. Mais maintenant, elle n'avait pas de doutes. Elle sentait son pouls battre dans son cou et saisit le pistolet dans sa poche. Elle avait fait des tirs d'essai dans le sous-sol de ses parents et atteint à six mètres sa cible, un imperméable pourri suspendu à une patère au mur.

La silhouette sortit de l'obscurité et pénétra dans la lumière projetée par le puissant projecteur d'un cargo amarré près des silos en béton à plusieurs centaines de mètres de distance.

C'était un chien.

Il trottina jusqu'à la cage et la regarda.

Il avait l'air d'un chien errant, en tout cas il n'avait pas de collier et il était suffisamment efflanqué et galeux pour qu'on puisse difficilement concevoir qu'il demeurait ailleurs qu'ici. C'était un de ces chiens dont la petite Mona, allergique aux chats, avait espéré qu'il la suivrait un jour pour ne plus jamais la quitter.

Mona croisa son regard myope et crut voir ce qu'il

pensait. *Un humain en cage*. Et l'entendre rire intérieurement.

Après l'avoir observée pendant un moment, le chien se mit parallèle à la cage, leva la patte arrière, et un jet atteignit les barreaux et le sol.

Puis il repartit au petit trot et disparut dans la nuit.

Sans avoir dressé les oreilles ni flairé en l'air.

Et Mona comprit.

Personne n'allait venir.

Elle regarda son cardiofréquencemètre. 119. Et en baisse.

Il n'était pas là. Alors où était-il ?

Harry vit quelque chose dans le noir.

Au milieu de la cour, au-delà de la lumière des fenêtres et des lanternes du perron, il distinguait la silhouette d'une personne immobile, les bras le long du corps, qui regardait fixement la fenêtre de la cuisine et Harry.

Harry pencha la tête et plongea les yeux dans sa tasse comme s'il n'avait pas vu l'individu dehors.

Son pistolet de service était au premier.

Devait-il le poursuivre ?

D'un autre côté, si c'était véritablement le traqué qui se rapprochait du traqueur, il n'avait pas envie de lui faire peur.

Harry se leva, s'étira, il savait qu'on pouvait facilement l'observer dans la cuisine bien éclairée. Il alla dans le salon, dont les fenêtres donnaient sur l'avant de la maison aussi, il prit un livre puis fit deux pas rapides vers la porte d'entrée, attrapa la cisaille que Rakel avait posée à côté de ses bottes, ouvrit brusquement la porte et dévala le perron en courant.

La silhouette ne bougeait toujours pas.

Harry s'arrêta.
Il ferma les yeux à demi.
« Aurora ? »

Harry fouillait dans le placard de cuisine. « Cardamome, cannelle, camomille. Rakel a vraiment beaucoup de thés en *c* ici, et moi, je suis plutôt un buveur de café, donc je ne sais pas trop quoi te recommander.

— Cannelle, c'est bien, répondit Aurora.

— Tiens », fit Harry en lui tendant une boîte.

Elle sortit un sachet et Harry l'observa alors qu'elle le mettait dans la tasse fumante.

« Tu courais vite quand tu es partie de l'hôtel de police, l'autre jour, remarqua-t-il.

— Oui, se contenta-t-elle de répondre en entortillant le sachet de thé autour d'une cuiller.

— Et à l'arrêt de bus aujourd'hui. »

Elle ne répondit pas. Ses cheveux noirs étaient retombés devant ses yeux.

Il s'assit, but une gorgée de café. Il lui offrait le temps dont elle avait besoin, ne comblait pas le silence de mots nécessitant une réponse.

« Je n'avais pas vu que c'était toi, finit-elle par dire. Enfin, si, mais j'avais déjà pris peur et le cerveau met souvent un peu de temps pour convaincre le corps que tout va bien. Et entre-temps, mon corps avait fait un bout de chemin, oui.

— Hm. Quelque chose te fait peur ? »

Elle acquiesça d'un signe de tête. « C'est papa. »

Harry s'arma de courage, il n'avait pas envie de poursuivre, il n'avait pas envie d'entrer là-dedans. Mais il le devait.

« Qu'a fait papa ? »

Les larmes montèrent aux yeux d'Aurora. « Il m'a

violée et m'a dit qu'il ne fallait jamais que je le dise à personne. Parce que si je le disais, il mourrait… »

La nausée vint si brusquement que Harry en perdit un instant le souffle et l'acide brûla sa gorge quand il déglutit. « Papa a dit qu'il allait mourir ?

— Non ! » La soudaine exclamation de colère d'Aurora résonna en un bref écho dur entre les murs de la cuisine.

« L'homme qui m'a violée a dit qu'il allait tuer papa si jamais je disais quoi que ce soit à quelqu'un. Il a dit qu'il avait presque tué papa une fois et que la prochaine fois, personne ne pourrait l'arrêter. »

Harry cligna des yeux. Il essayait de digérer le mélange rance de soulagement et de choc. « On t'a violée ? » articula-t-il avec un calme acquis de haute lutte.

Elle acquiesça, renifla et s'essuya les yeux. « Dans les toilettes des filles quand nous avions notre tournoi de hand. C'était le jour de votre mariage, à Rakel et à toi. Il l'a fait, et puis il est reparti. »

Harry eut l'impression d'être en chute libre.

« Est-ce que tu as quelque part où je peux jeter ça ? » Elle tenait le sachet de thé, qui se balançait en gouttant au-dessus de sa tasse.

Harry se contenta de tendre la main.

Aurora le regarda en hésitant avant de lâcher le sachet. Harry serra le poing, sentit l'eau brûler sa peau et couler entre ses doigts. « Il t'a blessée ? »

Elle secoua la tête. « Il m'a serrée si fort que j'ai eu des bleus. J'ai dit à maman que c'était à cause du match de hand.

— Es-tu en train de me dire que tu as gardé tout ça pour toi jusqu'à maintenant ? »

Elle hocha la tête.

Harry était à deux doigts de se lever et de contourner la table pour la prendre dans ses bras. Mais il eut le temps de réfléchir et de penser aux propos de Smith sur la proximité et l'intimité.

« Alors pourquoi viens-tu me raconter ça maintenant ?

— Parce qu'il tue d'autres gens. J'ai vu le dessin dans le journal. C'est lui, c'est l'homme aux yeux bizarres. Il faut que tu m'aides, oncle Harry. Il faut que tu m'aides à veiller sur papa. »

Harry hocha la tête en respirant la bouche ouverte.

Aurora inclina la tête, elle avait l'air inquiète. « Oncle Harry ?

— Oui ?

— Tu pleures ? »

Au coin de sa bouche, Harry sentit le goût de la première larme. Merde.

« Désolé, fit-il d'une voix pâteuse. Comment est ton thé ? »

Quand Harry leva les yeux, il croisa le regard d'Aurora. Un regard radicalement transformé. Comme si quelque chose s'était ouvert. Comme si pour la première fois depuis longtemps, ses beaux yeux regardaient vers l'extérieur et non vers l'intérieur comme les dernières fois qu'ils s'étaient vus.

Aurora se leva, heurta sa tasse de thé, fit le tour de la table. Elle se pencha sur Harry et l'enlaça. « Ça va aller, dit-elle. Ça va aller. »

Marte Ruud alla trouver le client qui venait de franchir la porte d'un Schrøder désert.

« Désolée, mais nous ne servons plus de bières depuis une demi-heure et nous allons fermer dans dix minutes.

— Donnez-moi un café, demanda-t-il en souriant. Je le boirai vite. »

Elle retourna dans la cuisine. Le cuisinier était rentré depuis plus d'une heure, tout comme Nina. Il n'y avait en général qu'une seule personne qui faisait le service si tard le lundi soir, et ça avait beau être calme, elle était un peu tendue parce que c'était son premier soir seule. Nina allait revenir peu après la fermeture pour l'aider à faire la caisse.

Faire bouillir l'eau d'une tasse dans la bouilloire ne fut l'affaire que de quelques secondes. Elle ajouta le café instantané. Puis elle retourna dans la salle et déposa la tasse devant l'homme.

« Puis-je vous poser une question ? demanda-t-il en contemplant la tasse fumante. Puisqu'il n'y a que vous et moi, ici.

— Oui », répondit Marte, même si elle pensait non. Elle n'avait qu'une envie, qu'il boive son café et s'en aille en la laissant verrouiller la porte et attendre Nina pour pouvoir ensuite rentrer chez elle. Son premier cours du lendemain commençait à huit heures et quart.

« N'est-ce pas l'endroit que fréquente le célèbre enquêteur criminel ? Harry Hole ? »

Marte le confirma d'un signe de tête. Elle n'avait à vrai dire jamais entendu parler de lui avant qu'il vienne dans le restaurant, un grand avec de vilaines balafres sur le visage, et que Nina lui parle en détail de lui.

« Où a-t-il l'habitude de s'asseoir ?

— Il paraît que c'est là, dit Marte en désignant la table d'angle à la fenêtre. Mais apparemment, il vient moins souvent qu'avant.

— Non, s'il doit mettre des menottes au "pauvre

pervers", comme il dit, il ne doit plus avoir le temps. Mais c'est toujours *son* endroit. Si vous voyez ce que je veux dire ?»

Marte sourit en hochant la tête, même si elle n'était absolument pas sûre de voir ce qu'il voulait dire.

« Comment vous appelez-vous ?»

Marte hésita, elle n'était pas certaine d'aimer le tour que prenait cette conversation. « Nous fermons dans six minutes, donc si vous voulez avoir le temps de boire votre café, vous devriez…

— Sais-tu pourquoi tu as eu des taches de rousseur, Marte ?»

Elle se figea. Comment connaissait-il son prénom ?

« Eh bien, vois-tu, quand tu étais petite et sans taches de son, tu t'es réveillée une nuit. Tu avais fait un *kâbus*, un cauchemar. Tu avais encore peur, alors tu as couru dans la chambre de ta mère pour qu'elle te dise que les monstres et les fantômes n'existaient pas. Mais dans la chambre, un homme bleu-noir était recroquevillé sur la poitrine de ta mère. Longues oreilles pointues, avec du sang qui coulait au coin de la bouche. Et comme tu restais juste à le regarder fixement, il a gonflé ses joues et avant que tu aies eu le temps de l'esquiver, il avait soufflé tout le sang qu'il avait dans la bouche, si bien que ton visage et ta poitrine ont été douchés de gouttelettes. Et ce sang, Marte, tu pouvais te laver et te récurer autant que tu voulais, il n'est jamais parti de ta peau. » L'homme souffla sur son café. « Donc, ça, c'est la réponse à la question de savoir comment tu as eu tes taches de rousseur, mais la question était de savoir *pourquoi*. Et la réponse est aussi simple qu'insatisfaisante, Marte. C'est parce que tu étais au mauvais endroit au mauvais moment. Le monde n'est tout bonnement pas très juste. » Il porta sa tasse à ses lèvres, ouvrit grand les mâchoires et vida le liquide noir encore fumant dans sa bouche. Marte suffoqua, d'horreur, d'asphyxie, de peur de quelque chose qui allait se passer dont elle n'avait que le pressentiment. Et elle n'eut pas le temps de voir le café chaud jaillir de sa bouche avant qu'il atteigne son visage.

Aveuglée, elle se retourna, glissa sur le café, son genou heurta le sol, mais elle parvint à se relever et se précipita vers la porte de sortie, renversant une chaise derrière elle pour le retarder alors qu'elle s'efforçait de chasser le café de ses yeux en les clignant. Elle saisit la poignée et tira la porte à elle. Verrouillée. Il avait refermé le loquet. Elle entendit des pas grinçants derrière elle alors qu'elle positionnait son pouce et son index pour tourner le verrou, mais n'eut pas le temps d'en faire davantage avant de sentir qu'il l'attrapait par la ceinture et la tirait en arrière. Marte tomba à quatre pattes. Elle voulut crier, mais n'arrivait à émettre que de petits couinements. Des pas. Il s'était posté devant elle. Mais elle resta à quatre pattes, elle ne voulait pas lever les yeux, elle ne voulait pas le regarder. Elle n'avait jamais vu d'homme bleu-noir dans ses cauchemars quand elle était petite, mais elle avait vu un homme à tête de chien. Et elle savait que c'était ce qu'elle verrait si elle levait les yeux. Elle garda donc les yeux au sol, sur les bouts pointus de ses bottes de cow-boy.

20

Nuit de lundi

« Oui ?

— Harry ?

— Oui.

— Je n'étais pas sûre que ce soit ton numéro. C'est Nina. Du Schrøder. Je *sais* qu'il est une heure et demie du matin et je suis désolée de te réveiller.

— Je ne dormais pas, Nina.

— J'ai appelé la police, mais ils… enfin, ils sont venus et ils sont repartis.

— Calme-toi, Nina. Qu'est-ce qui s'est passé ?

— C'est Marte, la nouvelle, que tu as rencontrée la dernière fois que tu es venu. »

Harry repensa à ses manches de chemisier retroussées et à son zèle légèrement nerveux.

« Oui ?

— Elle a disparu. Je suis venue ici juste avant minuit pour l'aider à faire la caisse, mais il n'y avait plus personne. La porte n'était pas verrouillée. Marte est réglo, nous avions rendez-vous. Elle n'est pas juste partie sans verrouiller la porte. Elle ne répond pas au téléphone et son petit copain dit qu'elle n'est pas rentrée à la maison. Les policiers ont vérifié auprès des urgences, mais rien. Et ensuite la policière a dit que ça arrivait sans arrêt, que les gens disparaissaient étrangement pour reparaître quelques heures plus tard avec une bonne explication. Et elle m'a dit de rappeler si Marte ne refaisait pas surface d'ici douze heures.

— Hm. C'est vrai ce qu'ils disent, Nina, et ils ne font que suivre la procédure habituelle.

— Oui. Mais… allô ?

— Je suis là, Nina.

— En rangeant, quand j'allais fermer, j'ai découvert que quelqu'un avait écrit sur une nappe. Avec du rouge à lèvres, semble-t-il. Et exactement du même rouge que celui de Marte.

— Ah bon ? Qu'est-ce qui est écrit ?

— Rien.

— Rien ?

— Non. C'est comme si c'était coché, en quelque sorte. Tu sais, avec une espèce de *v*. Et c'est à ta place. »

Trois heures du matin.

Un hurlement se fraya un chemin vers le haut, vers l'extérieur, de l'autre côté des lèvres de Harry, il fut projeté entre les murs nus du sous-sol. Harry regarda fixement la barre en fer qui menaçait de tomber et de le briser alors que, de ses bras tremblants, il la tenait tout juste à l'écart de sa taille. Puis, dans un dernier effort, il parvint à pousser les kilos tout en haut et les poids cliquetèrent les uns contre les autres quand il relâcha brutalement la barre sur le portant. Il resta couché sur le banc à essayer de reprendre son souffle. Il ferma les yeux. Il avait promis à Oleg de rester auprès de Rakel. Mais il fallait qu'il y aille. Il fallait qu'il l'attrape. Pour Marte. Pour Aurora.

Non.

C'était trop tard. Trop tard pour Aurora. Trop tard pour Marte. Il devait donc le faire pour celles qui n'étaient pas encore des victimes, qui pouvaient encore être sauvées de Valentin.

Car c'était pour elles, n'est-ce pas ?

Harry attrapa la barre, sentit la fonte appuyer contre ses cals.

Quelque chose à quoi on puisse t'employer.

Son grand-père l'avait dit, tout ce dont on avait besoin, c'était quelque chose à quoi on pouvait être employé. Quand la grand-mère de Harry allait mettre au monde son père, elle avait perdu tant de sang que la sage-femme avait fait venir le médecin. Grand-père, à qui l'on avait fait savoir qu'il n'était rien qu'il puisse faire, n'avait pas eu la force d'entendre les cris de grand-mère et était sorti, avait attelé son cheval à sa charrue et avait labouré. Il avait mené son cheval au fouet, avec des cris qui couvraient ceux qui venaient de la maison, puis, quand le fidèle mais vieux fjord avait commencé à chanceler dans son harnais, il avait poussé la charrue lui-même. Quand les cris s'étaient tus et que le médecin était sorti lui dire que mère et enfant allaient survivre, grand-père était tombé à genoux, il avait embrassé le sol et remercié le dieu auquel il ne croyait pas.

Cette nuit-là, le cheval était tombé mort dans son box.

C'était Rakel qui était dans le lit maintenant. Muette. Et il devait se décider.

Quelque chose à quoi on puisse t'employer.

Harry souleva la barre du portant et la baissa sur sa poitrine. Il inspira profondément. Il banda les muscles. Et il hurla.

DEUXIÈME PARTIE

21

Mardi matin

Il était sept heures et demie. Une pluie fine était en suspens dans le ciel quand Mehmet, qui allait traverser la rue, remarqua l'homme devant le Jealousy. Il avait mis ses mains en jumelles contre la devanture pour mieux voir à l'intérieur. Le premier réflexe de Mehmet fut de croire que c'était Danial Banks qui était en avance pour réclamer son nouveau remboursement, mais en approchant, il vit que l'homme était plus grand, et blond qui plus est. Et il pensa que c'était un ancien client alcoolique qui revenait, espérant probablement que c'était toujours ouvert à sept heures du matin.

Mais quand l'homme se retourna en tirant sur la cigarette qu'il avait entre les lèvres, il vit que c'était le policier. Harry.

« Bonjour, dit Mehmet en sortant ses clefs. Soif ?

— Ça aussi. Mais je viens vous faire une proposition.

— Quel genre de proposition ?

— Du genre que vous pouvez refuser.

— Alors ça m'intéresse. »

Mehmet fit entrer le policier, lui emboîta le pas et

verrouilla la porte. Il alluma la lumière derrière le comptoir.

« Au fond, c'est un bel établissement, observa Harry, en posant les coudes sur le comptoir et en respirant l'air du bar.

— Envie de l'acheter ? demanda Mehmet d'un ton sec en versant de l'eau dans un *cezve*, la cafetière spéciale turque.

— Oui », dit Harry.

Mehmet rit. « Faites-moi une offre.

— Quatre cent trente-cinq mille. »

Mehmet fronça les sourcils. « D'où tenez-vous ce montant ?

— De Danial Banks. J'ai eu un entretien avec lui ce matin.

— Ce matin ? Mais il n'est que…

— Je me suis levé tôt. Et lui aussi. C'est-à-dire que j'ai dû le réveiller et le sortir du lit. »

Mehmet croisa le regard injecté de sang du policier.

« Littéralement, poursuivit Harry. Je sais où il habite. J'ai sonné et je lui ai fait une offre.

— Quel genre d'offre ?

— L'autre genre. Qu'on ne peut pas refuser.

— À savoir ?

— Le rachat de la dette du Jealousy Bar à sa valeur nominale en échange de quoi je ne lui mettais pas Økokrim au cul avec l'article 295 sur l'usure.

— Vous déconnez ! »

Harry haussa les épaules. « Il est possible que j'exagère, il aurait peut-être pu refuser. Car il était en mesure de m'informer que l'article 295 avait malheureusement été abrogé il y a un ou deux ans. Où va-t-on si les criminels connaissent mieux le droit que les policiers ? Enfin, il a sans doute jugé que votre emprunt ne valait pas toutes les histoires que je promettais de lui faire dans d'autres domaines. Donc ce document… » Le policier posa une feuille manuscrite sur le comptoir. « … confirme que Danial Banks est remboursé et que moi, Harry Hole, je suis le fier signataire d'une créance de quatre cent trente-cinq mille couronnes sur Mehmet Kalak avec hypothèque sur les biens meubles et le bail locatif du Jealousy Bar. »

Mehmet lut les quelques lignes et secoua la tête. « Bon sang. Et vous aviez donc presque cinq cents plaques à donner à Banks séance tenante ?

— À une époque, j'ai travaillé comme recouvreur de dettes à Hong Kong. C'était… bien payé. Donc je me suis fait un petit capital. Banks a obtenu un chèque et un relevé de compte. »

Mehmet rit. « Donc maintenant, c'est vous qui allez me faire de l'extorsion de fonds, Harry ?

— Pas si vous acceptez mon offre.

— Qui est ?

— De transformer la dette en capital personnel.

— Vous reprenez le bar ?

— J'en achète des parts. Nous sommes partenaires et vous avez le droit de racheter mes parts quand vous voulez.

— Et en échange, je dois faire quoi ?

— Aller dans un hammam, pendant qu'un de mes potes s'occupe du bar.

— Hein ?

— Vous allez transpirer et vous faire une peau de raisin sec au Cağaloğlu Hamame en attendant que Valentin Gjertsen fasse son apparition.

— Moi ? Pourquoi moi et pas un autre ?

— Parce que depuis que Penelope Rasch est morte, vous et une fille de quinze ans êtes les seules personnes vivantes que je connaisse qui sachent à quoi Valentin Gjertsen ressemble actuellement.

— Moi ?…

— Vous allez le reconnaître.

— Qu'est-ce qui vous le fait croire ?

— J'ai lu le rapport. Vous avez dit, je cite : "Je l'ai vu, mais pas franchement assez longtemps et pas suffisamment pour pouvoir le décrire."

— Tout juste.

— J'avais une collègue qui était capable de reconnaître tous les visages qu'elle avait vus dans sa vie. Elle m'avait expliqué que l'aptitude à distinguer un million de visages les uns des autres et à les reconnaître est ancrée dans un endroit du cerveau qui s'appelle le gyrus fusiforme et que sans cette aptitude, nous n'aurions pas survécu en tant qu'espèce. Pouvez-vous me décrire le dernier client qui est entré hier ?

— Euh… non.

— Et pourtant vous reconnaîtriez cette personne en une fraction de seconde si elle entrait maintenant.

— Probablement.

— C'est ce sur quoi je mise.

— Vous misez quatre cent trente-cinq mille de vos propres couronnes là-dessus ? Et si je ne le reconnais pas ? »

Harry projeta sa lèvre inférieure en avant. « Alors, je serai au moins propriétaire d'un bar. »

À sept heures quarante-cinq, Mona Daa poussa la porte de la rédaction de *VG* et entra avec sa démarche de canard. Elle avait passé une mauvaise nuit. Bien qu'étant allée directement du terminal des conteneurs au Gain pour y faire une séance si dure qu'elle était percluse de douleurs, elle avait à peine pu dormir. Et elle avait fini par décider d'en parler à la rédactrice en chef, sans entrer dans les détails. Lui demander si une source conservait son droit à la protection quand elle avait totalement roulé dans la farine le journaliste. En d'autres termes, pouvait-elle aller trouver la police maintenant ? Ou était-ce de toute façon plus malin d'attendre de voir s'il reprenait contact ? Il pouvait après tout exister une bonne explication au fait qu'il ne soit pas venu.

« L'air fatiguée, Daa, cria la rédactrice en chef. Fait la fête hier soir ?

— *I wish*, répondit Mona à mi-voix en lâchant son sac de sport à côté de son bureau avant d'allumer son PC.

— Du genre plutôt expérimental, peut-être ?

— *I wish* », répéta Mona bien fort. Levant la tête, elle vit plusieurs visages dépasser des écrans de l'*open space*. Des visages curieux, au ricanement jubilatoire.

« Quoi ? cria-t-elle.

— Juste du strip-tease ou de la zoophilie ? fit une voix basse qu'elle ne put identifier avant que quelques-unes des filles partent dans un fou rire.

— Ouvre tes mails, dit la rédactrice en chef. Nous étions deux ou trois à être mis en copie. »

Mona se glaça. Elle sentit le bruissement d'un pressentiment alors qu'elle martelait plus qu'elle ne pianotait sur son clavier.

L'expéditeur était brigadecriminelle@oslopol.no.

Il n'y avait pas de texte, juste une photo. Prise sans doute avec un appareil très sensible puisqu'elle n'avait vu aucun flash. Et un téléobjectif, peut-être. Au premier plan, on voyait le chien pisser sur la cage, et au milieu de la cage, elle-même, tendue, regardant dehors avec les yeux exorbités d'une bête sauvage.

Elle s'était fait avoir. Ce n'était pas un vampiriste qui l'avait appelée.

À huit heures quinze, Smith, Wyller, Holm et Harry étaient réunis dans la Chaufferie.

« Nous avons une affaire de disparition qui pourrait être l'œuvre du vampiriste, déclara Harry. Marte Ruud, vingt-quatre ans, a disparu du restaurant Schrøder hier avant minuit. Katrine est en train de briefer la cellule d'enquête en ce moment même.

— Les TIC sont sur place, annonça Bjørn Holm. Aucune piste pour l'instant. À part celle que tu as mentionnée.

— De quoi s'agit-il ? demanda Wyller.

— Un *v* sur une nappe, tracé au rouge à lèvres. L'angle entre les traits est le même que sur la porte d'Ewa Dolmen. » Il fut interrompu par une *steel guitar* qu'il reconnut comme celle de Don Helms dans l'ouverture du *Your Cheatin' Heart* de Hank Williams.

« Dingue, on a du réseau ! s'exclama Bjørn Holm en tirant le téléphone de sa poche. Holm. Hein ? Je n'entends pas. Attendez. »

Bjørn Holm franchit la porte et disparut dans le Souterrain.

« Il pourrait sembler que ce kidnapping ait un rapport avec moi, expliqua Harry. C'est mon restaurant, ma table habituelle.

— Ce n'est pas bon signe, fit Smith en secouant la tête. Il a perdu le contrôle.

— Et ce n'est pas bon ? demanda Wyller. Cela ne signifie-t-il pas qu'il va être imprudent ?

— Cet aspect des choses est peut-être une bonne nouvelle, dit Smith. Mais maintenant qu'il est devenu accro au sentiment de pouvoir et de contrôle, *personne* ne va avoir le droit de le lui reprendre. C'est exact, Harry, c'est après vous qu'il en a. Et savez-vous quelle en est la raison ?

— L'article de *VG*, dit Wyller.

— Vous le qualifiez de "pauvre pervers" que vous allez… qu'était-il écrit ?

— Menotter, rappela Wyller.

— Et en le qualifiant de "pauvre", vous menacez de lui enlever le contrôle et le pouvoir.

— C'est Isabelle Skøyen qui l'a appelé comme ça, pas moi, mais ça n'a plus grande importance maintenant, précisa Harry en se frottant la nuque. Vous pensez qu'il veut se servir de la fille pour me trouver, Smith ? »

Smith secoua la tête. « Elle est morte.

— Qu'est-ce qui vous en rend si sûr ?

— Il ne cherche pas la confrontation, il veut juste montrer, à vous et à tous les autres, qui a le pouvoir. Il veut montrer qu'il peut aller chez vous et prendre l'un des vôtres. »

Harry s'arrêta brusquement de se frotter la nuque. « L'un des *miens* ? »

Smith ne répondit pas.

Bjørn Holm déboula dans la pièce comme une tornade. « C'était Ullevål. Juste avant la mort de Penelope Rasch, un homme s'est présenté à la réception avec sa pièce d'identité comme l'un de ses proches, un certain Roar Wiik, son ex-fiancé.

— Celui qui avait acheté la bague de fiançailles que Valentin a volée dans l'appartement, précisa Harry.

— Ils l'ont contacté pour lui demander s'il avait remarqué quelque chose sur elle, poursuivit Bjørn Holm. Mais Roar Wiik dit qu'il n'est pas allé à l'hôpital. »

Le silence se fit dans la Chaufferie.

« Pas le fiancé…, fit Smith. Mais alors… »

Le cri des roulettes retentit alors que la chaise vide de Harry se précipitait vers le mur. Harry lui-même était déjà à la porte. « Wyller, viens ! »

Harry courait.

Le couloir d'hôpital s'étirait et semblait s'allonger, s'allonger plus vite qu'il ne courait, comme un univers en expansion que même la lumière, même la pensée ne pouvaient rattraper.

Il évita de justesse de renverser un homme qui sortait d'une chambre, la main autour d'un portant avec une poche de perfusion.

L'un des vôtres.

Valentin avait pris Aurora parce que c'était la fille de Ståle Aune.

Marte Ruud parce qu'elle travaillait dans le restaurant dont il était habitué.

Penelope Rasch pour leur montrer qu'il pouvait.

L'un des vôtres.

301.

Harry saisit le pistolet dans la poche de sa veste. Un Glock 17 enfermé dans un tiroir du premier étage qu'il n'avait pas touché depuis presque un an et demi. Ce matin-là, il l'avait emporté. Non pas parce qu'il pensait en avoir besoin. Mais parce que, pour la première fois depuis ces trois ans, il n'était pas tout à fait sûr de ne *pas* en avoir besoin.

Il poussa la porte de la main gauche tout en pointant son pistolet devant lui.

La chambre était vide. Comme dans vidée.

Rakel n'y était plus. Le lit n'y était plus.

Harry suffoqua.

Il alla où s'était trouvé le lit.

« Désolé, vous arrivez trop tard », déclara une voix derrière lui.

Harry pivota sur lui-même. Le chef de service Steffens se tenait à la porte, les mains dans les poches de sa blouse blanche. Il haussa un sourcil à la vue du pistolet.

« Où est-elle ? demanda Harry en haletant.

— Je vais vous le dire si vous baissez ça. »

Harry baissa son pistolet.

« Examens, dit Steffens.

— Elle… ça va ?

— Son état est stationnaire, stable dans son instabilité. Mais elle va survivre à cette journée, si c'est ce qui vous inquiète. À quoi doit-on toute cette agitation ?

— Il faut la placer sous surveillance.

— Elle est sous la surveillance de cinq membres de notre personnel de santé en ce moment même.

— Nous allons poster un policier armé devant sa porte. Des objections ?

— Non, mais ce n'est pas mon domaine. Craignez-vous que l'assassin puisse venir ici ?

— Oui.

— Parce qu'elle est la femme de quelqu'un qui le poursuit ? Nous ne donnons le numéro de chambre qu'aux proches.

— Ça n'a pas empêché celui qui s'est fait passer pour le fiancé de Penelope Rasch de se le procurer.

— Ah bon ?

— Je reste ici jusqu'à ce que le policier soit sur place.

— Dans ce cas, vous voulez peut-être un café ?

— Vous n'avez pas besoin…

— Non, mais vous, vous en avez besoin. Donnez-moi juste un instant, nous avons un café tellement infect que c'en est fascinant, juste là-bas, dans la salle de repos. »

Steffens quitta la pièce et Harry regarda autour de lui. Les fauteuils dans lesquels Oleg et lui s'étaient assis étaient tels qu'ils les avaient laissés la veille, de part et d'autre du lit qui n'y était plus. Harry s'assit et fixa le revêtement de sol gris. Il sentit son pouls ralentir. Il conservait néanmoins cette impression de manquer d'air dans cette chambre. Filtrant par un jour à travers les rideaux, un rayon de soleil tombait sur le sol entre les fauteuils et Harry aperçut un cheveu clair replié par terre. Il le ramassa. Valentin avait-il pu entrer dans cette chambre en la cherchant, mais arriver trop tard ? Harry déglutit. Il n'y avait aucune raison d'y penser maintenant, elle était en sécurité.

Steffens revint et tendit à Harry un gobelet en carton, il but une gorgée du sien et s'assit dans l'autre fauteuil, si bien que les deux hommes se retrouvèrent face à face, à un mètre de distance.

« Votre fils est passé, observa Steffens.

— Oleg ? Il n'était pas censé venir avant la fin de ses cours.

— Il a demandé où vous étiez. Il avait l'air révolté que vous ayez laissé sa mère rester seule. »

Harry hocha la tête et but une gorgée de café.

« Ils sont souvent en colère et indignés à cet âge-là, poursuivit Steffens. Ils accusent leur père de tout ce qui tourne mal et cet homme à qui ils voulaient autrefois ressembler incarne soudain tout ce qu'ils ne veulent *pas* devenir.

— Vous parlez d'expérience ?

— Évidemment, nous ne faisons que ça en permanence. » Le sourire de Steffens disparut aussi vite qu'il était apparu.

« Hm. Puis-je vous poser une question personnelle, Steffens ?

— Je vous en prie.

— Le bilan est positif ?

— Pardon ?

— La joie de sauver des vies moins le désespoir de perdre ceux que vous auriez pu sauver. »

Steffens croisa le regard de Harry. Peut-être était-ce la situation, deux hommes assis l'un en face de l'autre dans une chambre obscure, qui avait rendu naturel de poser la question. Des navires qui se croisaient dans la nuit. Steffens ôta ses lunettes et se passa les mains sur le visage comme pour en gommer la fatigue. Il secoua la tête. « Non.

— Et pourtant vous le faites ?

— C'est une vocation.

— Oui, j'ai vu le crucifix dans votre bureau. Vous croyez aux vocations.

— Et vous aussi, je pense, Hole. Je vous ai vu. Ce n'est peut-être pas l'appel d'un dieu, mais vous l'entendez quand même. »

Harry baissa les yeux sur sa tasse. Steffens avait raison quand il parlait d'un goût si infect qu'il en était fascinant. « Cela signifie-t-il que vous n'aimez pas votre travail ?

— Je déteste mon travail, fit le médecin en souriant. Si j'avais pu choisir, j'aurais été pianiste concertiste.

— Hm. Mais êtes-vous un bon pianiste ?

— C'est bien ça, la malédiction, de ne pas être bon dans ce qu'on adore et bon dans ce qu'on déteste, n'est-ce pas ? »

Harry acquiesça. « C'est une malédiction, en effet. Nous faisons ce à quoi on peut nous employer.

— Et le mensonge, c'est de dire qu'il y a une récompense pour quiconque suit sa vocation.

— Parfois, le travail est peut-être une récompense en soi.

— Uniquement pour le pianiste concertiste qui adore la musique ou le bourreau qui adore le sang. » Steffens montra le badge sur sa blouse de médecin. « Je suis né à Salt Lake City, où j'ai été élevé comme un mormon. Mes parents m'ont baptisé d'après John Doyle Lee, un homme pacifiste qui vivait dans la crainte de Dieu et qui, à l'automne 1857, s'est vu ordonner par les anciens de sa paroisse de massacrer un groupe d'émigrants athées qui pénétraient sur leurs terres. Il a consigné ses états d'âme dans son journal, disant que c'était la terrible vocation que le destin lui avait donnée et qu'il devait l'accepter.

— Le massacre de Mountain Meadows.

— Voyez-vous ça. Vous connaissez votre histoire, Hole.

— J'ai étudié le meurtre en série au FBI et nous avons dû passer en revue aussi les assassinats collectifs les plus célèbres. Mais je dois reconnaître que je ne me souviens plus de ce qu'il est advenu de votre homonyme. »

Steffens consulta sa montre. « Espérons que sa récompense l'attendait au ciel, parce que sur terre, tout le monde a trahi John Doyle Lee, y compris notre chef spirituel, Brigham Young. John Doyle a été condamné à mort. Mon père trouvait toutefois que c'était un exemple à suivre, de renoncer à l'amour facilement achetable de ses prochains pour suivre la vocation qu'on détestait.

— Il ne la détestait peut-être pas autant qu'il le prétendait ?

— Que voulez-vous dire ? »

Harry haussa les épaules. « Un alcoolique déteste et maudit l'alcool parce qu'il détruit sa vie. Mais en même temps, l'alcool *est* sa vie.

— Analogie intéressante. » Steffens se leva, alla à la fenêtre et écarta les rideaux. « Et vous, Hole, votre vocation détruit-elle votre vie tout en étant votre vie ? »

Harry mit sa main en visière, il chercha à voir Steffens, mais était ébloui par le soudain afflux de lumière. « Vous êtes toujours mormon ?

— Vous êtes toujours sur l'affaire ?

— On dirait.

— Nous ne pouvons pas faire autrement, si ? Il faut que j'aille travailler, Harry. »

Après le départ de Steffens, Harry composa le numéro de Gunnar Hagen.

« Salut, patron, j'ai besoin d'un garde à l'hôpital d'Ullevål, dit-il. Tout de suite. »

Wyller se tenait là où Harry lui avait dit, derrière la voiture garée juste en travers de la sortie.

« J'ai vu arriver un policier, dit-il. Tout va bien ?

— Nous mettons un garde devant sa porte », expliqua Harry en s'installant sur le siège passager.

Wyller enfonça son pistolet de service dans son holster et se mit au volant. « Et Valentin ?

— Dieu seul le sait. »

Harry sortit le cheveu de la poche de sa veste. « C'est probablement juste de la paranoïa, mais demande à la Médecine légale de faire une analyse express de ce cheveu, juste histoire d'exclure toute correspondance avec ce qu'on a trouvé sur les scènes de crime, OK ? »

La voiture roulait tranquillement dans les rues, comme si on avait rembobiné et passé au ralenti la scène de leur course frénétique vingt minutes plus tôt.

« Les mormons utilisent-ils le symbole de la croix, au fait ? demanda Harry.

— Non, répondit Wyller. Ils considèrent la croix comme un symbole païen de la mort. Eux croient en la résurrection.

— Hm. Donc un mormon qui a un crucifix au mur, c'est presque comme un musulman avec un dessin de Mahomet.

— Précisément. »

Harry monta le volume de la radio. The White Stripes. « Blue Orchid ». Guitares, percussions. Nudité. Clarté.

Il monta le son sans savoir avec certitude ce qu'il essayait de couvrir.

Hallstein Smith se tournait les pouces. Il était seul dans la Chaufferie et, en l'absence des autres, il n'y avait pas grand-chose qu'il puisse faire. Il avait fini de rédiger un profil concis du vampiriste et surfé sur Internet pour lire ce que les médias disaient des meurtres vampiristes. Il était même remonté dans le temps pour lire aussi ce qu'ils avaient écrit depuis le premier meurtre, sept jours auparavant. Hallstein Smith s'interrogeait sur l'opportunité de mettre à profit ce temps libre pour travailler un peu sur sa thèse quand son téléphone sonna.

« Allô ?

— Smith ? fit une voix féminine. C'est Mona Daa de *VG*.

— Oui ?

— Vous semblez surpris.

— C'est juste que je ne pensais pas que le réseau marchait ici.

— À propos de réseau, pouvez-vous me confirmer que le vampiriste est probablement responsable de la disparition d'une employée du restaurant Schrøder cette nuit ?

— Confirmer ? Moi ?

— Oui, vous travaillez pour la police maintenant, non ?

— Oui, si on veut, mais je ne suis pas en position de dire quoi que ce soit.

— Parce que vous ne savez pas ou parce que vous n'avez pas le droit ?

— Les deux, sans doute. Si je devais éventuellement dire quelque chose, ce serait des généralités. En tant qu'expert du vampirisme, donc.

— Super ! Parce que dans ce cas, j'ai un podcast…

— Un quoi ?

— De la radio. *VG* a sa propre chaîne de radio.

— Ah, je vois.

— Pourrais-je vous inviter à venir parler du vampiriste ? Dans l'absolu, donc. »

Hallstein Smith réfléchit. « Le cas échéant, il me faudrait obtenir d'abord l'autorisation de la direction de l'enquête.

— Bien, alors j'attends de vos nouvelles. Autre chose, Smith. J'ai écrit un papier sur vous. Dont je pars du principe que vous étiez content. Indirectement, il vous a placé au centre des événements.

— Voui. Oui.

— Pourriez-vous en contrepartie me dire qui dans la maison m'a attirée au terminal des conteneurs hier ?

— Attirée où ça ?
— Bon, d'accord. Bonne journée. »
Hallstein Smith resta à regarder son téléphone. Le terminal des conteneurs ? De quoi parlait-elle ?

Truls Berntsen parcourut la série de photos de Megan Fox sur son écran d'ordinateur. Son déclin faisait presque peur à voir. Étaient-ce juste les photos ou le fait de savoir qu'elle avait franchi la barre des trente ans ? Ou de savoir ce que mettre un enfant au monde avait fait à un corps qui, dans *Transformers* en 2007, était la perfection même ? Ou était-ce que, au cours de ces deux dernières années, il avait lui-même troqué huit kilos de graisse contre quatre kilos de muscles et baisé neuf nanas ? Ce qui avait rendu le rêve lointain de Megan Fox un peu moins lointain ? De la même façon qu'une année-lumière est moins lointaine que deux. Ou peut-être était-ce tout simplement l'idée que, dans dix heures, il allait s'asseoir en face d'Ulla Bellman, la seule femme qu'il désirait plus que Megan Fox ?
Il entendit un toussotement et leva les yeux.
Katrine Bratt avait le bras appuyé sur la cloison mobile.
Depuis que Wyller avait déménagé dans ce club de garçons ridicule dans la Chaufferie, Truls avait pu se consacrer totalement à *The Shield*. Il avait maintenant vu toutes les saisons disponibles et espérait que Katrine Bratt ne venait pas là avec une mission qui menacerait son oisiveté.
« Bellman voudrait te dire un mot, l'informa-t-elle.
— OK. »
Truls éteignit son ordinateur, se leva et passa devant Katrine Bratt. Si près qu'il aurait senti son parfum

si elle en avait porté. Il trouvait que les femmes pouvaient bien se mettre un peu de parfum. Pas autant que celles qui s'en arrosaient, et avaient du reste des lésions causées par les solvants, mais un peu. Suffisamment pour lui permettre d'imaginer ce qu'elles sentaient *réellement*.

Pendant qu'il attendait l'ascenseur, il eut le temps de s'interroger sur ce que voulait Mikael. Mais rien ne lui vint à l'esprit.

Ce ne fut qu'une fois dans le bureau du directeur de la police qu'il comprit qu'il était démasqué. Quand, regardant le dos de Mikael à la fenêtre, il l'entendit dire, sans préambule : « Tu m'as trahi, Truls. C'est cette pute qui est venue à toi ou l'inverse ? »

Cela lui fit l'effet d'une douche glacée. Qu'est-ce qui s'était passé, bordel ? Ulla avait-elle craqué et tout avoué parce qu'elle avait mauvaise conscience ? Ou Mikael avait-il fait pression sur elle ? Et que dire maintenant, bordel ?

Il toussota. « C'est elle qui est venue à moi, Mikael. C'est elle qui le voulait.

— Bien sûr que cette putain le voulait, elles prennent ce qu'elles peuvent avoir. Mais que ce soit toi qui le lui donnes, celui en qui j'ai le plus confiance, après tout ce que nous avons traversé. »

Truls avait peine à croire qu'il parle ainsi de sa femme et de la mère de ses enfants.

« Je ne me voyais pas refuser de nous voir pour discuter un peu, il ne devait rien se passer d'autre.

— Mais il y a eu plus, non ?

— Il n'y a rien eu.

— *Rien ?* Tu ne comprends pas que nous avons tenu le meurtrier informé de ce que nous savons et ne savons pas ? Combien t'a-t-elle payé ? »

Truls cligna des yeux. « Payé ? » Il finit par comprendre.

« Je suppose que Mona Daa n'a pas obtenu ces tuyaux pour rien ? Réponds et n'oublie pas que je te connais, Truls. »

Truls afficha un large sourire. Il était tiré d'affaire. Et il répéta : « Il ne s'est rien passé. »

Mikael se retourna et abattit furieusement le poing sur son bureau : « Tu nous prends pour des cons ? »

Truls contemplait le jeu papillotant du blanc et du rouge sur les vastes taches de pigmentation de Mikael, comme si le sang affluait et se retirait sous la peau de son visage. Au fil des ans, les taches s'étaient agrandies, comme chez un serpent qui mue.

« Dis-moi donc ce que vous pensez savoir », fit Truls en s'asseyant sans demander.

Mikael le considéra avec stupéfaction. Puis lui aussi se laissa tomber sur son fauteuil. Car il l'avait peut-être vu dans le regard de Truls. Qu'il n'avait pas peur. Que si on le jetait par-dessus bord, il entraînerait Mikael Bellman dans sa chute. Jusqu'au fond.

« Ce que je sais, dit Mikael, c'est que Katrine Bratt a fait irruption dans mon bureau très tôt ce matin pour me dire que, comme je lui avais demandé de te garder particulièrement à l'œil, elle avait demandé à l'un de ses brigadiers de te surveiller. Manifestement, tu étais déjà soupçonné d'être à l'origine de la fuite, Truls.

— Qui était le brigadier ?

— Elle ne me l'a pas dit et je ne lui ai pas demandé. »

Naturellement, songea Truls. Au cas où tu te retrouverais dans une situation délicate, il te serait plus profitable de pouvoir affirmer que tu ne sais rien. Truls n'était peut-être pas le mec le plus malin de la planète, mais il n'était pas non plus aussi stupide que les gens autour de lui se le figuraient, et il avait fini par comprendre comment pensaient Mikael et consorts des sommets.

« Le brigadier de Bratt a fait preuve d'initiative, dit Mikael. Il a vérifié et vu que tu avais eu des contacts téléphoniques avec Mona Daa au moins deux fois cette dernière semaine. »

Brigadier qui vérifie les appels, songea Truls. Qui a eu des contacts avec les téléopérateurs. Le brigadier Anders Wyller. Pas con, le père Truls, non.

« Pour prouver que tu étais la source de Mona Daa, il l'a appelée. Il s'est fait passer pour le vampiriste, ce qu'il lui a prouvé en lui demandant d'appeler sa source pour vérifier un détail que seul le coupable et la police pouvaient connaître.

— Le blender à smoothies.

— Donc tu reconnais les faits ?

— Que Mona Daa m'a appelé, oui.

— Bien, parce que le brigadier a réveillé Katrine Bratt cette nuit pour lui dire qu'il avait un relevé de communications du téléopérateur prouvant que Mona Daa t'avait appelé juste après son coup de bluff. Ça va être relativement difficile de noyer le poisson, Truls. »

Truls haussa les épaules. « Il n'y a pas de poisson à noyer. Mona Daa m'a appelé, elle m'a interrogé sur un blender, ce que j'ai naturellement refusé de commenter, en la renvoyant à la direction de l'enquête. L'appel était terminé au bout de dix ou vingt secondes, comme le relevé de communications l'indique sûrement. Mona Daa soupçonnait peut-être que c'était ce que c'était, une tactique pour démasquer sa source. Alors elle m'a appelé moi plutôt que sa source.

— D'après le brigadier, elle s'est ensuite présentée à l'endroit convenu au terminal des conteneurs pour rencontrer le vampiriste, le brigadier a même pris une photo. Donc *quelqu'un* a dû confirmer l'histoire du blender à smoothies.

— Mona Daa a pu convenir d'abord du rendez-vous *et puis* aller trouver sa source et obtenir la confirmation en face à face. Les journalistes tout comme les policiers savent qu'il est facile de retrouver qui a appelé qui et quand.

— À propos, tu as eu deux autres conversations téléphoniques avec Mona Daa, dont une de plusieurs minutes.

— Vérifie les relevés. C'est Mona Daa qui *m*'a appelé, moi, je ne l'ai *jamais* appelée. Qu'un pitbull comme Daa ait besoin d'insister pendant quelques minutes pour comprendre qu'il n'y a rien à obtenir et qu'elle essaie tout de même de voir si elle arrive à crever l'abcès, c'est son problème. J'ai finalement pas mal de temps libre en ce moment. »

Truls se pencha en arrière sur sa chaise. Il joignit les mains et regarda Mikael qui hochait la tête comme s'il absorbait les propos de Truls, recherchait d'éventuelles failles qu'ils auraient pu négliger. Un petit sourire, une certaine chaleur dans son regard brun indiquèrent qu'il avait tiré la conclusion que cela *pouvait* marcher, qu'ils *pouvaient* tirer Truls d'affaire.

« Soit, fit Mikael. Mais s'il apparaît maintenant que ce n'est pas toi la source, Truls, je me demande bien qui ça peut être. »

Truls fit la moue que ce gros tas de Française qu'il avait draguée en ligne lui avait appris à faire en lui posant systématiquement cette question compliquée : « On se revoit quand ? »

« Va savoir. Personne ne souhaite être vu en train de parler trop longtemps avec une journaliste comme Daa dans une affaire pareille. Non, le seul que j'aie vu, c'est le brigadier Wyller. Mais, attends, si je ne m'abuse, il lui a donné un numéro auquel elle pouvait l'appeler. Et, oui, elle aussi lui a dit où il pouvait la trouver, à cette salle de sport. Le Gain. »

Mikael Bellman observa Truls. Avec un petit sourire légèrement ébahi, comme un époux qui, après des années, vient de découvrir que sa femme sait chanter, est d'extraction noble ou a fait des études secondaires.

« Donc ce que tu sous-entends, Truls, c'est que la fuite vient probablement de quelqu'un qui est nouveau dans la maison. » Bellman se passa pensivement l'index et le majeur sur le menton. « Une supposition naturelle dans la mesure où le problème de fuite n'est survenu que très récemment et ne – quel est le mot ? – *reflète* pas la culture que nous avons développée au sein de la police d'Oslo ces dernières années. Mais qui c'est et qui ce n'est pas, nous ne le saurons jamais, puisque la journaliste est obligée de protéger sa source. »

Truls produisit son rire soufflé par le nez. « Bien, Mikael. »

Mikael acquiesça. Il se pencha en avant et, avant que Truls ait pu réagir, il l'attrapa par le col et le tira à lui.

« Alors combien cette pute t'a-t-elle payé, Beavis ? »

22

Mardi après-midi

Mehmet resserra le peignoir sur sa poitrine. Les yeux braqués sur son écran de téléphone, il faisait mine de ne pas regarder les gens qui allaient et venaient dans le vestiaire simple. Le billet d'entrée n'imposait aucune limite à la durée de séjour au Cağaloğlu Hamame. Mais, forcément, si un homme passait des heures dans un vestiaire à scruter d'autres hommes nus, il risquait de se faire mal voir. C'est pourquoi il s'était déplacé à intervalles réguliers de la chaleur sèche du sauna aux brumes permanentes du hammam, puis aux bassins de différentes températures, du chaud vaporeux au froid. Et puis il y avait aussi une raison pratique à cela : les pièces étaient reliées par plusieurs portes si bien qu'il risquait que des clients le contournent s'il restait toujours au même endroit. Mais à cet instant précis, il faisait suffisamment froid dans le vestiaire pour qu'il ait envie de regagner la chaleur. Mehmet consulta sa montre. Seize heures. Le tatoueur turc pensait se souvenir avoir vu l'homme au tatouage de démon en début d'après-midi et il n'y avait sans doute pas de raison pour que les tueurs en série ne soient pas des gens routiniers, eux aussi.

Harry Hole avait expliqué à Mehmet qu'il était

l'espion parfait. Premièrement parce qu'il était l'une des deux seules personnes en mesure de reconnaître le visage de Valentin Gjertsen. Deuxièmement parce que, étant turc, il passait inaperçu dans ce bain fréquenté essentiellement par ses compatriotes. Et troisièmement parce que, d'après Harry, Valentin aurait tout de suite repéré un policier. Et puis ils avaient apparemment une taupe à la Brigade criminelle, qui donnait des renseignements à *VG* et à Dieu sait qui d'autre. C'est pourquoi Harry et Mehmet étaient les deux seuls à être au courant de ce plan. Mais Harry avait promis qu'il s'écoulerait moins d'un quart d'heure entre l'instant où Mehmet l'avertirait qu'il avait vu Valentin et l'arrivée de Harry sur place avec des policiers armés.

Par ailleurs, Harry lui avait aussi promis qu'Øystein Eikeland était l'intérimaire parfait pour le Jealousy. Un type qui, quand il avait franchi la porte, avait eu l'air d'un épouvantail décrépit avec des vêtements en jean élimés dégageant une odeur de hippie et de vieille débauche. Et quand Mehmet lui avait demandé s'il avait déjà tenu un bar, Eikeland s'était glissé une roulée entre les lèvres et avait soupiré. « J'ai tenu des bars pendant des années, mon garçon. Avec les mains, avec les genoux et avec les pieds. Mais jamais derrière le comptoir. »

Mais Eikeland était l'homme de confiance de Harry, et il ne lui restait qu'à compter sur le fait que ce ne serait pas un désastre complet. Maximum une semaine, avait dit Harry. Et ensuite il pourrait regagner son bar. Qui désormais était donc en copropriété. Quand Mehmet lui avait donné le porte-clefs avec un cœur en plastique cassé, le logo du Jealousy Bar, Harry s'était profondément incliné, avant de lui dire qu'il fallait qu'ils parlent de la musique. Qu'il y avait des gens de plus de trente ans auxquels la nouvelle musique ne donnait pas de boutons, qu'en l'occurrence le salut était possible même pour quelqu'un qui était embourbé dans les marécages de Bad Company. La seule perspective d'une discussion pareille valait au moins une semaine d'ennui, songea Mehmet en faisant défiler la page d'accueil de *VG* bien qu'il ait relu les mêmes titres sûrement dix fois. Il en découvrit un nouveau et s'arrêta dessus.

Célèbres vampiristes de l'histoire. Et pendant qu'il fixait l'écran en attendant le corps du texte se produisit un phénomène singulier. L'espace d'un instant, ce fut comme s'il ne pouvait plus respirer. Il leva les yeux. La porte des bains se referma. Il regarda autour de lui. Les trois hommes du vestiaire étaient les mêmes que quelques instants auparavant. Quelqu'un était entré et avait traversé la pièce. Mehmet reposa son téléphone dans son casier, le verrouilla, se leva et suivit.

Un grondement sourd provenait des cuves de la pièce voisine. Harry consulta sa montre. Quatre heures cinq. Il recula sa chaise, joignit les mains derrière sa tête et s'appuya contre le mur. Smith, Bjørn et Wyller le regardèrent.

« Ça fait seize heures que Marte Ruud a disparu, déclara Harry. Du nouveau ?

— Des poils, dit Bjørn Holm. Les TIC en ont trouvé près de la porte d'entrée du Schrøder. Ils sembleraient correspondre aux poils de Valentin Gjertsen prélevés sur les menottes et envoyés pour analyse. Ces poils laissent supposer qu'il y a eu lutte et qu'il n'a pas fait le ménage derrière lui, cette fois. Il n'y avait pas de sang au Schrøder et nous pouvons espérer qu'elle était en vie quand ils ont quitté les lieux.

— OK, fit Smith. Il y a une possibilité qu'elle soit en vie et cette possibilité, c'est qu'il la garde comme vache.

— Comme vache ? » demanda Wyller.

Le silence tomba sur la Chaufferie. Harry esquissa une grimace. « Vous voulez dire qu'il… qu'il la *trait* ?

— Le corps met vingt-quatre heures pour reproduire un pour cent de ses globules rouges, dit Smith. Dans le meilleur des cas, cela peut étancher quelque peu sa soif de sang pendant un temps. Dans le pire des cas, cela signifie uniquement qu'il concentre encore plus ses efforts pour regagner le contrôle et le pouvoir. Et que, de nouveau, il va s'en prendre à ceux qui l'ont humilié. Ce qui signifie vous et les vôtres, Harry.

— Ma femme est sous surveillance policière vingt-quatre heures sur vingt-quatre et j'ai laissé un message sur le répondeur de mon fils pour lui dire de faire attention.

— Donc il pourrait s'en prendre à des hommes aussi ? interrogea Wyller.

— Absolument », répondit Smith.

Harry sentit une vibration dans la poche de son pantalon. Il répondit au téléphone. « Oui ?

— C'est Øystein, comment tu fais un daiquiri ? J'ai un client difficile, là, et Mehmet ne répond pas.

— Comment veux-tu que je le sache ? Le client ne sait pas ?

— Non.

— C'est un truc avec du rhum et du citron vert. Google, tu en as entendu parler ?

— Oui, je suis pas débile, quand même. C'est sur Internet, c'est ça ?

— Essaie, ça pourrait te plaire. Je raccroche maintenant. » Harry coupa la communication. « Désolé. Autre chose ?

— Auditions de témoins autour du Schrøder, fit Wyller. Personne n'a rien vu ni entendu. Curieux, dans une rue si passante.

— Un lundi autour de minuit, le coin peut être assez désert, dit Harry. Mais transporter quelqu'un de conscient ou d'inconscient dans le quartier sans se faire remarquer ? Niet. Il devait avoir une voiture garée juste devant.

— Il n'y a aucune voiture enregistrée au nom de Valentin Gjertsen ni aucun véhicule loué à ce nom hier », précisa Wyller.

Harry se tourna vers lui.

Wyller lui lança un regard interrogateur. « Je comprends bien que la probabilité qu'il utilise son propre nom est proche de zéro, mais j'ai vérifié, en tout cas. Ce n'est pas une… ?

— Si, c'est très bien, répondit Harry. Envoie le portrait-robot aux agences de location de voitures. Il y a un Deli de Luca ouvert vingt-quatre heures sur vingt-quatre à côté du Schrøder…

— J'étais à la réunion du matin de la cellule d'enquête et ils ont vérifié leurs caméras de surveillance, précisa Bjørn. Nada.

— OK, autre chose que je devrais savoir qui vienne de la cellule ?

— Des gens aux États-Unis travaillent pour obtenir l'accès aux adresses IP des victimes sur Facebook avec une assignation à comparaître plutôt qu'un arrêt de justice complet, dit Wyller. Ça ne nous donnerait pas le contenu, mais toutes les adresses des expéditeurs et des destinataires, et ça prendrait peut-être quinze jours au lieu de plusieurs mois. »

Mehmet se tenait devant la porte du *hararet*. La salle de vapeur. Il avait vu la porte se refermer au moment où il sortait du vestiaire. Et c'était dans la salle de vapeur que l'homme au tatouage avait été observé. Mehmet savait que la probabilité était mince de voir Valentin débarquer dès maintenant, le premier jour. À moins qu'il ne vienne au hammam plusieurs fois par semaine, bien sûr. Alors pourquoi restait-il là à hésiter ?

Mehmet déglutit.

Puis il ouvrit la porte et entra dans la salle de vapeur. Le brouillard opaque se dispersa, se mit à tourbillonner et s'engouffra par la porte, ouvrant un passage dans la pièce. Et un instant, Mehmet fixa le visage d'un homme assis au deuxième niveau, sur la banquette juste en face. Leurs regards se croisèrent. Puis le couloir se referma et le visage disparut. Mais il en avait vu assez.

C'était lui. L'homme qui était venu au bar ce soir-là.

Devait-il repartir tout de suite en courant ou s'asseoir un peu d'abord ? L'homme l'avait vu le dévisager, s'il sortait tout de suite, cela éveillerait sans doute ses soupçons, non ?

Mehmet resta à la porte.

Il avait l'impression que la vapeur qu'il respirait obstruait ses voies respiratoires. Il ne put plus attendre, il fallait qu'il parte. Mehmet ouvrit doucement la porte et sortit. Courant sur les carreaux glissants à petits pas rapides pour ne pas déraper, il rejoignit le vestiaire. Il jura quand il peina à composer le code de son cadenas. Quatre chiffres. 1683. Le siège de Vienne. L'année où l'Empire ottoman avait dominé le monde, du moins la partie qui valait la peine d'être dominée. L'année où l'empire n'avait plus pu s'étendre davantage. Et où le déclin avait commencé. Faillite sur faillite. Était-ce pour cela qu'il avait choisi ce nombre précis, parce que, dans un sens, il racontait sa propre histoire, celle de celui qui avait tout et le perdait ? Enfin, il parvint à ouvrir le cadenas. Il tira le téléphone du casier, pianota et le plaqua contre son oreille. Il regardait fixement la porte de casier qui s'était refermée, s'attendait à ce que l'homme déboule à tout moment et l'attaque.

« Oui ?

— Il est là, chuchota Mehmet.

— Sûr ?

— Oui. Dans la salle de vapeur.

— Gardez un œil, on arrive dans un quart d'heure. »

« Tu as quoi ? demanda Holm en embrayant alors que le feu passait au vert sur Hausmannsgate.

— J'ai recruté un volontaire civil au bain turc de Sagene. »

Harry regarda dans le rétroviseur de la légendaire Volvo Amazon de 1970 de Bjørn Holm ; blanche à l'origine, puis repeinte en noir avec le damier blanc d'une bande de rallye sur le toit et le coffre. Derrière, les voitures disparurent dans un nuage de gaz d'échappement noirs.

« Sans nous demander ? » Bjørn klaxonna et doubla une Audi par la droite.

« Comme ce n'est pas tout à fait réglementaire, je ne voyais aucune raison de vous rendre complices.

— Il y a moins de feux par Maridalsveien », observa Wyller sur la banquette arrière.

Bjørn rétrograda et jeta l'Amazon sur la droite. Harry sentit la pression des vieilles ceintures de sécurité trois points que Volvo avait été la première marque à produire, mais qui, dépourvues d'enrouleurs, faisaient qu'on pouvait à peine bouger.

« Comment ça va, Smith ? » cria Harry par-dessus le bruit du moteur en regardant dans son miroir de courtoisie.

En temps normal, il n'aurait pas emmené un expert mandaté pour une enquête sur une intervention armée comme celle-ci, mais il avait décidé au dernier moment d'embarquer Smith au cas où surviendrait une prise d'otages ou un siège qui pourrait requérir les aptitudes du psychologue à lire Valentin. Comme il avait lu Aurora. Comme il avait lu Harry.

« Juste un peu le mal des transports, répondit Smith avec un sourire pâle. Qu'est-ce que c'est, cette odeur ?

— Vieil embrayage, chauffage et adrénaline, dit Bjørn.

— Écoutez, fit Harry. Nous y serons dans deux minutes, donc je répète : Smith, vous restez dans la voiture. Wyller et moi allons dans l'entrée principale. Bjørn passe par la porte arrière. Tu as compris où c'était ?

— Ouaip, dit Bjørn. Et ton homme est toujours *online* ? »

Harry acquiesça en tenant le téléphone contre son oreille. Ils se garèrent devant un vieux bâtiment. Harry avait vérifié sur les plans. Cette ancienne usine, qui abritait désormais une imprimerie, des bureaux, un studio d'enregistrement et un hammam, ne comptait qu'une seule porte arrière en plus de l'entrée principale.

« Toutes armes chargées et prêtes au tir ? demanda Harry, qui souffla quand il se dégagea de l'étreinte serrée de la ceinture de sécurité. Nous le voulons vivant. Mais si ça ne marche pas… » Il leva les yeux sur les fenêtres occultées de part et d'autre de l'entrée alors qu'il entendait Bjørn psalmodier à voix basse : « Police, tir d'avertissement, tir suivant dans le gus. Police, tir d'avertissement, tir…

— Maintenant », fit Harry.

Ils sortirent de la voiture, traversèrent le trottoir et se séparèrent devant l'entrée.

Harry et Wyller montèrent les trois marches et franchirent une porte lourde. L'entrée sentait le détergent ammoniaqué et l'encre d'imprimerie. Deux portes étaient ornées de plaques dorées astiquées, gravées des lettres ornées de petits cabinets d'avocats qui en voulaient mais n'avaient pas eu les moyens de louer en centre-ville. Sur la troisième porte, une plaque modeste indiquait CAĞALOĞLU HAMAME en lettres si petites qu'on aurait pu avoir l'impression que les clients qui ne connaissaient pas les lieux n'étaient pas souhaités.

Harry ouvrit et entra.

Il se retrouva dans un couloir à la peinture murale écaillée, avec un simple comptoir où un homme en jogging large d'épaules et avec une barbe de trois jours foncée lisait un magazine. Si Harry n'avait pas su où il se trouvait, il se serait cru arrivé dans une salle de boxe.

« Police, fit Wyller en glissant son insigne entre le magazine et le visage de l'homme. Restez parfaitement calme et ne prévenez personne. Ce sera terminé dans deux minutes. »

Harry poursuivit dans le couloir et vit deux portes. L'une indiquait VESTIAIRES, l'autre HAMMAM. Il ouvrit celle des bains et entendit Wyller suivre juste derrière. Trois petits bassins s'alignaient dans un long boyau. Sur la droite se trouvaient des cabines avec des bancs de massage. Sur la gauche, deux portes en verre qui devaient ouvrir sur le sauna et le bain de vapeur, et une porte en bois ordinaire, qui, d'après ce que Harry avait vu sur les plans, donnait directement sur ces mêmes vestiaires. Dans le bassin le plus proche, deux hommes levèrent les yeux et les jaugèrent. Assis sur un tabouret près du mur, Mehmet faisait mine de lire sur son téléphone. Il s'empressa de les rejoindre et leur montra la porte en verre où un écriteau en plastique embué indiquait HARARET.

« Est-il seul ? » demanda Harry à voix basse alors que Wyller et lui prenaient chacun son Glock 17. Il entendit le bruit d'un barbotage affolé dans le bassin derrière lui.

« En tout cas, personne n'est entré ni sorti depuis que je vous ai appelé », chuchota Mehmet.

Harry alla à la porte et essaya de voir à l'intérieur, mais tout était d'un blanc impénétrable.

Il fit signe à Wyller de surveiller la porte. Il inspira profondément et allait entrer quand il changea d'avis. Le bruit des chaussures. La suspicion de Valentin ne devait pas être éveillée par le fait que la personne qui entrait n'était pas pieds nus. Harry retira ses chaussures et ses chaussettes de sa main libre. Puis il tira la porte et entra. La vapeur virevolta autour de lui. Tel un voile de mariée. Rakel. Harry n'avait pas la moindre idée d'où lui venait cette pensée, mais il la chassa. Il eut tout juste le temps de distinguer une silhouette solitaire sur la banquette avant de tirer la porte derrière lui et d'être de nouveau enveloppé dans le blanc. Dans le blanc et dans le silence. Harry retint son souffle en guettant celui de l'homme. Avait-il eu le temps de voir que l'homme qui entrait était tout habillé et tenait un pistolet ? Avait-il peur ? Avait-il peur comme Aurora avait eu peur quand elle avait vu ses santiags de l'autre côté de sa cabine, dans les toilettes des filles ?

Harry leva son pistolet et se déplaça jusqu'à la silhouette. Et les contours d'un homme assis se dessinèrent sur le blanc grisâtre. Harry appuya sur la détente jusqu'à ce qu'il rencontre de la résistance.

« Police, fit-il d'une voix rauque. Ne bougez pas ou je tire. » Et une nouvelle réflexion germa dans son cerveau. En pareille situation, il aurait normalement dit « ou *nous* tirons ». C'était de la psychologie élémentaire, ça donnait l'impression qu'ils étaient plusieurs et ça multipliait les chances que l'interpellé se rende tout de suite. Alors pourquoi avait-il dit « je » ? Et maintenant que son cerveau avait ouvert la voie aux questions, elles arrivaient toutes : pourquoi était-il ici lui, plutôt que le Delta, qui était spécialisé dans ce genre de missions ? Pourquoi *en fait* avait-il placé Mehmet ici sans en informer qui que ce soit avant son appel ?

Harry sentait la pression légère de la détente sur son index. Si légère.

Deux hommes dans une pièce où personne ne pouvait les voir.

Qui pourrait démentir que Valentin, qui avait déjà tué plusieurs personnes de ses mains nues et avec un dentier en fer, l'avait attaqué, l'obligeant à lui tirer dessus en légitime défense ?

« *Vurma !* » s'exclama la silhouette devant lui en levant les bras en l'air.

Harry se pencha plus près.

L'homme décharné était nu. Ses yeux écarquillés d'horreur. Et sa poitrine couverte de poils gris, mais par ailleurs vierge de tout tatouage.

23

Mardi, fin d'après-midi

« Bordel ! » s'écria Katrine Bratt en lançant la gomme qu'elle avait ramassée sur son bureau. Elle heurta le mur juste au-dessus de la tête de Harry Hole qui était affalé dans un fauteuil. « Comme si nous n'avions pas assez de problèmes comme ça, tu réussis à enfreindre à peu près chaque putain d'article du Code de la police, plus quelques articles d'autres codes. À quoi est-ce que tu *pensais* ? »

À Rakel, songea Harry en basculant sa chaise en arrière, plaquant le dossier contre le mur. Je pensais à Rakel. Et à Aurora.

« Hein ?

— Je me disais que si un raccourci nous permettait de prendre Valentin Gjertsen ne serait-ce qu'un jour plus tôt, ça pouvait signifier une vie sauvée.

— Ne viens pas me débiter des trucs pareils, Harry ! Tu sais foutrement bien que ça ne marche pas comme ça. Si tout le monde devait penser et faire…

— Tu as raison, je sais. Et je sais que Valentin Gjertsen était à *ça* de se faire prendre. Il a vu Mehmet, l'a reconnu du bar, a compris ce qui se tramait et s'est faufilé par la porte arrière pendant que Mehmet était dans le vestiaire en train de m'appeler. Et je sais aussi que si c'était Valentin Gjertsen qui avait été dans la salle de vapeur quand nous sommes arrivés, tu m'aurais pardonné depuis longtemps et tu aurais chanté les louanges du travail policier proactif et créatif. Exactement ce à quoi tu as affecté la Chaufferie.

— Espèce de con ! » siffla Katrine, et Harry vit qu'elle cherchait sur son bureau un autre objet à lui balancer, mais elle rejeta par bonheur à la fois l'agrafeuse et la pile de correspondance des instances juridiques américaines avec Facebook. « Je ne t'ai *nullement* donné la licence de nous faire apparaître comme des cow-boys. Je n'ai pas encore vu un seul journal en ligne qui ne fasse *pas* sa une sur l'affaire. Des armes dans un hammam paisible, des civils innocents en ligne de mire, un homme de quatre-vingt-dix ans nu menacé par un pistolet. Et *aucune* arrestation ! C'est tellement... » Elle leva les mains et les yeux au plafond comme si elle laissait le jugement à des instances supérieures. « ... amateur !

— Je suis viré ?

— Tu *veux* l'être ? »

Harry la voyait. Rakel, endormie, des tressaillements de ses paupières fines, comme des signaux de morse de la région du Coma. « Oui », dit-il. Et il avait vu Aurora, l'inquiétude et la douleur dans son regard, la blessure intérieure qui ne guérirait jamais totalement. « Et non. Est-ce que toi, tu veux me virer ? »

Katrine gémit, elle se leva et alla à la fenêtre. « Oui, je veux virer quelqu'un, dit-elle en lui tournant le dos. Mais pas toi.

— Hm.

— Hm, le singea-t-elle.

— Envie d'approfondir ?

— J'aimerais bien virer Truls Berntsen.

— Ça va de soi.

— Oui, mais pas parce qu'il est imbuvable et paresseux. C'est lui, la fuite de *VG*.

— Et comment l'as-tu découvert ?

— Anders Wyller lui a tendu un piège. Il est allé un peu loin, je crois qu'il a peut-être voulu rendre la monnaie de sa pièce à Mona Daa. Quoi qu'il en soit, nous n'aurons pas de problèmes avec elle si elle a payé un employé du service public pour des renseignements, pratique dont elle aurait dû savoir qu'elle pouvait conduire à une mise en examen pour corruption.

— Alors pourquoi n'as-tu toujours pas viré Berntsen ?

— Devine, fit-elle en regagnant son bureau.

— Mikael Bellman ? »

Katrine lança un crayon, pas dans la direction de Harry, mais contre la porte fermée. « Bellman est venu ici, il s'est assis là où tu es en ce moment et il m'a dit que Berntsen l'avait convaincu de son innocence. Et puis il a laissé entendre que ça pouvait être Wyller lui-même qui avait parlé à *VG* et essayait donc de reporter la faute sur Berntsen. Mais que tant que nous ne pouvions rien démontrer du tout, mieux valait faire profil bas et capturer Valentin, c'était la seule chose qui comptait maintenant. Tu y crois, toi ?

— Eh bien, Bellman a peut-être raison. Il vaut peut-être mieux remettre le lavage de linge sale à la fin du combat de boue. »

Katrine grimaça. « Tu viens de le découvrir ? »

Harry sortit son paquet de cigarettes. « À propos de fuite. Les journaux écrivent que j'étais au hammam, et soit, j'ai été reconnu. Mais il n'y a pour l'instant que toi et la Chaufferie qui soyez au courant du rôle de

Mehmet, personne d'autre. Pour sa sécurité, j'aimerais bien que ça reste ainsi. »

Katrine acquiesça d'un signe de tête. « J'ai abordé le problème avec Bellman et il était d'accord. Il a dit que nous aurions tout à perdre si jamais cela sortait que nous faisons appel à des civils pour faire notre travail de police, que toute cette histoire nous donnerait l'air d'être paniqués. Il a déclaré que Mehmet et son rôle ne devaient être évoqués devant personne, même pas la cellule d'enquête. Je crois que c'est bien. Même si Truls Berntsen ne peut plus assister aux réunions.

— Ah ? »

Katrine retroussa la lèvre. « Il a un bureau tout seul où il va archiver des rapports sur des affaires qui ne sont *pas* les meurtres du vampiriste.

— Alors tu l'as viré quand même », observa Harry en glissant une cigarette entre ses lèvres. Le téléphone frissonna contre sa cuisse. Il le sortit. C'était un message du médecin chef Steffens.

Examens terminés. Rakel est de retour dans la 301.

« Il faut que je file.

— Tu es toujours avec nous, Harry ?

— Il faut que je réfléchisse. »

Devant l'hôtel de police, Harry trouva son briquet dans un trou de la doublure de sa poche et alluma sa cigarette. Il observa les gens qui passaient devant lui sur le sentier. Ils avaient l'air si équilibrés, si insouciants. Ça avait quelque chose de profondément inquiétant. Où était-il ? Où diable était Valentin ?

« Salut », fit Harry en entrant dans la 301.

Oleg était assis à côté du lit de Rakel, qui était donc de retour dans la chambre. Il leva les yeux du livre qu'il lisait, mais ne répondit pas.

Harry s'assit. « Quelque chose à signaler ? »

Oleg tourna sa page.

« Écoute. » Harry ôta son blouson et le suspendit au dossier de son fauteuil. « Je sais que tu te dis que si je ne reste pas à l'hôpital, c'est que je me soucie plus du boulot que d'elle. Qu'il y a d'autres gens qui peuvent élucider les affaires de meurtre, alors qu'elle, elle n'a que toi et moi.

— Et ce n'est pas vrai ? fit Oleg sans lever le nez de son livre.

— Elle n'a pas besoin de moi, là, Oleg. Je ne peux pas sauver de vie dans cette pièce, alors que dehors je peux faire une différence. Je *peux* sauver des vies. »

Oleg referma son livre et regarda Harry. « Content d'entendre que c'est la philanthropie qui te pousse. Sans quoi on aurait facilement pu croire que c'était autre chose.

— Autre chose ? »

Oleg mit le livre dans son sac. « L'ambition. Tu sais, à la Harry-Hole-est-de-retour-et-il-sauve-la-mise.

— Tu crois que c'est de ça qu'il s'agit ? »

Oleg haussa les épaules. « Le principal, c'est plutôt ce que toi, tu crois. Que tu arrives à te convaincre toi-même de toutes ces conneries.

— C'est comme ça que tu me vois ? Comme un imposteur ? »

Oleg se leva. « Tu sais pourquoi j'ai toujours voulu devenir comme toi ? Ce n'est pas parce que tu étais tellement bien. C'est parce que je n'avais personne d'autre. Tu étais le seul homme de la maison. Mais maintenant que je te vois mieux, je comprends qu'il faut que je fasse tout ce que je peux pour ne *pas* devenir comme toi. Déprogrammation initiée, Harry.

— Oleg… »

Mais il avait déjà passé la porte.

Merde, merde.

Harry sentit le téléphone gronder dans sa poche et l'éteignit sans regarder. Il écouta la machine. Quelqu'un avait monté le son, si bien qu'on entendait un bip à peine décalé à chaque sursaut de la ligne verte.

Comme une horloge en compte à rebours.

En compte à rebours pour quelqu'un dehors.

Et si Valentin était en ce moment même en train de regarder une horloge en attendant la suivante ?

Harry mit la main autour de son téléphone. Mais le relâcha.

Sous la lumière basse et oblique ses veines bleues épaisses projetèrent des ombres sur le dos de sa main large quand il la posa sur celle de Rakel. Il s'efforçait de ne pas compter les bips.

À huit cent six, ne tenant plus en place, il se leva et fit les cent pas dans la chambre. Il sortit dans le couloir, dénicha dans la salle de repos un médecin, qui refusa d'entrer dans les détails, mais dit que l'état de Rakel était stable et qu'ils avaient discuté de l'opportunité de la ressortir du coma.

« Ça m'a l'air d'être de bonnes nouvelles », dit Harry.

Le médecin tarda à répondre. « Nous n'avons fait qu'en discuter, précisa-t-il. Il y a aussi des arguments contre. Steffens est de service de nuit, vous pourrez en parler avec lui quand il arrivera. »

Harry trouva la cafétéria, mangea un morceau et regagna la 301. Le policier assis devant la porte le salua d'un signe de tête.

Il faisait désormais sombre dans la chambre et Harry alluma la lampe de chevet. Il tapa son paquet pour en sortir une cigarette tout en scrutant les paupières de Rakel. Ses lèvres devenues si sèches. Il tenta de reconstituer leur première rencontre. Il était dans la cour devant la maison de Rakel et elle avait marché vers lui. Après tant d'années, ses souvenirs étaient-ils exacts ? Le premier regard. Les premiers mots. Le premier baiser. Peut-être était-il inévitable de réinventer, peu à peu, pour obtenir finalement un récit qui ait une logique, une gravitation et un sens. Qui raconte que c'était ce vers quoi ils devaient se diriger depuis le départ. Un récit qu'ils s'étaient répété, comme un rituel pour deux, jusqu'à ce qu'ils y croient. Alors quand elle disparaîtrait, quand le récit de Rakel et Harry disparaîtrait, à quoi allait-il croire ?

Il alluma sa cigarette.

Il aspira la fumée, la recracha et la vit s'enrouler en volutes vers l'alarme incendie, se décomposer. Disparaître. L'alarme, songea-t-il.

Sa main glissa dans sa poche, attrapa le téléphone éteint et froid.

Merde, merde.

Une vocation, comme l'avait appelée Steffens, était-ce de cela qu'il s'agissait ? Quand on prenait un boulot qu'on détestait parce qu'on se savait être le meilleur pour le faire ? *Quelque chose à quoi on puisse t'employer.* Comme un animal de troupeau se sacrifiant. Ou était-ce comme l'avait dit Oleg, de l'ambition personnelle ? Aspirait-il à briller dehors alors qu'elle flétrissait ici ? Eh bien, il ne s'était jamais senti de profond sentiment de responsabilité à l'égard de la société, et la reconnaissance de ses collègues comme celle du public ne lui avaient jamais beaucoup importé. Alors que restait-il ?

Il restait Valentin. Il restait la traque.

Il entendit deux craquements, puis la porte s'ouvrit sans bruit. Bjørn Holm entra discrètement dans la chambre et s'assit dans le second fauteuil.

« Tabagisme dans l'enceinte d'un hôpital, observa-t-il. Passible de six ans, je crois.

— Deux, rectifia Harry en lui tendant la cigarette. Me rendras-tu le service d'être mon complice ? »

Bjørn désigna Rakel d'un mouvement de tête. « Tu n'as pas peur qu'elle attrape un cancer du poumon ?

— Rakel adore le tabagisme passif. Elle dit qu'elle apprécie à la fois la gratuité de la chose et le fait que, quand je recrache la fumée, mon corps ait absorbé l'essentiel des produits toxiques. Je suis son porte-feuille combiné filtre de cigarette. »

Bjørn aspira une bouffée. « Ton répondeur disait que ton téléphone était éteint, alors je suis parti du principe que tu devais être ici.

— Hm. Tu as toujours eu de bonnes capacités de déduction pour un TIC.

— Merci. Comment ça va ?

— Ils ont discuté de la possibilité de la sortir du coma. Je choisis de croire que ce sont de bonnes nouvelles. Quelque chose d'urgent ?

— Aucun de ceux que nous avons interrogés au bain turc n'a reconnu Valentin en voyant le portrait-robot. Le type à l'accueil a dit que le hammam était très fréquenté à cette heure, mais il pensait qu'il pouvait s'agir d'un type qui a l'habitude de venir en peignoir sous sa veste, avec une casquette baissée sur les yeux, et qui paie toujours en liquide.

— Pour que le règlement ne laisse pas de trace. Peignoir pour qu'on ne risque pas de voir son tatouage quand il se change. Comment rentrait-il du hammam ?

— S'il avait une voiture, il devait avoir les clefs dans

la poche de son peignoir. Éventuellement de l'argent pour prendre le bus. Parce qu'il n'y avait strictement rien dans les vêtements restés dans le vestiaire, même pas de saletés de fond de poche. Nous allons bien trouver de l'ADN dessus, mais ils sentaient la lessive. Je crois que même sa veste venait de passer à la machine.

— Ça correspond avec la propreté maniaque des lieux du crime. S'il emporte ses clefs et son argent dans la salle de vapeur, ça laisse entendre qu'il était préparé à une retraite rapide.

— Ouaip. Aucun témoin n'a vu d'homme en peignoir dans les rues de Sagene non plus, donc il n'a pas pris le bus.

— Il avait garé sa voiture juste devant la porte arrière. Ce n'est pas un hasard s'il a réussi à rester en cavale pendant trois ans, il est *bon.* » Harry se frotta la nuque. « Enfin. Nous l'avons fait fuir. Et maintenant ?

— On regarde les caméras de surveillance des magasins et des stations-service du coin, nous recherchons une casquette et un peignoir dépassant d'une veste. Je vais du reste découper la veste demain matin, il y avait un tout petit trou dans la doublure, il est donc possible que quelque chose s'y soit glissé.

— Il évite les caméras de surveillance.

— Tu crois ?

— Oui. Si nous le voyons, c'est parce qu'il veut être vu.

— Tu as sans doute raison. » Bjørn Holm boutonna sa veste. Son front pâle était baigné de sueur.

Harry, qui avait repris sa cigarette, en recracha la fumée vers Rakel. « Qu'est-ce qu'il y a, Bjørn ?

— Comment ça ?

— Tu n'avais pas besoin de venir jusqu'ici pour me faire ce rapport. »

Bjørn ne répondit pas. Harry attendit. L'appareil émettait bip sur bip.

« C'est Katrine, dit Bjørn. Je ne comprends pas. J'ai vu sur mon journal des appels qu'elle avait essayé de me joindre la nuit dernière, mais quand je l'ai rappelée, elle a dit que ça devait être un appel accidentel quand le téléphone était dans sa poche.

— Et ?

— À trois heures du mat ? Elle ne dort pas sur son téléphone.

— Alors pourquoi ne le lui as-tu pas dit ?

— Parce que je ne veux pas la soûler. Elle a besoin de temps. D'espace. Elle est un peu comme toi. » Bjørn ôta sa cigarette à Harry.

« Comme moi ?

— Un ermite. »

Harry arracha la cigarette à Bjørn, qui allait tirer une bouffée.

« Ben oui, c'est ce que t'es, quoi, protesta Bjørn.

— Qu'est-ce que tu veux ?

— Je deviens fou de ne rien *savoir*. Donc je me demandais si… » Bjørn gratta violemment ses rouflaquettes. « Katrine et toi, vous êtes proches. Pourrais-tu…

— Tâter le terrain ?

— Quelque chose comme ça. Il me la *faut*, Harry. »

Harry écrasa sa cigarette contre le pied de son fauteuil. Il regarda Rakel. « Bien sûr. Je vais parler à Katrine.

— Mais sans qu'elle…

— … comprenne que ça vient de toi.

— Merci, dit Bjørn. T'es un pote, Harry.

— Moi ?» Harry remit le mégot dans son paquet. « Je suis un ermite. »

Quand Bjørn fut reparti, Harry ferma les yeux. Il écoutait les appareils. Le compte à rebours.

24

Mardi soir

Il s'appelait Olsen et dirigeait Olsens, mais le bar portait déjà ce nom quand il en avait pris la direction plus de vingt ans auparavant. Certains y voyaient une coïncidence improbable, mais à quel point l'était-ce quand des choses improbables arrivaient sans cesse, chaque jour, chaque seconde ? Au loto, quelqu'un devait forcément remporter la cagnotte, c'était la seule chose certaine. Et cependant, le gagnant considérait non seulement que c'était invraisemblable, mais encore que c'était un miracle. Olsen ne croyait donc pas aux miracles. Mais là il était en présence d'un cas limite. Ulla Henriksen venait d'entrer et de s'asseoir à la table où Truls Berntsen se trouvait depuis déjà vingt minutes. Et le miracle, c'était que c'était un rendez-vous galant. Car Olsen n'avait pas de doutes sur la nature du rendez-vous, ça faisait plus de vingt ans qu'il voyait des hommes qui avaient le trac danser d'un pied sur l'autre ou tambouriner sur la table en attendant la fille de leurs rêves. Le miracle, c'était que, dans sa jeunesse, Ulla Henriksen avait été la plus belle fille de tout Manglerud, alors que Truls Berntsen était le plus gros con et le pire des losers qui traînaient autour du centre commercial et qui fréquentaient

Olsens. Truls, ou Beavis, avait été l'ombre de Mikael Bellman, qui, lui non plus, ne trônait pas au sommet des palmarès de popularité. Mais Mikael avait au moins eu son physique et son éloquence pour lui et il avait réussi à priver les hockeyeurs et les motards des filles qui les faisaient tous baver. Et puis il était aussi devenu directeur de la police, alors il devait bien avoir quelque chose, Mikael. Truls Berntsen, en revanche… Loser un jour, loser toujours.

Olsen alla à leur table pour prendre leur commande et voir de quoi on parlait à un rendez-vous galant aussi improbable.

« Je suis arrivé un peu tôt, expliqua Truls en désignant du menton la pinte de bière presque vide devant lui.

— C'est moi qui suis en retard. » Ulla passa son sac à main par-dessus sa tête et déboutonna son manteau. « J'ai failli ne pas venir.

— Ah bon ? » Truls but une petite gorgée de bière pour cacher combien il tremblait.

« Oui, c'est… ce n'est pas si simple que ça, Truls. » Elle sourit furtivement. Puis elle remarqua Olsen qui s'était glissé derrière elle sans bruit. « Je vais attendre un peu, merci », dit-elle, et Olsen s'en alla.

Attendre ? se dit Truls. Allait-elle attendre de voir ? Se tirer si elle changeait d'avis ? Si jamais il ne répondait pas à ses attentes ? Et de quelles attentes s'agissait-il donc ? Ils avaient quasiment grandi ensemble.

Ulla regarda autour d'elle. « Seigneur, la dernière fois que je suis venue ici, c'était pour les retrouvailles de la classe il y a dix ans. Tu te souviens ?

— Non, je n'y étais pas. »

Elle resta à jouer un peu avec les manches de son pull.

« C'est horrible, l'affaire sur laquelle vous travaillez en ce moment. Dommage que vous ne l'ayez pas pris aujourd'hui, Mikael m'a raconté ce qui s'était passé.

— Ah oui », répondit Truls. Mikael. La première chose qu'elle faisait était donc de le brandir devant elle comme un bouclier. Était-ce seulement de la nervosité ou ne savait-elle pas ce qu'elle voulait ? « Et que t'a-t-il raconté ?

— Que Harry Hole avait fait appel au barman qui a vu l'assassin avant le premier meurtre. Mikael était très en colère.

— Le barman du Jealousy Bar ?

— Je crois.

— Fait appel à lui pour quoi ?

— Pour aller au bain turc guetter le meurtrier. Mais tu n'étais pas au courant ?

— J'ai bossé sur… un certain nombre d'autres affaires de meurtre aujourd'hui.

— Ah bon. Enfin, ça me fait plaisir de te voir. Je ne peux pas rester longtemps, mais…

— Assez longtemps pour que j'aie le temps de reprendre une bière ? »

Il vit son hésitation. Bordel !

« C'est les enfants ? s'enquit-il.

— Quoi ?

— Ils sont malades ? »

Truls vit la perplexité d'Ulla avant qu'elle attrape la perche qu'il lui tendait. Qu'il leur tendait à tous les deux.

« Mon petit dernier est patraque. » Elle frissonna sous son pull, parut chercher à se recroqueviller dedans alors qu'elle regardait à la ronde. Il n'y avait de clients qu'à trois autres tables et Truls gageait qu'elle n'en connaissait aucun, elle sembla en tout cas un chouia plus détendue après ce balayage visuel. «Dis, Truls?

— Oui?

— Je peux te poser une question un peu bizarre?

— Évidemment.

— Qu'est-ce que tu veux?

— Veux?» Il but une autre gorgée pour s'offrir un temps mort. «Tu veux dire là, tout de suite?

— Je veux dire, qu'est-ce que tu souhaites? Que souhaitons-nous?»

Je souhaite te déshabiller, te baiser et t'entendre gémir que tu en veux encore, songea Truls. Et ensuite, je veux que tu ailles ouvrir le frigo, que tu me sortes une bière fraîche, que tu te couches au creux de mon bras et que tu m'annonces que tu veux tout quitter pour moi. Les enfants, Mikael, ta putain de maison dont j'ai coulé la terrasse, tout. Rien que pour pouvoir être avec toi, Truls Berntsen, parce que désormais, après ça, il m'est impossible de retourner à autre chose que toi, toi, toi. Et après, je souhaite que nous baisions encore.

«C'est d'être apprécié, n'est-ce pas?»

Truls déglutit. «Bien sûr.

— D'être apprécié de ceux que nous aimons. Les autres, ça compte moins, n'est-ce pas?»

Truls sentit son visage prendre une expression dont il ignorait lui-même ce qu'elle signifiait.

Ulla s'avança en baissant la voix. «Et parfois, quand on ne se sent pas apprécié à sa juste valeur, quand on se sent piétiné, on a envie de riposter en piétinant à notre tour, n'est-ce pas?

— Oui, acquiesça Truls en hochant la tête. On a envie de riposter en piétinant à notre tour.

— Mais cette envie se volatilise dès qu'on comprend qu'on est apprécié quand même. Et tu sais quoi ? Ce soir, Mikael m'a dit qu'il m'aimait, en passant, et pas en termes aussi directs, mais... » Elle se mordit la lèvre. Cette exquise lèvre inférieure sanguine que Truls fixait depuis qu'il avait seize ans. « Il n'en faut pas davantage, Truls. N'est-ce pas curieux ?

— Très curieux », répondit Truls, les yeux plongés dans son verre vide. En se demandant comment il allait formuler ce qu'il se disait intérieurement. Que parfois, dire à quelqu'un qu'on l'aimait signifiait que dalle. Surtout quand c'était cet enculé de Mikael Bellman qui le disait.

« Je crois que je ne vais pas pouvoir laisser mon petit dernier tellement plus longtemps. »

Truls leva les yeux et vit Ulla consulter sa montre avec une expression de profonde inquiétude. « Bien sûr, fit-il.

— J'espère vraiment que nous aurons plus de temps la prochaine fois. »

Truls parvint à s'abstenir de demander quand ce pourrait être. Il se contenta de se lever, s'efforça de ne pas prolonger l'accolade plus qu'elle. Et puis il se rassit lourdement sur sa chaise alors que la porte se refermait derrière elle. Il sentit la colère monter. Cette colère pesante, coriace, douloureuse et bonne.

« Une autre bière ? » Olsen était encore arrivé sans bruit.

« Oui. Enfin, non. J'ai un coup de fil à passer. Il marche toujours ? » Truls montra de la tête la cabine avec une porte vitrée où Mikael Bellman prétendait avoir baisé Stine Michaelsen debout pendant une fête de fin de lycée si bondée que personne ne voyait ce qui se passait au-dessous des ceintures. Et encore moins Ulla, qui faisait la queue au bar pour leur commander des bières.

« Absolument. »

Truls entra dans la cabine, trouva le numéro sur son portable.

Il le composa sur les touches carrées métalliques du téléphone à pièces.

Il attendit. Il s'était vêtu d'une chemise ajustée qui devait souligner les pectoraux qu'il avait développés, les biceps qu'il avait augmentés et la taille qu'il avait affinée par rapport au souvenir qu'Ulla avait probablement de lui. Mais elle lui avait à peine accordé un regard. Truls se gonfla d'air et sentit ses épaules effleurer les cloisons de part et d'autre de la cabine. Cette cabine était en l'occurrence plus exiguë que le putain de bureau dans lequel ils l'avaient remisé aujourd'hui. Bellman. Bratt. Wyller. Hole. Ils pouvaient tous brûler en enfer.

« Mona Daa.

— Berntsen. Combien payez-vous pour savoir ce qui s'est réellement passé au bain turc aujourd'hui ?

— Peut-on avoir un petit avant-goût ?

— Ouaip. *La police d'Oslo risque la vie d'un barman innocent pour capturer Valentin.*

— Nous devrions pouvoir nous mettre d'accord. »

Il essuya la buée du miroir de la salle de bains et se scruta.

« Qui es-tu ? chuchota-t-il. Qui es-tu ? »

Il ferma les yeux, les rouvrit.

« Je suis Alexander Dreyer. Mais appelle-moi Alex. »

Dans le salon derrière lui retentit un rire dément, quelque chose qui ressemblait à une machine ou un hélicoptère, puis les cris de terreur qui soulignaient la transition entre « Speak to Me » et « Breathe ». C'étaient ces cris qu'il avait cherché à provoquer, mais aucune d'elles n'avait voulu crier exactement ainsi.

La buée avait presque disparu du miroir. Il était enfin propre. Et il voyait son tatouage. On lui avait souvent demandé, la plupart du temps des femmes, pourquoi il avait choisi d'avoir un démon gravé sur la peau de sa poitrine. Comme s'il avait eu le choix. Les gens ne savaient rien. Rien de lui.

« Qui es-tu, Alex ? Je suis agent chez Storebrand. Non, je ne veux pas parler d'assurances, parlons plutôt de toi. Qu'est-ce que tu fais, Tone ? Crieras-tu pour moi si je te tranche les mamelons et que je les mange ? »

Il sortit de la salle de bains, se rendit dans le salon et regarda les photos sur le bureau à côté de la clef blanche. Tone. Elle était sur Tinder depuis deux ans et habitait Professor Dahls gate. Elle travaillait dans une pépinière et n'était pas particulièrement jolie. Un peu trop grosse. Il aurait voulu qu'elle soit plus svelte. Marte était svelte. Il aimait bien Marte. Ses taches de rousseur étaient seyantes. Mais donc, Tone. Il passa la main sur la crosse rouge du revolver.

Les plans restaient inchangés, même si tout avait été à deux doigts de dérailler aujourd'hui. Il n'avait pas reconnu le type qui était entré dans la salle de vapeur, mais de toute évidence le type l'avait reconnu, lui. Ses pupilles s'étaient dilatées, son pouls avait *visiblement* accéléré, il était resté pétrifié dans la vapeur moins dense près de la porte, puis s'était précipité hors de la salle. Mais pas avant d'avoir saturé l'air du parfum de sa terreur.

Comme d'ordinaire, sa voiture était garée contre le trottoir à moins de cent mètres de la porte arrière du hammam, qui donnait sur une rue peu passante. Jamais bien sûr il n'aurait fréquenté un hammam ne disposant pas d'une telle issue. Ni un hammam qui ne soit pas propre. Et jamais non plus il ne serait entré dans la salle de vapeur sans avoir ses clefs dans la poche de son peignoir.

Il se demandait si, après l'avoir mordue, il allait abattre Tone d'une balle. Juste histoire de semer un peu de trouble. De voir les titres que cela provoquerait. Mais ce serait enfreindre les règles. Et l'autre était déjà furieux qu'il les ait enfreintes avec la serveuse.

Il pressa le revolver contre son ventre pour sentir le choc froid de l'acier, puis le reposa. Où était-il en ce moment, le policier ? *VG* écrivait que la police espérait une décision de justice obligeant Facebook à libérer les adresses. Mais ces choses-là, il ne s'y connaissait pas plus qu'il ne s'en préoccupait. Ces choses-là n'inquiétaient ni Alexander Dreyer ni Valentin Gjertsen. Sa mère disait l'avoir baptisé d'après Valentino, le premier et plus grand séducteur de l'histoire du cinéma. Elle ne pouvait donc s'en prendre qu'à elle-même si elle lui avait donné un nom à la hauteur duquel se montrer. Au début, l'exercice avait présenté relativement peu de risques. Parce que quand vous violez une fille avant d'avoir vous-même seize ans, alors que l'heureuse fille, elle, a déjà atteint la majorité sexuelle, elle est assez grande pour savoir que si l'idée venait à la cour qu'il ne s'agissait pas d'un viol, mais de relations sexuelles consenties, ce serait *elle* qui risquerait d'être condamnée pour atteinte sexuelle sur mineur. Après seize ans, le risque de plainte auprès de la police était plus élevé. À moins de violer celle qui vous avait baptisé d'après Valentino, naturellement. Quoique viol, viol, quand elle avait commencé à s'enfermer et qu'il lui avait expliqué que c'était elle ou les filles des voisins, les profs, les tantes ou des victimes aléatoires dans la rue, elle avait rouvert la porte. Les psychologues auxquels il l'avait raconté ne l'avaient pas cru. Enfin, ils avaient fini par le croire, tous autant qu'ils étaient.

Pink Floyd glissa vers « On the Run ». Batterie stressée, synthétiseurs pulsatiles, le bruit de pas qui courent, qui fuient. Qui fuient la police. Qui fuient les menottes de Harry Hole. *Pauvre pervers ?*

Il leva son verre de limonade de la table, en but une petite gorgée, le contempla. Puis il le projeta contre le mur. Le verre se brisa et le liquide jaune s'écoula sur le papier peint blanc. Il entendit jurer dans l'appartement voisin.

Il alla ensuite dans la chambre à coucher. Il vérifia les fers et les menottes au pied et à la tête du lit. Il observa la serveuse aux taches de son qui dormait dans son lit. Sa respiration était régulière. La drogue opérait comme il fallait. Rêvait-elle ? De l'homme bleu-noir ? Où était-il seul à le faire ? L'un des psychologues avait suggéré que ce rêve récurrent provenait d'un souvenir d'enfance à moitié oublié, que c'était son propre père qu'il avait vu assis sur sa mère dans le lit. Ce qui n'était bien entendu que des conneries, il n'avait jamais vu son père, d'après sa mère, il l'avait violée une fois et une seule pour ensuite se volatiliser. Un peu comme la Vierge Marie et le Saint-Esprit. Ce qui faisait de lui le Sauveur. Pourquoi pas ? Celui qui allait revenir pour juger.

Il caressa Marte sur la joue. Ça faisait longtemps qu'il n'avait pas eu une vraie femme vivante dans son lit. Et il préférait indéniablement la serveuse de Harry Hole à sa japonaise attitrée, sans vie. Donc, oui, c'était vraiment dommage qu'il soit obligé de la rendre. Dommage qu'il ne puisse pas obéir à la volonté du démon, mais doive obéir à celle de l'autre, à la voix de la raison. La voix de la raison avait été en colère. Les instructions détaillées. Une forêt au bord d'une route déserte au nord-est de la ville.

Il retourna dans le salon, s'assit sur le fauteuil. Le cuir lisse était agréable à sa peau nue, dont les picotements un peu douloureux subsistaient après sa douche bouillante. Il alluma le nouveau téléphone dans lequel il avait inséré la carte SIM qui lui avait été donnée. L'appli Tinder et celle de *VG* étaient contiguës. Il cliqua d'abord sur *VG*, attendit. Le temps de chargement contribuait à pimenter la chose. Figurait-il en tête de la page des actualités ? Il comprenait sans peine les célébrités de seconde zone qui faisaient tout pour faire les gros titres. Une chanteuse cuisinait avec une espèce de bouffon de chef cuisinier de la télé parce qu'il lui fallait – et elle y croyait sûrement elle-même – *rester dans l'actualité*.

Harry Hole le dévisageait d'un air sévère.

Le barman d'Elise Hermansen utilisé par la police.

Il cliqua sur « Lire l'article » sous la photo, descendit.

D'après des sources de VG*, le barman aurait été posté dans un bain turc afin d'espionner pour le compte de la police…*

Le gars de la salle de vapeur. L'homme de la police. L'homme de Harry Hole.

... car c'est la seule personne collaborant avec la police qui soit capable d'identifier avec certitude Valentin Gjertsen.

Il se leva, sentit le cuir libérer sa peau dans un grincement, regagna la salle de bains.

Il se dévisagea dans le miroir. Qui es-tu ? Qui es-tu ? Tu es le seul. Le *seul* qui ait vu et connaisse le visage que je vois maintenant.

N'étaient donnés du type ni nom ni photo. Et il n'avait pas regardé le barman en entrant au Jealousy Bar ce soir-là. Parce que le contact visuel faisait que les gens se souvenaient. Mais cette fois, ils en avaient eu un, de contact visuel. Et il se souvenait. Il passa son doigt sur le visage de démon. Celui qui voulait sortir, qui devait sortir.

Dans le salon, « On the Run » s'acheva sur le hurlement d'un avion qui plongeait dans le ciel et le rire d'un aliéné avant que la carlingue s'écrase dans une énorme explosion prolongée.

Valentin Gjertsen ferma les yeux en visualisant les flammes.

« Quel risque court-on en la réveillant ? demanda Harry en contemplant le crucifix au-dessus de la tête du médecin chef Steffens.

— Il y a beaucoup de réponses justes à cette question, répondit Steffens. Et une seule qui soit vraie.

— Qui est ?

— Que nous ne savons pas.

— Tout comme vous ne savez pas ce qui cloche chez elle.

— Oui.

— Hm. Qu'est-ce que vous savez, au juste ?

— Si c'est une question générale, la réponse est que nous en savons un paquet. Mais si les gens savaient combien nous ne savons *pas*, ils prendraient peur, Harry. Inutilement. Donc nous essayons de jouer la sous-communication sur cet aspect des choses.

— Vraiment ?

— Nous prétendons être dans le secteur de la réparation, mais nous sommes avant tout dans celui du réconfort.

— Alors pourquoi me dites-vous cela, Steffens, au lieu de me réconforter ?

— Parce que je suis passablement certain que vous savez déjà que la vérité est une illusion. Comme enquêteur criminel, vous aussi, vous vendez autre chose que ce que vous prétendez. Vous donnez aux gens le sentiment que justice est faite, vous leur donnez une impression d'ordre et de sécurité. Mais il n'existe aucune vérité objective parfaite ni aucune justice vraie.

— Souffre-t-elle ?

— Aucunement. »

Harry acquiesça. « Est-ce que je peux fumer ici ?

— Dans le bureau d'un médecin dans un hôpital public ?

— Ça me paraîtrait rassurant si jamais le tabagisme est aussi dangereux qu'on le dit. »

Steffens sourit. « Une infirmière m'a rapporté que le personnel d'entretien avait trouvé de la cendre sous le lit de la 301. J'aimerais mieux que vous fumiez dehors. Comment votre fils le prend-il, au fait ? »

Harry haussa les épaules. « Il a du chagrin, il a peur et il est en colère.

— Je l'ai vu arriver tout à l'heure. Oleg, n'est-ce

pas ? Il est resté dans la 301 et n'a pas voulu venir dans mon bureau.

— Il n'a pas voulu faire le trajet jusqu'à l'hôpital avec moi. Ni me parler. Il considère que je la trahis en participant à l'enquête alors qu'elle est couchée ici. »

Steffens fit un signe de tête. « De tout temps, la jeunesse a eu une assurance enviable dans ses jugements moraux. Il n'a toutefois pas tort sur le fait que l'activité renforcée de la police n'est pas toujours la manière la plus efficace de lutter contre les éléments criminels.

— Ah ?

— Savez-vous ce qui a fait baisser la criminalité aux États-Unis dans les années 1990 ? »

Harry secoua la tête, posa les mains sur les accoudoirs et regarda vers la porte.

« Prenez-le comme un interlude dans ce que votre cerveau rumine par ailleurs. Devinez.

— Devinez, devinez, répondit Harry. C'est de notoriété publique que c'est la tolérance zéro du maire Giuliani et l'activité policière renforcée, justement.

— Ce qui est faux. Car la criminalité n'a pas baissé uniquement à New York, mais dans le pays entier. La réponse, c'est la libéralisation des lois sur l'avortement dans les années 1970. »

Steffens s'enfonça dans son siège et marqua une pause, comme pour laisser à Harry le temps de suivre le raisonnement lui-même, avant de développer : « Des femmes célibataires de mœurs légères ont des relations sexuelles avec des hommes plus ou moins inconnus, qui se tirent le lendemain matin, ou au moins dès qu'ils comprennent qu'elles sont enceintes. Pendant des siècles, ces grossesses ont produit des criminels à la chaîne. Des enfants sans père, sans structure, avec une mère qui n'a pas les moyens de leur offrir une éducation ou qui n'est pas dotée de l'échine morale pour leur apprendre les voies du Seigneur. Ces femmes n'auraient pas hésité à tuer leurs fœtus si elles n'avaient pas risqué de sanctions. Et puis dans les années 1970, elles ont obtenu ce qu'elles voulaient. Les fruits de l'holocauste qui a découlé de la libéralisation des lois sur l'avortement, les États-Unis les ont récoltés quinze, vingt ans plus tard.

— Hm. Et qu'en dit le mormon ? À moins que vous ne soyez pas mormon ? »

Steffens sourit en joignant le bout de ses doigts. « Je soutiens l'Église sur de nombreux points, Hole, mais pas sur l'opposition à l'avortement, là, je soutiens les hérétiques. Dans les années 1990, les gens ordinaires ont de nouveau pu se promener dans les villes américaines sans craindre de se faire voler, violer ou assassiner. Parce qu'un curetage de l'utérus de sa mère avait déjà éliminé celui qui les aurait tués, Hole. Mais ce en quoi je ne soutiens pas les hérétiques libéraux, c'est la revendication d'une interruption volontaire de grossesse par *décision personnelle*. Le potentiel bienfaisant ou malfaisant pour la communauté est tel que la décision d'avortement devrait être prise par la société, pas par une femme irresponsable qui écume les bars en quête d'un partenaire sexuel pour la nuit. »

Harry consulta sa montre. « Vous proposez un avortement *régulé par l'État* ?

— Ce ne serait pas un travail agréable, bien sûr. Celui qui l'effectuerait devrait le ressentir comme… oui, une vocation.

— Vous plaisantez, n'est-ce pas ? »

Steffens soutint le regard de Harry pendant deux

secondes. Puis il sourit. « Évidemment. Je crois pleinement en l'inviolabilité de la personne. »

Harry se leva. « Je pars du principe que vous m'informerez du moment où vous la réveillerez. Ce serait sûrement bien qu'elle puisse voir une tête connue en ouvrant les yeux, non ?

— Ça aussi, ça se discute, Harry. Et dites à Oleg de passer me voir s'il veut en savoir plus. »

Harry sortit devant l'hôpital. Grelottant de froid, il tira deux bouffées de sa cigarette avant de constater qu'elle n'avait pas bon goût, de l'écraser et de s'empresser de regagner le bâtiment.

« Comment ça va, Antonsen ? demanda-t-il au garde policier devant la 301.

— Bien, merci, répondit Antonsen en levant les yeux sur lui. Il y a une photo de vous dans *VG*.

— Ah oui ?

— Vous voulez voir ? » Antonsen avança son smartphone.

« Pas à moins d'y être extrêmement beau. »

Antonsen ricana. « Alors vous préférez sans doute ne pas la voir. Mais je dois dire que vous en prenez pour votre grade à la Brigade criminelle. Braquer un homme de quatre-vingt-dix ans dans un hammam et utiliser des barmans comme espions… »

Harry s'arrêta tout net, la main sur la poignée de porte. « Répétez ce que vous venez de dire. »

Antonsen leva le téléphone devant lui, cligna, manifestement presbyte. « *Barm…* », parvint-il à déchiffrer avant que Harry lui arrache son téléphone.

Le regard de Harry balaya rapidement l'écran. « Merde, merde. Vous avez une voiture ici, Antonsen ?

— Non, je suis à vélo. Oslo est finalement une toute petite ville et puis on fait un peu d'exercice quand… »

Harry rendit son téléphone à Antonsen en le lui lançant sur les genoux et ouvrit la porte de la 301 à toute volée. Oleg leva suffisamment les yeux pour constater que c'était Harry avant de les replonger avec application dans son livre.

« Oleg. Tu as une voiture, il faut que tu me conduises à Grünerløkka. Tout de suite. »

Oleg souffla par le nez sans relever les yeux. « C'est ça.

— Ce n'était pas une question, c'était un ordre. Viens.

— Un ordre ? » Son visage se tordit de fureur. « Tu n'es même pas mon père. Et tant mieux.

— Tu avais raison. Il se trouve bel et bien que le rang prime tout le reste. *Me*, enquêteur principal, *you*, élève policier. Donc sèche tes larmes et magne-toi le cul. »

Oleg resta bouche bée.

Harry tourna les talons et partit à grandes enjambées dans le couloir.

Mehmet Kalak avait remisé Coldplay et U2 pour tester Ian Hunter sur la clientèle. Les haut-parleurs crachaient « All the Young Dudes ».

« Alors ? s'enquit Mehmet.

— Oui, mais elle est mieux chantée par David Bowie », répondit la clientèle. Ou, plus précisément, Øystein Eikeland, qui était passé de l'autre côté du comptoir puisque son travail était terminé. Et comme ils avaient les locaux pour eux, Mehmet tourna le bouton du volume.

« Quel que soit le volume auquel vous mettiez Hunter ! » cria Øystein en levant son daïquiri. C'était son cinquième.

Les ayant mixés lui-même, il considérait qu'il s'agissait là de dégustation test s'inscrivant dans sa formation de barman, donc de frais de formation professionnelle, qui par conséquent étaient déductibles. Et dans la mesure où en tant qu'employé il bénéficiait d'un tarif réduit mais avait l'intention de demander un abattement fiscal en les déclarant au plein tarif, il gagnait de l'argent en buvant.

« J'aurais voulu pouvoir m'en tenir là, mais il faut que je m'en prépare un autre si je veux pouvoir payer mon loyer, fit-il d'une voix un peu pâteuse.

— Vous êtes meilleur client que barman, observa Mehmet. Ça ne veut pas dire que vous craignez comme barman, mais simplement que vous êtes le meilleur client que j'aie jamais eu...

— Merci, mon cher Mehmet, je...

— ... et maintenant, vous allez rentrer chez vous.

— Ah bon ?

— Oh oui. » Pour souligner qu'il pensait ce qu'il disait, Mehmet éteignit la musique.

Øystein tourna la tête et ouvrit la bouche comme s'il avait quelque chose sur le cœur, quelque chose dont il escomptait que ce serait des mots, mais qui ne sortit pas. Il essaya encore une fois, referma la bouche et se contenta d'un signe de tête. Il boutonna sa veste de taxi, se coula du tabouret de bar et se dirigea d'un pas moyennement assuré vers la porte.

« Pas de pourboire ? lui lança Mehmet en riant.

— Les pourboires, c'est pas déduis... déstruct... déconnez pas, bordel ! »

Mehmet prit le verre d'Øystein, y lâcha une goutte de Zalo et le lava sous le robinet, il n'y avait pas eu assez de monde ce soir pour que ce soit la peine de faire tourner le lave-vaisselle. Le téléphone qui était sur l'intérieur du comptoir s'éclaira. C'était Harry. Et pendant qu'il s'essuyait les mains pour répondre, il fut frappé par l'idée que quelque chose clochait. Le temps. Le temps qui s'était écoulé entre le moment où Øystein avait ouvert la porte et celui où elle s'était refermée avait été un peu plus long que d'habitude. Quelqu'un avait maintenu la porte ouverte pendant quelques secondes. Il leva les yeux.

« Soirée calme ? » demanda l'homme au comptoir.

Mehmet voulut prendre son souffle pour répondre. Mais il n'y arriva pas.

« Calme, c'est bien », fit Valentin Gjertsen. C'était lui. L'homme du hammam.

Sans mot dire, Mehmet tendit la main vers le téléphone.

« Si vous voulez bien ne pas répondre, je vous rendrai un service. »

Mehmet n'aurait pas accepté la proposition sans le grand revolver qui était braqué sur lui.

« Merci, vous n'allez pas le regretter. » L'homme promena son regard autour de lui. « Dommage que vous n'ayez pas de clients. Pour vous, je veux dire. Moi, ça me convient parfaitement, ça signifie que j'ai votre pleine attention. Enfin, je l'aurais bien eue de toute façon, parce que vous vous demandez évidemment ce que je veux. Si je suis venu pour boire un verre ou pour vous tuer. Non ? »

Mehmet hocha lentement la tête.

« Oui, cette dernière option vient tout de suite à l'esprit puisque vous êtes la seule personne vivante qui puisse m'identifier. C'est un fait, vous le saviez ? Même le chirurgien plastique qui… enfin, passons.

Quoi qu'il en soit, vu que vous n'avez pas répondu au téléphone et que me dénoncer à la police n'est rien de plus que ce qu'on peut exiger de quelqu'un de socialement responsable, je vais vous rendre un service. Vous me suivez ? »

Mehmet hocha encore la tête. En s'efforçant d'écarter l'inévitable pensée. Qu'il allait mourir. Son cerveau recherchait désespérément d'autres possibilités, mais revenait systématiquement à celle-ci : il allait mourir. En réponse à ses pensées retentirent cependant des coups sur la devanture à l'entrée. Mehmet regarda derrière Valentin. Deux mains et un visage connu se collèrent contre la vitre pour voir à l'intérieur. Entre, putain, entre.

« Ne bougez pas », fit Valentin à mi-voix sans se retourner. Son corps couvrait son revolver de sorte que la personne à l'extérieur ne pouvait le voir.

Pourquoi ne se contentait-il pas d'entrer, bordel ?

Mehmet eut la réponse une seconde plus tard, des coups sonores sur la porte.

Valentin avait verrouillé en entrant.

Le visage revint derrière la vitre et Mehmet vit que l'individu agitait les mains pour attirer son attention, il les avait donc manifestement vus à l'intérieur.

« Ne vous déplacez pas, mais faites signe que vous avez fermé », dit Valentin. Il n'avait pas une once de stress dans la voix.

Mehmet restait planté sur ses pieds, les bras ballants.

« Maintenant, ou je vous tue.

— Vous le ferez de toute façon.

— Ça, vous ne pouvez pas le savoir avec cent pour cent de certitude. Mais si vous ne faites pas ce que je vous dis, je vous promets que je vous tue. Et ensuite, je tuerai la personne qui est dehors. Regardez-moi. Je promets. »

Mehmet regarda Valentin. Il déglutit. Il se pencha légèrement sur le côté, dans la lumière, pour que l'homme dehors puisse le voir convenablement, et il secoua la tête.

Le visage resta une seconde ou deux. Un signe de main, on ne voyait pas très bien. Puis Geir Sølle s'en alla. Valentin suivait dans le miroir.

« Voilà, dit-il. Où en étions-nous ? Ah oui, une bonne et une mauvaise nouvelle. La mauvaise, c'est que si l'idée que je suis là pour vous tuer vient si vite à l'esprit, c'est que… enfin, elle comprend une certaine exactitude. En d'autres termes, nous ne sommes pas loin des cent pour cent de certitude. Je vais vous tuer. » Valentin regarda Mehmet avec des yeux désolés. Avant d'éclater d'un rire joyeux. « Voilà la mine la plus longue que j'aie vue aujourd'hui ! Et je le comprends, mais n'oubliez pas la bonne nouvelle. Le service. Qui est que vous allez pouvoir choisir comment vous allez mourir. Voici l'alternative, donc suivez attentivement. Vous suivez ? Bien. Voulez-vous que je vous tire une balle dans la tête ou que je vous transperce le cou avec cette canule de saignée ? »

Valentin brandit un objet qui ressemblait à une paille en métal un peu surdimensionnée, dont l'une des extrémités était coupée en biais de sorte qu'elle se terminait par une pointe acérée.

Mehmet se contenta de dévisager Valentin. Toute cette scène était d'une telle absurdité qu'il commençait à se demander s'il n'était pas simplement au milieu d'un rêve dont il allait bientôt s'éveiller. Ou était-ce peut-être l'homme en face de lui qui faisait ce rêve ? Mais Valentin pointa ensuite la canule sur lui et Mehmet recula instinctivement d'un pas, se retrouvant avec l'évier dans le dos.

Valentin claqua sa langue. « Pas la canule, alors ? »

Mehmet fit un signe mesuré de la tête alors qu'il voyait le métal du fer de lance scintiller à la lumière du présentoir miroir. Piqûre. Ç'avait toujours été sa plus grande hantise. Se faire introduire des objets pointus dans la peau et dans le corps, c'était pour cela qu'il s'enfuyait de la maison et se cachait dans la forêt quand il était gosse et qu'on allait lui faire un vaccin.

« Un marché, c'est un marché, donc pas de canule. » Valentin posa la canule sur le comptoir et tira de sa poche une paire de menottes noires, d'aspect antique, le tout sans que la gueule de son revolver s'écarte d'un pouce de Mehmet. « Passez-les derrière la barre en métal du présentoir, fermez-les autour de vos poignets et mettez la tête dans l'évier.

— Je... »

Mehmet ne vit pas le coup venir. Il enregistra seulement un craquement dans sa tête, un instant de black-out et son visage qui était tourné dans une autre direction quand l'image revint. Il comprit qu'il s'était pris un coup de la crosse du revolver et que c'était la gueule du canon qu'il sentait maintenant appuyée contre sa tempe.

« La canule, lui chuchota une voix à l'oreille... C'est votre décision. »

Mehmet saisit les singulières et pesantes menottes, passa la chaîne derrière la barre en métal et referma les anneaux sur ses poignets. Il sentit un liquide chaud couler sur l'arête de son nez et sur sa lèvre supérieure. Le goût sucré et métallique du sang.

« C'est bon ? » s'enquit Valentin d'une voix claire.

Mehmet leva les yeux et croisa son regard dans le miroir.

« Personnellement, j'ai en fait horreur de ça, expliqua Valentin en souriant. Ça a un goût de fer et de castagne. Oui, de fer et de castagne. Son propre sang, d'accord, mais celui des autres ? Et on sent le *goût* de ce qu'ils ont mangé. À propos de manger, le condamné à mort a-t-il une dernière volonté ? Je ne pose pas la question parce que j'ai l'intention de vous servir un repas, mais par pure curiosité. »

Mehmet cligna des yeux. Une dernière volonté ? Ces mots refusaient tout bonnement de rentrer, et pourtant, comme en rêve, son raisonnement obéit docilement à la question. Il voulait que le Jealousy devienne un jour le bar le plus cool d'Oslo. Que le Beşiktaş remporte le championnat. Il voulait qu'on l'enterre au son de « Ready for Love » de Paul Rodgers. Y avait-il autre chose ? Il chercha, mais ne put trouver. Et il sentit un mauvais rire le gagner.

Alors qu'il approchait, Harry vit une silhouette s'éloigner rapidement du Jealousy Bar. La lumière de la grande devanture retombait sur le trottoir, mais il n'entendait pas de musique. Il avança jusqu'au coin de la vitre et jeta un coup d'œil à l'intérieur. Il aperçut un dos derrière le comptoir, mais il était impossible de voir si c'était celui de Mehmet. Pour le reste, les locaux semblaient déserts. Harry alla à la porte et appuya doucement sur la poignée. Verrouillée. Le bar était ouvert jusqu'à minuit. Harry sortit son porte-clefs au cœur brisé en plastique. Il introduisit délicatement la clef dans la serrure. Tournant la clef et ouvrant la porte de la main gauche, il sortit son Glock 17 de la droite. Puis, tenant le pistolet devant lui des deux mains, il entra en veillant avec son pied à ce que la porte se referme en silence derrière lui. Mais les bruits du soir à Grünerløkka s'étaient déversés à l'intérieur, et l'individu derrière le comptoir s'était redressé et regardait dans le miroir.

« Police, annonça Harry. Ne bougez pas.

— Harry Hole. » L'individu portait une casquette et l'angle du miroir ne permettait pas à Harry de voir son visage, mais ce n'était pas nécessaire. Cela faisait plus de trois ans qu'il n'avait pas entendu cette voix claire et pourtant c'était comme si c'était hier.

« Valentin Gjertsen, fit Harry en entendant le chevrotement de sa voix.

— Enfin nous nous revoyons, Harry. J'ai pensé à vous. Avez-vous pensé à moi ?

— Où est Mehmet ?

— Vous êtes fébrile, vous *avez* pensé à moi. » Son rire aigu. « En quel honneur ? Est-ce mon palmarès ? Ou les victimes, comme vous les appelez. Non, attendez. C'est bien sûr votre palmarès *à vous*. Je suis celui que vous n'avez jamais eu, n'est-ce pas ? »

Harry ne répondit pas, il resta à la porte.

« C'est insupportable, n'est-ce pas ? Bien ! C'est pour ça que vous êtes si bon. Vous êtes comme moi, Harry, vous ne le supportez pas.

— Je ne suis *pas* comme vous, Valentin. » Harry repositionna son pistolet dans ses mains et visa en se demandant ce qui l'empêchait d'approcher davantage.

« Non ? Ce ne sont pas les égards pour autrui qui vous étouffent, pourtant ? Vous vous concentrez sur votre objectif, Harry. Regardez-vous, là. Vous voulez seulement obtenir vos trophées, coûte que coûte. La vie des autres, votre vie, soyez honnête, elles viennent au second plan, non ? Vous et moi, Harry, nous devrions nous asseoir pour faire plus ample connaissance. Parce que nous ne trouvons pas tellement de gens comme nous.

— La ferme, Valentin. Restez immobile, mettez les mains en l'air pour que je puisse les voir et dites-moi où est Mehmet.

— Si Mehmet est le nom de votre espion, il faut que je bouge pour vous montrer. Et ainsi la situation sera aussi beaucoup plus claire. »

Valentin Gjertsen s'écarta d'un pas. Mehmet était mi-debout mi-pendu par les bras à la barre horizontale qui traversait le miroir du bar. Sa tête était basculée en avant dans l'évier, si bien que ses longues boucles noires recouvraient son visage. Valentin braquait un revolver à canon long sur l'arrière de son crâne.

« Restez où vous êtes, Harry. Comme vous le voyez, nous sommes en présence d'un équilibre de la terreur intéressant. De là où vous vous trouvez jusqu'ici, il y a, voyons voir, huit, dix mètres ? Les chances que votre premier tir me mette suffisamment hors du coup pour que je n'aie pas le temps de tuer Mehmet sont relativement minces, vous n'êtes pas d'accord ? En revanche, si j'abats Mehmet d'abord, vous aurez le temps de faire feu au moins deux fois avant que je parvienne à braquer mon revolver sur vous. Moins bon pronostic pour moi. Autrement dit, nous sommes en présence d'une situation perdant-perdant et la question revient sans doute à ceci, Harry : êtes-vous disposé à sacrifier votre espion pour me capturer maintenant ? Ou on le sauve et vous m'attrapez plutôt plus tard ? Qu'en dites-vous ? »

Harry regarda Valentin par-dessus le viseur de son pistolet. Il avait raison. Le bar était trop sombre et la distance trop importante pour qu'il puisse être sûr de l'atteindre d'une balle dans la tête.

« J'interprète votre silence comme une confirmation que vous êtes d'accord avec moi, Harry. Et comme il me semble entendre des sirènes de police au loin, je suppose que nous sommes pressés. »

Harry avait envisagé de leur demander de ne pas mettre les sirènes, mais ils auraient alors mis plus longtemps pour arriver.

« Posez votre pistolet, Harry, et je vais sortir maintenant. »

Harry secoua la tête. « Vous êtes ici parce qu'il a vu votre visage, donc vous allez l'abattre lui, puis m'abattre moi parce que je vais voir votre visage aussi.

— Alors faites-moi une proposition dans les cinq secondes, sans quoi je l'abats en misant sur le fait que vous raterez votre cible et que ça me laissera le temps de vous toucher.

— Nous maintenons cet équilibre de la terreur, proposa Harry. Mais avec un désarmement équilibré…

— Vous cherchez à gagner du temps, mais le compte à rebours est lancé. Quatre, trois…

— On retourne en même temps nos flingues et on les tient dans la main droite, avec la détente et la crosse bien visibles.

— Deux…

— Vous vous dirigez vers la sortie le long de ce mur, pendant que j'avance à la même vitesse vers le comptoir en longeant les box.

— Un…

— Nous conservons à tout moment la distance qui nous sépare actuellement et aucun de nous ne peut tirer sans que l'autre ait le temps de riposter. »

Le silence régnait dans le bar. Les sirènes s'étaient

rapprochées. Et si Oleg faisait ce qui lui avait été demandé, correction, *ordonné*, il était toujours assis dans la voiture à deux pâtés de maisons de là et n'en bougeait pas.

La lumière disparut brutalement et Harry comprit que Valentin avait touché au variateur. Et lorsqu'il se tourna pour la première fois vers Harry, il faisait trop sombre pour que celui-ci puisse voir son visage sous la casquette.

« À trois, nous retournons nos armes, dit Valentin en levant les mains. Un, deux, trois… »

Harry saisit la crosse de la main gauche, puis le canon de la droite. Il leva son pistolet en l'air. Il vit Valentin faire de même. On aurait dit qu'il brandissait un drapeau au défilé des enfants du 17 mai, avec la crosse rouge caractéristique de son Ruger Redhawk qui émergeait du long canon de revolver.

« Vous voyez, fit Valentin. Qui d'autre que deux hommes qui se comprennent vraiment aurait pu faire une chose pareille ? Je vous aime bien, Harry. Je vous aime *vraiment* bien. Alors mettons-nous en marche… »

Valentin longea le mur tandis que Harry se déplaçait vers les box. Le silence était tel que Harry entendait les bottes de Valentin grincer alors qu'ils glissaient l'un autour de l'autre, chacun dans son demi-cercle, chacun surveillant l'autre, tels deux gladiateurs qui savent que le premier assaut pourrait signifier la mort de l'un d'eux au moins. Harry comprit qu'il était arrivé au comptoir quand il entendit le grondement sourd du réfrigérateur, la chute régulière des gouttes dans l'évier et le bourdonnement d'insecte de l'ampli. Il tâtonna dans le noir sans lâcher du regard la silhouette qui se dessinait contre les lumières de l'extérieur. Puis il se retrouva derrière le comptoir et entendit les bruits de la rue alors que la porte s'ouvrait et que des pas s'éloignaient en courant.

Il tira son téléphone de sa poche, le plaqua contre son oreille.

« Tu as entendu ?

— J'ai tout entendu, répondit Oleg. Je préviens les voitures de patrouille. Signalement ?

— Blouson noir court, pantalon sombre, une casquette sans logo qu'il a sans doute déjà balancée quelque part. Son visage, je ne l'ai pas vu. Il a couru vers la gauche en direction de Thorvald Meyers gate, donc…

— … là où il y a le plus de monde et de circulation. Je préviens. »

Harry mit le téléphone dans sa poche et la main sur l'épaule de Mehmet. Aucune réaction.

« Mehmet… »

Il n'entendit plus l'ampli et le réfrigérateur. Juste les gouttes régulières. Il tourna le variateur de lumière. Il referma sa main autour des boucles de Mehmet et souleva délicatement sa tête de l'évier. Son visage était pâle. Trop pâle.

Quelque chose dépassait de son cou.

On aurait dit une paille en métal.

Dont l'extrémité continuait de laisser échapper des gouttes rouges dans l'évier bouché par tout le sang.

25

Nuit de mardi

Katrine Bratt s'élança hors de la voiture et se dirigea vers les rubalises qui bouclaient le Jealousy Bar. Elle aperçut l'homme qui fumait adossé à un véhicule de police. Le gyrophare en rotation alternée illuminait puis plongeait dans l'ombre la belle laideur de son visage. Elle frissonna et le rejoignit.

« Il fait froid, observa-t-elle.

— L'hiver qui approche, répondit Harry en recrachant la fumée qui captura la lumière bleue.

— C'est Emilia qui est en route.

— Hm. Je l'avais complètement oubliée, celle-là.

— Il paraît qu'elle atteindra Oslo demain.

— Hm. »

Katrine le regarda. Elle croyait avoir vu toutes les versions possibles de Harry. Mais pas celle-ci. Pas cette version si vide, si brisée, si résignée. Elle avait surtout envie de lui caresser la joue, de le tenir dans ses bras. Mais elle ne pouvait pas. Il y avait tant de raisons pour qu'elle ne puisse pas.

« Que s'est-il passé dans ce bar ?

— Valentin avait un Ruger Redhawk et il m'a fait croire que la négociation portait sur une vie humaine. Mais Mehmet était déjà mort quand j'ai franchi le seuil. Canule en métal plantée dans la carotide. Il s'est fait saigner jusqu'à la dernière goutte comme un putain de poisson. Juste parce qu'il… parce que je… »

Harry se mit à cligner des yeux rapidement et cessa de parler, ôtant du tabac de sa langue pour donner le change.

Katrine ne savait que répondre. Alors elle se tut. Elle regarda plutôt la familière Volvo Amazon noire avec ses bandes de rallye qui se garait en face. Bjørn en sortit et Katrine sentit son cœur bondir quand Machine-Truc Lien apparut du côté passager. Que faisait la patronne de Bjørn ici ? Bjørn lui avait-il proposé une visite romantique de toutes les attractions d'une scène de crime ? Rien à foutre.

Bjørn repéra Harry et Katrine, et cette dernière les vit changer de direction pour se diriger vers eux.

« Je vais à l'intérieur, on se parlera plus tard », annonça-t-elle en se glissant sous les rubalises avant de marcher d'un pas vif vers la porte à l'enseigne de cœur brisé en plastique.

« Te voilà, fit Bjørn. J'ai essayé de te joindre dans la soirée.

— J'ai été… » Harry tira une grosse bouffée de sa cigarette. « … un peu occupé.

— Voici Berna Lien, ma nouvelle directrice à la Scientifique. Berna, Harry Hole.

— J'ai beaucoup entendu parler de vous, dit la femme en souriant.

— Et moi, jamais, répondit Harry. Est-ce que vous êtes bonne ? »

Elle lança un regard un peu hésitant à Bjørn. « Bonne ?

— Valentin Gjertsen est bon, expliqua Harry. Et moi, je ne le suis pas assez, donc j'espère seulement que d'autres sont meilleurs que moi, sans quoi ce bain de sang ne fera que continuer.

— J'ai peut-être quelque chose, dit Bjørn.

— Ah ?

— C'est pour ça que je cherchais à te joindre. La veste de Valentin. Quand je l'ai découpée, j'ai effectivement trouvé un ou deux trucs dans la doublure. Une pièce de dix øre et deux tickets. Comme la veste était passée à la machine, toute l'encre était effacée sur l'extérieur, mais il en restait un peu sur l'intérieur d'un des tickets quand je l'ai déplié. Pas grand-chose, mais suffisamment pour voir que c'était un ticket de retrait d'espèces à un distributeur d'Oslo City. Ce qui correspondrait au fait qu'il évite systématiquement de laisser des traces électroniques en payant toujours en liquide. Malheureusement, on ne voit pas de numéro de carte, de numéro de la transaction ou d'heure, mais la date est partiellement visible.

— À quel point ?

— Assez pour voir que c'était cette année, en août, et puis nous avons une partie du dernier chiffre qui ne peut être qu'un 1.

— Donc le 1er, le 11, le 21 ou le 31 ?

— Quatre jours possibles… J'ai eu une femme de Nokas, qui gère les distributeurs de DNB. Elle dit qu'une dérogation leur permet de conserver les images de ce distributeur pendant une durée allant jusqu'à trois mois, ils ont donc l'enregistrement. Il a été fait à un distributeur de la gare centrale qui est l'un des plus utilisés de Norvège. Selon l'explication officielle c'est à cause de tous les centres commerciaux du coin.

— Mais ?

— Ils prennent tous la carte, mec. À part ?

— Hm. Les dealers des environs de la gare et des bords de la rivière.

— Les distributeurs les plus utilisés font plus de deux cents transactions par jour, poursuivit Bjørn.

— Quatre jours, ça fait un peu moins de mille », précisa Berna Lien avec ferveur. Harry piétina sa cigarette fumante.

« Nous aurons accès aux films demain matin. Si nous arrivons à utiliser efficacement la marche accélérée et que nous limitons nos pauses, je pense que nous pourrons vérifier deux têtes à la minute. Ce qui fait sept, huit heures, probablement moins. Quand nous aurons identifié Valentin, il ne restera qu'à comparer l'horaire du film à celui enregistré par le distributeur.

— Et hop ! nous aurons l'identité secrète de Valentin, coupa Berna Lien, qui paraissait fière de son service de police scientifique et enjouée. Qu'en pensez-vous, Hole ?

— Je crois, madame Lien, qu'il est dommage que la personne qui aurait pu identifier Valentin se trouve dans ce bar avec la tête dans l'évier et sans pouls. » Harry reboutonna sa veste. « Mais merci d'être venus. »

L'air offensé, Berna Lien déporta son regard de Harry sur Bjørn, qui toussota avec embarras. « J'avais cru comprendre que tu t'étais retrouvé face à face avec Valentin. »

Harry secoua la tête. « Je n'ai pas pu voir sa nouvelle gueule. »

Bjørn acquiesça lentement sans lâcher Harry du regard. « Je vois. C'est dommage. Très dommage.

— Hm. » Harry regardait le mégot piétiné devant sa chaussure.

« Enfin, allons jeter un coup d'œil, alors.

— Je vous souhaite bien du plaisir. »

Il les regarda s'éloigner. Les photographes de presse étaient déjà postés de l'autre côté des rubalises, et les journalistes commençaient à arriver. Peut-être savaient-ils quelque chose, ou peut-être juste n'osèrent-ils pas, quoi qu'il en soit, ils laissèrent Harry tranquille.

Huit heures.

Huit heures à partir de demain matin.

En un jour, Valentin ferait peut-être une nouvelle victime.

Merde, merde.

« Bjørn ! » appela Harry alors que son collègue posait la main sur la poignée de la porte du Jealousy.

« Harry, fit Ståle Aune sur le seuil. Bjørn.

— Désolés de sonner à ta porte si tard, s'excusa Harry. Pouvons-nous entrer ?

— Bien sûr. » Aune ouvrit la porte et Harry et Bjørn pénétrèrent dans le foyer aunien. Une petite femme, plus svelte que son mari, mais à la chevelure du même gris exactement, arriva d'un pas rapide et énergique. « Harry ! chanta-t-elle. J'ai entendu que c'était toi, ça fait *bien* trop longtemps. Comment va Rakel ? En savons-nous davantage ? »

Harry secoua la tête négativement et reçut la bise claquante d'Ingrid sur sa joue. « Café ? Ou est-ce trop tard ? Thé vert ? »

Parlant tous les deux à la fois, Bjørn et Harry répondirent respectivement « oui, merci » et « non, merci », et Ingrid disparut dans la cuisine.

Ils allèrent dans le salon et s'installèrent chacun dans un fauteuil profond. Les murs étaient tapissés de bibliothèques remplies de toutes sortes de livres, des guides de voyages et atlas anciens à la littérature professionnelle aride en passant par la poésie et les BD. Mais surtout des romans.

« Tu vois que je suis en train de lire le livre que tu m'as offert ? demanda Ståle en soulevant un ouvrage mince retourné sur la table à côté de son fauteuil pour le montrer à Bjørn. Édouard Levé. *Suicide*. Harry me l'a offert pour mes soixante ans. Il devait juger le moment venu. »

Bjørn et Harry sourirent. Probablement d'un air contraint, car Ståle fronça les sourcils. « Quelque chose ne va pas, les garçons ? »

Harry s'éclaircit la voix. « Valentin a tué quelqu'un ce soir.

— Je suis peiné de l'apprendre, répondit Ståle en secouant la tête.

— Et nous n'avons aucune raison de croire qu'il va s'en tenir là.

— Non, en effet, confirma le psychologue.

— C'est la raison de notre visite, et ça m'est difficile, Ståle. »

Ståle Aune soupira. « Hallstein Smith ne fait pas l'affaire et vous voulez que je prenne la suite, c'est ça ?

— Non, nous avons besoin de… » Harry s'interrompit quand Ingrid entra dans la pièce et posa le plateau de thé sur la table entre les hommes qui se taisaient.

« Le son du secret professionnel, observa-t-elle. On se parlera plus tard, Harry. Salue Oleg et dis-lui que nous pensons à Rakel. »

« Nous avons besoin de quelqu'un qui puisse identifier Valentin Gjertsen, expliqua Harry quand elle fut repartie. Et la dernière personne vivante dont nous sachions qu'elle l'a vu… » Harry ne marquait pas cette pause pour renforcer le suspense, mais pour que Ståle dispose de la seconde qu'il fallait à son cerveau pour faire les raisonnements fulgurants, presque inconscients, que font les cerveaux. Non que cela ferait une grande différence. C'était comme un boxeur qui allait se prendre un coup, mais qui, au lieu d'aller droit dedans, disposait d'un dixième de seconde pour basculer le poids de son corps *légèrement* de côté.

« … c'est Aurora… »

Dans le silence qui suivit, Harry entendit le bord des pages du livre que Ståle tenait toujours à la main râper la pulpe de ses doigts.

« Qu'est-ce que tu es en train de dire, Harry ?

— Le jour où Rakel et moi nous sommes mariés, en votre présence à Ingrid et à toi, Valentin est allé trouver Aurora au tournoi de handball auquel elle participait. »

Le livre atteignit le tapis dans un choc sourd. Ståle clignait des yeux avec incompréhension. « Elle… il… »

Harry attendit pendant qu'il voyait l'information rentrer.

« L'a-t-il touchée ? Lui a-t-il fait du mal ? »

Harry soutint le regard de Ståle, mais ne répondit pas, il attendit. Il le vit assembler les éléments. Voir les trois dernières années sous un autre jour. Un jour qui donnait des réponses.

« Oui », murmura Ståle en grimaçant de douleur. Il ôta ses lunettes. « Oui, bien sûr qu'il lui a fait du mal. Ce que j'ai pu être aveugle. » Il regarda fixement dans le vide. « Et comment l'avez-vous su ?

— Aurora est venue me trouver hier pour me le dire », répondit Harry.

Le regard de Ståle Aune revint lentement vers

Harry. « Tu… tu le sais depuis hier et tu ne m'as rien dit ?

— Elle m'a fait le lui promettre. »

Au lieu de monter, la voix de Ståle Aune se brisa. « Une fille de quinze ans qui a subi une agression, dont tu sais pertinemment qu'elle a besoin de toute l'aide qu'elle peut trouver, et tu as choisi de garder le secret ?

— Oui.

— Mais au nom du Ciel, Harry, pourquoi ?

— Parce que Valentin avait menacé de te tuer si elle racontait ce qui s'était passé.

— Moi ? » Un sanglot s'échappa de Ståle. « *Moi ?* Quelle importance ? Un homme à la soixantaine bien tassée, avec un mauvais cœur, Harry. Alors que c'est une fille qui a toute la vie devant elle !

— Ça a comme importance que tu es celui qu'elle aime plus que tout au monde et que je le lui ai promis. »

Ståle Aune remit ses lunettes et dirigea un doigt tremblant sur Harry. « Oui, tu l'as promis ! Et tu as tenu ta promesse tant que ça ne changeait rien pour toi ! Mais maintenant, maintenant que tu vois que tu peux te servir d'elle pour résoudre encore une affaire de Harry Hole, elle ne compte plus beaucoup, cette promesse. »

Harry ne protesta pas.

« Sors d'ici, Harry ! Tu n'es pas un ami de cette maison et tu n'es plus le bienvenu.

— C'est urgent, Ståle.

— Dehors, tout de suite ! » Ståle Aune s'était levé. « Nous avons besoin d'elle.

— J'appelle la police. La *vraie* police. »

Harry leva son regard sur lui. Il vit que c'était inutile. Qu'il devait attendre. Que ceci devait faire son chemin, que la seule chose qu'ils pouvaient espérer était que d'ici le lendemain matin Ståle Aune aurait pris du recul.

Il fit un signe de tête, se hissa d'une poussée des bras hors de son fauteuil.

« Nous connaissons la sortie », dit-il.

Harry vit le visage blême d'Ingrid dans l'ouverture de la porte quand ils passèrent devant la cuisine.

Il remettait ses chaussures dans l'entrée quand il entendit une voix ténue.

« Harry ? »

Il se retourna, sans voir d'abord d'où elle venait. Puis, de l'obscurité du sommet de l'escalier du premier, elle s'avança dans la lumière. Elle portait un pyjama à rayures bien trop grand, celui de son père, peut-être, songea Harry.

« Je suis désolé, dit-il. J'étais obligé.

— Je sais, répondit Aurora. Sur Internet, c'était écrit que l'homme qui est mort s'appelait Mehmet. Et je vous ai entendus. »

Ståle accourut au même instant en faisant des moulinets avec les bras alors que les larmes jaillissaient de ses yeux. « Aurora ! Il ne faut pas que... » Sa voix se brisa.

« Papa, dit Aurora en s'asseyant calmement sur les marches au-dessus d'eux. Je veux aider. »

26

Nuit de mardi

Debout à côté du Monolithe, Mona Daa vit Truls Berntsen arriver d'un pas vif dans l'obscurité. Quand ils avaient décidé de se retrouver dans le Frognerpark, elle avait proposé deux ou trois sculptures un tant soit peu plus discrètes, moins fréquentées, puisque même la nuit, le Monolithe recevait la visite de curieux. Mais au bout de trois « hein ? », elle avait compris que le Monolithe était la seule que Truls Berntsen connaissait.

Elle l'entraîna du côté ouest du monument, à l'écart de deux couples qui contemplaient la vue sur les clochers d'églises à l'est. Elle lui tendit l'enveloppe d'argent, il la glissa à l'intérieur de la longue veste Armani qui, sur lui, pour une raison ou pour une autre, n'avait pas l'air d'une veste Armani.

« Du nouveau ? se renseigna-t-elle.

— C'est fini pour les tuyaux en ce qui me concerne, déclara Truls en jetant des coups d'œil autour de lui.

— Ah bon ? »

Il la regarda, comme pour voir si elle plaisantait. « Le gars s'est fait buter, bordel.

— Eh bien, vous n'aurez qu'à donner un tuyau moins... *mortel* la prochaine fois. »

Truls Berntsen produisit son rire nasal. « Ma parole, vous êtes encore pires que moi, toute la troupe.

— Vraiment ? Vous nous avez donné le nom de Mehmet et cependant nous avons choisi de ne pas le publier, pas plus que sa photo. »

Truls secoua la tête. « Vous vous entendez, Daa ? Nous venons de mener Valentin droit à un type qui avait fait deux choses de mal. Avoir un bar où la victime de Valentin est passée et accepter d'aider la police.

— Au moins, vous dites *nous*, cela signifie-t-il que vous avez mauvaise conscience ?

— Vous me prenez pour un psychopathe ou quoi ? Évidemment que je trouve pas ça top.

— Je ne répondrai pas à votre question, mais je suis d'accord que ce n'est pas terrible. Est-ce à dire que vous ne pouvez plus être ma source ?

— Si c'était le cas, cela impliquerait-il que vous cesseriez de me protéger ?

— Non, répondit Mona.

— Bien, vous avez donc une conscience, vous aussi.

— Moui, fit Mona. C'est sans doute moins par égard pour la source que par crainte de ce que diraient les collègues si nous balancions une source. Que disent les vôtres, de collègues, d'ailleurs ?

— Rien. Ils ont compris que j'étais la source, donc ils m'ont mis à l'écart, je ne peux plus participer aux réunions ni apprendre quoi que ce soit sur l'affaire.

— Non ? Là, je sens que j'ai perdu beaucoup de mon intérêt pour vous, Truls. »

Truls souffla par le nez. « Vous êtes cynique, mais au moins vous êtes franche, Mona Daa.

— Merci. J'imagine.

— OK, j'ai peut-être un dernier tuyau. Mais c'est sur tout autre chose.

— Envoyez.

— Le directeur de la police Bellman baise une nana en vue.

— Ça ne rapporte rien ces tuyaux-là, Berntsen.

— OK, c'est gratuit, vous n'avez qu'à l'écrire.

— Les chefs de rubrique n'aiment pas les histoires d'adultère, mais si vous avez des preuves et que vous voulez vous-même vous mettre en première ligne, j'arriverai peut-être à les convaincre. Auquel cas vous serez cité nommément.

— Cité nommément ? Ce serait du suicide, vous le comprenez. Je peux vous indiquer où ils se rencontrent pour que vous envoyiez un de vos paparazzis, là. »

Mona Daa rit. « Désolée, ça ne marche pas comme ça.

— Ça ne marche pas comme ça ?

— À l'étranger, la presse donne dans les affaires d'adultère, mais pas dans la petite Norvège.

— Pourquoi ?

— L'explication officielle est sûrement que nous ne nous abaissons pas à ce genre de choses.

— Mais ? »

Mona haussa les épaules en frissonnant. « Comme dans les faits, il n'y a aucune limite à ce à quoi nous nous abaissons, ma théorie personnelle est que c'est encore un exemple du syndrome de tout-le-monde-a-des-casseroles-donc-chut.

— En norvégien, *please*.

— Les chefs de rubrique mariés ne sont pas moins infidèles que les autres. Si vous exposez une infidélité dans une sphère publique aussi petite que la sphère publique norvégienne, vous risquez de recevoir la monnaie de votre pièce. Nous pouvons écrire sur des affaires d'infidélités dans le vaste "étranger", voire faire référence à des cas norvégiens si une personnalité publique a fait un coup bas à une autre. Mais le journalisme d'investigation sur l'infidélité entre personnes de pouvoir ? » Mona Daa secoua la tête.

Truls renâcla avec mépris. « Donc il n'y a pas moyen de faire sortir l'information ?

— Est-ce un sujet qui selon vous devrait sortir parce qu'il démontre que Bellman ne convient pas comme directeur de la police ?

— Hein ? Non, ce n'est sans doute pas exactement ça. »

Mona Daa fit un signe de tête et leva le menton vers le Monolithe, cette impitoyable aspiration à atteindre le sommet. « Vous devez vraiment détester cet homme. »

Truls ne répondit pas. Il eut simplement l'air légèrement interloqué, comme s'il n'y avait jamais songé. Et Mona se demanda ce qui se passait derrière ce visage balafré et peu séduisant, ce prognathisme, ce regard perçant. Elle avait presque pitié de lui. Presque.

« J'y vais maintenant, Berntsen. On s'appelle.

— Ah bon ?

— Peut-être pas. »

Quand Mona eut progressé dans le parc, elle se retourna et vit Truls Berntsen à la lumière d'un lampadaire à côté du Monolithe. Les mains dans les poches, il restait planté là, aussi immobile que les statues de pierre qui l'entouraient.

Harry regardait le plafond. Les fantômes n'étaient pas venus. Peut-être ne viendraient-ils pas ce soir.

On ne savait jamais. Mais ils comptaient désormais un nouveau membre. À quoi donc allait ressembler Mehmet quand il se présenterait ? Harry chassa ses pensées et écouta le silence. Ça, pour être silencieux, c'était silencieux à Holmenkollen. Trop silencieux. Il aimait mieux avoir le son de la ville de l'autre côté de sa fenêtre. Comme une nuit de jungle pleine de bruits qui pouvaient vous avertir dans le noir, vous raconter ce qui approchait ou pas. Le silence ne recelait pas assez de renseignements. Mais ce n'était pas ça. C'était qu'il n'y avait personne à côté de lui dans le lit.

S'il faisait le compte, les nuits où il avait partagé un lit avec quelqu'un étaient clairement minoritaires. Alors pourquoi se sentait-il si seul, lui qui avait toujours recherché la solitude et jamais eu besoin des autres ?

Il se tourna sur le côté, essaya de fermer les yeux.

Maintenant non plus, il n'avait pas besoin de quelqu'un. Il n'avait pas besoin de quelqu'un. Il n'avait pas besoin de *quelqu'un*.

Il avait juste besoin d'elle.

Un grincement. Des murs en rondins. Ou d'une latte du parquet. La tempête était peut-être arrivée en avance. Ou les fantômes en retard.

Il se tourna encore, ferma les paupières.

Un grincement juste de l'autre côté de la porte de la chambre à coucher.

Il se leva, alla à la porte, l'ouvrit.

C'était Mehmet. « Je l'ai vu, Harry. » Là où s'étaient trouvés ses yeux, il y avait désormais deux orbites noires qui fumaient en grésillant.

Harry se réveilla en sursaut.

Le téléphone ronronnait comme un chat. Il répondit.

« Hm ?

— C'est le docteur Steffens. »

Harry ressentit une douleur soudaine à la poitrine.

« Il s'agit de Rakel. »

Bien sûr qu'il s'agissait de Rakel. Et Harry savait que Steffens ne le précisait qu'afin de lui allouer quelques secondes pour s'armer face aux nouvelles.

« Nous n'arrivons pas à la sortir du coma.

— Quoi ?

— Elle ne se réveille pas.

— Euh… va-t-elle…

— Nous ne savons pas, Harry. Je sais que vous avez un tas de questions, mais nous aussi. Je ne peux vraiment rien vous dire, si ce n'est que nous travaillons à bloc. »

Harry se mordit la joue pour s'assurer que ceci n'était pas la grande première d'un nouveau cauchemar. « OK, OK. Est-ce que je peux la voir ?

— Pas maintenant, elle est en soins intensifs. Je vous rappelle dès que j'en sais plus. Mais ça pourrait être long, Rakel va probablement rester dans le coma un certain temps, donc ne retenez pas votre souffle en attendant un changement immédiat. OK ? »

Harry se rendit compte que Steffens avait raison : il ne respirait pas.

Ils raccrochèrent. Harry regarda fixement le téléphone. *Elle ne se réveille pas*. Bien sûr que non, elle ne voulait pas, car qui donc souhaite se réveiller ? Harry se leva et descendit. Il claqua les portes des placards. Rien. Vide, vidé. Il commanda un taxi et monta s'habiller.

Il vit le panneau bleu, lut le nom et ralentit. Il se rangea sur l'accotement, coupa le moteur, regarda autour de lui. Forêt et route. Ça lui rappelait ces tronçons routiers monotones et vides de sens en Finlande, où l'on avait le sentiment de rouler à travers des déserts de forêt. Où les arbres se dressaient en remparts muets de part et d'autre de la route et où un cadavre était aussi facile à cacher que si on le coulait dans la mer. Il attendit qu'une voiture soit passée, regarda dans son rétroviseur, il ne voyait de phares ni devant ni derrière. Puis il posa le pied sur la nationale, contourna la voiture et ouvrit le coffre. Elle était si pâle, même ses taches de rousseur avaient pâli. Et ses yeux terrifiés paraissaient grands et noirs au-dessus de son bâillon. Il la hissa hors du coffre et dut la soutenir pour qu'elle tienne sur ses jambes. Saisissant les menottes, il lui fit traverser la route et le fossé, puis la guida vers le rempart d'arbres noirs. Il alluma sa torche. Il la sentait trembler à en secouer ses menottes.

« Allons, allons, je ne vais rien te faire, ma chérie », dit-il. Et il sentit qu'il le pensait. Il ne voulait réellement pas lui faire de mal. Plus maintenant. Et peut-être le savait-elle. Peut-être comprenait-elle qu'il l'aimait. Peut-être tremblait-elle simplement parce qu'elle n'était vêtue que de sous-vêtements et du négligé de son amie japonaise. Ils arrivèrent parmi les arbres, ce fut comme entrer dans une maison. Ils s'enfoncèrent dans un silence d'un autre type, tout en entendant de nouveaux bruits. Moins forts, plus nets, mais impossibles à identifier. Un craquement, un soupir, un cri. Le sol forestier était moelleux, le tapis d'aiguilles de conifères offrait un amorti exquis alors qu'ils avançaient à pas silencieux, tel un couple de mariés dans l'église d'un rêve.

Quand il eut compté jusqu'à cent, il s'arrêta. Il

leva la lampe de poche et éclaira autour de lui. Le cône de lumière trouva aussitôt ce qu'il cherchait. Un grand arbre calciné que la foudre avait fendu en deux. Il l'entraîna vers cet arbre. Elle n'opposa aucune résistance quand il défit ses menottes puis les lui remit après lui avoir fait passer les bras autour de l'arbre. Paralysée, pensa-t-il en l'observant qui était agenouillée à étreindre l'arbre. L'agneau sacrificiel. Car lui n'était pas le marié, mais le père donnant son enfant devant l'autel.

Il lui caressa une dernière fois la joue et se retournait pour repartir quand une voix se fit entendre entre les arbres.

« Elle est vivante, Valentin. »

Il s'arrêta, tourna machinalement la torche dans la direction du son.

« Enlevez ça », ordonna la voix dans le noir.

Valentin obéit à la voix. « Elle voulait vivre.

— Mais pas le barman ?

— Il aurait pu m'identifier. Je ne pouvais pas courir ce risque. »

Valentin écouta, mais n'entendit rien d'autre que le sifflement bas des narines de Marte quand elle respirait.

« C'est la seule fois où je ferai le ménage derrière vous, avertit la voix. Vous avez le revolver qui vous a été donné ?

— Oui », répondit Valentin. Cette voix ne lui semblait-elle pas familière ?

« Posez-le à côté d'elle et partez. Vous le récupérerez bientôt. »

Une idée effleura Valentin. Dégainer le revolver, trouver l'autre avec sa torche, le tuer. Tuer la raison, couvrir les traces qui menaient à lui, laisser le démon gouverner de nouveau. L'argument contre était que Valentin pouvait avoir besoin de lui.

« Où et quand ? cria Valentin. Nous ne pouvons plus utiliser le casier de vestiaire du hammam.

— Demain. Je vous préviendrai. Maintenant que vous avez entendu ma voix, je vous appellerai. »

Valentin tira le revolver de son holster et le posa devant la fille. Il lui lança un dernier regard. Puis il partit.

Quand il se rassit dans la voiture, il cogna violemment son front sur le volant à deux reprises. Puis il démarra, mit son clignotant même s'il n'y avait pas de voitures visibles sur la route, et quitta les lieux.

« Arrêtez-vous là, demanda Harry au chauffeur de taxi en pointant le doigt.

— Il est trois heures du mat, mec, et ce bar m'a l'air très fermé.

— C'est le mien. »

Harry paya et sortit. Là où il y avait eu une activité frénétique quelques heures plus tôt, on ne voyait désormais plus personne. Les TIC avaient collé un ruban blanc sur la porte d'entrée et le chambranle. Le ruban était orné du lion héraldique et du texte POLICE. SCELLÉS. LES BRIS DE SCELLÉS SONT PASSIBLES DE SANCTIONS PÉNALES, CF. CODE PÉNAL § 343.

Harry enfonça la clef dans la serrure et la tourna. Le ruban crépita quand il tira la porte pour entrer.

Ils avaient laissé les spots des étagères miroirs allumés. Harry ferma un œil à demi et pointa son index sur les bouteilles depuis son emplacement à la porte. Neuf mètres. Et s'il avait tiré ? Quelle aurait été l'histoire ? Impossible à dire. Elle était ce qu'elle était.

Rien à y faire. Si ce n'est l'oublier, bien sûr. Son doigt trouva la bouteille de Jim Beam. Elle avait pris du grade et été mise sur le porte-bouteilles. La lumière de bordel faisait scintiller son contenu comme de l'or. Harry traversa la pièce, passa derrière le comptoir, saisit un verre, le plaça sous le porte-bouteilles, le remplit à ras bord. À quoi bon se raconter des histoires ?

Il sentit les muscles de son corps entier se tendre et se demanda un instant s'il allait vomir *avant* la première gorgée. Mais il parvint à garder en lui et le contenu de son estomac et l'alcool jusqu'à la troisième. Il se précipita alors vers l'évier et, avant que la matière jaune verdâtre qu'il vomissait claque contre le métal, il eut le temps de constater que le fond était toujours couvert de sang coagulé.

27

Mercredi matin

Il était huit heures moins cinq et ce matin-là, dans la Chaufferie, c'était la deuxième fois que la cafetière finissait de gargouiller.

« Où est passé Harry ? demanda Wyller en consultant encore sa montre.

— Je ne sais pas, répondit Bjørn Holm. Nous n'avons qu'à commencer sans lui. »

Smith et Wyller acquiescèrent.

« OK, fit Bjørn. En ce moment même, Aurora Aune est au siège de Nokas, où elle regarde des enregistrements avec son père, quelqu'un de Nokas et un spécialiste des vidéos de surveillance de la Brigade anti-hold-up. Le plan est d'arriver à visionner quatre jours d'enregistrements en maximum huit heures. En admettant que le reçu que nous avons trouvé soit effectivement celui d'un prélèvement effectué par Valentin lui-même et que nous ayons un peu de chance, nous devrions connaître sa nouvelle identité dans les quatre heures. Et en tout cas d'ici à huit heures ce soir.

— Mais c'est formidable ! s'exclama Smith. Euh… n'est-ce pas formidable ?

— Si, si, mais ne vendons pas la peau de l'ours

avant de l'avoir tué, dit Bjørn. Tu as parlé avec Katrine, Anders ?

— Oui, et nous avons obtenu l'autorisation de faire appel au Delta. Ils sont prêts à intervenir.

— Le Delta, c'est ceux qui ont des armes automatiques et des masques à gaz et… euh, tout ça ?

— Ça commence à rentrer, Smith », commenta Bjørn en souriant. Il remarqua que Wyller consultait encore sa montre. « Tu es inquiet, Anders ?

— Nous devrions peut-être appeler Harry.

— Oui, appelle-le. »

Il était neuf heures et Katrine venait de renvoyer la cellule d'enquête de la salle de réunion. Elle rangeait ses papiers quand elle aperçut l'homme qui s'était posté dans l'encadrement de la porte.

« Alors, Smith ? fit-elle. Journée palpitante ? Qu'est-ce que vous fabriquez en bas ?

— Nous essayons de joindre Harry.

— Il n'est pas arrivé ?

— Et il ne répond pas au téléphone.

— Il doit être à l'hôpital, on n'a pas le droit d'allumer son téléphone. Ils prétendent que ça peut perturber les appareils, mais il paraît que c'est tout autant des foutaises que d'affirmer que ça peut perturber les systèmes de navigation d'un avion. »

Elle se rendit compte que Smith ne l'écoutait pas, son regard s'était fixé au-delà d'elle.

Se retournant, elle constata que la photo de son PC connecté était toujours sur l'écran.

« Ça va, Smith ?

— Non, dit-il lentement. Ça ne va pas. Je ne supporte pas le sang, je ne supporte pas la violence et je ne sais pas si je supporterai de voir davantage de souffrance. Cet individu… Valentin Gjertsen, il… je suis psychologue et je pense que je devrais essayer d'avoir un rapport professionnel à ce cas, mais je crois que je le hais.

— Aucun de nous n'est professionnel à ce point, Smith, à votre place, je ne m'inquiéterais pas d'un peu de haine. N'est-ce pas agréable d'avoir quelqu'un à haïr, comme dit Harry ?

— Harry dit ça ?

— Oui. Ou les Raga Rockers. Ou… vous aviez une question ?

— J'ai parlé avec Mona Daa de *VG*.

— Et *là*, nous avons encore quelqu'un à détester. Que voulait-elle ?

— C'est moi qui l'ai appelée. »

Katrine cessa de rassembler ses papiers.

« Je lui ai exposé mes conditions pour accepter une interview sur Valentin Gjertsen, dit Smith. Que je parlerais de Valentin Gjertsen de façon générale et que je ne dirais pas un mot de l'enquête. Il s'agit de ce qu'on appelle un podcast, une émission de radio qui…

— Je sais ce que c'est qu'un podcast, Smith.

— Quoi qu'il en soit, ils ne pourront pas tronquer mes citations, ce que je dirai sera ce qui sortira. M'y autorisez-vous ? »

Katrine réfléchit. « Ma première question est *pourquoi* ?

— Parce que les gens ont peur. Ma femme a peur, mes enfants ont peur, les voisins et les autres parents d'élèves de l'école ont peur. Et en tant que chercheur dans ce domaine, ma responsabilité est donc d'atténuer quelque peu leur peur.

— N'ont-ils pas raison d'avoir un peu peur ?

— Vous ne lisez pas le journal, Katrine ? Au cours

de cette dernière semaine, les magasins ont épuisé leurs stocks de verrous et de systèmes d'alarmes.

— Tout le monde a peur de ce qu'il ne comprend pas.

— Ça va au-delà de ça. Ils ont peur parce qu'ils croient avoir affaire à quelqu'un que j'ai d'abord vu comme un pur vampiriste. Un individu malade, perturbé, dont les agressions obéissent à de profonds troubles de la personnalité et paraphilies. Mais ce monstre est un guerrier froid, cynique et calculateur, qui est en mesure de se livrer à des évaluations tout à fait rationnelles, qui bat en retraite quand il le doit, comme au hammam. Et qui attaque quand il le peut, comme… comme sur cette photo. » Smith ferma les yeux et tourna la tête. « Et je l'admets, moi-même j'ai peur. J'ai passé toute la nuit réveillé à me demander comment ces meurtres pouvaient avoir été commis par une seule et même personne, comment c'était possible. Comment ai-je pu me tromper à ce point ? Je ne comprends pas. Mais je *dois* comprendre, personne n'est mieux placé que moi pour comprendre, je suis le seul qui puisse leur expliquer et leur montrer ce monstre. Car quand ils auront vu le monstre, ils comprendront et la peur deviendra gérable. Elle ne disparaîtra pas, mais ils auront le sentiment de pouvoir prendre des dispositions raisonnables, ce qui les rassurera. »

Katrine mit ses mains sur ses hanches. « Dites-moi si j'ai bien saisi. Vous non plus, vous ne comprenez pas ce qu'est Valentin Gjertsen, mais vous voulez l'expliquer à la population ?

— Oui.

— Mentir dans le but de tranquilliser ?

— Je crois que je devrais réussir à tranquilliser plus que mentir. Ai-je votre bénédiction ? »

Katrine se mordit la lèvre. « Vous avez sans doute raison quant à votre devoir d'information en tant que chercheur, et c'est clair qu'il serait bon de pouvoir apaiser un peu la population. Tant que vous n'abordez pas l'enquête.

— Bien sûr.

— Nous ne pouvons pas avoir d'autres fuites. Je suis la seule à cet étage à être au courant de ce qu'Aurora est en train de faire en ce moment précis, même le directeur de la police ne le sait pas.

— Croix de bois, croix de fer. »

« C'est lui ? Est-ce que c'est lui, Aurora ?

— Papa, tu recommences.

— Aune, nous devrions peut-être aller nous asseoir un peu dans le couloir, vous et moi, pour qu'ils puissent travailler en paix.

— En paix ? C'est ma fille, agent Wyller, et elle souhaite…

— Fais ce qu'il te dit, papa. Je vais bien.

— Ah bon ? Sûre ?

— Tout à fait sûre. » Aurora se retourna vers la femme de la banque et l'homme de la Brigade antihold-up. « Ce n'est pas lui, vous pouvez avancer jusqu'au suivant. »

Ståle Aune se leva, peut-être un peu trop brusquement, sans doute était-ce là la cause de son vertige. À moins que ce ne soit de n'avoir pas dormi de la nuit. Ni mangé de la journée. Et d'avoir passé trois heures à regarder un écran sans faire de pause.

« Asseyez-vous donc sur le canapé, là, et je vais voir si je peux nous trouver du café. »

Ståle Aune se contenta d'un signe de tête.

Wyller partit et Ståle resta à observer sa fille derrière la cloison vitrée, l'empressement avec lequel elle signalait d'accélérer, d'arrêter, de revenir en arrière. Il n'avait pas souvenir de l'avoir jamais vue aussi investie. Sa réaction, son inquiétude étaient peut-être disproportionnées. Peut-être que le pire était passé, peut-être qu'elle avait à sa façon surmonté ce qui s'était passé, pendant qu'Ingrid et lui étaient joyeusement ignorants de la situation.

Et son adolescente de fille lui avait expliqué – comme un professeur de psychologie à un étudiant de première année – ce qu'était une promesse de secret. Que c'était elle qui avait imposé le secret à Harry et que, tout comme Ståle lui-même pratiquait le secret professionnel, Harry n'avait rompu sa promesse que quand il avait compris que cela pouvait sauver des vies. Et Aurora avait tout de même survécu. La mort. Ståle y avait réfléchi ces derniers temps. Pas à la sienne, mais au fait que sa fille aussi allait mourir un jour. Pourquoi cette idée lui était-elle si insoutenable ? Les choses se présenteraient peut-être autrement si jamais Ingrid et lui devenaient un jour grands-parents ; tout autant que le corps, la psyché était bien sûr soumise aux mécanismes biologiques, et le besoin de transmettre ses gènes était probablement une condition de survie de l'espèce. Longtemps auparavant, il avait demandé à Harry s'il ne souhaitait pas avoir un enfant dont il serait le père biologique, mais la réponse de Harry avait été sans ambiguïté. Il n'avait pas le gène du bonheur, juste celui de l'alcoolisme, dont il jugeait que personne ne méritait d'hériter. Peut-être avait-il changé d'opinion depuis. Ces dernières années, il était en tout cas clairement apparu que Harry connaissait le bonheur, qu'il était doté de cette aptitude. Ståle sortit son téléphone. Il allait l'appeler pour le lui dire, tout de suite. Que c'était un homme bien, un bon ami, un bon père et un bon mari. D'accord, ça faisait avis de décès, mais il fallait que Harry l'entende. Que Ståle se trompait quand il jugeait son attirance compulsive pour la chasse aux assassins semblable à son alcoolisme. Que ce n'était pas une fuite, que ce qui le poussait, ce qui le poussait plus largement que Harry Hole l'individualiste ne voulait bien l'admettre, c'était l'instinct grégaire. Le *bon* instinct grégaire. Morale et responsabilité de la communauté. Ça allait sûrement le faire rigoler, mais c'était ce que Ståle allait dire à son ami, si seulement il décrochait son maudit téléphone.

Ståle vit le dos d'Aurora se redresser, ses muscles se contracter. Était-ce… ? Mais elle se détendit et signala d'un moulinet de la main de passer à la suite.

Ståle porta de nouveau son téléphone à son oreille. Mais réponds, quoi !

« Le succès dans ma carrière, le sport et ma vie familiale ? Oui, peut-être. » Mikael Bellman promena son regard autour de la table. « Mais avant tout, je suis un garçon simple de Manglerud. »

Il s'était *a priori* inquiété de ce que ces clichés appris par cœur sonnent creux, mais Isabelle avait raison : il suffisait d'y mettre un tout petit peu de sentiment pour délivrer la banalité la plus embarrassante avec conviction.

« Nous sommes heureux que vous ayez pris le temps de cette conversation, Bellman. » Le secrétaire général du parti porta sa serviette à ses lèvres pour indiquer que le repas était terminé et fit un signe de tête aux deux autres représentants du parti. « Le processus est lancé et, comme je le disais, nous sommes très heureux que vous vous montriez *a priori* prêt à répondre favorablement dans l'éventualité où une offre vous serait faite. »

Bellman acquiesça.

« Quand vous dites "nous", intervint Isabelle Skøyen, cela inclut la Première ministre, n'est-ce pas ?

— Nous n'aurions pas accepté de venir ici sans une position *a priori* favorable du cabinet de la Première ministre », répondit le secrétaire général du parti.

Ils avaient au départ demandé à Mikael de venir dans les locaux du cabinet pour cette conversation mais, après avoir consulté Isabelle, Mikael avait contre-attaqué en les invitant en terrain neutre. Un déjeuner aux frais du directeur de la police.

Le secrétaire général du parti consulta sa montre. Une Omega Seamaster, nota Bellman. Lourde au point d'en être incommode. Vous vous faisiez braquer dans n'importe quelle ville du tiers-monde. Elle cessait de marcher si jamais vous l'ôtiez pendant plus de vingt-quatre heures et vous obligeait à la remonter, la remonter et la remonter encore pour régler l'heure, après quoi, si jamais vous oubliiez ensuite de revisser la couronne et que vous plongiez dans votre piscine, votre Seamaster était *kaputt* et la réparation coûtait le prix de quatre montres de qualité. Bref : il lui en *fallait* une.

« Mais comme je le disais, plusieurs personnes sont envisagées, la Justice est l'un des gros portefeuilles ministériels et je ne cacherai pas que le chemin est en effet un peu plus long pour quelqu'un qui n'a pas gravi les échelons de la politique. »

Mikael s'assura de choisir le bon moment pour

se lever et repousser sa chaise exactement en même temps que le secrétaire général, et il fut le premier à tendre la main en disant « on s'appelle ». Il était directeur de la police, bon Dieu, et d'eux deux, c'était lui, pas ce technocrate falot avec sa montre de luxe, qui était le plus pressé de regagner un travail plein de responsabilités.

Quand les représentants du parti au pouvoir eurent quitté le restaurant, Mikael et Isabelle Skøyen se rassirent. Ils avaient obtenu un salon dans l'un des nouveaux restaurants au cœur des complexes d'appartements récents tout à la pointe de Sørenga. Ils avaient derrière eux l'Opéra et la colline d'Ekeberg, et devant, la nouvelle plage. Le fjord était couvert de petites vagues agitées et les voiles gîtaient comme des virgules blanches sur l'eau. Les dernières prévisions météo indiquaient que la tempête allait arriver à Oslo avant minuit.

« Ça s'est bien passé, non ? demanda Mikael en versant la fin de la bouteille d'eau de Voss dans leurs verres.

— "Une position *a priori* favorable du cabinet de la Première ministre", imita Isabelle en fronçant le nez.

— Et ce n'est pas bien, ça ?

— Non. Cet "*a priori*" modérateur, ils ne l'avaient pas employé jusqu'ici. Et le fait qu'ils parlent du cabinet de la Première ministre plutôt que de la Première ministre elle-même m'indique qu'ils prennent leurs distances.

— Pourquoi le feraient-ils ?

— Tu as entendu la même chose que moi. C'était un déjeuner où ils t'ont interrogé essentiellement sur l'affaire du vampiriste et t'ont demandé quand tu pensais qu'il se ferait prendre.

— Mais enfin, Isabelle, c'est ce dont *tout le monde* en ville parle en ce moment !

— Ils te posent la question, parce que, maintenant, c'est ce qui va être l'élément déterminant, Mikael.

— Mais…

— Ils n'ont pas besoin de toi, de ta compétence ou de ton aptitude à diriger un ministère, tu l'as compris ?

— Là, tu exagères, mais oui, je…

— Ils veulent ton cache-œil, ton statut de héros, ta popularité, ta réussite. Parce que, à cet instant précis, c'est ce que tu possèdes et qui fait défaut à ce gouvernement. Enlève ça et tu ne vaux plus rien pour eux. Et à vrai dire… », elle repoussa son verre et se leva, « … pour moi non plus. »

Mikael eut un sourire incrédule. « Quoi ? »

Elle décrocha sa veste courte en fourrure du portemanteau.

« Je ne supporte pas les losers, Mikael, tu le sais bien. Je suis allée trouver la presse et je t'ai attribué les honneurs de nous avoir sauvé la mise en allant dépoussiérer Harry Hole. Harry Hole a pour l'heure arrêté un homme nu de quatre-vingt-dix ans et fait tuer un barman innocent. Non seulement ça te fait apparaître comme un loser toi, Mikael, mais ça me fait apparaître comme une loseuse *moi.* Je n'aime pas ça et par conséquent je te quitte maintenant. »

Mikael Bellman rit. « Tu as tes règles ou quoi ?

— Tu tenais mieux le compte autrefois.

— D'accord, soupira Mikael. On s'appelle.

— Je crois que tu interprètes "quitter" dans un sens un peu trop restreint.

— Isabelle…

— Adieu. J'ai aimé ce que tu disais sur la vie de famille réussie. Mise là-dessus. »

Mikael resta assis à regarder la porte qui se refermait derrière elle.

Il demanda l'addition au serveur qui passait une tête dans le salon avant de porter de nouveau son regard sur le fjord. On disait que les gens qui avaient fait les plans de ces appartements au bord de l'eau n'avaient pas tenu compte du changement climatique et de la montée du niveau de la mer. Lui y avait pensé, et Ulla et lui avaient construit leur villa bien haut à Høyenhall. Il s'était dit qu'ils y seraient en sécurité, que la mer ne pourrait pas les y noyer, que les agresseurs ne pourraient pas se faufiler jusqu'à eux sans être vus et qu'une simple tempête ne pourrait pas arracher leur toit. Il but une gorgée d'eau, grimaça en regardant son verre. Voss. Comment les gens pouvaient-ils être prêts à payer des fortunes pour une eau qui n'était pas meilleure que celle du robinet ? Ce n'était pas parce qu'ils trouvaient ça meilleur, mais parce qu'ils pensaient que d'autres trouvaient ça meilleur. C'était ce qui les poussait à commander de la Voss quand ils étaient au restaurant avec leurs femmes trophées bien trop barbantes et leurs Omega Seamaster bien trop lourdes. Était-ce pour cela qu'il ressentait parfois de la nostalgie ? De la nostalgie de Manglerud, d'être bourré un samedi soir chez Olsen, de se pencher par-dessus le comptoir pour se tirer une pinte gratuite pendant qu'Olsen regardait ailleurs, de danser un dernier slow avec Ulla sous les regards torves des hockeyeurs de l'équipe de Manglerud Star et des mecs en Kawasaki 750, en sachant que bientôt, Ulla et lui allaient quitter les lieux ensemble, rien que tous les deux dans la nuit, qu'ils allaient emprunter Plogveien en direction de la patinoire et du lac d'Østensjø, où il désignerait les étoiles en lui expliquant comment ils allaient les atteindre.

Y étaient-ils parvenus ? Peut-être, mais c'était comme quand il était gamin et qu'il marchait en montagne avec son père. Épuisé, il se croyait enfin au sommet. Uniquement pour s'apercevoir que derrière ce sommet s'en dressait un autre, plus élevé encore.

Mikael Bellman ferma les yeux.

C'était exactement comme maintenant. Il était fatigué. Pouvait-il s'arrêter là ? Se coucher par terre, sentir le vent, la bruyère qui le chatouillait, une pierre chauffée par le soleil contre sa peau ? Dire qu'il voulait rester ici ? Il eut une inspiration soudaine. Il allait appeler Ulla et lui dire ces mots précis. *On reste ici.*

En réponse, il sentit son téléphone vibrer dans la poche de sa veste. Bien sûr, c'était *forcément* Ulla. Il décrocha.

« Oui ?

— C'est Katrine Bratt.

— Ah oui.

— Je voulais juste vous informer que nous avons trouvé le nom derrière lequel se cache Valentin Gjertsen.

— Quoi ?

— Au mois d'août, il a retiré de l'argent à Oslo City et, il y a six minutes, nous avons réussi à l'identifier sur les enregistrements de surveillance. La carte qu'il a utilisée a été émise pour un certain Alexander Dreyer, né en 1972.

— Et ?

— Et cet Alexander Dreyer est mort dans un accident de voiture en 2010.

— Et l'adresse ? Avons-nous une adresse ?

— Oui. Le Delta est prévenu et est en route.

— Autre chose ?

— Pas encore, mais je suppose que vous souhaitez être informé en continu.

— Oui. En continu. »

Ils raccrochèrent.

« Excusez-moi. » C'était le serveur.

Bellman regarda l'addition. Il valida un montant bien trop élevé sur le terminal de paiement et appuya sur « OK ». Il se leva et se précipita dehors. Prendre Valentin Gjertsen allait lui ouvrir toutes les portes.

Sa lassitude s'était comme volatilisée.

John D. Steffens appuya sur l'interrupteur. Les néons clignotèrent quelques secondes avant de se stabiliser dans un murmure et de projeter leur lumière froide.

Oleg cligna des yeux en retenant son souffle. « Tout ça, c'est du *sang* ? » Sa voix résonnait dans la pièce.

Steffens sourit alors que la porte en acier se refermait derrière eux deux. « Bienvenue au Bain de sang. »

Oleg frissonna. La pièce était réfrigérée, et la lumière bleuâtre qui se reflétait sur les carreaux blancs fendus renforçait l'impression de se trouver dans un frigo.

« Combien... combien y en a-t-il ? » demanda Oleg en suivant Steffens entre les rangées de poches en plastique rouges suspendues par colonnes de quatre à des portants métalliques.

« Suffisamment pour nous permettre de nous en sortir pendant les premiers jours en cas d'attaque d'Oslo par des Lakotas, répondit Steffens en descendant dans le bassin par l'échelle.

— Des Lakotas ?

— Ce que vous appelez sûrement des Sioux. » Comme Steffens mettait la main autour d'une poche et serrait, Oleg constata que le sang paraissait changer de couleur, du rouge foncé au rouge clair. « La soif sanguinaire des Indiens que l'homme blanc a rencontrés, c'est un mythe. Sauf chez les Lakotas.

— Ah bon ? fit Oleg. Et l'homme blanc ? La soif de sang n'est-elle pas répartie assez équitablement entre les peuples ?

— Je sais que c'est ce qu'on vous apprend à l'école aujourd'hui. Personne n'est meilleur, personne n'est pire. Mais, croyez-moi, les Lakotas étaient à la fois meilleurs et pires. C'étaient les meilleurs guerriers. Les Apaches disaient que quand des Cheyennes ou des Siksikas arrivaient, ils laissaient leurs guerriers se reposer et envoyaient leurs jeunes garçons et leurs vieux pour les battre. Quand les Lakotas arrivaient, en revanche, ils n'envoyaient personne. Mais se mettaient aussi bien à chanter tout de suite des chants funèbres. En espérant une mort rapide.

— Torture ?

— Quand les Lakotas brûlaient leurs prisonniers de guerre, ils le faisaient par petits morceaux à l'aide de bouts de charbon. » Steffens s'approchait d'un endroit où les poches de sang étaient plus serrées et où la lumière filtrait moins. « Et quand les captifs n'en pouvaient plus, on leur accordait une pause, avec eau et nourriture, afin de pouvoir prolonger la torture un ou deux jours de plus. Parfois, ce que les prisonniers avaient à manger, c'étaient des morceaux de leur propre chair.

— C'est vrai ?

— Moui, comme tout le reste de l'histoire écrite. Un guerrier lakota du nom de Lune-derrière-le-Nuage avait la réputation de boire le sang de tous les ennemis qu'il tuait jusqu'à la dernière goutte. C'est évidemment une falsification historique, car il en a tué tant qu'il n'aurait pas survécu à des orgies de sang pareilles, puisque, en grandes quantités, le sang humain est toxique.

— Ah bon ?

— Vous absorbez plus de fer que votre corps ne peut en éliminer. Mais il a bu le sang de certaines personnes, ça, je le sais. » Steffens s'arrêta près d'une poche de sang. « En 1871, mon arrière-grand-père a été retrouvé vidé de son sang dans le camp lakota de Lune-derrière-le-Nuage dans l'Utah, où il était parti comme missionnaire. Dans le journal de ma grand-mère, il est écrit que mon arrière-grand-mère a remercié le Seigneur après le massacre de Lakotas de Wounded Knee en 1890. Et à propos de mères…

— Oui ?

— Ce sang appartient à la vôtre. C'est-à-dire que maintenant il m'appartient à moi.

— Je croyais qu'on lui *donnait* du sang.

— Votre mère a un type de sang très rare, Oleg.

— Ah ? Je croyais que son groupe sanguin était très répandu.

— Oh, le sang, c'est bien plus qu'un *groupe*, Oleg. Par bonheur, son groupe est A, donc je peux lui donner du tout-venant d'ici. » Il fit un geste de la main. « Du sang simple que son corps absorbe pour le transformer en ces gouttes d'or qui forment le sang de Rakel Fauke. Et à propos de Fauke, Oleg Fauke, je ne vous ai pas emmené ici uniquement pour vous offrir une pause dans votre veille à son chevet. Je pensais vous demander si je pourrais prélever de votre sang pour voir si vous produisez le même qu'elle.

— Moi ? » Oleg réfléchit. « Oui, si ça peut aider quelqu'un, pourquoi pas ?

— Ça pourrait m'aider moi, croyez-moi. Vous êtes prêt ?

— Ici ? Maintenant ? »

Oleg croisa le regard du médecin chef Steffens. Quelque chose le faisait hésiter, mais il ne savait pas exactement quoi.

« OK, dit Oleg, mon sang vous appartient.

— Bien. » Steffens plongea la main dans la poche droite de sa blouse blanche et avança d'un pas vers Oleg. Mais une ride agacée plissa son front quand un air enjoué résonna dans sa poche.

« Je ne pensais pas qu'il y avait du réseau, ici », marmonna-t-il en puisant son téléphone dans sa poche. Oleg vit l'écran éclairer le visage du médecin et être reflété par ses lunettes. « Eh bien, ça m'a l'air de venir de l'hôtel de police. » Il plaqua le téléphone contre son oreille. « Médecin chef John Doyle Steffens. »

Oleg entendit bourdonner la voix de son interlocutrice.

« Non, inspectrice principale Bratt, je n'ai pas vu Harry Hole aujourd'hui et je suis passablement certain qu'il n'est pas ici. Ce ne doit pas être le seul endroit où il faut éteindre son téléphone, il est peut-être dans un avion ? » Steffens regarda Oleg, qui haussa les épaules. « "*Nous l'avons trouvé*" ? Oui, Bratt, je lui transmettrai le message s'il fait surface ici. Qui avez-vous trouvé, au fait ? Merci, je sais ce que c'est que le secret professionnel, Bratt, mais je pensais que ça pourrait être pratique pour Hole que je ne sois pas obligé de parler en codes. Donc il comprendra de qui vous parlez ? Bien, alors je rapporterai à Hole que "*Nous l'avons trouvé*" quand je le verrai. Bonne journée, Bratt. »

Steffens remit le téléphone dans sa poche. Il vit qu'Oleg avait retroussé sa manche de chemise. Le saisissant par le bras, il le reconduisit d'un pas rapide vers l'échelle de la piscine. « Merci, mais j'ai vu sur le téléphone qu'il était plus tard que je pensais et j'ai un patient qui m'attend. Nous prendrons votre sang un autre jour, Fauke. »

Assis tout au fond de la Mercedes classe G du Delta, Sivert Falkeid, commandant de la troupe d'intervention, aboyait ses derniers commandements alors qu'ils remontaient en cahotant Trondheimsveien. Il y avait huit hommes dans la voiture. Enfin, sept hommes et une femme. Qui ne faisait pas partie du groupe d'intervention. Aucune femme n'en avait jamais fait partie. En théorie, les critères d'admission du Delta n'étaient pas sexistes, mais cette année non plus, il n'y avait pas eu une seule femme parmi les six cents candidats, l'histoire n'en avait compté que cinq, la dernière au siècle précédent. Aucune n'avait passé le chas de l'aiguille. Mais, qui sait, la femme qui était assise en face de lui avait l'air à la fois forte et endurante, elle aurait peut-être eu ses chances ?

« Donc nous ne savons pas si ce Dreyer est chez lui ? demanda Sivert Falkeid.

— Juste histoire de lever toute ambiguïté, c'est Valentin Gjertsen, le vampiriste.

— Je blague, Bratt, répondit Falkeid en souriant. Donc il n'a pas de téléphone mobile que nous puissions repérer ?

— Il en a peut-être un, mais pas qui soit enregistré au nom de Dreyer ou de Gjertsen. Est-ce un problème ? »

Sivert Falkeid la regarda. Ils avaient pu télécharger le plan de l'adresse auprès du service de l'Aménagement urbain et ça s'annonçait bien. Un deux-pièces de quarante-cinq mètres carrés au premier étage, aucune porte de secours ni d'escalier descendant directement de l'appartement au sous-sol. Il avait prévu d'avoir quatre hommes à la porte d'entrée, et deux sur la pelouse au cas où Valentin Gjertsen sauterait du balcon.

« Pas un problème, dit-il.

— Bien, répondit-elle. Entrée silencieuse ? »

Il sourit encore plus largement. Il aimait son dialecte de Bergen. « Vous pensez que nous devrions découper un trou dans la vitre depuis le balcon et nous essuyer soigneusement les pieds avant d'entrer ?

— Je pense qu'il n'y a aucune raison de gaspiller des grenades et de la fumée quand il n'y a qu'un seul homme qui, avec un peu de chance, n'a pas d'arme sur lui et ne sait pas que nous venons. Et puis, dans le calme et le silence, ça donne une meilleure note en style, non ?

— C'est vrai, admit Falkeid en regardant son GPS et la route devant eux. Mais si nous enfonçons la porte, le risque de blessure est moindre et pour nous et pour lui. Aussi gros durs que les gens s'imaginent être, quand nous balançons une grenade, ils sont paralysés par la détonation et la lumière dans neuf cas sur dix. Je crois que nous avons sauvé la vie de plus d'interpellés que de nos propres hommes en employant cette technique. Et puis en plus nous avons ces grenades incapacitantes que nous aimerions bien utiliser avant la date de péremption. Et mes gars ne tiennent pas en place, ils ont besoin d'un peu de rock'n'roll, ils ont eu droit à un peu trop de ballades, ces derniers temps.

— Vous blaguez, n'est-ce pas ? Vous n'êtes pas d'un machisme aussi puéril ? »

Falkeid ricana en haussant les épaules.

« Vous savez quoi ? » Bratt s'était avancée vers lui,

elle avait humecté ses lèvres et baissé la voix. « Vous me plaisez un peu. »

Falkeid rit. Certes, il était marié, mais sans ça, il n'aurait pas refusé un dîner avec Katrine Bratt. À regarder ses yeux sombres dangereux et à écouter ses *r* grasseyés qui résonnaient comme un grondement de prédateur.

« Une minute, annonça-t-il bien haut et les sept hommes abaissèrent leurs visières d'un geste presque synchrone.

— Un Ruger Redhawk, c'est bien ce que vous m'avez dit ?

— C'est ce que Harry Hole a dit qu'il avait dans le bar, oui.

— Vous avez entendu, les gars ? »

Ils acquiescèrent d'un signe de tête. Le fabricant de leurs nouvelles visières prétendait que leur plastique pouvait arrêter une balle de 9 mm se dirigeant vers votre tête, mais pas un gros calibre Redhawk. Et Falkeid trouvait que c'était très bien comme ça, la fausse sécurité émoussait les sens.

« Et s'il fait de la résistance ? » demanda Bratt.

Falkeid toussota. « On l'abat.

— Vous êtes obligés ?

— Il y aura sûrement des gens avisés pour dire après coup que nous aurions dû faire autrement, mais nous préférons être avisés avant et abattre les gens qui ont l'air de vouloir nous abattre. Savoir que c'est accepté est un facteur qui fait beaucoup pour l'agrément de notre travail. J'ai l'impression que nous sommes arrivés. »

Il était debout à la fenêtre. Deux empreintes digitales grasses sur la vitre. Vue sur la ville, mais il ne voyait rien, il entendait seulement les sirènes. Aucune raison de s'inquiéter, des sirènes, on en entendait sans arrêt. Les gens brûlaient chez eux, glissaient dans leur salle de bains, torturaient leurs petites amies, et on mettait alors les sirènes. Des sirènes plaintives, agaçantes, qui modestement demandaient à ceux qui étaient devant de se déplacer, de céder la place.

De l'autre côté de la cloison, des gens couchaient ensemble. En pleine journée de travail. C'était de l'infidélité. À des conjoints, à des employeurs, probablement les deux.

Les sirènes hurlaient par-dessus les voix de la radio derrière lui. Ils étaient en route, des gens avec uniforme, autorité et priorité sur la route, mais sans but ni intention. Tout ce qu'ils savaient, c'était que c'était urgent, que s'ils n'arrivaient pas à temps, quelque chose de terrible allait se produire.

Attaque à la bombe. *Là*, vous aviez une sirène qui avait un sens. Le bruit du jour du Jugement dernier. Plein de joie, capable de faire se hérisser les poils. Entendre ce bruit, regarder l'heure, voir qu'il n'était *pas* midi précis et comprendre que ce n'était pas un test. C'était l'heure qu'il aurait choisie pour bombarder Oslo, douze zéro zéro, pas une âme n'aurait couru aux abris, ils seraient tous restés plantés là, à contempler le ciel d'un air perplexe en se demandant ce que c'était que ce temps. Ou allongés à baiser, la conscience pas tranquille. Mais quoi qu'il en soit, ils n'auraient pas été en mesure de changer la situation. Car nous ne le pouvions pas, nous faisions ce que nous devions parce que nous étions ceux que nous étions. Cette idée de notre volonté pouvant nous faire agir autrement que ne l'édictait notre nature était une idée mal comprise. Au contraire, la seule chose que faisait la volonté, c'était obéir à notre nature, même quand c'était rendu difficile par les circonstances. Violer une femme, vaincre ou déjouer sa résistance, fuir la police et la vengeance, se cacher nuit et jour, n'était-ce pas braver tous les obstacles pour faire l'amour avec cette femme ?

Les sirènes étaient plus lointaines à présent. Les amants avaient fini.

Il essaya de se souvenir comment il était, le signal d'alerte qui signifiait *message important, allumez la radio*. L'utilisait-on toujours ? Quand il était petit, il n'y avait eu en gros qu'une seule chaîne de radio, mais laquelle fallait-il écouter aujourd'hui pour entendre ce message censé être d'une importance extrême, mais pas dramatique au point qu'il faille courir aux abris ? Peut-être existait-il un plan d'urgence qui faisait réquisitionner toutes les chaînes de radio et annoncer d'une seule voix… annoncer quoi ? Que tout était trop tard. Que les abris antibombes étaient fermés, car de toute façon ils ne pouvaient pas vous sauver, rien ne le pouvait. Que l'essentiel désormais, c'était de rassembler les gens que vous aimiez autour de vous, de faire vos adieux et de mourir. Car voilà une chose qu'il avait apprise. Bien des gens organisaient toute leur vie autour de cette seule idée : ne pas mourir seul. Très peu y parvenaient, mais Seigneur Dieu, à quels sacrifices n'étaient-ils pas prêts pour répondre à cette peur désespérée de franchir le seuil sans personne à tenir par la main ? Eh bien, il les avait tenues par la main, lui. Combien ? Vingt ? Trente ? Et elles n'avaient pas eu l'air moins terrifiées ou moins seules pour autant. Même celles qu'il aimait. Maintenant, elles n'avaient évidemment pas eu le temps de l'aimer en retour, mais elles avaient tout de même été entourées d'amour. Il pensa à Marte Ruud. Il aurait dû la traiter mieux, ne pas se laisser entraîner. Il espérait qu'elle était morte à présent et que ça s'était passé rapidement et sans douleur.

De l'autre côté de la cloison, il entendit qu'on ouvrait la douche et il monta le volume des voix radiophoniques sur son téléphone.

«… quand une partie de la littérature universitaire décrit le vampiriste comme intelligent et sans signes de maladie mentale ni de socio-pathologie, cela donne l'impression que nous avons affaire à un ennemi fort et dangereux. Le vampiriste Richard Chase, dit "vampire de Sacramento", est sans doute un cas plus typique, qui ressemble à Valentin Gjertsen. Chez l'un comme chez l'autre, nous voyons des troubles mentaux à partir du début de l'adolescence, énurésie, pyromanie, impuissance. Chez l'un comme chez l'autre, on a diagnostiqué paranoïa et schizophrénie. Chase avait certes emprunté la voie ordinaire en buvant du sang d'animal et en s'injectant entre autres du sang de poulet, ce qui l'avait rendu malade, alors que quand il était gamin, Valentin se préoccupait davantage de faire du mal aux chats. Dans la ferme de son grand-père, Valentin cachait des chatons nouveau-nés, il les gardait dans une cage secrète dans la grange pour pouvoir les torturer à l'insu des adultes. Mais, après avoir commis leur première agression vampiriste, Valentin Gjertsen comme Chase développent une obsession. Chase a tué un total de sept victimes en seulement quelques semaines. Et à l'instar de Gjertsen qui tue la plupart de ses victimes chez elles, Chase se promène dans les rues de Sacramento en décembre 1977 en testant les portes et, quand elles ne sont pas verrouillées, il le prend comme une invitation à entrer, comme il l'a expliqué plus tard lors de son interrogatoire. Teresa Wallin, l'une de ses victimes, était à son troisième mois de grossesse, et quand Chase l'a trouvée seule chez elle, il l'a abattue de trois balles dans le corps et a violé son cadavre tout en le lardant de coups de couteau de boucher avant de boire son sang. Ça rappelle quelque chose, n'est-ce pas ? »

Ouais, songea-t-il. Mais ce que tu n'oses pas mentionner, c'est que Richard *Trenton* Chase avait coupé le corps pour en extraire plusieurs organes, qu'il avait tranché les mamelons et qu'il était allé chercher des déjections canines dans le jardin pour les lui fourrer dans la bouche. Et qu'il s'était servi du pénis d'une de ses victimes comme paille pour boire le sang d'une autre.

« Et les similitudes ne s'arrêtent pas là. Tout comme Chase, Valentin Gjertsen arrive bientôt au bout de sa route. Je ne le vois pas tuer d'autres personnes.

— Qu'est-ce qui vous rend si sûr de votre fait, Smith ? Vous collaborez avec la police, a-t-on des pistes spécifiques ?

— Mes certitudes n'ont rien à voir avec l'enquête, que je ne peux évidemment pas commenter, que ce soit directement ou indirectement.

— Alors pourquoi ne tuera-t-il plus ? »

Il entendit Smith respirer. Il visualisait le psychologue distrait prenant des notes, tout occupé à poser des questions sur son enfance, son énurésie, ses premières expériences sexuelles, la forêt à laquelle il avait mis le feu et particulièrement la pêche au chat, comme il l'appelait, qui avait consisté à prendre la canne à pêche de son grand-père, lancer la ligne par-dessus une poutre dans la grange, planter l'hameçon dans le menton d'un chaton, tourner le moulinet jusqu'à ce que le chaton en question se retrouve en l'air et observer ses vaines tentatives de remonter ou de se libérer.

« Parce que Valentin Gjertsen n'a rien de particulier, si ce n'est qu'il est particulièrement méchant. Il n'est pas d'une bêtise profonde, mais pas non plus particulièrement intelligent. Il n'a rien accompli dc spécial. Construire requiert la capacité de voir, une vision à long terme, mais démolir ne requiert rien, juste de l'aveuglement. Ce qui a sauvé Gjertsen de l'arrestation ces derniers jours, ce n'est pas son talent, mais de la pure chance. Jusqu'à ce qu'il soit pris, dans un avenir proche, Valentin Gjertsen reste bien sûr un homme dont il est dangereux de croiser la route, tout comme il faut se méfier des chiens qui ont de la bave autour de la gueule. Mais un chien qui a la rage est mourant, et Valentin Gjertsen, pour parler en langue vernaculaire et employer les termes de Harry Hole, n'est qu'un pauvre pervers tellement hors de contrôle qu'il va bientôt commettre une grosse erreur.

— Vous voulez donc tranquilliser les habitants d'Oslo en… »

Entendant un bruit, il éteignit le podcast. Il tendit l'oreille. C'était le bruit de pieds faisant du sur-place juste devant la porte d'entrée. Quelqu'un se concentrait sur quelque chose.

Quatre hommes vêtus de l'uniforme noir du Delta se tenaient devant la porte d'entrée d'Alexander Dreyer. Vingt mètres plus loin dans le couloir, Katrine Bratt observait.

L'un des hommes tenait un bélier d'un mètre et demi de long et de la forme d'une boîte de Pringles avec deux poignées.

Sous leurs casques à visière, ils étaient impossibles

à différencier les uns des autres. Mais elle partit du principe que l'homme qui levait trois doigts gantés en l'air était Sivert Falkeid.

Dans le silence du compte à rebours, elle entendit de la musique dans l'appartement. Pink Floyd ? Elle avait horreur de Pink Floyd. Non, c'était inexact, elle nourrissait une profonde méfiance à l'égard des gens qui aimaient Pink Floyd. Bjørn avait déclaré n'aimer qu'une seule de leurs chansons, il avait sorti l'album avec une image de quelque chose qui ressemblait à une oreille velue, en précisant que le disque datait d'avant qu'ils deviennent énormes, et il lui avait passé un blues avec un chien qui hurlait, un de ces trucs que font les émissions de télé quand elles sont en panne d'idées. Bjørn avait décrété qu'il accordait l'amnistie totale à toute chanson affichant un peu de *bottleneck* décent et que c'était aussi un plus que la chanson ne contienne pas de double grosse caisse, de râles ni d'hommages aux puissances noires et aux cadavres dévorés par les vers, ce qu'affectionnait Katrine. Bjørn lui manquait. Ici, alors que Falkeid abaissait son dernier doigt, formant ainsi un poing de sa main, et alors qu'ils imprimaient un mouvement de balancier au bélier qui allait enfoncer la porte de l'homme qui, au cours des sept derniers jours, avait tué au moins quatre, vraisemblablement cinq personnes, elle pensait à l'homme qu'elle avait quitté.

Un claquement retentit quand le verrou céda et que la porte fut enfoncée. Le troisième homme lança une grenade incapacitante, et Katrine Bratt se boucha les oreilles. Les hommes du Delta projetèrent des ombres sur le mur du couloir dans la lueur que Katrine enregistra pendant la fraction de seconde qui précéda les deux détonations suivantes.

Le MP-5 contre l'épaule, trois hommes s'engouffrèrent à l'intérieur, le quatrième resta dans le couloir, l'arme braquée sur l'ouverture de la porte.

Katrine ôta ses mains de ses oreilles.

La grenade incapacitante n'avait pas assommé Pink Floyd.

« Fin d'alerte ! » La voix de Falkeid.

Le policier dans le couloir se retourna vers Katrine et lui fit un signe de tête.

Elle respira et se dirigea vers l'entrée.

Elle pénétra dans l'appartement. Un peu de fumée de la grenade subsistait, mais elle était remarquablement peu odorante.

L'entrée. Le salon. La cuisine. La première chose qui la frappa fut que tout avait l'air si normal. Comme si c'était quelqu'un de tout à fait ordinaire, propre, ordonné, qui vivait là. Qui faisait la cuisine, buvait du café, regardait la télé, écoutait de la musique. Pas de crochet à viande vissé au plafond, pas d'éclaboussures de sang sur le papier peint ni de coupures de presse sur les meurtres et de photos des victimes scotchées au mur.

Puis l'idée la traversa. Qu'Aurora s'était trompée.

Elle jeta un coup d'œil dans la salle de bains ouverte. Elle était complètement vide, pas de rideau de douche, pas d'affaires de toilette, à part un objet sur la tablette du miroir. Elle entra. Ce n'étaient pas des affaires de toilette. Le métal était taché de peinture noire et de rouille. Les dents de fer étaient encastrées les unes dans les autres et formaient un zigzag.

« Bratt !

— Oui ? » Katrine retourna dans le salon.

« Par ici. » Falkeid, dans la chambre à coucher. Sa voix semblait calme, posée. Comme quand quelque chose est terminé. Katrine enjamba soigneusement le seuil en évitant de toucher la porte, comme si elle savait déjà qu'elle se trouvait sur une scène de crime. Les portes de la penderie étaient ouvertes et les hommes du Delta se tenaient de part et d'autre du lit double, leurs pistolets-mitrailleurs braqués sur le corps nu qui gisait sur la couette avec des yeux sans vie rivés au plafond. Il s'en dégageait une odeur qu'elle ne put d'abord pas identifier et elle se pencha un peu plus près. De la lavande.

Katrine sortit son téléphone, composa le numéro et eut une réponse à la première sonnerie.

« Vous l'avez ? » Bjørn Holm paraissait essoufflé.

« Non, dit-elle. Il y a un corps de femme ici.

— Morte ?

— Pas vivante en tout cas.

— Oh, merde ! C'est Marte Ruud ? Attends, qu'est-ce que tu veux dire, "pas vivante" ?

— Pas morte, pas vivante.

— Qu'est-ce que…

— C'est une poupée gonflable.

— Une quoi ?

— Une poupée à baiser. Une chère, apparemment, made in Japan, d'apparence très vivante, oui, putain, au début, j'ai cru que c'était un être humain. Quoi qu'il en soit, Alexander Dreyer est bien Valentin, le dentier de fer est ici. Donc il ne nous reste plus qu'à attendre ici et voir s'il reparaît. Des nouvelles de Harry ?

— Non. »

Le regard de Katrine tomba sur un cintre et un slip par terre devant la penderie. « Ça ne me plaît pas, Bjørn, il n'était pas à l'hôpital non plus.

— Ça ne plaît à personne. On lance un avis de recherche ?

— De Harry ? À quoi bon ?

— Tu as raison. Bon, ne faites pas trop de désordre, il pourrait y avoir des traces de Marte Ruud.

— D'accord, mais je parie que les éventuelles traces ont été nettoyées. Si on en juge par l'appartement, Harry a raison, Valentin est en effet extrêmement propre et ordonné. » Son regard retomba sur le cintre et le slip. « Enfin…

— Oui ? demanda Bjørn dès qu'il se fut écoulé suffisamment de temps pour qu'on puisse parler de pause.

— Bordel ! s'exclama Katrine.

— Mais encore ?

— Il a fourré des vêtements dans un sac ou une valise en toute hâte et pris ses affaires de toilette dans la salle de bains. Valentin savait que nous venions… »

Valentin ouvrit. Et vit qui avait dansé d'un pied sur l'autre devant sa porte. La femme de chambre qui était penchée avec sa carte-clef sur la porte de la chambre d'hôtel se redressa.

« Oh, désolée, fit-elle en souriant. Je ne savais pas que la chambre était occupée…

— Je vais garder ça, dit-il en lui prenant les serviettes de bain des mains. Et pourriez-vous refaire la chambre, s'il vous plaît ?

— Pardon ?

— Je ne suis pas satisfait du ménage. Il reste des traces de doigts sur la vitre. J'aimerais que vous refassiez la chambre, disons, dans une heure ? »

Le visage stupéfait de la femme de chambre disparut derrière la porte quand il referma.

Il posa les serviettes de bain sur la table basse, s'assit dans le fauteuil et ouvrit son sac.

Les sirènes s'étaient tues. Si c'étaient eux qu'il avait entendus, ils étaient peut-être dans son appartement à présent, on était à moins de deux kilomètres de Sinsen à vol d'oiseau. Cela faisait moins d'une demi-heure que l'autre l'avait appelé pour le prévenir que la police savait où il était et quel nom il employait et qu'il lui avait dit de déguerpir. Valentin avait simplement emporté l'essentiel, laissant la voiture, puisqu'ils avaient le nom auquel elle était immatriculée.

Il sortit le dossier du sac et l'ouvrit. Glissant son regard sur les photos, les adresses, il se rendit compte que, pour la première fois depuis longtemps, il savait quoi faire.

Dans son oreille interne, il entendait la voix du psychologue.

« ... qu'un pauvre pervers tellement hors de contrôle qu'il va bientôt commettre une grosse erreur. »

Valentin se leva et se déshabilla. Il ramassa les serviettes et les emporta dans la salle de bains. Il ouvrit l'eau chaude de la douche, resta debout devant le miroir à attendre que l'eau devienne bouillante en regardant la vapeur se déposer sur la glace. Il contemplait son tatouage. Le téléphone sonna, il savait que c'était lui. La raison. Le sauvetage. Avec de nouvelles instructions, de nouveaux ordres. Allait-il s'abstenir de répondre ? Était-il temps de couper le cordon ombilical, la corde de sauvetage ? Était-il temps de se libérer *complètement* ?

Il remplit ses poumons. Et cria.

28

Mercredi après-midi

« Les poupées gonflables, ce n'est pas nouveau », déclara Smith en observant la femme en plastique et silicone sur le lit. « Quand les Néerlandais gouvernaient sur les sept mers, les marins emportaient une espèce de vagin en cuir cousu. La pratique était suffisamment répandue pour que les Chinois parlent de "Dutch wife".

— Vraiment ? » Katrine contemplait les anges vêtus de blanc du groupe de la police scientifique, qui passaient la chambre à coucher au peigne fin. « Ils parlaient l'anglais ? »

Smith rit. « *Got me*. Les articles des revues de psychologie sont en anglais. Au Japon, il y a des maisons closes avec uniquement des poupées gonflables. Les plus chères sont munies d'éléments chauffants qui donnent l'illusion qu'elles ont une température corporelle, elles ont un squelette qui fait que vous pouvez leur plier les bras et les jambes dans des positions naturelles ou non et disposent d'une lubrification automatique de...

— Merci, je crois que ça suffira, dit Katrine.

— Bien sûr, pardon.

— Bjørn a-t-il dit pourquoi il restait à la Chaufferie ? »

Smith secoua la tête.

« Lien et lui avaient un truc, répondit Wyller.

— Berna Lien ? Un *truc* ?

— Il a juste dit que tant que ce n'était pas une scène de crime présumée, il la laissait à d'autres.

— Un truc », marmonna Katrine en quittant la chambre avec les deux autres sur les talons. Elle sortit de l'immeuble, sur le parking. Ils se postèrent derrière la Honda bleue, dont deux TIC examinaient le coffre. Ils avaient trouvé les clefs dans l'appartement et obtenu confirmation que la voiture était immatriculée au nom d'Alexander Dreyer. Le ciel au-dessus d'eux était gris acier, et de l'autre côté des pelouses ondoyantes de Torshovdalen, Katrine voyait le vent saisir les arbres. Les dernières prévisions météo annonçaient qu'Emilia n'était plus qu'à quelques heures de distance.

« Malin de sa part de ne pas prendre la voiture, observa Wyller.

— Ouaip, fit Katrine.

— Comment ça ? demanda Smith.

— Franchissements de péages, parkings et caméras de surveillance des rues, expliqua Wyller. Il y a des logiciels de reconnaissance des numéros d'immatriculation sur les caméras de surveillance, c'est l'affaire de quelques secondes.

— *Brave new world*, ajouta Katrine.

— “*O brave new world, that has such people in it*” », déclama Smith.

Katrine se retourna vers le psychologue. « Avez-vous une idée de l'endroit où quelqu'un comme Valentin pourrait s'enfuir ?

— Non.

— Non comme dans “aucune idée”? »

Smith plaqua ses lunettes contre la racine de son nez. « Non comme dans “il me paraît inconcevable qu’il veuille s’enfuir”.

— Pourquoi?

— Parce qu’il est en colère. »

Katrine eut un frisson. « Si jamais il a écouté votre podcast avec Daa, vous n’avez pas amoindri sa colère.

— Non, soupira Smith. Je suis sans doute allé trop loin. Encore une fois. Par bonheur, depuis le cambriolage de l’étable l’année dernière, nous avons de bons verrous et une caméra de surveillance. Mais peut-être…

— Peut-être quoi?

— Peut-être que nous nous sentirions plus en sécurité si j’avais une arme, un pistolet ou quelque chose du même genre.

— Le règlement ne nous autorise pas à vous donner une arme de la police sans licence et cours de maniement des armes.

— Armement d’urgence », suggéra Wyller.

Katrine le regarda. Peut-être que les conditions de l’armement d’urgence étaient remplies. Peut-être pas. Mais elle voyait déjà les titres de la presse si Smith était abattu et qu’il apparaissait qu’on ne lui avait pas accordé l’armement d’urgence qu’il demandait. « Tu aides Hallstein pour sa requête de pistolet?

— Oui.

— OK. J’ai demandé à Skarre de vérifier les trains, les bateaux, les avions et les hôtels. Espérons que Valentin n’ait pas de papiers pour d’autres identités qu’Alexander Dreyer. » Katrine observa le ciel. Un ex qui faisait du parapente lui avait expliqué que, même s'il n'y avait pas de vent au sol, l'air à seulement deux cents mètres d'altitude pouvait enfreindre les limitations de vitesse d'une autoroute. Dreyer. Dutch wife. Un *truc* ? Pistolet. En colère.

« Et Harry n'était donc pas chez lui ? » demanda-t-elle.

Wyller secoua la tête. « J'ai sonné à la porte et fait le tour de sa maison en regardant par toutes les fenêtres.

— Il est temps de prévenir Oleg. Il a sûrement les clefs.

— Je m'en occupe tout de suite. »

Elle soupira. « Si vous ne trouvez pas Harry là, il faudrait presque que Telenor nous localise son téléphone. »

L'un des techniciens en blanc vint la trouver.

« Il y a du sang dans le coffre, annonça-t-il.

— Beaucoup ?

— Oui. Et ça. » Il leva un grand sachet de scellés en plastique transparent. Il contenait un chemisier blanc. Déchiré. Sanglant. À dentelles, comme le chemisier de Marte Ruud décrit par les clients qui avaient été au Schrøder le soir de sa disparition.

29

Mercredi soir

Harry ouvrit les yeux et fixa l'obscurité.

Où était-il ? Que s'était-il passé ? Combien de temps était-il resté inconscient ? Il avait l'impression de s'être pris un coup de barre sur la tête. Les battements de son cœur retentissaient dans ses tempes en rythme monotone. La seule chose dont il arrivait à se souvenir était qu'il était enfermé. Et pour autant qu'il puisse en juger, il était couché sur un carrelage froid. Froid comme l'intérieur d'un réfrigérateur. Il était couché dans quelque chose de mouillé, de visqueux. Il leva la main et la contempla. Était-ce du sang ?

Puis, lentement, Harry se rendit compte que ce n'étaient pas ses battements de cœur qui cognaient contre ses tympans.

C'était une basse.

Kaiser Chiefs ? Probablement. En tout cas encore un de ces groupes anglais galvaudés qu'il avait en fait oubliés. Non que Kaiser Chiefs soient mauvais, mais ils n'étaient pas exceptionnels et appartenaient aussi à toute cette soupe musicale qu'il avait entendue plus d'un an et moins de vingt ans auparavant : il n'imprimait pas. Alors qu'il se souvenait de la moindre note, de la moindre parole, de même la chanson la plus nulle des années 1980, l'espace de temps entre alors et aujourd'hui était vierge. Exactement comme l'espace de temps entre la veille et maintenant. Rien. Juste cette basse insistante. Ou ses battements de cœur. Ou quelqu'un qui tambourinait sur la porte.

Harry referma les yeux. Il flaira sa main, espérant que ce n'était pas du sang, de la pisse ou du dégueulis.

La basse se mit à jouer à contretemps par rapport à la chanson.

C'était la porte.

« Fermé ! » cria Harry. Qui le regretta aussitôt quand il eut l'impression que son crâne allait exploser.

La chanson était terminée et les Smiths prirent les commandes. Harry comprit qu'il avait dû brancher son téléphone sur la chaîne quand il s'était lassé de Bad Company. « There Is a Light that Never Goes out. » Vraiment ? La tambourinade sur la porte continuait. Harry se boucha les oreilles. Mais quand la chanson arriva à la dernière partie, avec uniquement des cordes, il entendit une voix appeler son nom. Et comme personne ne savait que le nouveau propriétaire du Jealousy Bar s'appelait Harry et qu'il reconnaissait la voix, il tendit les mains, attrapa le bord du comptoir et se hissa. D'abord à genoux. Puis penché en avant, mais dans une position qu'on devait tout de même pouvoir qualifier de debout, puisque les semelles de ses chaussures étaient plantées sur le sol poisseux. Il vit les deux bouteilles de Jim Beam renversées avec le goulot dépassant du comptoir et comprit qu'il avait mariné dans son propre bourbon.

Il vit son visage de l'autre côté de la devanture. Elle était seule, semblait-il.

Il se passa un index raide sur la gorge pour signaler que c'était fermé, mais elle lui répondit par un doigt d'honneur et se remit à tambouriner sur la porte.

Le bruit lui faisant l'effet d'un marteau droit sur les méninges molles, Harry décida qu'il pouvait aussi bien ouvrir ; il lâcha le comptoir, fit un pas en avant et tomba. Ses deux pieds étaient engourdis, comment était-ce possible ? Il se releva et, s'aidant des tables et des chaises, parvint à tituber jusqu'à la porte.

« Bon sang ! gémit Katrine quand il ouvrit. Tu es bourré !

— Possible, répondit Harry. Mais j'aurais voulu l'être un peu plus.

— Nous t'avons cherché, espèce de con ! Tu as été ici pendant tout ce temps ?

— Je ne sais pas exactement ce que "tout ce temps" recouvre, mais il y a deux bouteilles vides sur le comptoir. Espérons que j'ai pris le temps de les savourer.

— On n'a pas arrêté de t'appeler.

— Hm. J'ai dû mettre mon téléphone en mode avion. Bonne playlist, non ? Écoute. La fille en colère, là, c'est Martha Wainwright. "Bloody Mother Fucking Asshole". Ça te rappelle quelqu'un ?

— Putain, Harry, à quoi est-ce que tu penses ?

— Penses, penses. Je suis, comme tu le vois, en mode avion. »

Elle le saisit par le col de sa veste. « Des gens se font tuer, là, Harry. Et toi, tu essaies d'être drôle ?

— J'essaie d'être drôle chaque putain de jour qui passe, Katrine. Et tu sais quoi ? Et les gens ne vont ni mieux ni moins bien. Et ça ne semble pas non plus exercer d'effet sur les statistiques de meurtres.

— Harry, Harry... »

Il chancela et se rendit compte qu'elle le tenait par le col avant tout pour le maintenir debout sur ses jambes.

« Nous l'avons perdu, Harry. Nous avons besoin de toi.

— OK. Laisse-moi juste boire un verre d'abord.

— Harry !

— Tu cries très... fort.

— On file maintenant. J'ai une voiture qui attend devant.

— C'est la *happy hour* de mon bar et je ne suis pas prêt pour travailler, Katrine.

— Tu ne vas pas travailler, tu vas rentrer chez toi et dessoûler. Oleg t'attend.

— Oleg ?

— Nous lui avons demandé d'ouvrir à Holmenkollen. Il avait tellement peur de ce qu'il allait trouver qu'il a fait passer Bjørn d'abord. »

Harry ferma les yeux. Merde, merde. « Je ne peux pas, Katrine.

— Tu ne peux pas quoi ?

— Appelle Oleg et dis-lui que je vais bien, demande-lui de retourner auprès de sa mère.

— Il paraissait très décidé à attendre que tu arrives, Harry.

— Je ne peux pas le laisser me voir comme ça. Et toi, tu ne peux pas m'employer à quoi que ce soit. Désolé, c'est sans appel. » Il saisit la porte. « Vas-y maintenant.

— Que j'y aille ? En te laissant ici ?

— Je vais m'en sortir. Rien que de l'eau et du soda à

partir de maintenant. Peut-être aussi un peu de Coldplay. »

Katrine secoua la tête. « Tu viens à la maison.

— Je ne vais *pas* à la maison.

— Pas la tienne. »

30

Nuit de mercredi

On était à une heure de minuit, Olsens était bondé d'une clientèle déjà bien adulte, et Gerry Rafferty et son saxophone soufflaient les cheveux clairsemés de ceux qui se tenaient le plus près des haut-parleurs.

« Le son des années 1980, cria Liz. Santé.

— Je crois que cette chanson date des années 1970, répondit Ulla.

— Oui, oui, mais elle n'est arrivée à Manglerud que dans les années 1980. »

Elles rirent. Ulla nota que Liz secouait la tête quand un homme l'interrogea du regard en passant devant leur table.

« C'est en fait la deuxième fois que je viens ici cette semaine, dit Ulla.

— Ah bon ? Tu t'es autant amusée la dernière fois ? »

Ulla secoua la tête. « Rien n'est aussi drôle que de sortir avec toi. Le temps passe, mais tu restes la même.

— Oui, répondit Liz en inclinant la tête et en scrutant son amie. Mais pas toi.

— Ah bon ? J'ai perdu avec l'âge ?

— Non, et c'est d'ailleurs un peu agaçant. Mais tu ne souris plus.

— Ah bon ?

— Tu souris, mais tu ne *souris* pas. Pas comme Ulla de Manglerud. »

Ulla dodelina de la tête. « On a déménagé.

— Oui, oui, mari, enfants et villa. Mais c'est un mauvais troc contre ce sourire, Ulla. Qu'est-ce qui s'est passé ?

— Qu'est-ce qui s'est passé, oui ? » Ulla sourit à Liz, but une gorgée. Elle regarda autour d'elle. Elles étaient à peu près dans la moyenne d'âge et elle ne voyait aucun visage connu. Manglerud s'était étendu, des gens s'y étaient installés, d'autres en étaient partis. Certains étaient morts, d'autres avaient simplement disparu. Et certains étaient chez eux. Morts *et* disparus.

« Est-ce que je serais méchante de jouer aux devinettes ? demanda Liz.

— Joue aux devinettes tout ton soûl. »

Rafferty avait fini son couplet et Liz dut crier pour couvrir le saxophone qui s'y collait de nouveau. « Mikael Bellman de Manglerud. C'est lui qui t'a privée de ton sourire.

— Ça, en l'occurrence, c'est vraiment méchant, Liz.

— Mais c'est vrai, n'est-ce pas ? »

Ulla leva de nouveau son verre de vin. « Oui, c'est sans doute vrai.

— Il te trompe ?

— Liz !

— Ce n'est pas précisément un secret…

— Qu'est-ce qui n'est pas un secret ?

— Que Mikael aime les femmes. Allez, tu n'es pas si naïve, Ulla ! »

Ulla soupira. « Peut-être pas. Mais on fait quoi dans ces cas-là ?

— On fait comme moi. » Liz sortit la bouteille de vin blanc du rafraîchisseur. « On rend la pareille. Santé ! »

Ulla sentait qu'elle devrait passer à l'eau. « J'ai essayé, mais je n'y suis pas arrivée.

— Essaie encore !

— Mais à quoi bon ?

— Tu ne le comprendras que quand tu l'auras fait. Rien n'arrange une vie sexuelle pâlissante au foyer comme un coup d'un soir franchement pathétique. »

Ulla rit. « Ce n'est pas ma vie sexuelle, Liz.

— Qu'est-ce que c'est, alors ?

— C'est que… je suis… jalouse.

— Ulla Henriksen jalouse ? C'est impossible d'être aussi belle et jalouse.

— Oui, mais je le suis, protesta Ulla. Et ça me fait si fichtrement mal ! J'ai envie de me venger.

— Bien sûr qu'il faut te venger, ma sœur ! Baise-le là où ça fait mal… je veux dire… » Le vin jaillit en pluie quand toutes deux éclatèrent de rire.

« Liz, tu es soûle !

— Je suis soûle et heureuse, madame la femme du directeur de la police. Toi, en revanche, tu es soûle et malheureuse. Appelle-le !

— Mikael ? Maintenant ?

— Pas Mikael, bécasse ! Le chanceux qui va avoir de la chatte ce soir.

— Quoi ? Liz, non !

— Si, appelle-le ! Appelle-le maintenant ! » Liz désigna la cabine téléphonique. « Appelle-le de là, pour qu'il entende ! Oui, de là, c'est *très* approprié.

— Approprié ? » fit Ulla en riant. Elle consulta sa montre. Elle allait bientôt devoir rentrer. « Pourquoi donc ?

— Pourquoi ? Bon sang, Ulla ! Parce que c'est là que Mikael avait baisé Stine Michaelsen à l'époque, évidemment ! »

« Qu'est-ce que c'est ? » demanda Harry. La pièce flottait autour de lui.

« De la camomille, dit Katrine.

— La musique. » Harry sentit le pull en laine qu'elle lui avait prêté le démanger. Ses propres vêtements séchaient dans la salle de bains, et la porte avait beau être fermée, il sentait l'odeur douceâtre de l'alcool. Ses sens fonctionnaient, donc, et pourtant la pièce flottait.

« Beach House. Tu n'as jamais entendu ?

— J'en sais rien, dit Harry. C'est ça, le problème. Les choses commencent à m'échapper. » Il sentait sous lui l'étoffe grossière du couvre-lit sur les presque deux mètres de large du lit bas qui, avec un bureau, une chaise et un bon vieux meuble de stéréo coiffé d'une unique bougie, constituait le seul ameublement de la pièce. Harry supposait que le pull et la chaîne avaient appartenu à Bjørn Holm. On aurait dit que la musique était en mouvement dans la pièce. Harry connaissait cette sensation : quand il allait refaire surface après avoir navigué aux frontières du coma éthylique, il lui arrivait d'être soûl de la bonne façon, comme s'il effectuait une remontée passant par tous les stades qu'il avait traversés dans sa descente.

« C'est comme ça, la vie, non ? fit Katrine. On commence par avoir tout et, petit à petit, on le perd. La force. La jeunesse. L'avenir. Les gens que nous aimons... »

Harry chercha à se souvenir de ce que Bjørn avait voulu qu'il dise à Katrine, mais ça lui échappait. Rakel. Oleg. Et alors qu'il sentait les larmes monter, elles furent refoulées par la rage. Tous ceux qu'on essayait de retenir, on les perdait, oui, oh que oui ; même le destin nous dédaignait, nous rabaissait, nous rendait pathétiques. Quand on pleurait ceux qu'on avait perdus, ce n'était pas par compassion, car nous les savions enfin libérés de leurs souffrances. Et pourtant nous pleurions. Nous pleurions parce que nous nous retrouvions seuls. Nous pleurions par apitoiement sur notre propre sort.

« Où es-tu, Harry ? »

Il sentit sa main chaude sur son front. Une rafale soudaine fit craquer la fenêtre. Dehors retentit un claquement d'objet tombant dans la rue. La tempête. Elle arrivait, maintenant.

« Je suis là », dit-il.

La pièce était mouvante. Il sentait la chaleur non seulement de la main, mais de tout Katrine, malgré les cinquante centimètres qui les séparaient.

« Je veux mourir le premier, déclara-t-il.

— Quoi ?

— Je ne veux pas les perdre. Eux n'ont qu'à me perdre moi. Que ce soit eux qui en goûtent pour une fois. »

Le rire de Katrine était doux. « Tu me voles mes répliques, là, Harry.

— Ah bon ?

— Quand j'étais internée…

— Oui ? » Harry ferma les yeux quand la main de Katrine se glissa sous sa nuque et serra délicatement, provoquant des décharges sourdes dans son cerveau.

« Ils n'arrêtaient pas de changer leur diagnostic. Maniaco-dépressive, borderline, bipolaire. Mais il y avait un mot qui revenait dans tous les rapports. Suicidaire.

— Hm.

— Mais ça passe.

— Oui, dit Harry. Et puis ça revient. Pas vrai ? »

Elle rit encore. « Rien n'est définitif, la vie est par définition transitoire et en mutation. C'est douloureux, mais c'est aussi ce qui la rend vivable.

— Ça aussi ça passera.

— Espérons-le. Tu sais quoi, Harry ? Toi et moi, nous sommes pareils. Nous sommes faits pour la solitude. La solitude nous attire irrésistiblement.

— Et nous fait nous débarrasser de ceux que nous aimons, tu veux dire ?

— C'est ce que nous faisons ?

— Je ne sais pas. Je sais juste que quand je marche sur la glace du bonheur, fine comme une feuille d'arbre, je suis mort de peur, je suis si terrifié que je voudrais que ce soit passé, je voudrais être déjà dans l'eau.

— Et c'est pourquoi nous fuyons ceux que nous aimons, dit Katrine. Alcool. Travail. Coups d'un soir. »

Quelque chose à quoi on puisse nous employer, songea Harry. Pendant qu'ils se vident de leur sang.

« Nous ne pouvons pas les sauver, enchaîna-t-elle, comme en réponse à ses pensées. Et eux ne peuvent pas nous sauver nous. Nous sommes les seuls qui puissions nous sauver nous-mêmes. »

Harry sentit le matelas céder et sut qu'elle s'était tournée vers lui, il sentit son haleine chaude contre sa joue.

« Tu avais cela dans ta vie, Harry, tu avais la seule que tu aimais. Vous deux en tout cas, vous aviez cela. Et je ne sais pas duquel d'entre vous j'étais le plus jalouse. »

Qu'était-ce donc qui le rendait si sensible, avait-il ingéré de l'ecsta ou de l'acide ? Et, le cas échéant, où s'en était-il procuré ? Il n'en avait aucune idée, les dernières vingt-quatre heures n'étaient qu'un trou noir.

« On dit qu'il ne faut pas anticiper les soucis, poursuivit-elle. Mais quand tout ce qui t'attend, c'est des soucis, anticiper est le seul airbag dont tu disposes. Et la meilleure anticipation est de vivre chaque jour comme si c'était le dernier. Non ? »

Beach House. Il se souvenait de cette chanson. « Wishes ». C'était déjà quelque chose. Et il se souvenait du visage pâle de Rakel sur l'oreiller blanc, dans la lumière, mais dans l'obscurité quand même, floue, proche, mais lointaine en même temps, un visage dans l'eau sombre, qui se pressait contre la face intérieure de la glace. Et il se souvenait des paroles de Valentin. *Vous êtes comme moi, Harry, vous ne le supportez pas.*

« Qu'aurais-tu fait, Harry ? Si tu avais su que tu allais bientôt mourir.

— Je ne sais pas.

— Tu aurais…

— Je sais pas, je te dis.

— Qu'est-ce que c'est que tu ne sais pas ? chuchota-t-elle.

— Si je t'aurais baisée. »

Dans le silence qui suivit, il entendit un raclement de métal traîné sur l'asphalte par le vent.

« Sens, chuchota-t-elle. Nous mourons. »

Harry cessa de respirer. Oui, se dit-il. Je meurs. Et il sentit qu'elle avait cessé de respirer aussi.

Hallstein Smith entendait le vent siffler dans les gouttières et sentait le courant d'air qui traversait le mur. Ils avaient beau avoir isolé autant que faire se pouvait, le bâtiment restait et demeurait une étable. Emilia. Il avait lu que ce système d'attribution de noms féminins aux ouragans trouvait son origine dans un roman, publié pendant la guerre, qui parlait d'une tempête appelée Maria. Mais tout avait changé quand l'idée d'égalité entre les sexes avait connu une percée dans les années 1970 et qu'on avait insisté pour que les catastrophes destructrices portent aussi des noms de garçons. Il regarda le visage souriant au-dessus du symbole de Skype sur son grand écran d'ordinateur. La voix devançait quelque peu le mouvement des lèvres : « Je pense que nous avons ce qu'il nous faut, merci beaucoup, monsieur Smith. Il doit être très tard chez vous. À Los Angeles, il est presque quinze heures, et en Suède ?

— Norvège. Presque minuit. » Hallstein Smith sourit. « Tout le plaisir est pour moi. Je me félicite que la presse ait enfin pris conscience que le vampirisme était réel et qu'elle se documente sur le sujet. »

Ils conclurent leur conversation, et la boîte de réception de Smith s'afficha de nouveau.

Il avait treize mails non lus, mais vit à leurs expéditeurs et sujets qu'il s'agissait de demandes d'interviews et de propositions professionnelles. Il n'avait pas non plus ouvert *Psychology Today*. Car il savait que ce n'était pas urgent. Parce qu'il voulait le garder pour plus tard. Le savourer.

Il regarda l'heure. Il avait couché les enfants à vingt heures trente avant de boire comme d'habitude un thé avec May à la table de la cuisine, il avait raconté sa journée, partagé ses petites joies et exprimé ses petites frustrations. Ces derniers jours, il avait naturellement eu plus à raconter qu'elle, mais il avait veillé à ce que les menues choses du foyer, menues mais pas moins importantes pour autant, aient autant de place que les siennes. Car c'était vrai, ce qu'il disait : « Je parle trop, et ce misérable vampiriste, tu peux lire ses histoires dans le journal, ma chérie. » Il regarda par la fenêtre, il voyait tout juste le bord de la maison où ils étaient endormis à présent, tous ceux qu'il aimait. Le mur craqua. La lune allait et venait derrière des nuages sombres, dont la course dans le ciel était de plus en plus précipitée, et dans le champ, les rameaux nus du chêne mort s'agitaient comme pour les prévenir que quelque chose arrivait, que la destruction et la mort étaient à nouveau en route.

Il ouvrit un mail l'invitant à tenir le discours inaugural d'un séminaire de psychologie à Lyon. L'année précédente, ce même séminaire avait refusé sa demande de temps de parole. Mentalement, il formula d'abord une réponse dans laquelle il remerciait les organisateurs et écrivait que c'était un honneur, mais que, devant donner la priorité à des séminaires plus importants, il se voyait cette fois dans l'obligation de refuser, les encourageant toutefois à réessayer plus tard. Puis, quelque peu accablé par sa propre attitude, il rit doucement en secouant la tête. Il n'avait aucune raison de prendre de trop grands airs, cet intérêt soudain pour le vampirisme allait s'évanouir dès que les agressions cesseraient. Il accepta ; il savait qu'il aurait pu exiger davantage comme conditions de voyage, logement et honoraires, mais il n'avait pas la force de le faire. Il avait ce dont il avait besoin, il voulait juste qu'ils *l'écoutent*, qu'ils l'accompagnent dans ce voyage dans les dédales de la psyché humaine, qu'ils reconnaissent son travail, qu'ils essaient ensemble de *comprendre* et de contribuer à rendre la vie des gens meilleure. C'était tout. Il regarda l'heure. Minuit moins trois. Il entendit un bruit. Cela pouvait bien sûr être le vent. Il cliqua sur l'icône des caméras de surveillance sur son écran. La première image qui apparut venait de la caméra du portail. Qui était ouvert.

Truls rangeait.

Elle avait téléphoné. Ulla avait téléphoné.

Il mit sa vaisselle dans le lave-vaisselle, rinça les deux verres à vin, il avait encore la bouteille qu'il avait achetée comme-ça-au-cas-où le soir où ils s'étaient vus au Olsens. Il plia les cartons de pizza vides, essaya de les enfoncer dans le sac-poubelle, mais celui-ci se déchira. Merde. Il parvint à les fourrer derrière le seau tout au fond du placard. Musique. Qu'est-ce qu'elle aimait ? Il essaya de plonger dans ses souvenirs. Il voyait quelque chose, mais il n'avait pas la moindre idée de ce que c'était. Quelque chose avec des barricades. Duran Duran ? Quelque chose d'un peu A-ha, en tout cas. Oui, il avait le premier album d'A-ha. Bougies. Il avait déjà eu des nanas ici, mais l'ambiance n'avait disons pas été aussi importante.

Olsens était à deux pas. Même si une tempête approchait, il n'était pas difficile de trouver un taxi un mercredi soir, elle pouvait donc arriver d'un instant à l'autre, ce qui signifiait qu'il ne pouvait pas commencer à aller se doucher, il devrait se contenter de se laver la bite et les aisselles. Ou les aisselles et la bite, dans cet ordre. Putain, ce qu'il était stressé ! Il s'était préparé à une soirée tranquille, avec des retrouvailles avec la Megan Fox d'autrefois, et puis Ulla avait appelé et demandé si elle pouvait lui rendre une petite visite. Qu'entendait-elle du reste par *petite* visite ? Qu'elle allait se débiner comme la dernière fois ? Tee-shirt. Celui de Thaïlande, avec SAME SAME, BUT DIFFERENT ? Elle ne percevrait peut-être pas cet humour. Et la Thaïlande lui évoquerait peut-être les

MST. Et la chemise Armani du MBK à Bangkok ? Non, le tissu synthétique le ferait transpirer et révélerait en outre que c'était une imitation bon marché. Truls enfila un tee-shirt blanc d'origine inconnue et se dépêcha d'aller dans la salle de bains. Il vit que les toilettes auraient bien besoin d'un petit coup de brosse. Mais le plus important d'abord.

Truls avait la bite à la main quand la sonnette se mit à gronder.

Katrine regarda fixement le téléphone qui grondait.

Il était presque minuit, le vent avait forci au cours des dernières minutes et soufflait maintenant en rafales qui faisaient mugir, craquer et claquer, mais Harry dormait, immobile.

Elle répondit.

« C'est Hallstein Smith. » La voix murmurante paraissait agitée.

« Je vois ça, qu'y a-t-il ?

— Il est ici.

— Quoi ?

— Je crois que c'est Valentin.

— Que dites-vous ?

— Quelqu'un a ouvert le portail et je… mon Dieu, j'entends la porte de l'étable s'ouvrir. Qu'est-ce que je dois faire ?

— Ne faites rien… Essayez de… Est-ce que vous pouvez vous cacher ?

— Non. Je le vois dans la caméra de l'entrée. Mon Dieu, c'est lui. » Smith paraissait au bord des larmes. « Qu'est-ce que je fais ?

— Je… je ne sais pas », gémit Katrine.

Le téléphone lui fut arraché des mains.

« Smith ? C'est Harry, je suis avec vous. Avez-vous

verrouillé la porte de votre bureau ? OK, alors faites-le et éteignez la lumière. Sans bruit et calmement. »

Hallstein Smith fixait son écran d'ordinateur. « OK, j'ai verrouillé et éteint, chuchota-t-il.

— Vous le voyez ?

— Non. Si, maintenant je le vois. » Hallstein vit la silhouette d'un homme entrer au bout du couloir, marcher sur le pèse-bétail, chanceler, retrouver l'équilibre et aller devant les stalles, droit vers la caméra. Alors qu'il passait sous une lampe, son visage fut éclairé.

« Mon Dieu, c'est lui, Harry. C'est Valentin.

— Restez calme.

— Mais… le portail est ouvert, il a des clefs, Harry. Peut-être celle de la porte du bureau aussi.

— Ouaip. Vous avez une fenêtre là-dedans ?

— Oui, mais trop étroite et trop haut sur le mur.

— Quelque chose de lourd avec quoi frapper ?

— Non. J'ai… j'ai le pistolet.

— Vous avez un pistolet ?

— Oui, il est ici, dans le tiroir. Mais je n'ai pas eu le temps de le tester.

— Respirez, Smith. À quoi ressemble-t-il ?

— Euh, noir. À l'hôtel de police, ils m'ont dit que c'était un Glock quelque chose.

— Glock 17. Le chargeur est mis ?

— Oui. Et ils m'ont dit qu'il était chargé. Mais je ne vois pas de sécurité.

— C'est bon, elle est dans la queue de détente, donc il vous suffit d'appuyer pour tirer. »

Smith plaqua le téléphone sur sa bouche et chuchota aussi bas qu'il pouvait. « J'entends des clefs contre la serrure.

— Quelle distance de la porte ?
— Deux mètres.
— Vous vous levez et vous tenez le pistolet des deux mains. N'oubliez pas que vous êtes dans le noir et que lui a la lumière derrière lui, il ne vous voit pas bien. S'il n'est pas armé, vous criez "police, à genoux". Si vous voyez une arme, vous tirez trois fois. Trois fois. Compris ?
— Oui. »
Devant Smith, la porte s'ouvrit.
Et il apparut, une silhouette dans la lumière de l'étable. Hallstein Smith haleta, cherchant à aspirer l'air dont la pièce semblait s'être vidée au moment où l'homme en face de lui levait la main. Valentin Gjertsen.

Katrine bondit. Elle avait entendu la détonation même si Harry tenait le téléphone violemment plaqué contre son oreille.
« Smith ? cria Harry. Smith, vous êtes là ? »
Pas de réponse.
« Smith !
— Valentin l'a tué ! gémit Katrine.
— Non, dit Harry.
— Non ? Tu lui as dit de tirer trois fois et il ne répond pas !
— Ça, c'était un Glock, pas un Ruger.
— Mais pourqu... » Katrine s'interrompit quand elle entendit une voix au téléphone. Elle regarda le visage profondément concentré de Harry. Elle cherchait en vain à déterminer qui il écoutait, si c'était Smith ou la voix qu'elle avait entendue sur d'anciens enregistrements d'interrogatoires, la voix claire qui lui avait donné des cauchemars. Qui à cet instant précis expliquait à Harry ce qu'elle entendait faire de...

« OK, fit Harry. Vous avez ramassé son revolver ? Bien, rangez-le dans le tiroir et restez assis dans une position où vous le voyez bien. S'il est couché en travers de la porte, laissez-le. Est-ce qu'il bouge ? Non, d'accord. Non, pas de premiers secours. S'il est simplement blessé, il attend juste que vous approchiez. S'il est mort, c'est trop tard. Si c'est entre les deux, c'est pas de bol pour lui, parce que vous allez juste rester à le surveiller. Compris, Smith ? Bien. Nous serons là dans une demi-heure, je vous rappelle quand nous sommes dans la voiture. Ne le lâchez pas des yeux et appelez votre femme pour lui dire qu'ils doivent rester dans la maison, nous sommes en chemin. »

Katrine prit le téléphone que lui tendait Harry, le vit glisser hors du lit et disparaître dans la salle de bains. Elle crut qu'il l'appelait avant de comprendre qu'il vomissait.

Truls avait les mains si moites qu'il le sentait à travers les jambes de son pantalon.

Ulla était soûle. Et cependant, elle se tenait tout au bord du canapé, gardant devant elle la bouteille de bière qu'il lui avait donnée comme une arme de défense.

« Dire que c'est la première fois que je viens chez toi, observa-t-elle, l'élocution légèrement troublée. Alors que nous nous connaissons… depuis combien d'années ?

— Depuis que nous avons quinze ans », répondit Truls, qui à cet instant précis n'était pas en état de se livrer à des calculs mentaux complexes.

Elle sourit à part soi et acquiesça, c'est-à-dire en fait que sa tête bascula simplement en avant.

Truls toussota. « Ça souffle sérieusement dehors, là. Cette Emilia…

— Truls ?

— Oui ?

— Est-ce que tu pourrais concevoir de me baiser ? »

Il déglutit.

Elle pouffa de rire sans lever les yeux. « Truls, j'espère que ce blanc ne signifie pas…

— Bien sûr que je le veux, dit Truls.

— Bien, dit-elle. Bien. » Sa tête dodelina sur son cou svelte. Comme si elle était pleine de quelque chose de lourd. Un cœur lourd. Des pensées pesantes. Mais il ne devait pas réfléchir à ça maintenant. Maintenant, c'était sa chance. L'ouverture dont il avait sans doute rêvé, mais à laquelle il n'avait jamais cru : il avait obtenu le droit de baiser Ulla Henriksen.

« As-tu une chambre à coucher où nous puissions le faire ? »

Il la regarda. Il hocha la tête. Elle souriait, mais elle n'avait pas l'air heureuse. Rien à foutre. Heureuse, ta grand-mère pouvait l'être, Ulla Henriksen était excitée, c'était ce qui comptait maintenant. Truls allait tendre la main, lui caresser la joue, mais sa main n'obéit pas.

« Quelque chose ne va pas, Truls ?

— Ne va pas ? Non, qu'est-ce qui n'irait pas ?

— Tu as l'air si… »

Il attendit. Mais il n'en vint pas davantage.

« Si quoi ? répéta-t-il.

— Perdu. » Au lieu de sa main à lui, ce fut la sienne à elle, c'était elle qui lui caressait la joue. « Mon pauvre, pauvre Truls. »

Il était à deux doigts de chasser sa main. De chasser la main d'Ulla Henriksen qui, après toutes ces années, se tendait vers lui, sans mépris ni horreur, et le touchait. Qu'est-ce qui n'allait pas chez lui, bordel ? La fille voulait se faire tringler, tout bonnement, et cette tâche, il allait s'en acquitter, ce garçon-là n'avait jamais eu de mal à la dresser, pour dire les choses ainsi. Ce qu'il devait maintenant, c'était juste les faire se lever du canapé, aller dans la chambre, zou, plus de vêtements, et hop, le saumon dans le four. Elle allait crier, gémir, pousser des « oh » et des « ah », il n'allait pas s'arrêter avant qu'elle…

« Tu pleures, Truls ? »

Pleure ? Clairement, la nana était tellement bourrée qu'elle avait des visions.

Il la vit retirer sa main, la presser contre ses lèvres.

« De vraies larmes salées, dit-elle. Quelque chose te fait de la peine ? »

Et Truls le sentait à présent. Il sentait les filets chauds qui coulaient sur ses joues. Et son nez qui s'y mettait aussi. Il sentait la pression dans sa gorge, comme s'il avait cherché à avaler quelque chose de trop gros, qui allait le faire exploser ou l'étouffer.

« C'est moi ? » demanda-t-elle.

Incapable de parler, Truls secoua la tête.

« C'est… Mikael ? »

La question était si stupide qu'il en fut presque furieux. Bien sûr que ce n'était pas Mikael. Pourquoi est-ce que ce serait Mikael, putain ? Lui qui était censé être son meilleur ami, mais qui depuis leur adolescence n'avait jamais loupé une occasion de se foutre de sa gueule devant les autres, tout en le poussant devant lui quand quelqu'un menaçait de le cogner. Et plus tard, quand ils avaient tous deux été dans la police, il avait fait faire à Truls *fucking* Beavis les sales boulots nécessaires qui lui avaient permis d'être là où il était maintenant. Pourquoi Truls pleurerait-il sur une chose pareille maintenant, sur une amitié qui n'avait été que le fruit de la rencontre de deux outsiders bizarres se retrouvant ensemble par la force des choses, et dont l'un avait eu du succès et l'autre était devenu un loser pathétique ? Non, merde. Alors qu'est-ce que c'était ? Pourquoi se trouvait-il que quand le loser aurait pu se venger en baisant sa femme, il se mettait à chialer comme une gonzesse ? Truls voyait maintenant des larmes dans les yeux d'Ulla aussi. Ulla Henriksen. Truls Berntsen. Mikael Bellman. Ç'avait été eux trois. Et le reste de Manglerud pouvait aller se faire foutre. Parce qu'ils n'avaient personne. Ils n'avaient qu'eux.

Elle sortit un mouchoir de son sac à main et s'essuya délicatement sous les yeux. « Tu crois que je devrais partir ? » renifla-t-elle.

« Je... » Truls ne reconnaissait pas sa propre voix. « J'en sais rien, Ulla.

— Moi non plus », répondit-elle en riant. Elle regarda les taches de maquillage sur son mouchoir et le remit dans son sac. « Pardonne-moi, Truls. C'était sans doute une mauvaise idée. Je vais y aller. »

Il acquiesça. « Une autre fois. Dans une autre vie.

— Bien dit », fit-elle en se levant.

Quand la porte se referma derrière Ulla, Truls resta dans l'entrée à écouter ses pas qui résonnaient dans l'escalier, mais s'éloignaient lentement. Puis, loin en bas, il entendit la porte s'ouvrir. Se refermer. Elle n'était plus là. Plus là du tout.

Il ressentait... oui, que ressentait-il ? Du soulagement. Mais aussi un désespoir presque insoutenable, comme une douleur physique dans la poitrine et le ventre qui lui fit songer un instant à l'arme à feu qu'il avait dans la penderie de sa chambre, au fait qu'il *pouvait* en l'occurrence échapper à tout cela séance tenante. Puis il s'effondra à genoux et enfonça son front dans le paillasson. Il rit. Un rire nasal qui refusait de s'arrêter, et ne faisait que devenir plus fort. Putain, quelle vie merveilleuse !

Le cœur de Hallstein Smith battait toujours fort. Il fit ce qu'avait dit Harry, garda le regard et le pistolet braqués sur l'homme qui gisait immobile dans l'ouverture de la porte. Il sentit la nausée venir à la vue de la mare de sang qui s'étendait vers lui sur le sol. Il ne fallait pas qu'il se mette à vomir, il ne devait pas se déconcentrer maintenant. Harry lui avait dit de tirer trois fois. Devrait-il lui mettre deux balles de plus dans le corps ? Non, il était mort.

Les doigts tremblants, il composa le numéro de May. Elle répondit aussitôt.

« Hallstein ?

— Je croyais que tu dormais.

— Les enfants sont dans notre lit. Ils n'arrivent pas à dormir à cause de la tempête.

— Ah bon. Dis, une voiture de police va bientôt arriver. Gyrophare et peut-être sirènes, donc n'aie pas peur.

— Peur de quoi ? demanda-t-elle, et il entendit que sa voix chevrotait. Qu'est-ce qui se passe, Hallstein ? Nous avons entendu un claquement. C'était le vent ou autre chose ?

— May, du calme. Tout va bien…

— Mais j'entends à ta voix que tout ne va pas bien, Hallstein ! Les enfants sont en train de pleurer, là !

— Je… je vais venir t'expliquer. »

Katrine dirigea la voiture sur l'étroit chemin de terre qui sillonnait entre champs et bosquets.

Harry mit son téléphone dans la poche. « Smith est allé dans la maison pour veiller sur sa famille.

— Ça doit être bon », dit Katrine.

Harry ne répondit pas.

Le vent ne faisait que forcir. Quand ils longeaient des bosquets, elle devait faire attention aux branches arrachées et autres objets sur le chemin, et sur les tronçons dégagés, bien serrer le volant quand les rafales s'emparaient de la voiture.

Le téléphone sonna de nouveau alors qu'elle franchissait le portail ouvert de la propriété de Smith.

« On y est, répondit Harry. Quand vous arriverez, bouclez la zone, mais ne touchez à rien avant l'arrivée des TIC. »

Katrine se gara devant l'étable et sortit d'un bond de la voiture.

« Je te suis », déclara Harry quand ils franchirent la porte de la grange.

Quand Katrine tourna à droite en direction du bureau, elle l'entendit jurer derrière elle.

« Désolée, j'ai oublié de te prévenir au sujet de la balance.

— Ce n'est pas ça. Je vois du sang par terre ici. »

Katrine s'arrêta devant la porte ouverte du bureau. Elle fixa la flaque de sang sur le sol. Bordel. Il n'y avait pas de Valentin ici.

« Veille sur les Smith, fit Harry derrière elle.

— Qu'est-ce… »

Elle se retourna, à temps pour voir Harry disparaître à gauche par la porte de l'étable.

Une rafale secoua Harry alors qu'il allumait la torche de son téléphone et la braquait sur le sol. Il retrouva son équilibre. Les taches de sang se voyaient sur la terre gris clair. Il suivait la fine traînée laissée par les gouttes qui indiquait dans quelle direction Valentin s'était enfui. Le vent dans le dos. Vers la maison de maître.

Ne…

Harry sortit son Glock. Il n'avait pas pris le temps de vérifier si le revolver de Valentin était dans le tiroir du bureau puisque de toute façon il devait partir du principe que Valentin était armé.

Les traces disparurent.

Avec son téléphone Harry éclaira le sol alentour et souffla de soulagement en voyant que les traces quittaient le chemin de terre et s'éloignaient de la maison. Pour aller sur l'herbe sèche jaune et descendre dans le champ. Là aussi, la piste de sang était facile à suivre. Le vent avait dû atteindre la force tempête à présent, et Harry sentit les premières gouttes de pluie heurter sa joue comme des projectiles. Quand il se mettrait à pleuvoir franchement, les traces allaient être lessivées en quelques secondes.

Valentin ferma les yeux et ouvrit la bouche au vent. Comme si le vent pouvait lui insuffler une nouvelle vie. La vie. Pourquoi tout ne trouvait-il sa réelle valeur que quand on était sur le point de le perdre ? Elle. La liberté. Et maintenant, la vie.

La vie, qui était en passe de le quitter. Il sentait le sang remplissant ses chaussures se refroidir. Il avait horreur du sang. C'était l'autre qui adorait le sang. L'autre, avec lequel il avait scellé un pacte. Quand avait-il compris que ce n'était pas lui, mais l'autre, l'homme du sang, qui était le diable ? Que c'était lui, Valentin Gjertsen, qui avait vendu et perdu son âme ? Valentin Gjertsen leva son visage vers le ciel et rit. La tempête était là. Le démon était libre.

Harry courait avec le Glock dans une main, le téléphone dans l'autre.

Il traversa le champ dégagé. Descente, vent dans le dos : étant blessé, Valentin avait choisi le chemin le plus facile pour mettre le plus de distance possible entre lui et ceux dont il savait qu'ils ne tarderaient pas à arriver. Harry sentit les propulsions de ses pieds s'ancrer dans son crâne, son cœur se souleva encore, mais il ravala le renvoi. Il pensa à un sentier forestier. À un type en tenue Under Armour neuve devant lui sur le sentier. Et il courut.

Approchant du bosquet, il ralentit. Il sentit qu'il avait besoin de prendre appui sur le vent quand il changea de direction.

Parmi les arbres se trouvait un abri bas décati. Planches pourries, toit en tôle ondulée. Une remise à outils, peut-être, ou un endroit où les bêtes pouvaient s'abriter de la pluie.

Harry orienta la lumière sur l'abri. Il n'entendait rien d'autre que la tempête, il faisait nuit et, même par une journée chaude avec direction du vent favorable, il n'aurait pas pu flairer le sang. Et cependant, il *savait* que Valentin était là. Tout comme, régulièrement, il *savait*, et se trompait.

Il éclaira de nouveau le sol. Les taches de sang étaient plus rapprochées et moins étendues. Valentin aussi avait ralenti ici. Pour examiner la situation. Ou parce qu'il était épuisé. Parce qu'il *devait* s'arrêter. Et les traces de sang, qui formaient une ligne droite jusqu'ici, tournèrent. Vers l'abri. Il ne s'était pas trompé.

Harry allongea sa foulée et continua de courir tout droit, vers les arbres à droite de l'abri. Il courut quelque temps entre les arbres avant de s'arrêter, d'éteindre la lampe torche de son téléphone, de lever son Glock et de suivre une courbe pour rejoindre l'abri par l'autre côté. Il se coucha sur le sol et se mit à ramper.

Il avait le vent dans le visage à présent, ce qui limitait les risques que Valentin l'entende. Au contraire, le vent portait le son vers lui, et Harry entendait entre les rafales le va-et-vient lointain des sirènes de police.

Harry rampa par-dessus un arbre abattu. Un éclair silencieux. Et là, une silhouette qui se dessinait sur l'abri. C'était lui. Assis entre deux arbres, le dos tourné, à seulement cinq ou six mètres de Harry.

Harry braqua son pistolet sur la silhouette.

« Valentin ! »

Son appel fut partiellement assourdi par le coup de tonnerre qui résonnait à retardement, mais il vit le personnage devant lui se figer.

« Je vous ai dans mon viseur, Valentin. Posez votre arme. »

Le vent sembla soudain se calmer. Et Harry entendit un autre bruit. Clair. Un rire.

« Harry. Vous êtes venu pour jouer encore.

— Tant que la partie est bonne... Posez votre arme.

— Vous m'avez eu. Comment avez-vous compris que j'étais à l'extérieur de l'abri et pas dedans ?

— Parce que je vous connais, maintenant, Valentin. Vous pensiez que je vous chercherais dans l'endroit le plus évident d'abord, donc vous vous êtes installé dehors pour pouvoir liquider une dernière âme.

— Pour avoir un compagnon de route. » Valentin produisit une toux grasse. « Nos âmes sont jumelles, donc elles iront au même endroit, Harry.

— Posez votre arme maintenant ou je tire.

— Je pense souvent à ma mère, Harry. Et vous ? »

Harry vit l'arrière de la tête de Valentin dodeliner dans l'obscurité. Et être éclairé soudain par un nouvel éclair. Une nouvelle goutte de pluie. Lourde et grosse, cette fois, pas lacérée par le vent. Ils étaient dans l'œil de la tempête.

« Je pense à elle parce qu'elle est la seule personne que j'ai haïe plus que moi-même, Harry. J'essaie de détruire plus qu'elle n'a détruit, elle, mais je ne sais pas si c'est possible. Elle m'a détruit.

— Et ce n'est pas possible de détruire plus ? Où est Marte Ruud ?

— Non, ce n'est pas possible de détruire plus. Parce que je suis unique, Harry. Vous et moi, nous ne sommes pas comme eux. Nous sommes uniques.

— Désolé de vous décevoir, Valentin, mais je ne suis pas unique. Où est-elle ?

— Deux mauvaises nouvelles, Harry. Un. Vous pouvez oublier la rouquine. Deux. Si, vous êtes unique. » Nouveau rire. « C'est horrible d'y penser, hein ? Vous vous réfugiez dans la normalité, tentez d'être dans la moyenne, en pensant y trouver une appartenance, votre véritable vous. Mais le véritable vous est ici, Harry. Et vous vous demandez si vous allez me tuer ou non. Vous utilisez ces filles, Aurora, Marte, pour alimenter votre délicieuse haine. Parce que maintenant, c'est à votre tour de décider si quelqu'un va vivre ou mourir, et vous aimez ça. Vous aimez être Dieu. Vous avez rêvé d'être moi. Vous avez attendu votre tour d'être un vampire. Vous ressentez la soif, avouez-le, Harry. Et un jour, vous aussi, vous boirez.

— Je ne suis pas vous. » Harry déglutit. Il entendait le hurlement dans sa tête. Il sentit un nouveau souffle d'air. Et une goutte de pluie s'écraser sur sa main qui tenait le pistolet. Voilà. Ils allaient bientôt sortir de l'œil calme.

« Vous êtes *comme* moi, affirma Valentin. Et c'est pour ça que vous aussi, vous vous faites avoir. Vous et moi, nous nous croyons plus malins que les autres. Mais finalement, on se fait tous avoir, Harry.

— Ne… »

Valentin fit volte-face et Harry eut le temps de voir le long canon se diriger sur lui avant d'appuyer sur la détente de son Glock. Une fois, deux fois. Un nouvel éclair illumina la forêt et Harry vit Valentin se figer, à l'instar de la foudre, et se découper contre le ciel comme un corps supplicié sur la roue. Ses yeux étaient exorbités, sa bouche était ouverte et sa chemise rouge de sang. Dans sa main droite, un rameau cassé pointait sur Harry. Puis il tomba.

Harry se releva et alla rejoindre Valentin qui était tombé sur les genoux, le torse soutenu par un arbre, les yeux dans le vide. Il était mort.

Harry leva son pistolet vers la poitrine de Valentin et tira encore. Le fracas du tonnerre couvrit la détonation.

Trois coups.

Non pas parce que ça avait un sens, mais parce que c'était ainsi que sonnait la musique, ainsi que se déroulait le récit. Il en fallait trois.

Quelque chose approchait, comme un grondement de sabots sur le sol, quelque chose qui repoussait l'air et faisait ployer les arbres.

Puis arriva la pluie.

31

Nuit de mercredi

Harry était assis à la table de cuisine des Smith avec une tasse de thé à la main et une serviette de bain autour du cou. L'eau de pluie gouttait de ses vêtements sur le sol. Dans la cour de la ferme, le vent continuait de mugir et à travers la pluie qui martelait la terre les voitures de police ressemblaient à des ovnis distordus avec leurs gyrophares en rotation. Mais toute cette eau semblait avoir ralenti quelque peu les masses d'air. La lune. Ça sentait la lune.

Harry constata que Hallstein Smith, qui était assis en face de lui, était toujours en état de choc. Ses pupilles étaient dilatées, son regard apathique.

« Vous êtes tout à fait sûr que…

— Oui, il est vraiment mort, maintenant, Hallstein, confirma Harry. En revanche, il n'est pas certain que moi j'aurais été en vie à l'heure actuelle si vous n'aviez pas emporté son revolver quand vous avez laissé Valentin.

— Je ne sais pas pourquoi je l'ai fait, je le croyais mort, chuchota Smith avec une voix métallique de robot, les yeux rivés à la table sur laquelle il avait posé le revolver à long canon à côté du pistolet avec lequel il avait blessé Valentin. Je croyais l'avoir touché en pleine poitrine.

— Et c'était le cas. » La Lune. Les astronautes avaient expliqué que la Lune sentait la poudre brûlée. L'odeur émanait en partie du pistolet que Harry avait dans sa veste, mais surtout du Glock qui était sur la table. Harry prit le revolver rouge de Valentin. Il en huma le canon. Une odeur de poudre, mais pas aussi affirmée. Katrine entra dans la cuisine, ses cheveux noirs ruisselant d'eau de pluie. « Les TIC sont auprès de Valentin Gjertsen maintenant. »

Elle regarda le revolver.

« Il a fait feu, déclara Harry.

— Non, non, chuchota Smith en secouant la tête dans un mouvement mécanique. Il n'a fait que le pointer sur moi.

— Pas aujourd'hui, dit Harry en regardant Katrine. L'odeur de poudre subsiste pendant des jours.

— Marte Ruud ? demanda Katrine. Tu crois…

— J'ai tiré d'abord. » Smith leva un regard vitreux. « J'ai tiré sur Valentin. Et maintenant, il est mort. »

Harry se pencha en avant et posa la main sur son épaule. « Et c'est pour cela que vous êtes vivant, Hallstein. »

Smith hocha lentement la tête.

Du regard, Harry signala à Katrine qu'elle devait s'occuper de Hallstein et se leva. « Je vais à l'étable.

— Pas plus loin, dit Katrine. Ils vont vouloir te parler. »

Harry acquiesça. Enquête interne.

« Il le savait, chuchota Smith. Il savait où j'étais. »

Harry courut de la maison à l'étable, ce qui ne l'empêcha pas d'être de nouveau trempé quand il arriva dans le bureau. Il s'assit à la table et observa la pièce. Il s'arrêta sur le dessin de l'individu aux ailes de chauve-souris. Il irradiait la solitude plus qu'il n'était inquiétant. C'était peut-être la raison pour laquelle il lui paraissait si familier. Harry ferma les yeux.

Il avait besoin d'un verre. Il chassa cette pensée et rouvrit les yeux. L'image sur l'écran de PC devant lui était partagée en deux, une par caméra de surveillance. Avec la souris, il déplaça le curseur sur l'heure, revint en arrière à trois minutes avant minuit, c'était à peu près l'heure à laquelle Smith avait appelé. Au bout d'environ vingt secondes, une silhouette se glissa dans l'image du portail. Valentin. Il arrivait de la gauche. De la route principale. Bus ? Taxi ? Tenant une clef blanche prête, il ouvrit et entra promptement. Le portail se rabattit derrière lui, mais ne se referma pas. Quinze, vingt secondes plus tard, Harry vit Valentin sur la seconde image, celle des stalles vides et du pèse-bétail. Valentin manquait de perdre l'équilibre sur le plateau en métal de la balance, et l'aiguille derrière lui vibrait et montrait que ce monstre qui avait tué tant de monde, parfois à mains nues, ne pesait que soixante-quatorze kilos, dix de moins que Harry. Puis Valentin se dirigea vers la caméra, on aurait dit qu'il regardait droit dans l'objectif, sans le voir. Avant qu'il disparaisse de l'image, Harry eut le temps de le voir plonger la main dans la profonde poche de son blouson. Tout ce que Harry voyait maintenant, c'étaient les stalles désertes, l'aiguille de la balance et la partie supérieure de l'ombre de Valentin. Harry reconstitua les secondes, il se souvenait du moindre mot de sa conversation avec Hallstein Smith. Le reste de la journée et les heures chez Katrine étaient volatilisés, mais ces secondes-là étaient comme rivées en lui. Il en avait toujours été ainsi, quand il buvait, son cerveau privé se revêtait d'une pellicule de Téflon, tandis que son cerveau de policier conservait son revêtement adhésif, comme si une zone *voulait* oublier et l'autre *devait* se souvenir. Les enquêteurs internes allaient devoir écrire un gros rapport d'audition s'ils voulaient inclure tous les détails qu'il avait mémorisés.

Harry vit le bord de la porte apparaître à l'écran quand Valentin ouvrit et l'ombre de ce dernier lever un bras puis s'écrouler.

Harry passa en marche accélérée.

Hallstein, de dos, titubait entre les stalles et sortait.

Puis, une minute plus tard, Valentin se traînait dans la même direction. Harry passa en lecture normale. Valentin s'appuyait contre les stalles, il semblait sur le point de s'écrouler d'une minute à l'autre. Mais il avançait, mètre par mètre. Il restait à chanceler sur le plateau de la balance. L'aiguille montrait un kilo et demi de moins qu'à son arrivée. Harry jeta un œil derrière l'ordinateur sur la flaque de sang par terre puis regarda Valentin qui peinait à ouvrir la porte. Et Harry eut l'impression de *sentir* la volonté de survivre. À moins que ce n'ait simplement été de la peur d'être capturé ? Il lui vint soudain à l'esprit que, à un moment ou un autre, ce bout de film serait balancé sur le Net, que ça deviendrait un hit sur YouTube.

Le visage blafard de Bjørn Holm apparut dans l'encadrement de la porte. « Alors c'est ici que les choses ont commencé. » Il entra et, de nouveau, Harry fut fasciné de voir cet expert médico-légal, dont l'élégance motrice n'était pas forcément marquée par ailleurs, devenir un danseur étoile dès lors qu'il évoluait sur une scène de crime. Bjørn s'accroupit à côté de la mare de sang. « On l'emmène, là.

— Hm.

— Quatre plaies par balle, Harry. Combien sont de…

— Trois, répondit Harry. Hallstein n'a tiré qu'une fois. »

Bjørn Holm grimaça. « Il tirait sur un homme armé, Harry. Qu'as-tu l'intention de dire aux Affaires internes sur tes tirs à toi ? »

Harry haussa les épaules. « La vérité, bien sûr. Qu'il faisait nuit et que Valentin tenait une branche pour me faire croire qu'il avait une arme. Il savait qu'il était foutu et il *voulait* que je l'abatte, Bjørn.

— Oui, mais quand même. *Trois* balles dans la poitrine d'un homme pas armé… »

Harry hocha la tête.

Bjørn respira, regarda par-dessus son épaule et baissa la voix. « Mais c'est clair, il fait sombre, pluie et tempête dans le bois. Et si je fais un saut là-bas maintenant et que je cherche un peu tout seul, il est encore possible que je trouve un pistolet dans la boue juste à côté de l'endroit où gisait Valentin. »

Tous deux s'observèrent alors que les rafales faisaient craquer les murs.

Harry observa la teinte rouge des pommettes de Bjørn Holm. Il savait ce qu'il lui en coûtait. Il savait qu'il était là en train d'offrir à Harry plus qu'il ne possédait. Qu'il lui offrait tout ce qu'il défendait. Leur bien commun : le code moral. Son âme, leur âme.

« Merci, répondit Harry. Merci, mon pote, mais je dois refuser. »

Bjørn Holm cligna des yeux deux fois. Il déglutit. Il expira dans un long souffle rauque et chevrotant et rit, un rire bref, déplacé, soulagé.

« Bon, je vais y aller, alors, annonça-t-il en se relevant.

— Oui », dit Harry.

Bjørn Holm resta devant lui à hésiter. Comme s'il voulait dire quelque chose ou faire un pas en avant et lui donner l'accolade. Harry se pencha de nouveau vers l'ordinateur. « On s'appelle, Bjørn. »

Il suivit sur l'écran le dos voûté du TIC qui passait dans le couloir et sortait de l'étable.

Harry abattit son poing sur le clavier. Un verre. Merde, merde ! Rien qu'un verre.

Son regard tomba sur l'homme chauve-souris.

Qu'avait dit Hallstein ? *Il le savait. Il savait où j'étais.*

32

Nuit de mercredi

Adossé au mur à gauche de l'estrade, les bras croisés, Mikael Bellman se demandait si le district policier d'Oslo avait jamais organisé de conférence de presse à deux heures du matin. Il observait la salle où se mêlaient journalistes de *desk*, journalistes en veille de nuit, journalistes chargés initialement de couvrir les ravages d'Emilia et journalistes endormis que les chefs de *desks* avaient sortis de leur lit. Mona Daa était arrivée en tenue de sport sous son imperméable et elle avait l'air très réveillée.

Sur l'estrade, assise à côté du directeur de brigade Gunnar Hagen, Katrine Bratt exposait les détails de la frappe contre l'appartement de Valentin Gjertsen à Sinsen et les retournements de situation qui avaient suivi dans la propriété de Hallstein Smith. Les flashs scintillaient et sachant que, même s'il n'était pas sur l'estrade, un ou deux appareils étaient braqués sur lui, Bellman s'efforçait d'arborer l'air que lui avait recommandé Isabelle quand il l'avait appelée plus tôt dans la soirée. Grave, mais avec la satisfaction intérieure de la victoire. « N'oublie pas que des gens sont morts, avait dit Isabelle. Donc pas de grand sourire ni de célébration manifeste. Dis-toi que tu es le général Eisenhower au lendemain du Débarquement, tu portes la responsabilité de commandant de ce qui est à la fois une victoire et une tragédie. »

Bellman réprima un bâillement. Ulla l'avait réveillé en rentrant ivre d'une soirée en ville entre filles. Il n'avait pas souvenir de l'avoir vue si soûle depuis leurs années de jeunesse. À propos d'ivre. Harry Hole était à côté de lui et s'il n'avait pas été mieux renseigné, il aurait dit que lui aussi était bourré. L'inspecteur principal avait l'air plus fatigué qu'aucun des journalistes, et ses vêtements mouillés puaient l'alcool.

Un dialecte du Rogaland fendit la pièce. « Je comprends que vous ne vouliez pas rendre public le nom du policier qui a tiré sur Valentin Gjertsen et l'a tué, mais vous devez tout de même pouvoir nous dire si Valentin était armé et s'il a répondu au tir ?

— Comme je le disais, nous attendons d'avoir une vue exhaustive de la situation avant d'en exposer les détails. » Katrine pointa le doigt sur Mona Daa qui agitait la main.

« Mais vous pouvez et vous allez nous donner les détails concernant le rôle de Hallstein Smith ?

— Oui. Là, nous avons tous les détails puisque nous disposons d'enregistrements des événements tels qu'ils se sont déroulés et que nous étions au téléphone avec lui au moment des faits.

— C'est ce que vous disiez, oui, mais avec qui parlait-il ?

— Avec moi. » Elle toussota. « Et Harry Hole. »

Mona Daa inclina la tête. « Donc Harry Hole et vous étiez à l'hôtel de police au moment des faits ? »

Mikael Bellman vit Katrine couler un regard vers Gunnar Hagen, comme pour solliciter son aide, mais le directeur de brigade ne semblait pas comprendre ce qu'elle voulait. Et Bellman non plus.

« Pour l'instant, nous ne souhaitons pas fournir trop de détails sur les méthodes de travail de la police dans cette affaire, dit Hagen. À la fois à cause du risque potentiel de destruction de preuves et pour des questions de stratégie dans de futures affaires. »

Mona Daa et la salle semblèrent en prendre leur parti, mais Bellman vit que Hagen n'avait pas la moindre idée de ce qu'il couvrait.

« Il est tard et nous avons tous du travail, vous comme nous, conclut Hagen en consultant sa montre. La prochaine conférence de presse aura lieu demain à midi, nous espérons avoir plus d'informations à ce moment-là. En attendant, bonne nuit, nous pouvons tous dormir un peu plus en sécurité maintenant. »

Le blitz de flashs s'intensifia sitôt que Hagen et Bratt se levèrent, et de nouvelles questions leur furent lancées. Certains appareils photo se tournèrent vers Bellman, et quand les gens qui se levaient se retrouvèrent entre les objectifs et lui, il fit un pas en avant pour offrir une ligne de mire dégagée aux photographes.

« Attends, Harry », dit Bellman, sans regarder sur le côté ni modifier son expression d'Eisenhower. Quand la pluie de flashs cessa, il se retourna vers Harry Hole, qui se tenait là les bras croisés.

« Je ne vais pas te balancer aux loups, déclara Bellman. Tu as fait ton travail, tu as abattu un tueur en série mortellement dangereux. » Il posa la main sur l'épaule de Harry. « Et nous prenons soin des nôtres. OK ? »

Le policier, plus grand que lui, lança un regard éloquent sur son épaule et Bellman ôta sa main. La voix de Harry était plus rauque que d'ordinaire. « Savourez la victoire, Bellman, moi, je suis appelé en interrogatoire demain matin, donc bonne nuit. »

Bellman regarda Harry Hole évoluer vers la sortie, les jambes arquées et les genoux cassés, tel un marin sur le pont par grosse mer.

Bellman avait déjà consulté Isabelle et ils s'étaient mis d'accord que, afin d'éviter tout arrière-goût à ce succès, il serait préférable que l'Unité spéciale d'inspection de la police conclue qu'il y avait peu ou pas de critiques à faire à Hole. Comment exactement allaient-ils s'y prendre pour aider les Affaires internes à parvenir à cette conclusion, ils ne le savaient pas encore, ces enquêteurs n'étaient pas directement corruptibles. Mais évidemment, toute personne douée de raison était réceptive au bon sens. Concernant l'opinion publique, d'après Isabelle, vu que de nombreuses tueries s'étaient soldées par la mort du coupable, abattu par la police, cette procédure était devenue suffisamment routinière pour que la presse et le public l'aient acceptée plus ou moins tacitement comme la façon dont la société résolvait ce genre d'affaires : efficace, rapide, parlant au sens de la justice des gens ordinaires et sans les coûts faramineux qu'entraînaient toujours les procès de grandes affaires criminelles.

Bellman chercha Katrine Bratt du regard. Il savait qu'ils formeraient ensemble un bon sujet pour les photographes. Mais elle avait déjà disparu.

« Gunnar ! » appela-t-il si fort que quelques photographes se retournèrent. Le directeur de brigade se retourna à la porte et vint le rejoindre.

« Aie l'air grave, chuchota Bellman en lui tendant la main. Félicitations », ajouta-t-il tout haut.

Sous un lampadaire de Borggata, Harry essayait d'allumer une cigarette dans les dernières rafales d'Emilia. Il claquait des dents de froid et sentait sa cigarette basculer de haut en bas entre ses lèvres.

Il jeta un coup d'œil vers l'hôtel de police, d'où les gens de presse et les journalistes continuaient de sortir. C'était peut-être simplement parce qu'ils étaient aussi fatigués que lui s'ils n'avaient pas de conversations animées, mais descendaient vers Grønlandsleiret en une coulée muette et visqueuse. Ou alors c'était qu'eux aussi le ressentaient. Le vide. Le vide qui apparaît quand le but est atteint, quand vous arrivez au bout de la route et que vous vous rendez compte qu'il n'y a plus de route. Plus de terre à labourer. Mais votre femme est toujours dans la maison, avec le docteur et la sage-femme, et de nouveau, il n'est rien que vous puissiez faire. Rien à quoi on puisse vous employer.

« Qu'est-ce que tu attends ? »

Harry se retourna. C'était Bjørn.

« Katrine, répondit Harry. Elle m'a dit qu'elle allait me reconduire chez moi. Elle est allée chercher la voiture au garage, donc si tu as besoin d'être déposé, toi aussi… »

Bjørn secoua la tête. « Tu as parlé à Katrine de ce dont nous avions parlé ? »

Harry fit un signe de tête et tenta de nouveau d'allumer sa cigarette.

« C'est un "oui" ? demanda Bjørn.

— Non, dit Harry. Je ne lui ai pas demandé comment tu te situais.

— Tu ne l'as pas fait ? »

Harry ferma les yeux un instant. Peut-être l'avait-il fait. Mais si tel était le cas, il ne s'en souvenait pas, pas plus que de la réponse.

« Je te pose la question parce que je me disais que si vous étiez tous les deux ensemble autour de minuit à un endroit qui n'était pas l'hôtel de police, vous n'aviez peut-être pas uniquement parlé de boulot. »

Harry mit sa main en paravent pour abriter sa cigarette et le briquet qui cliquetait dans le vide tout en observant Bjørn. Les yeux bleus enfantins du Totenois étaient encore plus globuleux que d'habitude.

« Je ne me souviens de rien d'autre que de trucs de boulot, Bjørn. »

Bjørn Holm baissa les yeux et tapa les pieds sur le sol. Comme pour stimuler sa circulation sanguine. Comme s'il était figé sur place.

« Je te tiendrai au courant, Bjørn. »

Bjørn Holm hocha la tête sans lever les yeux, se retourna et s'en alla.

Harry le regarda partir. Avec le sentiment que Bjørn avait vu quelque chose, qu'il savait quelque chose que lui-même ignorait. Là ! Enfin du feu !

Une voiture glissa et s'arrêta devant lui.

Harry soupira, jeta sa cigarette par terre, ouvrit la portière et monta.

« De quoi parliez-vous ? demanda Katrine en regardant Bjørn partir avant de descendre vers une Grønlandsleiret déserte.

— On a couché ensemble ? demanda Harry.

— Quoi ?

— Je ne me souviens de rien avant ce soir. On n'a pas baisé ? »

Katrine ne répondit pas, se concentrant apparemment pour s'arrêter exactement sur le trait blanc devant le feu rouge. Harry attendit.

Le feu passa au vert.

« Non, dit Katrine, qui accéléra et débraya. On n'a pas couché ensemble.

— Bien, fit Harry en sifflant une note grave.

— Tu étais trop bourré.

— Quoi ?

— Tu étais trop bourré. Tu t'es endormi. »

Harry ferma les yeux. « Merde.

— C'est ce que je me suis dit aussi.

— Pas ça. Rakel est dans le coma. Et pendant ce temps je…

— … tu fais de ton mieux pour lui tenir compagnie là-bas. Oublie ça, Harry, il y a des choses plus graves. »

À la radio, une voix sèche annonçait que Valentin Gjertsen, dit le « vampiriste », avait été tué par balles vers minuit. Et qu'Oslo avait connu sa première tempête tropicale et survécu. Katrine et Harry traversèrent en silence Majorstua et Vinderen, ils approchaient de Holmenkollen.

« Qu'est-ce que tu penses de Bjørn ces temps-ci ? demanda Harry. Serait-il possible que tu puisses lui donner une nouvelle chance ?

— Il t'a demandé de me poser la question ? » l'interrompit Katrine.

Harry ne répondit pas.

« Je croyais qu'il avait un truc en cours avec l'autre Machine-Truc Lien, là ?

— Pas au courant. Mais soit. Arrête-toi donc ici.

— Tu ne veux pas que je te conduise jusqu'à la maison ?

— Ça ne ferait que réveiller Oleg. Comme ça, voilà. Bonne nuit. » Harry ouvrit la porte, mais resta assis.

« Oui ?

— Hm. Rien. » Il sortit.

Harry vit les phares arrière disparaître dans l'obscurité et remonta l'allée gravillonnée.

La maison dominait la colline de toute sa hauteur, plus sombre encore que l'obscurité de la nuit. Éteinte. Sans souffle.

Il ouvrit la porte et tendit l'oreille.

Il vit les chaussures d'Oleg, mais c'était silencieux.

Il se déshabilla dans la buanderie, mit ses vêtements dans la corbeille de linge sale. Il monta dans la chambre à coucher, en sortit des propres. Sachant qu'il n'arriverait pas à dormir, il descendit dans la cuisine. Il mit en route une cafetière et regarda par la fenêtre.

Quelques pensées le traversèrent. Il les chassa, se servit de café et sut qu'il n'aurait pas la force de le boire. Il pouvait redescendre au Jealousy, mais il n'avait pas non plus la force de boire encore de l'alcool. Mais cette force, il l'aurait de nouveau. Plus tard.

Ses pensées revinrent.

Elles n'étaient que deux.

Et elles étaient simples et sonores.

L'une disait que, si Rakel ne survivait pas, il suivrait, il prendrait le même chemin.

La seconde était que, si elle survivait, il allait la quitter. Parce qu'elle méritait mieux et pour qu'elle n'ait pas à partir elle-même.

Puis une troisième pensée lui vint.

Harry mit la tête dans ses mains.

Il se demandait s'il souhaitait qu'elle survive.

Merde, merde.

Ensuite, une quatrième.

Ce que Valentin avait dit dans le bois.

Finalement, on se fait tous avoir, Harry.

Il avait bien voulu dire que c'était Harry qui l'avait eu lui, Valentin, non ? Ou pensait-il à quelqu'un d'autre ? Quelqu'un avait-il eu Valentin ?

C'est pour ça que vous aussi, vous vous faites avoir.

Valentin avait prononcé cette phrase juste avant de faire croire à Harry qu'il pointait une arme sur lui, mais ce n'était peut-être pas ce à quoi il pensait. Peut-être y avait-il autre chose derrière.

Harry sursauta en sentant une main sur sa nuque. Il se retourna et leva les yeux.

Oleg était debout derrière sa chaise.

« Je ne t'ai pas entendu arriver, essaya d'articuler Harry, mais sa voix ne trouvait pas vraiment prise.

— Tu dormais.

— Je dormais ? » Harry s'écarta de la table et se leva. « Mais non, j'étais juste en train de…

— Tu dormais, papa », coupa Oleg avec un petit sourire.

Harry cligna des yeux pour chasser le brouillard. Il regarda autour de lui. Il tendit la main pour sentir sa tasse de café. Elle était froide. « Hm. Merde, alors.

— J'ai réfléchi », annonça Oleg en tirant la chaise à côté de Harry, avant de s'asseoir.

Harry claqua sa langue pour dissoudre le dépôt dans sa bouche.

« Et tu as raison.

— Moi ? » Harry but une gorgée de café froid pour se débarrasser du goût de bile solidifiée.

« Oui. Ta responsabilité va au-delà d'être là pour tes proches. Tu dois être là pour les gens moins proches aussi. Et je n'ai pas le droit d'exiger que tu les trahisses tous. Que les affaires criminelles soient aussi une drogue pour toi ne change rien à l'affaire.

— Hm. Et cette conclusion, tu y es arrivé tout seul ?

— Oui. Avec un peu d'aide de Helga. » Oleg regarda ses mains. « Elle est plus douée que moi pour voir les choses sous un autre angle. Et je ne pensais pas ce que je disais quand je t'ai dit ne pas vouloir devenir comme toi. »

Harry mit la main sur l'épaule d'Oleg. Il vit qu'il portait le tee-shirt Elvis Costello qu'il avait hérité de lui et qu'il mettait pour dormir. « Mon garçon ?

— Oui ?

— Promets-moi de ne pas devenir comme moi. C'est la seule chose que je te demande. »

Oleg hocha la tête. « Il y a encore une chose, dit-il.

— Oui ?

— Steffens a appelé. C'est maman. »

Ce fut comme si une griffe d'acier lui serrait le cœur, et Harry cessa de respirer.

« Elle s'est réveillée. »

33

Jeudi matin

« Oui ?

— Anders Wyller ?

— Oui.

— Bonjour, je suis de la Médecine légale.

— Bonjour.

— Il s'agit du cheveu que vous nous avez envoyé en analyse.

— Oui ?

— Vous avez reçu mon document ?

— Oui.

— Eh bien, ce n'est pas une analyse complète, mais comme vous le voyez, il y a une correspondance entre l'ADN de ce cheveu et l'un des profils ADN que nous avons enregistrés dans l'affaire du vampiriste. Plus précisément le profil ADN numéro 201.

— Oui, j'ai vu ça.

— Maintenant, je ne sais pas qui est 201, mais nous savons que ce n'est pas Valentin Gjertsen. Mais comme il y a une correspondance partielle et que je n'ai pas eu de vos nouvelles, je voulais m'assurer que vous aviez reçu le résultat. Parce que je pars du principe que vous voulez que je complète l'analyse ?

— Non, merci.

— Non ? Mais…

— L'affaire est élucidée et vous avez beaucoup à faire à la Médecine légale. Au fait, le document a-t-il été envoyé à d'autres que moi ?

— Non, je n'en vois pas de demande. Vous souhaitez…

— Non, ce n'est pas la peine. Vous pouvez classer l'affaire. Merci de votre aide. »

TROISIÈME PARTIE

34

Samedi

Masa Kanagawa prit sa tenaille de forge pour retirer la pièce de fer rougeoyante du four. Il la déposa sur l'enclume et entreprit de la frapper avec l'un de ses martelets. De forme japonaise traditionnelle, avec la tête plus avancée, en une espèce de potence. Masa avait repris la petite forge de son père et de son grand-père avant lui, mais à l'instar des nombreux forgerons de Wakayama, il avait du mal à joindre les deux bouts. L'industrie de l'acier, qui avait été la colonne vertébrale économique de la ville, avait déménagé en Chine, et Masa avait dû se concentrer sur des produits de niche. Comme les *katanas*, ces sabres de samouraïs particulièrement prisés aux États-Unis qu'il fabriquait sur commande directe de clients privés des quatre coins du monde. La loi japonaise imposait aux forgerons de sabres d'avoir une licence, obtenue au terme de cinq années d'apprentissage, et ne les autorisait à fabriquer que deux sabres longs par mois, qu'il fallait ensuite enregistrer auprès des autorités. Masa n'était qu'un forgeron ordinaire qui fabriquait de bons sabres pour une fraction du prix demandé par les forgerons licenciés, mais il savait qu'il risquait de se faire prendre et devait donc faire profil bas. Ce à quoi les clients employaient leurs sabres, il ne le savait pas et ne voulait pas le savoir, il espérait toutefois que c'était de l'entraînement, de la décoration murale ou de la collection d'armes. Ce qu'il savait, en revanche, c'était que cette activité nourrissait sa famille et lui permettait de garder sa petite forge ouverte. Mais il avait dit en termes clairs à son fils qu'il devait se trouver une autre profession, faire des études, le travail de forgeron était trop dur et la rémunération trop faible. Son fils avait suivi les conseils paternels, mais l'université coûtait cher et Masa prenait donc toutes les commandes qu'on lui passait. Comme maintenant, avec cette réplique de dents en fer de l'époque de Heian. C'était un client norvégien, et c'était la deuxième fois qu'il commandait ce dentier, la première ayant été six mois auparavant. Masa Kanagawa n'avait pas son nom, juste une adresse de boîte postale. Mais soit, c'était payé d'avance et Masa avait demandé un prix élevé. Non pas parce que c'était un travail compliqué que de forger des dents d'après les dessins que le client lui avait envoyés, mais parce que cela lui semblait mal. Masa n'arrivait pas tout à fait à s'expliquer en quoi cela lui semblait pire que de forger des sabres, mais quand il regardait les dents en fer, il frissonnait. Et quand il rentrait en voiture sur la 370, la route musicale dont les rainures soigneusement conçues chantaient au contact des pneus, il n'entendait plus ce qu'il percevait habituellement comme un beau chœur apaisant. Il entendait une mise en garde, un grondement sourd, qui montait et montait encore, comme un cri. Comme le cri d'un démon.

Harry se réveilla. Il alluma une cigarette et écouta ses impressions. Quel genre de réveil était-ce ? Ce n'était pas un réveil de boulot. On était samedi, son premier cours après les vacances d'hiver n'était pas avant lundi et Øystein avait le bar aujourd'hui.

Ce n'était pas un réveil solitaire. Rakel était couchée à côté de lui. Les premières semaines après son retour de l'hôpital, quand il était allongé comme maintenant et qu'elle dormait, il avait eu peur qu'elle ne se réveille pas, que le mystérieux « ça » que les médecins n'avaient pas identifié revienne.

« Les gens ne supportent pas le doute, avait déclaré Steffens. Ils veulent croire que les personnes comme vous et moi savent, Harry. Le prévenu est coupable, le diagnostic est exact. Admettre que nous doutons est perçu comme un aveu d'insuffisance, pas comme une reconnaissance de la complexité de l'énigme ou des limites de la science. Mais la vérité, c'est que nous ne saurons jamais avec certitude ce qui n'allait pas chez Rakel. Il y a eu une certaine prolifération de mastocytes, alors j'ai d'abord pensé à une mastocytose, qui de toute façon est une maladie du sang rare. Mais toutes les traces ont disparu et de nombreux éléments portent à croire que c'était une septicémie. Si tel est le cas, vous n'avez pas besoin de vous dire que ça va revenir. Exactement comme ces meurtres vampiristes, n'est-ce pas ?

— Mais nous *savons* qui a tué ces femmes.

— Tout juste. Mauvaise analogie. »

Les semaines passant, les jours où il se disait qu'elle allait faire une rechute étaient moins fréquents, plus espacés dans le temps.

Plus espacés que les fois où, quand le téléphone sonnait, il se disait que c'était un nouveau meurtre vampiriste.

Ce n'était donc pas non plus un réveil angoissé.

Il n'en avait pas eu depuis la mort de Valentin Gjertsen. Étrangement, il n'en avait pas eu pendant qu'il était entendu par la police des polices, qui avait fini par arriver à la conclusion qu'on ne pouvait pas reprocher à Harry d'avoir fait feu à trois reprises dans une situation périlleuse avec un dangereux meurtrier ayant lui-même provoqué sa réaction. Ce n'est que plus tard que Valentin et Marte Ruud s'étaient mis à venir le trouver dans ses rêves. Et c'était elle, pas lui, qui chuchotait à son oreille. *C'est pour ça que vous aussi, vous vous faites avoir*. Il s'était dit qu'il appartenait à d'autres désormais de la retrouver. Et les semaines devenant mois, ces visites s'étaient espacées. Ça aidait d'avoir de nouveau le rythme quotidien de l'École de police et de la maison, et bien entendu de ne pas toucher à l'alcool.

Et maintenant, il était enfin là où il devait être. Car cela était le cinquième type de réveil. Le réveil comblé. Il allait copier-coller encore une journée à taux de sérotonine parfait.

Harry se glissa hors du lit aussi silencieusement que possible, passa un pantalon, descendit au rez-de-chaussée, mit la capsule préférée de Rakel dans la machine à espresso, qu'il alluma, avant de sortir sur le perron. Il sentit la bonne brûlure de la neige sur la plante de ses pieds nus pendant qu'il respirait l'air d'hiver. La ville vêtue de blanc était encore plongée dans l'obscurité, mais un nouveau jour timide rougissait à l'est.

Il enfila une paire de chaussures et une doudoune, et barbota dans la neige jusqu'à la boîte aux lettres.

Aftenposten écrivait que l'avenir apparaissait plus rose que ne le laissait augurer l'actualité. Que malgré le tableau de plus en plus détaillé que les médias brossaient des meurtres, de la guerre et de l'horreur, un récent rapport de recherche montrait que le pourcentage de gens tués par d'autres gens était historiquement bas et ne cessait de chuter. Oui, que, un jour, le meurtre serait peut-être exterminé. Mikael Bellman, qui, d'après *Aftenposten*, allait être officiellement nommé ministre de la Justice et prendre ses fonctions la semaine suivante, commentait en disant qu'il n'y avait bien sûr aucun mal à se fixer des objectifs ambitieux, mais que, en ce qui le concernait, son objectif n'était pas une société parfaite, mais une société *meilleure*. Harry ne put que sourire. Isabelle Skøyen était une bonne souffleuse. Harry relut la phrase sur le meurtre qui allait un jour être exterminé. Pourquoi cette affirmation audacieuse déclenchait-elle chez lui ce trouble que, en dépit de son contentement, il devait admettre avoir ressenti ce dernier mois, peut-être même depuis plus longtemps ? Le meurtre. Il avait fait de la lutte contre les tueurs la mission d'une vie. Mais s'il réussissait, s'ils disparaissaient tous, disparaîtrait-il aussi, lui, Harry ? N'avait-il pas enterré un peu de lui-même avec Valentin ? Était-ce pour cette raison qu'il était allé sur la tombe de Valentin Gjertsen quelques jours auparavant ? Ou pour une autre ? Les propos de Steffens sur le fait de ne pas supporter le doute. Le manque de réponses le rongeait-il ? Merde, quoi, Rakel était guérie, Valentin parti, temps de lâcher l'affaire, là.

La neige craqua.

« Vous avez passé de bonnes vacances d'hiver, Harry ?

— Nous avons survécu, madame Syvertsen. Vous n'avez pas eu votre dose de ski de fond, je vois ?

— Quand la neige est bonne, la neige est bonne »,

répondit-elle en se déhanchant. Sa combinaison de ski était comme peinte sur son corps. Elle tenait ses skis, indubitablement aussi légers que l'hélium, d'une main, comme des baguettes chinoises.

« Vous ne voudriez pas venir skier un peu avec moi, Harry ? Un petit tour. Les autres dorment, nous pourrions faire un sprint jusqu'à Tryvann. » Elle sourit, la lumière du lampadaire au-dessus d'eux brillait sur ses lèvres, un quelconque baume contre le froid. « La… glisse… est très bonne.

— Je n'ai pas de skis », répondit Harry en lui rendant son sourire.

Elle rit. « Vous plaisantez. Vous êtes norvégien et vous n'avez pas de skis ?

— Trahison à la patrie, je sais. » Harry baissa les yeux sur son journal. Il regarda la date. 4 mars.

« Vous n'aviez pas de sapin de Noël non plus, je me souviens.

— Oui, hein ? On devrait nous dénoncer.

— Vous savez quoi, Harry ? Parfois, je vous envie. »

Harry leva les yeux.

« Vous n'en avez rien à faire, vous enfreignez simplement toutes les règles. J'aurais parfois voulu être aussi frivole. »

Harry rit. « Avec la pommade que vous mettez, je parie que vous pouvez à la fois lubrifier *et* accrocher, madame Syvertsen.

— Quoi ?

— Bon ski. » Harry la salua d'un journal plié contre son front et retourna vers la maison.

Il jeta un œil sur la photo de Mikael Bellman, le borgne. C'était peut-être pour ça que ce regard était si ferme. C'était le regard d'un homme persuadé de connaître la vérité. Le regard d'un prêtre. Un regard qui convertissait les foules.

Harry s'arrêta dans l'entrée et se lança un regard dans le miroir.

La vérité, c'est que nous ne saurons jamais avec certitude.

Même vous, vous allez vous faire avoir à la fin, Harry.

Se voyait-il ? son doute ?

Rakel était assise à la table de cuisine, elle leur avait servi du café à tous les deux.

« Déjà debout ? » demanda-t-il en lui embrassant la tête. Ses cheveux avait un léger parfum de vanille et de Rakel-qui-dort, son odeur préférée.

« Steffens vient d'appeler, dit-elle en serrant sa main.

— Qu'est-ce qu'il voulait si tôt le matin ?

— Il se demandait comment ça allait. Il a convoqué Oleg à la suite de la prise de sang qu'ils ont faite avant Noël. Il a dit qu'il n'y avait pas de raison de s'inquiéter, que c'était pour voir s'il pouvait éventuellement trouver un lien génétique qui pourrait expliquer "ça". »

« Ça ». Pendant les premiers temps qui avaient suivi le retour de l'hôpital de Rakel, elle, lui et Oleg s'étaient étreints davantage. Ils avaient plus parlé. Moins planifié. Juste été ensemble. Puis, comme quand quelqu'un a lancé une pierre dans l'eau, la surface était revenue à ce qu'elle était auparavant. De la glace. Et pourtant, on aurait dit que quelque chose vibrait là-dessous, dans l'abysse sous lui.

« Aucune raison de s'inquiéter, répéta Harry, autant pour lui-même que pour elle. Mais ça t'a inquiétée quand même ? »

Elle haussa les épaules. « Tu as pu réfléchir un peu plus au bar ? »

Harry s'assit et but une gorgée de son café instantané. « Quand j'y étais hier, je me disais qu'il fallait bien sûr que je vende. Je ne connais rien à la gestion d'un bar et je ne me sens pas de vocation de servir de l'alcool à des jeunes ayant potentiellement des gènes malheureux.

— Mais… »

Harry ouvrit la fermeture Éclair de sa doudoune. « Øystein adore y travailler. Et il se tient à l'écart des marchandises, je le sais. L'accès facile et illimité exerce un effet modérateur sur certaines personnes. Et puis il y a le fait que ça marche.

— Ce n'est pas étonnant quand les lieux peuvent se targuer de deux meurtres vampiristes, d'une presque-fusillade et de Harry Hole derrière le comptoir.

— Hm. Non, je crois tout bonnement que c'est l'idée de thème musical d'Oleg qui fonctionne. Ce soir, par exemple, il n'y a que les femmes de plus de cinquante ans les plus classe. Lucinda Williams, Emmylou Harris, Patti Smith, Chrissie Hynde…

— C'était avant mon époque, mon chéri.

— Demain, c'est jazz des années 1960, et ce qu'il y a de curieux, c'est que les gens qui viennent aux soirées punk vont se pointer. On a une Paul Rodgers par semaine en hommage à Mehmet. Øystein trouve que nous devrions organiser un quiz musical. Et…

— Harry ?

— Oui ?

— Là, tu parles comme si tu avais l'intention de garder le Jealousy.

— Ah bon ? » Harry se gratta la tête. « Merde,

alors, je n'ai pourtant pas le temps. Deux bordéliques comme Øystein et moi. »

Rakel rit.

« À moins que…, dit Harry.

— À moins que ? »

Harry ne répondit pas, se contenta de sourire.

« Non, non, non, n'y songe même pas, protesta Rakel. Je suis déjà assez occupée comme ça pour ne pas avoir en plus…

— Juste une fois par semaine. Le vendredi, tu ne travailles pas de toute façon. Un peu de compta et de paperasse. Tu détiens une partie des actions et on te choisit comme président du conseil d'administration.

— *Présidente*.

— Marché conclu. »

Elle repoussa en riant la main que lui tendait Harry. « Non.

— Réfléchis-y.

— OK, je vais réfléchir avant de refuser. On remonte se mettre au lit ?

— Fatiguée ?

— Moui. » Elle le regarda par-dessus sa tasse de café, les paupières mi-closes. « J'aimerais peut-être avoir un bout de ce que je vois que Mme Syvertsen n'obtient pas.

— Hm. Tu m'espionnes. Eh bien, après vous, madame la présidente. »

Harry coula encore un regard sur le sommet de la page de journal. 4 mars. La date de libération. Il la suivit dans l'escalier, passa devant le miroir sans regarder.

Svein « le Fiancé » Finne entra dans le cimetière Vår Frelser. La place était déserte à cette heure, au point du jour. Il n'avait franchi le portail de la prison d'Ila en homme libre que depuis une heure et c'était là la première chose qu'il faisait. Sur la neige blanche, les petites pierres tombales noires arrondies avaient l'air de points sur une feuille.

Il marchait sur le sentier verglacé à petits pas prudents. C'était un homme âgé à présent et il n'avait pas marché sur du verglas depuis des années. Il s'arrêta devant une pierre de taille particulièrement modeste avec des lettres blanches neutres sous la croix.

Valentin Gjertsen.

Aucune épitaphe. Évidemment. Personne ne voulait se souvenir. Et pas de fleurs.

Svein Finne sortit la plume qu'il avait dans la poche de son manteau, s'agenouilla et la planta dans la neige devant la pierre. Dans la tribu des Cherokees, on mettait une plume d'aigle dans le cercueil de ses morts. Il avait évité le contact avec Valentin quand ils purgeaient leur peine à Ila. Pas pour la même raison que les autres détenus, que Valentin terrifiait. Mais parce que Svein Finne ne voulait pas que le jeune homme le reconnaisse. Car il le ferait, tôt ou tard. Il n'avait fallu qu'un regard à Svein le jour de l'arrivée de Valentin à Ila. Il avait les épaules étroites de sa mère et sa voix claire, exactement comme il se souvenait d'elle du temps de leurs fiançailles. Elle faisait partie de celles qui avaient tenté d'avorter quand il avait eu un moment d'inattention, il s'était donc installé de force chez elle et y avait habité pour veiller sur sa progéniture. Elle était restée couchée à ses côtés, tremblante, en larmes, chaque nuit, jusqu'à ce qu'elle mette au monde le petit garçon, dans un merveilleux bain de sang dans la chambre, et il avait coupé le cordon avec son propre couteau. Son treizième enfant, son septième fils. Et ce n'était pas en apprenant le nom du nouveau détenu que Svein avait été sûr à cent pour cent. C'était en apprenant les détails de ce qui avait entraîné la condamnation de Valentin Gjertsen.

Svein Finne se releva.

Les morts étaient morts.

Et les vivants bientôt morts.

Il respira. L'homme avait pris contact avec lui. Et il avait éveillé sa soif, celle dont il pensait avoir été guéri par les ans.

Svein Finne observa le ciel. Le soleil allait bientôt se lever. Et la ville se réveillerait, se frotterait les yeux, s'ébrouerait du cauchemar sur l'assassin qui avait sévi l'automne dernier. Elle sourirait et verrait que le soleil brillait sur elle, heureuse dans son ignorance de ce qui allait se produire. Et qui allait faire apparaître l'automne dernier comme un fade prélude. Tel père, tel fils. Tel fils, tel père.

Le policier. Harry Hole. Il était là quelque part.

Svein Finne se retourna et se mit en marche. Ses pas étaient plus longs, plus rapides, plus assurés.

Il y avait tant à faire.

Au cinquième étage, Truls Berntsen contemplait l'éclat rouge du soleil qui essayait de franchir la colline d'Ekeberg. Au mois de décembre, Katrine Bratt l'avait tiré de sa quarantaine pour lui donner un bureau avec fenêtre. Sympa. Mais il restait employé à l'archivage de rapports et de documents entrants relatifs à des affaires élucidées ou des *cold cases*. La raison pour laquelle il arrivait si tôt au boulot devait donc être que, par moins douze degrés, il faisait plus chaud dans son bureau que dans son appartement. Ou qu'il dormait mal en ce moment.

Ces dernières semaines, c'étaient naturellement surtout des infos à retardement et des témoignages superflus sur les meurtres vampiristes qu'il avait fallu archiver. Des gens qui prétendaient avoir vu Valentin Gjertsen quelques jours auparavant, probablement les mêmes que ceux qui pensaient qu'Elvis était toujours en vie. Peu importait que les analyses d'ADN du cadavre aient donné la preuve irréfutable que *c'était* bel et bien Valentin Gjertsen que Harry Hole avait tué, pour certaines personnes, les faits n'étaient que des choses agaçantes qui faisaient obstacle à leurs idées fixes.

Obstacle à leurs idées fixes. Truls Berntsen ne savait pas pourquoi cette phrase s'était fixée en lui, il l'avait juste pensée, pas prononcée à voix haute.

Il s'empara de l'enveloppe suivante sur le dessus de la pile. Comme toutes les autres, elle était ouverte et son contenu avait été lu en instance précédente. Elle portait le logo de Facebook, un cachet montrant qu'elle avait été envoyée en recommandé et une fiche d'archivage fixée par un trombone, sous *numéro d'archivage* était simplement écrit « Affaire du vampiriste » et sous *Agent* le nom de Magnus Skarre et sa signature.

Truls Berntsen sortit le contenu de l'enveloppe. Au sommet se trouvait une lettre en anglais. Truls ne comprit pas tout, mais il comprit en tout cas qu'on renvoyait à un arrêt de justice sur la consultation de données et que les pièces jointes étaient des relevés des comptes Facebook de toutes les victimes de l'affaire du vampiriste, plus de celui de Marte Ruud, qui avait disparu. Il feuilleta les pages et remarqua que certaines collaient un peu entre elles, il gageait donc que Skarre avait déjà passé le tout en revue. Soit, l'affaire était élucidée et le coupable n'allait jamais se retrouver sur le banc des accusés. Mais évidemment, Truls aurait bien voulu prendre en faute ce con de Skarre. Il vérifia les noms des gens avec lesquels les victimes avaient été en contact. Avec un léger espoir de trouver un message Facebook de ou pour Valentin Gjertsen ou Alexander Dreyer lui permettant de clouer Skarre au pilori parce qu'il l'avait ignoré. Son regard parcourait les pages les unes après les autres, ne s'arrêtant que sur le destinataire et l'expéditeur. Et il poussa un soupir à la fin. Aucune bourde cette fois non plus. Outre ceux des victimes, les seuls noms qu'il avait reconnus étaient ceux d'une ou deux personnes que Wyller et lui avaient interrogées parce qu'elles avaient eu un contact téléphonique avec les victimes. Et sans doute n'était-ce rien que de très naturel que ceux qui avaient eu un contact téléphonique, comme Ewa Dolmen et ce Lenny Hell, aient parfois aussi eu des contacts sur Facebook.

Truls rangea les documents dans l'enveloppe, il se leva et alla au placard d'archives. Il ouvrit le tiroir du dessus. Puis il le relâcha. Il aimait son glissement sur les traverses, dans un bruissement, comme un train de marchandises. Jusqu'à ce qu'il l'arrête d'une main.

Il regarda l'enveloppe.

Dolmen. Pas Hermansen.

Il fouilla dans le tiroir et rapporta sur son bureau le dossier des auditions faites à partir des relevés de communications téléphoniques ainsi que l'enveloppe. Il parcourut les documents jusqu'à ce qu'il retrouve le nom. Lenny Hell. Truls se souvenait de ce nom en particulier parce qu'il l'avait fait penser à Lemmy, alors que le type qu'il avait eu téléphone évoquait plutôt la mauviette qu'on tracasse, avec ce chevrotement de la voix que, si innocents puissent-ils être, beaucoup avaient quand ils apprenaient que c'était la police qui les appelait. Lenny Hell avait donc communiqué sur Facebook avec Ewa Dolmen. Victime numéro deux.

Truls ouvrit le dossier des auditions. Il trouva le procès-verbal de sa brève audition de Lenny Hell. Et de sa conversation avec le propriétaire d'Åneby Pizza & Grill. Et une note dont il n'avait pas été au courant, dans laquelle Wyller rapportait que le bureau du *lensmann* de Nittedal se portait garant et de Lenny et du propriétaire de pizzeria qui confirmait que Lenny avait été dans son restaurant pendant la tranche horaire où avait eu lieu le meurtre d'Elise Hermansen.

Elise Hermansen. Victime numéro un.

Ils avaient convoqué Lenny parce qu'il avait téléphoné plusieurs fois à Elise Hermansen. Et il avait eu des contacts avec Ewa Dolmen sur Facebook. Elle était *là*, la bourde. La bourde de Magnus Skarre. Et, peut-être, celle de Lenny Hell. À moins d'une coïncidence. Des hommes et des femmes célibataires du même âge se cherchant dans une même zone géographique d'un pays tout de même petit et peu peuplé. Il y avait plus invraisemblable comme coïncidence. Et l'affaire était résolue, il n'y avait aucune question à se poser. *En fait*. D'un autre côté… Les journaux continuaient de parler du vampiriste. Aux États-Unis, un petit fan-club obscur de Valentin Gjertsen s'était constitué, et la procédure de succession avait vu quelqu'un acheter les droits littéraires et cinématographiques de l'histoire de sa vie. L'affaire n'était peut-être plus en une, mais elle pouvait vite le redevenir. Truls Berntsen prit son téléphone. Il trouva le numéro de Mona Daa. Il le regarda fixement. Puis il se leva, attrapa sa veste et se dirigea vers l'ascenseur.

Mona Daa baissa les paupières et leva les bras. Oiseaux avec haltères légers. Elle se représenta déployant ses ailes et s'envolant les bras tendus, survolant le Frognerpark, Oslo. Pouvant tout voir. Absolument tout.

Et leur montrant.

Elle avait vu un documentaire sur son photographe préféré, Don McCullin, qu'on qualifiait de reporter de guerre humanitaire, parce qu'il montrait les pires côtés de l'humanité pour susciter non pas l'horreur jouissive, mais la réflexion et l'introspection. Elle ne pouvait pas en dire autant d'elle-même. Mais elle s'était fait la réflexion qu'il était un mot qu'on n'entendait jamais prononcer dans l'hommage hagiographique qu'était ce documentaire. Ambition. McCullin était devenu le meilleur et il avait dû rencontrer des milliers d'admirateurs entre les batailles, au sens propre. De jeunes confrères qui voulaient devenir comme lui, qui avaient entendu le mythe du photographe resté avec les soldats à Hue pendant l'offensive du T⊠t, les anecdotes de Beyrouth, du Biafra, du Congo, de Chypre. Voilà un photographe qui recevait la drogue la plus addictive que connaisse l'humain, la reconnaissance et l'attention, et cependant pas un mot sur ce qui pouvait le pousser à s'exposer aux pires épreuves, à prendre des risques dont il n'aurait jamais rêvé autrement. Et – potentiellement – à commettre les mêmes crimes que ceux qu'il immortalisait. Tout pour avoir la photo parfaite, le reportage novateur.

Mona avait accepté de se mettre dans une cage pour attendre le vampiriste. Sans prévenir la police et potentiellement épargner des vies humaines. Elle aurait aisément pu donner l'alerte même si elle pensait être surveillée. Un papier discrètement glissé à Nora sur la table. Mais, comme dans le fantasme sexuel de Nora de se faire presque violer par Harry Hole, elle avait agi comme si elle était forcée de l'accepter. Bien sûr qu'elle l'avait voulu. La reconnaissance, la renommée, l'admiration dans les yeux de jeunes collègues quand elle tiendrait son discours de remerciements pour le premier prix de journalisme et dirait humblement qu'elle n'était qu'une fille chanceuse et travailleuse d'une petite ville du Nord. Avant de raconter un peu moins modestement son enfance, les moqueries, la vengeance et l'ambition. Oui, elle parlerait tout haut de l'ambition, elle ne voulait pas avoir peur de dire les choses telles qu'elles étaient. De dire qu'elle voulait voler. Voler.

« Vous avez besoin d'un peu plus de résistance. »

Soulever était devenu plus ardu. Elle ouvrit les yeux et constata que deux mains s'étaient posées sur les haltères et exerçaient une légère pression. La personne se tenait juste derrière elle, si bien que dans le miroir juste en face d'elle, elle avait l'air d'une espèce de Ganesh à quatre bras.

« Allez, encore deux », lui chuchota la voix à l'oreille. Elle la reconnut. La voix du policier. Et cette fois, il leva la tête et elle vit son visage au-dessus du sien dans le miroir. Il souriait. Les yeux bleus au-dessous de sa mèche blanche. Les dents blanches. Anders Wyller.

« Vous ici ? » demanda-t-elle, oubliant de lever les bras, mais se sentant des ailes quand même.

« Vous ici ? demanda Øystein Eikeland en posant la bière sur le comptoir devant le client.

— Hein ?

— Pas vous, lui, dit Øystein en pointant le pouce par-dessus son épaule vers le grand tondu qui venait de passer derrière le comptoir et de mettre du café et de l'eau dans le *cezve*.

— Je n'en peux plus du café instantané, répondit Harry.

— Tu n'en peux plus des vacances, dit Øystein. Tu n'en peux plus d'être séparé de ton bar adoré. Tu reconnais ? »

Harry s'arrêta et écouta la compo serrée, dansante. « Pas tant qu'elle ne chante pas, non.

— Elle ne va pas chanter, c'est ce qui est si divin, dit Øystein. C'est Taylor Swift, "1989". »

Harry acquiesça d'un signe de tête. Il se souvenait que Swift, ou sa maison de disques, avait refusé que l'album soit sur Spotify et que c'était une version instrumentale qui avait été mise en ligne.

« On ne s'était pas mis d'accord pour avoir uniquement des chanteuses de plus de cinquante ans, aujourd'hui ? demanda Harry.

— T'entends pas ce que je te dis ? Elle ne *chante* pas. »

Harry abandonna l'idée de discuter de la logique du propos. « Les gens arrivent tôt, aujourd'hui.

— C'est la saucisse d'alligator, expliqua Øystein en désignant les longues saucisses fumées qui pendaient au-dessus du comptoir. La première semaine, c'était sans doute juste une curiosité, mais maintenant les mêmes gens reviennent parce qu'ils en reveulent. On devrait peut-être changer le nom du bar, Alligator-Joe, Everglades ou…

— Jealousy, c'est bien.

— OK, OK, j'essaie juste d'être dans un mouvement de progrès, là. On va nous piquer l'idée.

— On en aura une autre d'ici là. »

Harry mit le *cezve* sur la plaque et se retourna alors qu'une personne connue passait la porte.

Harry croisa les bras alors que ladite personne tapait la neige de ses bottes et lançait un regard par en dessous sur la salle.

« Quelque chose ne va pas ? demanda Øystein.

— Je ne crois pas, répondit Harry. Surveille le café, qu'il ne bouille pas.

— Toi et ton truc turc de café qui ne doit pas bouillir. »

Harry fit le tour du comptoir et alla rejoindre l'homme qui venait de déboutonner son manteau, laissant la chaleur l'entourer de vapeur.

« Hole, fit-il.

— Berntsen, répondit Harry.

— J'ai un truc pour toi.

— Pourquoi ? »

Truls Berntsen rit en soufflant par le nez. « Tu ne veux pas savoir quoi ?

— Seulement si je suis satisfait de la réponse à ma première question. »

Harry vit que Truls Berntsen s'essayait à un rictus indifférent sans y parvenir et dut déglutir à la place. Et le rouge de son visage balafré pouvait bien sûr être dû au passage du froid de l'extérieur à la chaleur du bar.

« T'es un con, Hole, mais tu m'as sauvé la vie un jour.

— Ne me fais pas le regretter. Crache le morceau. »

Berntsen sortit le dossier de la poche intérieure de son manteau. « Lemmy… je veux dire Lenny Hell.

Tu verras qu'il a été en contact avec à la fois Elise Hermansen et Ewa Dolmen.

— Ah bon ? » Harry regarda la chemise jaune avec un élastique autour que lui tendait Truls Berntsen. « Pourquoi tu ne vas pas voir Bratt avec ça ?

— Parce que, contrairement à toi, elle a sa carrière à prendre en considération et elle est obligée d'en parler à Mikael.

— Et alors ?

— Mikael va devenir ministre de la Justice la semaine prochaine. Il n'a pas besoin que ça coince au passage de témoin. »

Harry observa Truls Berntsen. Il avait compris depuis longtemps que Berntsen n'était pas aussi bête qu'il pouvait en avoir l'air. « Tu veux dire qu'il ne veut pas qu'on déterre cette affaire ? »

Berntsen haussa les épaules. « L'affaire du vampiriste a failli lui mettre des bâtons dans les roues. Et finalement ç'a été un de ses plus grands succès. Il n'a pas envie de détruire cette image, non.

— Hm. Tu me donnes ces papiers parce que tu as peur qu'ils finissent dans le tiroir du directeur de la police.

— J'ai peur qu'ils finissent dans le destructeur de documents, Hole.

— D'accord. Mais tu n'as toujours pas répondu à ma première question. Pourquoi ?

— Tu n'as pas entendu ? Le destructeur de documents.

— Pourquoi est-ce que *toi*, Truls Berntsen, tu te soucies de ça ? Et pas de foutaises, je sais qui tu es et ce que tu es. »

Truls grouina quelque chose.

Harry attendit.

Truls lui lança un regard, esquiva, tapa des pieds comme s'il restait encore de la neige dessus.

« J'en sais rien, finit-il par dire. C'est vrai, j'en sais rien. Je pensais que ce serait peut-être chouette que Magnus Skarre s'en prenne une sur le bec parce qu'il n'avait pas fait le lien entre les téléphones et Facebook, mais ce n'est pas pour ça non plus. Enfin, je crois. Je crois juste que je voudrais que... mais, j'en sais rien quoi, merde. » Il toussa. « Mais si tu n'en veux pas, je le remets juste dans les archives, et puis ça pourra rester à pourrir là, ça m'est égal. »

Harry essuya la buée de la vitre et regarda Truls Berntsen qui, ressorti du bar, marchait la tête baissée dans la lumière d'hiver crue. Se trompait-il ou Truls Berntsen venait de manifester les symptômes de cette maladie partiellement bénigne appelée police ?

« Qu'est-ce que tu as là ? demanda Øystein quand Harry revint derrière le bar.

— Du porno de flic, répondit Harry en posant le dossier jaune sur le comptoir. Des relevés et des auditions.

— L'affaire du vampiriste ? Elle n'était pas résolue ?

— Si, si, c'est juste quelques points à éclaircir, des formalités. Tu n'entends pas que le café bout ?

— Tu n'entends pas que Taylor Swift ne chante *pas* ? »

Harry ouvrit sa gueule pour dire quelque chose, mais entendit à la place son propre rire. Il adorait ce type. Il adorait ce bar. Il leur servit le café raté à tous les deux et tambourina le rythme de « Welcome to Some Pork » sur le dossier. Il coula son regard sur les pages en se disant que, s'il était sage comme une image et qu'il lui laissait un peu de temps, Rakel dirait sûrement oui.

Son regard s'arrêta.

La glace parut craquer sous lui.

Son cœur se mit à battre plus vite. *Même vous, vous finirez par vous faire avoir, Harry.*

« Qu'est-ce qu'il y a ? s'enquit Øystein.

— Comment ça ?

— Tu as l'air de… voyons…

— D'avoir vu un fantôme ? demanda Harry, en relisant pour être sûr.

— Non, dit Øystein.

— Non ?

— Non, tu as plutôt l'air de t'être… réveillé. »

Harry leva les yeux des papiers et regarda Øystein. Et il le sentit. Son trouble. Il n'était plus là.

« C'est limité à soixante, prévint Harry. Et il y a du verglas. »

Oleg relâcha un peu l'accélérateur. « Pourquoi tu ne conduis pas toi-même, alors que tu as une voiture et ton permis ?

— Parce que Rakel et toi, vous conduisez mieux. » Harry plissa les yeux face au vif soleil qui brillait sur les collines basses couvertes de neige et de forêt. Un panneau leur indiqua qu'il leur restait quatre kilomètres jusqu'à Åneby.

« Maman aurait pu te conduire, alors ?

— Je pensais que ça pourrait t'être utile de voir un bureau de *lensmann*. Bientôt, tu iras peut-être dans ce genre d'endroit, tu sais. »

Oleg freina derrière les roues d'un tracteur qui projetait de la neige alors que ses chaînes chantaient sur l'asphalte. « Je vais entrer à la Brigade criminelle d'Oslo, pas dans un patelin.

— Oslo aussi, c'est un patelin, et on n'est qu'à une demi-heure, là.

— J'ai postulé pour le cours du FBI à Chicago. »

Harry sourit. « Si tu es si ambitieux, deux ou trois ans dans un bureau de *lensmann* ne devraient pas te faire peur. Prends à gauche. »

« Jimmy », se présenta l'homme robuste et enjoué qui se tenait devant la porte du bureau du *lensmann*, contigu aux services pour l'emploi de NAV, dans un moderne établissement standard de services publics. À la vue de son bronzage éclatant, Harry gagea qu'il était allé en villégiature d'hiver à Gran Canaria, étant entendu que ce pari sur « Granca » reposait sur un tas d'idées préconçues sur les lieux où les gens de Nittedal au nom se terminant par un *y* passaient leurs vacances.

Harry lui serra la main. « Merci d'avoir pris le temps de discuter avec nous un samedi, Jimmy. Voici Oleg, élève policier.

— Ça m'a l'air d'un futur *lensmann*, observa Jimmy en mesurant du regard les cent quatre-vingt-dix centimètres du jeune homme. Je me suis dit que c'était assez exaltant que Harry Hole en personne veuille nous rendre visite. Donc je crains que ce ne soit pas moi, mais vous qui perdiez votre temps ici.

— Ah ?

— Vous avez dit au téléphone que ça ne répondait pas chez Lenny Hell et je me suis renseigné un peu pendant que vous étiez en route. Apparemment il est parti en Thaïlande juste après votre audition.

— Apparemment ?

— Oui, avant de partir, il a prévenu ses voisins et ses clients habituels qu'il allait y rester un moment. Il doit donc avoir un numéro thaïlandais, mais aucun de ceux à qui j'ai parlé ne l'avait. Et personne ne savait exactement où il habite là-bas.

— Un ermite, peut-être ?

— Ça, on peut le dire.

— Famille ?

— Célibataire. Enfant unique. Il n'a jamais quitté la maison et depuis que ses parents sont morts, il habite tout seul dans la Porcherie.

— La Porcherie ?

— C'est juste une appellation locale. La famille Hell a été dans le cochon pendant des générations, ça leur a rapporté un peu d'argent, et il y a un siècle, ils ont construit une maison atypique sur trois niveaux. Les gens trouvaient ça un peu chichiteux pour des éleveurs de porc, donc ils se sont mis à en parler comme de la Porcherie. » Le *lensmann* ricana. « Enfin, c'étaient toutes ces histoires de savoir rester à sa place et de ne pas se prendre pour ce qu'on n'est pas.

— Hm. Que fait Lenny Hell en Thaïlande pendant si longtemps, à votre avis ?

— Voui, que font les gens comme Lenny en Thaïlande ?

— Je ne connais pas Lenny, dit Harry.

— Un type gentil. Et intelligent, ingénieur en informatique. Il travaille en free-lance de chez lui, donc ça nous arrive de l'appeler quand nous avons des problèmes d'ordinateur. Ni alcool ni drogue et tous ces trucs-là. Et pas de souci d'argent, je crois. Mais c'est clair que côté petites amies, ça n'a jamais vraiment marché.

— Qu'est-ce que ça veut dire ? »

Jimmy contempla la brume glacée en suspens dans les airs. « Il fait froid dehors, les gars. Si on allait boire un café à l'intérieur ? »

« Je pense que Lenny se cherche peut-être une femme thaïlandaise, expliqua Jimmy en servant du café filtre dans les deux mugs NAV et son propre mug Lillestrøm SK. Ici, il n'arrivait pas à faire face à la concurrence.

— Non ?

— Non. Comme nous le disions, Lenny est un loup solitaire, il reste sur son quant-à-soi et ne dit pas grand-chose, donc ce n'est déjà pas un tombeur au départ. Et en plus, il devient vite jaloux. À ma connaissance, il n'a jamais fait de mal à une mouche, ni à une femme, mais il y a eu un incident avec une femme qui nous a appelés pour nous dire qu'elle trouvait que Lenny avait assuré un suivi un peu serré après leur rendez-vous galant.

— Du harcèlement obsessionnel ?

— Oui, on doit appeler ça comme ça, maintenant. Lenny lui avait apparemment envoyé un tas de SMS et de fleurs, bien qu'elle l'ait prévenu que ça ne l'intéressait pas de poursuivre. Il l'avait attendue à la sortie de son travail. Là, elle lui avait clairement dit qu'elle ne voulait pas revoir le bout de son nez, et elle ne l'avait pas revu. Mais à la place, elle disait avoir remarqué que des choses avaient été déplacées dans son appartement quand elle rentrait du boulot. Donc elle nous a appelés.

— Elle pensait qu'il était entré chez elle ?

— J'ai eu une conversation avec Lenny, mais il a nié. Et nous n'en avons plus jamais entendu parler par la suite.

— Lenny a-t-il une imprimante 3D ?

— Une quoi?

— Une de ces machines qu'on peut utiliser pour copier des clefs.

— Aucune idée, mais, comme je le disais, il est ingénieur en informatique.

— Quel est son degré de jalousie? demanda Oleg, et les deux hommes se tournèrent vers lui.

— Sur une échelle de un à dix?» Jimmy n'arrivait pas à déterminer s'il était ironique.

«Je me demandais juste s'il pouvait s'agir de jalousie morbide, expliqua Oleg en jetant un coup d'œil incertain vers Harry.

— De quoi parle le garçon, Hole?» Jimmy but bruyamment une gorgée de sa tasse jaune canari. «Est-ce qu'il demande si Lenny a tué quelqu'un?

— Eh bien, comme je le disais au téléphone, nous sommes juste en train de démêler les derniers écheveaux de l'affaire du vampiriste et Lenny a donc parlé avec deux des victimes.

— Et ce Valentin les a tuées, dit Jimmy. Ou y a-t-il maintenant un doute sur la question?

— Aucun doute, répondit Harry. Comme je le disais, je voulais juste parler avec Lenny Hell de ces conversations. Voir s'il en ressortait quelque chose que nous ne savions pas. J'ai vu sur la carte que son adresse n'était qu'à quelques kilomètres d'ici, donc je me suis dit que nous allions monter toquer à la porte. Pour que ce soit fait.»

Le *lensmann* caressa tendrement l'emblème du club de sport sur sa tasse. «J'ai lu dans le journal que vous étiez prof, maintenant, pas enquêteur.

— Je suis sans doute comme Lenny, free-lance.»

Jimmy croisa les bras, la manche gauche de sa chemise remonta et révéla le tatouage à demi effacé d'un corps de femme. « OK, Hole. Comme vous le comprenez, il ne se passe pas grand-chose dans le district du *lensmann* de Nittedal, et Dieu merci. Donc quand vous avez appelé, je n'ai pas seulement passé une série de coups de fil, j'ai aussi roulé jusqu'à la maison de Lenny. Enfin, j'ai roulé aussi loin que je pouvais. La Porcherie est située au bout d'un chemin forestier et quand vous avez dépassé le dernier voisin, qui est à un kilomètre et demi de distance, il y a soudain cinquante centimètres de neige, autant que sur les bas-côtés, et pas une trace de roues ni aucune empreinte de pas humains. Juste celles d'élans, de renards. Et peut-être d'un ou deux loups. Vous comprenez ? Ça fait des semaines que personne n'y est allé, Hole. Si vous voulez mettre la main sur Lenny, il faut vous acheter un billet d'avion pour la Thaïlande. Pattaya est un endroit prisé des gens qui se cherchent une Thaïlandaise, paraît-il.

— Motoneige, dit Harry.

— Hein ?

— Si je reviens demain avec un mandat de perquisition, vous pourrez nous procurer une motoneige ? »

Harry comprit que la bonne humeur du *lensmann* s'était dissipée. Il s'était sans doute imaginé qu'il allait boire un sympathique café en montrant à la police de la capitale que dans les petites villes aussi, on savait ce que c'était qu'un travail de police efficace. En fait de quoi ils se foutaient de ses conclusions et lui demandaient de fournir un véhicule, comme s'il n'était qu'un quelconque chef de dépôt.

« Pas besoin de motoneige pour un kilomètre et demi, affirma Jimmy en tirant sur le bout de son nez brûlé qui commençait à peler. Prenez des skis, Hole.

— Je n'ai pas de skis. Une motoneige et quelqu'un pour la conduire. »

Le silence qui suivit sembla durer une éternité.

« J'ai vu que c'était le gamin qui conduisait, oui. » Jimmy inclina la tête. « Vous n'avez pas le permis, Hole ?

— Si mais j'ai tué un policier quand j'étais au volant un jour. » Harry leva sa tasse et la vida. « J'aimerais bien éviter que ça se reproduise. Merci pour le café, on se voit demain. »

« C'était quoi, ça ? demanda Oleg quand ils se retrouvèrent clignotant allumé à attendre de pouvoir s'engager sur la route principale. Un *lensmann* vient un samedi pour t'aider et tu commences à l'emmerder ?

— C'est ce que j'ai fait ?

— Oui !

— Hm. Change de clignotant, on va à gauche.

— Oslo, c'est par la droite.

— Et d'après le GPS, Åneby Pizza & Grill est à deux minutes de route sur la gauche. »

Le propriétaire d'Åneby Pizza & Grill, qui s'était présenté comme Tommy, s'essuya les doigts sur son tablier et examina attentivement les photos que lui tendait Harry.

« C'est possible, mais je ne me souviens pas à quoi ressemblait la personne avec qui il était, je me souviens juste qu'il était ici et qu'il avait de la compagnie le soir où cette femme a été tuée à Oslo. Lenny est un loup solitaire, il est toujours seul et vient rarement ici. C'est pour ça que je me suis souvenu de ce soir-là quand vous m'avez téléphoné cet automne.

— L’homme sur la photo s’appelle Alexander ou Valentin. Avez-vous entendu Lenny l’appeler par un de ces noms quand ils discutaient ?

— Je n’ai pas souvenir de les avoir entendus parler du tout. Et je faisais le service seul ce soir-là, ma femme était en cuisine.

— Quand sont-ils partis ?

— Je ne peux pas vous dire. Ils ont partagé une Knut Spesial XXL pepperoni et jambon.

— Alors, ça, vous vous en souvenez ? »

Tommy afficha un large sourire en tapotant son doigt contre sa tempe. « Commandez une pizza maintenant et revenez dans trois mois me demander laquelle c’était. Je vous fais la même réduction qu’au bureau du *lensmann*. Nos pâtes à pizza sont toutes à base de noisettes et pauvres en glucides.

— Tentant, mais mon fils m’attend dans la voiture. Merci de votre aide.

— Je vous en prie. »

Oleg conduisait dans le début de crépuscule.

Ils étaient tous deux muets, perdus dans leurs pensées.

Harry faisait le calcul. Valentin pouvait aisément avoir mangé une pizza avec Lenny et être rentré à Oslo à temps pour tuer Elise Hermansen.

En face, un camion les croisa à si grande vitesse que la voiture en fut secouée.

Oleg s’éclaircit la voix. « Comment as-tu prévu de te procurer un mandat de perquisition ?

— Hm ?

— Pour commencer, tu ne travailles pas à la Brigade criminelle. Ensuite, tu n’as pas ce qu’il faut pour obtenir le papier bleu.

— Non ?

— Pas si j'ai bien compris les lectures obligatoires du programme.

— Dis-moi », fit Harry en souriant.

Oleg ralentit légèrement. « Il existe une preuve irréfutable que Valentin a tué plusieurs femmes. Il se trouve que Lenny Hell en a rencontré deux. Ce seul élément ne suffit pas à donner à la police le droit de forcer la porte de Lenny Hell pendant qu'il est en vacances en Thaïlande.

— Je suis d'accord, le mandat de perquisition sera difficile à obtenir sur cette base. Donc allons à Grini.

— Grini ?

— Je pensais avoir une petite conversation avec Hallstein Smith.

— Helga et moi cuisinons ensemble pour le dîner, ce soir.

— Plus précisément une petite conversation sur la jalousie morbide. Dîner, tu disais ? Je comprends, j'irai à Grini par mes propres moyens.

— C'est presque sur la route, Grini, alors OK.

— Va donc faire ton dîner, ça pourrait être long chez Smith.

— Trop tard, maintenant, tu as dit que je pouvais venir. » Oleg accéléra, décrocha, dépassa un tracteur et alluma ses feux de route.

Ils roulèrent un certain temps en silence.

« Soixante, rappela Harry en pianotant sur son téléphone.

— Et chaussée glissante, renchérit Oleg qui leva à peine le pied.

— Wyller ? fit Harry. Harry Hole. Tu es chez toi un samedi après-midi et tu t'ennuies, j'espère ? Ah ? Alors il faut que tu expliques à cette charmante femme, qui qu'elle soit, que tu dois aider un policier retraité, mais légendaire, à vérifier un ou deux trucs. »

« La jalousie morbide. » Hallstein Smith observa d'un air enthousiaste ses deux invités qui venaient d'arriver. « C'est un thème intéressant. Mais vous avez vraiment fait tout ce chemin pour parler de ça ? N'est-ce pas plutôt la spécialité de Ståle Aune ? »

Oleg hocha la tête, il avait l'air d'accord.

« Je voulais vous parler parce que vous avez des doutes, dit Harry.

— Des doutes ?

— Vous avez dit quelque chose le soir où Valentin est venu ici. Vous avez dit qu'il savait.

— Savait quoi ?

— Ça, vous ne l'avez pas précisé.

— J'étais en état de choc, j'ai dû dire beaucoup de choses.

— Non, pour une fois, vous avez très peu parlé, Smith.

— Tu entends ça, May ? » demanda Hallstein Smith en riant à la petite femme qui leur servait du thé.

Elle fit un signe de tête en souriant et partit dans le salon avec la théière et une tasse.

« J'ai dit "Il savait" et vous l'avez interprété comme si je doutais de quelque chose ? s'étonna Smith.

— Ça semblait être un point qui n'était pas élucidé, répondit Harry. Quelque chose dont vous ne compreniez pas vraiment comment Valentin pouvait le savoir. Je me trompe ?

— Je ne sais pas, Harry. En ce qui concerne mon inconscient, vous pouvez répondre aussi bien et peut-être mieux que le sujet conscient que je suis. Pourquoi me posez-vous la question ?

— Parce qu'un homme a fait surface. C'est-à-dire qu'il a soudain dû partir de façon très urgente en Thaïlande. Mais j'ai demandé à Wyller de se renseigner. Et l'homme en question ne figure sur aucune liste de passagers dans la période où il est censé être parti. Ces trois derniers mois, on n'a enregistré d'utilisation de ses cartes bancaires ni en Thaïlande ni ailleurs. Et, presque aussi intéressant, Wyller a trouvé son nom sur la liste des gens qui avaient acheté une imprimante 3D au cours de l'année écoulée. »

Smith observa Harry. Puis il se tourna et regarda par la fenêtre de la cuisine. Dans l'obscurité, la neige déployait un duvet moelleux et scintillant sur les champs. « Valentin savait où était mon bureau. C'était ça que j'entendais par *il savait*.

— Votre adresse, vous voulez dire ?

— Non, je veux dire qu'il est allé directement du portail à l'étable. Il savait non seulement que mon bureau s'y trouvait, mais encore que j'avais l'habitude d'y être au milieu de la nuit.

— La fenêtre était peut-être éclairée ?

— On ne voit pas la lumière de la fenêtre depuis le portail. Venez, je vais vous montrer quelque chose. »

Ils descendirent à l'étable et rejoignirent le bureau de Smith, qui alluma son ordinateur.

« J'ai tous les enregistrements de surveillance ici, il faut juste que je cherche un peu dans les dates, dit Smith en pianotant.

— Cool, ce dessin, observa Oleg en désignant du menton l'homme chauve-souris au mur. Ça donne la chair de poule.

— Alfred Kubin, répondit Smith. *Der Vampyr*. Mon père avait un livre sur les tableaux de Kubin que je regardais quand je restais à la maison pendant que les autres adolescents allaient voir de mauvais films d'horreur au cinéma. Malheureusement, May ne me laisse pas avoir de tableaux de Kubin dans la maison, elle dit qu'ils lui donnent des cauchemars. À propos de cauchemar, voici l'enregistrement avec Valentin. »

Smith pointa le doigt, et Harry et Oleg se penchèrent par-dessus son épaule.

« Là, vous le voyez entrer dans l'étable. Vous voyez qu'il n'hésite pas, qu'il sait exactement où il va. Comment ? Les quelques rendez-vous de thérapie que j'ai eus avec Valentin n'ont pas eu lieu ici, mais dans un bureau que je louais en centre-ville.

— Vous voulez dire que quelqu'un lui avait donné des instructions au préalable ?

— Je veux dire que quelqu'un pourrait avoir donné des instructions à Valentin Gjertsen. C'est ce qui cloche dans cette affaire depuis le début, les vampiristes n'ont pas la capacité de planification que présupposent ces meurtres.

— Hm. Nous n'avons trouvé aucune imprimante 3D chez Valentin. Quelqu'un d'autre a pu lui imprimer un double des clefs. Quelqu'un qui se serait auparavant imprimé des doubles de clefs pour lui-même afin de s'introduire chez des femmes qui l'avaient laissé tomber. Qui l'avaient bafoué. Et qui étaient ensuite allées rencontrer d'autres hommes.

— Des hommes plus grands, ajouta Smith.

— Jalousie, dit Harry. Jalousie morbide. Mais chez un homme qui n'a jamais fait de mal à une mouche. Et quand un homme est incapable de faire du mal à une mouche, il a besoin d'une *doublure*. De quelqu'un qui soit capable de faire ce que lui n'arrive pas à faire.

— Un tueur, renchérit Smith en hochant lentement la tête.

— Quelqu'un qui soit prêt à tuer pour tuer. Valentin Gjertsen. Nous en avons donc un qui prépare et un autre qui exécute. L'agent et l'artiste.

— Mon Dieu ! s'exclama Smith en se passant les mains sur les joues. Alors ma thèse commence à paraître raisonnable malgré tout.

— Comment ça ?

— Je suis allé faire une conférence à Lyon sur les meurtres du vampiriste, et mes confrères ont beau être emballés par mes travaux de défrichage, je n'ai eu de cesse de souligner qu'un défaut empêchait mes recherches d'être définitivement classées comme faisant date. Et c'est que ces meurtres ne correspondent pas avec le profil que j'ai établi d'un vampiriste.

— Qui est ?

— Celui d'une personne aux traits schizophrènes et paranoïaques qui, mue par une irrésistible soif de sang, tue ce qu'il y a de plus près et de plus facile, une personne qui ne serait pas en mesure de mener à bien des meurtres requérant une planification poussée et beaucoup de patience. Alors que les meurtres de ce vampiriste pointaient plutôt vers le type ingénieur.

— Un cerveau, renchérit Harry. Il vient trouver Valentin, qui a été forcé de suspendre ses activités parce qu'il ne peut plus évoluer librement sans se faire arrêter par la police. Le cerveau propose à Valentin les clefs d'appartement de femmes qui vivent seules. Des photos, des renseignements sur leur quotidien, et les horaires de leurs allées et venues, tout ce dont Valentin a besoin pour pouvoir les prendre sans s'exposer. Comment pourrait-il refuser ?

— Une symbiose parfaite », conclut Smith.

Oleg toussota.

« Oui ? fit Harry.

— La police a cherché Valentin sans succès pendant des années. Comment Lenny l'a-t-il trouvé ?

— Bonne question. Ils n'ont pas fait connaissance en prison, en tout cas, Lenny Hell a un casier judiciaire aussi immaculé qu'une collerette de pasteur.

— Que dites-vous ? demanda Smith.

— Collerette de pasteur.

— Non, le nom.

— Lenny Hell, répéta Harry. Pourquoi ? »

Hallstein Smith ne répondit pas, il se contenta de dévisager Harry, bouche bée.

« Oh, merde, lâcha doucement Harry.

— Oh, merde, quoi?

— Des patients, expliqua Harry. Qui avaient le même psychologue. Valentin Gjertsen et Lenny Hell se sont rencontrés dans votre salle d'attente. C'est ça, Hallstein ? Allez, le risque d'autres meurtres lève le secret professionnel.

— Oui, c'est exact que Lenny Hell était mon patient il y a quelque temps. Il venait ici, et connaissait aussi mon habitude de travailler dans l'étable, la nuit. Mais Valentin et lui n'ont pas pu se rencontrer ici, parce que Valentin avait ses rendez-vous de thérapie avec moi en ville. »

Harry rapprocha sa chaise du bureau. « Mais pourrait-on concevoir que Lenny Hell soit quelqu'un d'une jalousie morbide qui aurait collaboré avec Valentin Gjertsen pour tuer les femmes qui l'avaient plaqué ? »

Hallstein mit pensivement deux doigts sur son menton. Il hocha la tête.

Harry s'adossa à la chaise. Il regarda l'écran de PC et l'image figée sur un Valentin blessé par balle qui se dirigeait hors de la grange. L'aiguille de la balance qui s'était trouvée sur soixante-quatorze kilos sept cents à son arrivée était maintenant sur soixante-treize kilos deux. Ce qui signifiait qu'il restait un kilo et demi de sang sur le sol du bureau. Tout cela était des maths élémentaires et la solution du calcul était désormais trouvée. Valentin Gjertsen plus Lenny Hell. La réponse était deux.

« Alors, il va falloir rouvrir l'affaire », conclut Oleg.

« Ça n'arrivera pas, déclara Gunnar Hagen en consultant sa montre.

— Pourquoi ? » demanda Harry en faisant signe à Nina qu'il voulait l'addition.

Le directeur de la Brigade criminelle soupira. « Parce que l'affaire est résolue, Harry, et parce que ce que tu me présentes là m'évoque un peu trop une théorie de la conspiration. Des coïncidences, comme le fait que Lenny Hell a été en contact avec deux des victimes, et des approximations psychologiques, comme Valentin qui a *l'air* de savoir qu'il faut aller à droite. C'est le genre d'éléments dont se servent les journalistes et les romanciers pour concocter que Kennedy a été abattu par la CIA et que le véritable Paul McCartney est mort. L'affaire du vampiriste reste très médiatisée et en la rouvrant sur une telle base, nous ferions de nous-mêmes des bouffons très médiatisés.

— C'est ça qui t'inquiète, patron ? D'avoir l'air d'un bouffon ? »

Gunnar Hagen sourit. « Ta façon de m'appeler "patron" m'a toujours fait me sentir comme un bouffon, Harry. Parce que tout le monde savait que le vrai patron, c'était toi. Mais soit, je l'acceptais, tu avais le droit de nous mener la vie dure parce que les résultats étaient là. Mais cette affaire, il y a un couvercle dessus. Et ce couvercle est vissé serré.

— C'est Mikael Bellman. Il ne veut pas risquer que quelqu'un gâche le tableau juste avant qu'il prenne ses fonctions de ministre de la Justice ? »

Gunnar Hagen haussa les épaules. « Merci de m'avoir invité à boire un café tard un samedi soir, Harry. Comment ça va chez toi ?

— Bien, répondit Harry. Rakel pète le feu. Oleg cuisine avec sa petite amie. Et chez vous ?

— Bien aussi. Katrine et Bjørn ont acheté une maison, comme tu le sais peut-être.

— Non, je ne savais pas.

— Ils ont fait une petite pause pendant un temps, mais maintenant ils ont manifestement décidé de miser sur leur couple à fond. Katrine est enceinte.

— C'est vrai ?

— Oui, elle a son terme en juin. La vie continue.

— Pour certains. » Harry tendit un billet de deux cents couronnes à Nina, qui se mit à compter aussitôt sa monnaie. « Pas pour d'autres. Ici, au Schrøder, la Terre s'est arrêtée de tourner.

— Je vois ça, dit Gunnar Hagen. Je croyais que plus personne ne payait en espèces.

— Ce n'était pas à ça que je pensais. Merci, Nina. » Hagen attendit que la serveuse soit repartie. « C'est pour ça que tu voulais qu'on se voie ici ? Pour me le rappeler ? Tu croyais que j'avais oublié ?

— Non, ce n'est pas ce que je croyais, répondit Harry. Mais tant que nous ne saurons pas ce qui est arrivé à Marte Ruud, l'affaire ne sera pas résolue. Pas pour sa famille, pas pour les gens qui travaillent ici, pas pour moi. Et pas pour toi non plus, je le vois sur toi. Et tu sais que si Mikael Bellman a vissé le couvercle si fort qu'on ne peut pas l'ouvrir, je casserai le bocal entier.

— Harry…

— Écoute, tout ce qu'il me faut, c'est un mandat de perquisition et un agrément d'enquêteur pour démêler cet écheveau et cet écheveau seulement, et ensuite je te promets de stopper là. Juste ce service, Gunnar. Et j'arrête. »

Hagen haussa l'un de ses sourcils broussailleux. « *Gunnar ?* »

Harry haussa les épaules. « Tu l'as dit toi-même. Tu n'es plus mon patron. Alors, qu'en dis-tu?

— Ce serait agir totalement à l'encontre des directives du directeur de la police dans cette affaire.

— Toi non plus, tu ne peux pas encaisser Bellman, et il ne sera bientôt plus ton chef. Allez, tu as toujours été partisan du travail de police rigoureux, Gunnar.

— Tu sais que ça ressemble à de la flagornerie, Harry ?

— Alors ? »

Hagen poussa un gros soupir. « Je ne te promets rien, mais je vais réfléchir. OK ? » Le directeur de brigade ferma son manteau et se leva. « Je me souviens d'un conseil qu'on m'a donné quand j'ai commencé à travailler sur des enquêtes, Harry. Que pour survivre, il fallait apprendre l'art de lâcher l'affaire.

— C'est sûrement un bon conseil, répondit Harry, qui porta sa tasse de café à ses lèvres en levant les yeux sur Hagen. Si on trouve si foutrement important de survivre. »

35

Dimanche matin

« Les voilà », annonça Harry. Hallstein Smith ralentit et s'arrêta devant les deux hommes qui se tenaient bras croisés au milieu de la route forestière.

Ils sortirent de la voiture.

« Brrr, fit Smith en enfonçant ses mains dans les poches de sa veste de costume multicolore. Vous aviez raison, j'aurais dû m'habiller plus chaudement.

— Prenez ça. » Harry ôta son bonnet en laine noire avec une tête de mort brodée au-dessus du nom de St. Pauli.

« Merci. » Smith se l'enfonça bien sur les oreilles.

« Bonjour, Hole », fit le *lensmann*. Derrière lui, là où la route n'était plus praticable en voiture, se trouvaient deux motoneiges.

« Bonjour », répondit Harry en ôtant ses lunettes de soleil. La réverbération du soleil lui brûla les yeux. « Et merci d'avoir pu venir alors qu'on vous a prévenus tardivement. Voici Hallstein Smith.

— Ce n'est pas la peine de nous remercier de faire notre travail. » Le *lensmann* adressa un signe de tête à un homme vêtu comme lui d'une combinaison de ski bleu et blanc qui leur donnait l'air de gigantesques enfants de maternelle en promenade. « Artur, tu prends le gars en veste de costume ? »

Harry regarda la motoneige de Smith et de l'agent disparaître dans la montée. Le bruit fendait l'air froid et limpide comme une tronçonneuse.

Jimmy enjamba le siège rectangulaire et toussota avant d'appuyer sur le starter. « Autorise-t-on le *lensmann* local à conduire la motoneige ? »

Harry remit ses lunettes de soleil et s'assit derrière lui.

La veille, leur conversation téléphonique tardive avait été brève.

« *Jimmy.*

— *Harry Hole. J'ai ce qu'il faut, est-ce que vous pouvez venir avec des motoneiges et nous montrer la maison demain matin ?*

— *Eh ben !*

— *Nous sommes deux.*

— *Comment vous êtes-vous procuré un mand…*

— *À onze heures et demie ?* »

Pause.

« *OK.* »

La seconde motoneige suivit les traces de la première. Dans la vallée en contrebas, le soleil étincelait sur les fenêtres des maisons éparses et sur un clocher d'église. La température chuta brutalement lorsqu'ils entrèrent dans la forêt dont la densité de sapins excluait la lumière. Elle plongea davantage quand ils descendirent dans un creux où la rivière avait gelé.

Le trajet eut beau ne durer que trois ou quatre minutes, Harry claquait des dents quand ils s'arrêtèrent à côté de Smith et de l'agent devant une haie givrée en mal de taille. Un portail en fer forgé était cimenté dans la neige.

« Voici donc la Porcherie », annonça le *lensmann*.

Trente mètres derrière le portail s'élevait une grande maison sur trois niveaux, tout en coins et en recoins, délabrée et gardée de toutes parts par des sapins hauts. Si le parement en bois avait jamais vu une couche de peinture, elle était maintenant totalement écaillée, et la façade n'était qu'un nuancier de gris et d'argent. Les rideaux aux fenêtres avaient l'air de draps et de toiles grossières.

« C'est sombre comme endroit où construire sa maison, observa Harry.

— Trois niveaux en style gothique, commenta Smith. Cela rompt avec les traditions architecturales locales, non ?

— La famille Hell rompait avec beaucoup de traditions, répondit le *lensmann*. Mais ils n'ont jamais enfreint la loi.

— Hm. Puis-je vous demander d'apporter des outils, monsieur le *lensmann* ?

— Artur, tu prends le pied-de-biche ? Finissons-en avec cette histoire. »

Harry s'enfonça dans la neige jusqu'à mi-cuisse en descendant de la motoneige, mais il parvint tant bien que mal à gagner le portail, qu'il escalada. Les trois autres lui emboîtèrent le pas.

Une terrasse couverte longeait la façade avant de la maison. Elle était orientée au sud, donc la maison recevait peut-être un peu de soleil en milieu de journée en été. Pourquoi sinon avoir une terrasse ? Un endroit où se faire vider de son sang par les moustiques ? Harry alla à la porte et essaya de voir de l'autre côté du verre irrégulier avant d'appuyer sur le bouton rouillé d'une sonnette à l'ancienne.

Elle marchait en tout cas, ça grondait quelque part dans les tréfonds de la maison.

Les trois autres le rejoignirent et Harry appuya encore une fois.

« S'il avait été chez lui, il nous aurait attendus à la porte, expliqua le *lensmann*. Ces motoneiges s'entendent à deux kilomètres de distance et, comme je le disais, la route s'arrête ici. »

Harry appuya encore.

« Lenny Hell ne l'entendra pas en Thaïlande, poursuivit le *lensmann*. J'ai ma famille qui m'attend pour aller skier, donc casse la vitre, là, Artur. »

L'agent actionna le pied-de-biche et la fenêtre à côté de la porte se brisa dans un bruit sec. Il ôta sa moufle, passa son bras à l'intérieur et tâtonna quelques instants avec une mine concentrée avant que Harry entende le bruit d'un verrou qu'on tournait.

« Je vous en prie », les invita Jimmy d'un geste de la main après avoir ouvert la porte.

Harry entra.

Les lieux paraissaient inhabités, ce fut la première chose qui le frappa. Peut-être était-ce l'absence de confort moderne qui lui évoquait les maisons de personnalités célèbres transformées en musées. Comme lorsqu'il avait quatorze ans et que ses parents les avaient emmenés, Sœurette et lui, à Moscou. Ils avaient visité la maison de Fiodor Dostoïevski. Harry n'avait jamais mis les pieds dans une maison plus dépourvue d'âme, c'était sans doute pour cela que ç'avait été un tel choc, trois ans plus tard, de découvrir *Crime et Châtiment*.

Harry traversa l'entrée et alla dans le grand salon ouvert. Il appuya sur l'interrupteur au mur, mais rien ne se produisit. Les rideaux blanc cassé laissaient toutefois passer assez de lumière du jour, il pouvait voir la vapeur de son propre souffle, les quelques meubles désuets dispersés apparemment au hasard dans la pièce, comme si les tables et les chaises assorties avaient été retirées au terme d'une succession difficile. Il pouvait voir de lourdes peintures de guingois sur le mur, probablement à cause des variations de température. Et il pouvait voir que Lenny Hell n'était pas en Thaïlande.

Sans âme.

Lenny Hell, du moins ce qui ressemblait à la photo que Harry avait vue de Lenny Hell, était assis dans une bergère dans la position majestueuse dans laquelle le grand-père de Harry avait eu l'habitude de s'endormir quand il était suffisamment soûl. À cette différence près que son pied droit était un peu surélevé et que son avant-bras droit planait à quelques centimètres de l'accoudoir. Autrement dit, le corps avait légèrement basculé après que la rigidité cadavérique était intervenue. Chose qui remontait à loin. Cinq mois, peut-être.

Sa tête évoquait à Harry un œuf de Pâques. Friable, sèche, vidée de son contenu. Sa peau semblait s'être rétractée en écartant ses mâchoires, découvrant des gencives desséchées grises autour de ses dents. Le front était percé d'un trou noir, sans sang, car la tête de Lenny Hell était renversée en arrière, bouche bée, les yeux au plafond.

En contournant le fauteuil, Harry constata que la balle avait traversé le haut dossier. Par terre, à droite du fauteuil, se trouvait un objet métallique noir, de la forme d'une lampe torche. Il le reconnaissait. Quand Harry avait une dizaine d'années, son grand-père avait jugé qu'il serait bon que le gamin sache d'où venait le carré de porc de Noël et il l'avait emmené derrière l'étable où il avait placé ce dispositif qu'il appelait masque d'abattage, même si ce n'était pas un masque, sur le front de Heidrun, la grande truie. Puis il avait appuyé sur quelque chose, une détonation aiguë avait retenti et Heidrun avait eu un sursaut, comme surprise, avant de s'effondrer. Ensuite, ils l'avaient vidée de son sang, mais ce dont Harry se souvenait le mieux, c'était l'odeur de poudre et les pattes de Heidrun qui, au bout d'un certain temps, s'étaient mises à tressauter. Son grand-père lui avait expliqué que c'était simplement la mécanique du corps, que Heidrun était morte depuis longtemps. Mais Harry avait continué de faire des cauchemars de soubresauts de pieds de cochon pendant longtemps.

Les lattes du plancher craquèrent derrière lui, et il entendit une respiration qui devenait rapide et difficile.

« Lenny Hell ? » demanda Harry sans se retourner.

Le *lensmann* dut s'éclaircir la voix deux fois pour parvenir à articuler un « oui » de confirmation.

« N'approchez pas davantage. » Harry s'accroupit et regarda autour de lui dans la pièce.

Elle ne lui parlait pas. Cette scène de crime était muette. Peut-être parce qu'elle était trop vieille, peut-être parce que ce n'était pas une scène de crime, mais une pièce dans laquelle l'occupant des lieux avait décidé de ne plus vivre.

Harry sortit son téléphone et appela Bjørn Holm.

« J'ai un corps près d'Åneby, dans la commune de Nittedal. Un dénommé Artur va t'appeler pour t'expliquer où il vous retrouvera. »

Harry raccrocha et alla dans la cuisine. Il essaya l'interrupteur, mais la lumière ne marchait pas ici non plus. La pièce était ordonnée, mais il y avait dans l'évier une assiette avec de la sauce figée moisie. Une flaque d'eau de dégivrage devant le réfrigérateur.

Harry retourna dans l'entrée.

« Regardez si vous trouvez un disjoncteur, dit-il à Artur.

— Le courant est peut-être coupé, suggéra le *lensmann*.

— La sonnette marchait », rappela Harry avant de monter l'escalier tournant.

Au premier étage, il jeta un œil dans trois chambres à coucher. Elles étaient toutes soigneusement rangées, mais dans l'une, la couette était rejetée sur le côté et des vêtements étaient posés sur une chaise.

Au deuxième étage, il pénétra dans une chambre qui faisait manifestement office de bureau. Des livres et des classeurs occupaient les étagères et l'appui de fenêtre, et il y avait sur l'une des tables rectangulaires un PC avec trois écrans. Harry se retourna. Sur la table près de la porte était posé un caisson, d'environ soixante-quinze centimètres sur soixante-quinze, avec un cadre métallique noir et des parois en verre, et une petite clef en plastique blanche sur un portant à l'intérieur. Une imprimante 3D.

Des cloches retentirent au loin. Harry alla à la fenêtre. D'où il vit l'église, c'était de toute évidence l'heure d'une messe. La maison de Hell était plus haute que large, comme une tour au milieu de la forêt, comme si les Hell avaient voulu un endroit d'où voir, sans être vus. Son regard tomba sur un classeur sur le bureau devant lui. Sur le nom écrit à la main dessus. Il l'ouvrit et lut la première page. Puis il leva les yeux et observa les classeurs identiques dans la bibliothèque. Il alla à l'escalier.

« Smith !

— Oui ?

— Venez voir ! »

Quand le psychologue franchit le seuil trente secondes plus tard, il n'alla pas au bureau où Harry feuilletait le classeur, mais resta à la porte à promener son regard, l'air interdit.

« Vous les reconnaissez ? demanda Harry.

— Oui. » Smith se dirigea vers la bibliothèque et en tira un classeur. « Ce sont les miens. Ce sont mes dossiers de patients. Ceux qui m'ont été volés.

— Alors celui-ci aussi, je suppose, dit Harry en levant le classeur pour que Hallstein Smith puisse lire ce qui était écrit dessus.

— Alexander Dreyer. C'est mon écriture, oui.

— Je ne comprends pas tout le jargon, mais je comprends en tout cas que Dreyer s'intéressait à *Dark Side of the Moon*. Et aux femmes. Et au sang. Vous écrivez qu'il pourrait développer un vampirisme et vous notez que si ça va plus loin, il vous faudra envisager de rompre le secret professionnel et de faire part de votre inquiétude à la police.

— Comme je vous l'ai dit, Dreyer a cessé de venir me voir. »

Entendant le bruit d'une porte qu'on ouvrait à toute volée, Harry jeta un œil par la fenêtre et eut le temps d'apercevoir l'agent passer la tête par-dessus la balustrade de la terrasse pour vomir dans la neige.

« Où sont-ils allés pour trouver le disjoncteur ?

— Au sous-sol, répondit Smith.

— Attendez ici. »

Harry descendit. Il y avait maintenant de la lumière dans l'entrée, et la porte du sous-sol était ouverte. Recourbé sur lui-même, il descendit l'escalier étroit dans le noir. Il se cogna le front contre quelque chose, sentit sa peau s'ouvrir. Le raccord d'une conduite d'eau. Il arriva au bout des marches et vit une ampoule solitaire, allumée, devant un box, au seuil duquel Jimmy se tenait bras ballants, les yeux braqués sur l'intérieur.

Harry se dirigea vers lui. Dans le salon, le corps portait des signes de putréfaction, mais le froid avait masqué les odeurs. Ici, en revanche, il faisait humide, et il avait beau faire froid sous terre, les températures négatives ne descendaient jamais aussi bas qu'au rez-de-chaussée. Quand Harry approcha, il comprit que ce qu'il avait d'abord pris pour une odeur de moisi et de pommes de terre était celle d'un nouveau cadavre.

« Jimmy », dit-il doucement, et le *lensmann* sursauta avant de se retourner. Il avait les yeux écarquillés et une coupure au front qui surprit Harry avant qu'il comprenne qu'elle résultait de sa rencontre avec la conduite d'eau de l'escalier.

Le *lensmann* s'écarta et Harry regarda à l'intérieur du box.

Il y avait une cage. Trois mètres sur deux. Des barreaux en acier et une porte avec un cadenas ouvert. Probablement conçue pour garder des animaux en captivité. Elle n'emprisonnait plus personne désormais. Car ce qui s'était trouvé dans cette enveloppe vide s'en était allé. Personne, pas d'âme. Mais Harry comprenait pourquoi le jeune agent avait eu une réaction si forte.

Si la putréfaction indiquait qu'elle était morte depuis longtemps, les souris et les rats n'avaient toutefois pas atteint la femme nue pendue par une corde autour de son cou aux barreaux du toit de la cage. Et cette intégrité du corps permettait à Harry de voir en détail ce qu'on lui avait fait. Coups de couteau. Surtout des coups de couteau. Harry en avait vu beaucoup, mutilés de diverses manières. On aurait peut-être pu croire que la répétition endurcissait. Et c'était le cas. On s'habituait à voir le résultat de mutilations arbitraires, de violences entraînées par un combat, de meurtres au couteau qui étaient soit un moyen efficace de mettre un terme à la vie, soit une folie rituelle. Mais ça ne préparait pas à ceci. Des mutilations dont on pouvait voir ce qu'elles avaient cherché à obtenir. La douleur physique et la terreur éperdue de la victime quand il ou elle comprenait ce qui était en passe d'arriver. Le plaisir sexuel et l'assouvissement créatif de l'assassin. Le choc, l'impuissance désespérée et la nausée de ceux qui découvraient la personne mutilée. Le tueur avait-il ici eu ce qu'il voulait ?

Le *lensmann* se mit à tousser derrière lui.

« Pas ici, dit Harry. Allez dehors. »

Il entendit les pas traînants du *lensmann* derrière lui alors qu'il ouvrait la cage et entrait. La fille qui y était pendue était maigre et sa peau blanche comme la neige dehors, avec des taches dessus. Pas des taches de sang. Des taches de rousseur. Et, haut sur le ventre, un trou noir, œuvre d'une balle.

Harry doutait qu'elle ait échappé à ses souffrances en se pendant. La cause de la mort pouvait évidemment être le trou dans son ventre, mais la balle pouvait aussi avoir été tirée par frustration après sa mort, quand elle n'avait plus fonctionné, comme les enfants continuent de démolir un jouet cassé.

Harry écarta les cheveux roux qui pendaient devant son visage. Il écarta ainsi le moindre doute. Le visage de la fille n'exprimait rien. Par bonheur. Quand son fantôme viendrait le voir la nuit, assez prochainement, Harry préférait que son visage n'exprime rien.

« Qu-qui est-ce ? »

Harry se retourna. Hallstein Smith avait toujours le bonnet St. Pauli enfoncé jusqu'aux yeux comme s'il avait froid, mais Harry ne pensait pas que la température de la pièce soit à l'origine de son tremblement.

« C'est Marte Ruud. »

36

Dimanche soir

Assis la tête dans les mains, Harry écoutait les pas pesants et les voix à l'étage du dessus. Ils étaient dans le salon. La cuisine. L'entrée. Ils gelaient la scène, mettaient de petits drapeaux, prenaient des photos.

Puis il se força à lever les yeux et à regarder encore. Il avait expliqué au *lensmann* qu'ils ne couperaient pas la corde pour décrocher Marte Ruud avant que les techniciens d'identification criminelle soient venus. On pouvait bien sûr se raconter qu'elle était morte en se vidant de son sang dans la voiture de Valentin, qu'on avait trouvé suffisamment de son sang dans le coffre pour cela. Mais un matelas sur la gauche de la cage racontait une autre histoire. Il était noir, s'était imprégné avec le temps de ces matières et substances dont le corps humain se débarrasse. Et juste au-dessus du matelas, fixée aux barreaux, pendait une paire de menottes.

Il entendit des pas dans l'escalier du sous-sol. Une voix familière jura tout haut et Bjørn Holm apparut avec une plaie sanglante au front. Il se posta à côté de Harry et jeta un coup d'œil dans la cage avant de se retourner vers lui. « Maintenant je comprends pourquoi les deux policiers avaient la même entaille à la tête. Toi aussi, à ce que je vois. Mais aucun de vous n'a voulu se donner la peine de me prévenir, hein ?» Il se retourna rapidement et cria vers l'escalier : « Attention à la cond…

— Aïe ! s'écria une voix étouffée.

— Est-ce que tu comprends comment les gens peuvent positionner un escalier de cave de façon à ce qu'on soit *obligé* de se cogner la…

— Tu ne veux pas la voir, déclara Harry d'une voix basse.

— Hein ?

— Moi non plus, je ne veux pas, Bjørn. Ça fait près d'une heure que je suis assis ici et ça ne devient pas plus facile, putain.

— Alors pourquoi tu restes ?»

Harry se leva. « Elle a été seule pendant tellement longtemps. Je me disais… » Harry entendit le trémolo révélateur de sa voix. Il rejoignit rapidement l'escalier et salua de la tête le TIC qui se frottait le front.

Le *lensmann* écoutait son téléphone dans l'entrée.

« Smith ?» demanda Harry.

Le *lensmann* lui fit signe de continuer vers les étages.

Installé devant l'ordinateur, Hallstein Smith lisait le dossier qui portait le nom d'Alexander Dreyer quand Harry entra.

Il leva les yeux. « Ce qu'il y a en bas, Harry, c'est l'œuvre d'Alexander Dreyer.

— Employons donc “Valentin”. Vous êtes sûr ?

— Tout est dépeint dans mes notes. Les entailles. Il me l'avait décrit, il m'avait dit les fantasmes qu'il pouvait avoir de torturer une femme avant de la tuer. Il le décrivait comme si c'était une œuvre d'art qu'il planifiait.

— Et cependant vous n'avez pas averti la police ?

— Je l'ai manifestement envisagé, mais si nous devions avertir la police de tous les crimes barbares que nos patients commettent dans leur imagination, nous ne ferions pas grand-chose d'autre de nos journées, et la police non plus, Harry. » Smith se prit la tête dans les mains. « Penser à toutes les vies qui auraient pu être épargnées si seulement j'avais…

— Ne vous flagellez pas, Hallstein, il n'est pas du tout certain que la police aurait fait quoi que ce soit. Et puis, Lenny Hell ayant volé vos notes, on peut imaginer qu'il s'en est servi pour reproduire les fantasmes de Valentin.

— Ce n'est pas impossible. Peu probable, à mon avis, mais pas impossible. » Smith se gratta la tête. « Mais je ne comprends toujours pas comment Hell a pu savoir qu'en volant mes notes il trouverait des tueurs avec lesquels collaborer.

— Vous êtes assez bavard, vous savez.

— Quoi ?

— Réfléchissez, Smith. Vous paraît-il invraisemblable que, dans vos entretiens avec Lenny Hell sur la jalousie morbide, vous en soyez venu à mentionner que vous aviez d'autres patients entretenant des fantasmes de meurtre ?

— Je l'ai très certainement fait, j'essaie toujours d'expliquer à mes patients qu'ils ne sont pas seuls à avoir les pensées qu'ils ont afin de les tranquilliser, de normaliser… » Smith mit sa main devant sa bouche. « Mon Dieu, voulez-vous dire que j'ai moi-même… que c'est ma grande gueule qui est coupable ? »

Harry secoua la tête. « On trouve cent façons de s'imputer la faute, Hallstein. Pendant mes années d'enquêteur, il y a sûrement une douzaine de personnes qui sont mortes parce que je n'avais pas réussi à prendre les tueurs en série aussi tôt que j'aurais dû. Mais si vous voulez survivre, il faut apprendre à lâcher l'affaire.

— Vous avez raison. » Smith eut un rire creux. « Mais c'est censé être le psychologue qui dit ça, pas le policier.

— Allez retrouver votre famille, prenez votre dîner du dimanche et oubliez ça pendant quelque temps. Tord va bientôt arriver pour regarder les ordinateurs, on verra ce qu'il trouve.

— OK. » Smith se leva, ôta son bonnet en laine et le tendit à Harry.

« Gardez-le, dit Harry. Et si on vous pose la question, vous vous souvenez pourquoi nous sommes venus ici aujourd'hui, n'est-ce pas ?

— Bien sûr. » Smith remit le bonnet. Et Harry fut frappé de constater que cette tête de mort de St. Pauli juste au-dessus de la mine bonhomme du psychologue avait le comique du paradoxe, mais était aussi menaçante.

« *Sans* mandat de perquisition, Harry ! » Gunnar Hagen beuglait si fort que Harry dut écarter le téléphone de son oreille et que Tord, qui était devant l'ordinateur de Hell, leva la tête.

« Tu t'es rendu à cette adresse et tu as forcé la porte sans mandat de perquisition. Je t'avais dit non haut et fort !

— Ce n'est pas *moi* qui ai forcé la porte, patron. » Harry contempla la vallée par la fenêtre. L'obscurité commençait à se déposer et les lumières s'allumaient. « C'est le *lensmann* qui l'a fait. Moi, je me suis contenté d'appuyer sur la sonnette.

— Je lui ai parlé et il m'a dit qu'il avait eu la nette impression que tu avais un mandat de perquisition.

— Je lui ai juste dit que j'avais tout ce qu'il me fallait. Et c'était le cas.

— Ce qui est ?

— Hallstein Smith est le psychologue de Lenny Hell. Il a toute légitimité à rendre visite à un patient pour lequel il s'inquiète. Et à la lumière de ce qui était apparu sur le lien de Hell avec deux personnes tuées, Smith pensait avoir des raisons de se faire du souci. Il m'a demandé si, avec mon passé de policier, je pouvais l'accompagner au cas où Hell deviendrait violent.

— Et Smith le confirmera, bien sûr.

— Bien sûr, patron. On ne plaisante pas avec ces trucs de patient-psychologue. »

Harry entendit que Gunnar Hagen réussissait l'exploit qui consiste à rire et à feuler de rage en même temps. « Tu as *dupé* le *lensmann*, Harry. Et tu sais bien que d'éventuelles preuves peuvent maintenant être annulées par un tribunal s'il est découvert que…

— Mais arrête donc de me soûler avec ça, Gunnar. »

Il y eut une courte pause. « Qu'est-ce que tu viens de dire ?

— Je t'ai prié de bien vouloir la boucler, dit Harry. Premièrement, il n'y a rien à découvrir, la façon dont nous sommes entrés dans la maison est dans les limites. Ensuite, personne ne va être jugé. Ils sont tous morts, Gunnar. La seule chose qui s'est passée aujourd'hui, c'est que nous avons découvert ce qui était arrivé à Marte Ruud. Et que Valentin Gjertsen n'était pas seul. Je crois que ni toi ni Bellman n'en ressortirez ternis.

— Je ne me soucie pas de…

— Si, tu t'en soucies, et voici le texte du dernier communiqué de presse du directeur de la police. *La police a été infatigable dans sa recherche de Marte Ruud et cette obstination, nous en recueillons aujourd'hui les fruits. Et nous trouvons que la famille de Marte et toute la* fucking *Norvège le méritent, bordel.* Noté ? Lenny Hell n'enlève rien au succès du directeur de la police avec Valentin, patron. C'est le bonus. Donc détends-toi et va manger ton rôti de bœuf. » Harry lâcha son téléphone dans la poche de son pantalon. Il se passa la main sur le visage. « Qu'est-ce que tu trouves, Tord ? »

L'informaticien leva les yeux. « Sa correspondance électronique. Ça confirme ce que tu disais. Quand Lenny Hell prend contact avec Alexander Dreyer, il lui explique qu'il a trouvé son adresse dans les dossiers de patients de Smith, qu'il avait donc volés. Ensuite, il va droit au but et lui propose une collaboration.

— Est-ce qu'il emploie le mot "meurtre" ?

— Oui.

— Bien. Continue.

— Dreyer, enfin Valentin, met quelques jours pour répondre. Il écrit qu'il doit d'abord vérifier que les dossiers de patients ont effectivement été volés et que ce n'est pas un simple piège que lui tend la police. Mais qu'il est ouvert aux propositions. »

Harry jeta un œil par-dessus l'épaule de Tord. Il frissonna en voyant les mots sur l'écran.

Cher ami, je suis ouvert aux belles propositions.

Tord descendit sur l'écran et continua : « Lenny Hell écrit qu'ils ne doivent pas avoir de contacts autrement que par mails et que Valentin ne doit sous aucun prétexte chercher à découvrir qui il est. Il lui demande de suggérer un endroit où il pourrait lui transmettre les clefs d'appartement des femmes et les éventuelles instructions additionnelles, mais sans qu'ils se rencontrent. Valentin répond le vestiaire du Cağaloğlu Hamame…

— Le bain turc.

— Quatre jours avant le meurtre d'Elise Hermansen, Hell écrit que la clef de son appartement et les instructions sont enfermées dans l'un des casiers du vestiaire, qu'il y a un cadenas avec une tache de peinture bleue dessus et que le code est 0999.

— Hm. Non seulement il guidait Valentin, mais il le téléguidait. Qu'est-ce qu'il y a d'autre ?

— C'est relativement similaire pour Ewa Dolmen et Penelope Rasch. Mais il n'y a aucune instruction de tuer Marte Ruud. Au contraire. Voyons voir… C'est là. Le lendemain de la disparition de Marte Ruud, Hell écrit : *Je sais que c'est vous qui avez pris la fille dans le bar de Harry Hole, Alexander. Ça ne faisait pas partie de nos plans. Je parie que vous l'avez toujours chez vous. Cette fille mènera la police à vous, Alexander. Nous devons agir rapidement. Amenez-la-moi et je ferai en sorte qu'elle disparaisse. Roulez jusqu'à la référence cartographique 60.148083, 10.777245, c'est un tronçon désert avec peu de circulation la nuit. Soyez-y à une heure cette nuit. Arrêtez-vous au panneau "Hadeland 1 kilomètre". Puis faites exactement cent mètres à la perpendiculaire, à droite, dans la forêt, posez-la au grand arbre brûlé et quittez les lieux.* »

Harry regarda l'écran et entra les coordonnées sur Google Maps sur son téléphone. « C'est à quelques kilomètres d'ici. Autre chose ?

— Non, c'est le dernier mail.

— Ah bon ?

— Du moins, je n'en ai pas trouvé d'autres sur ce

PC pour l'instant. Ils ont peut-être eu des contacts téléphoniques.

— Hm. Dis-moi si tu trouves autre chose.

— *Will do.* »

Harry descendit au rez-de-chaussée.

Bjørn Holm parlait avec un TIC dans l'entrée.

« Un petit détail, dit Harry. Faites des prélèvements d'ADN sur cette conduite d'eau.

— Hein ?

— Tous ceux qui descendent au sous-sol pour la première fois se cognent la tête dessus. Peau et sang. Cette conduite d'eau, c'est un vrai livre d'or.

— D'accord. »

Harry se dirigea vers la porte. Il s'arrêta, se retourna.

« Félicitations, au fait. Hagen me l'a annoncé hier. »

Bjørn le regarda sans comprendre. Harry mima une boule devant son ventre.

« Ah, ça. » Bjørn Holm sourit. « Merci. »

Harry sortit et aspira une bouffée d'air quand il se trouva enveloppé dans l'obscurité hivernale et le froid. Il s'en sentit purifié. Il se dirigea vers le rideau de sapins. Deux motoneiges faisaient la navette jusqu'à la partie déneigée de la route, d'où Harry partait du principe qu'il arriverait à trouver un moyen de transport. Mais à cet instant précis, il n'y avait personne. Il trouva la trace compacte des motoneiges, constata qu'il ne s'enfonçait pas dans la neige et commença à marcher. La maison avait disparu dans l'obscurité derrière lui quand un bruit le fit piler. Il tendit l'oreille.

Des cloches d'église. À cette heure ?

Il n'avait pas la moindre idée si elles sonnaient pour un enterrement ou un baptême, il savait juste que ce son lui donnait des frissons. Et au même instant, il vit quelque chose dans l'obscurité compacte devant lui. Une paire d'yeux jaunes lumineux en mouvement. Des yeux de bête. Des yeux d'hyène. Et un grondement bas croissant. Ça se rapprochait vite.

Harry leva les mains, mais fut malgré tout ébloui par les phares de la motoneige qui s'était arrêtée devant lui.

« Où allez-vous ? » demanda une voix derrière la lumière.

Harry sortit son téléphone, l'alluma et le tendit au chauffeur de la motoneige. « Là. »

60.148083, 10.777245.

La nationale n'était entourée que de forêt. Aucune voiture. Un panneau bleu.

Harry trouva l'arbre à exactement cent mètres à angle droit par rapport à l'écriteau.

Il fit le tour de l'arbre calciné éclaté en pataugeant dans la neige, moins haute près du tronc. Il s'accroupit et observa la marque plus claire sur le tronc qui était éclairé par les phares de la motoneige. Une corde. Peut-être une chaîne. Ce qui signifiait que Marte Ruud avait été en vie à ce moment-là.

« Ils sont venus ici, commenta-t-il en regardant autour de lui. Valentin et Lenny, ils ont tous les deux été ici. Je me demande s'ils se sont rencontrés. »

Les arbres le fixaient en silence, tels des témoins involontaires.

Harry regagna la motoneige, s'installa derrière l'agent du bureau du *lensmann*.

« Vous emmènerez les TIC ici pour qu'ils puissent prélever ce qui reste. »

L'agent se retourna à demi. « Où allez-vous ?

— En ville, annoncer de mauvaises nouvelles.

— Vous savez que les proches de Marte Ruud sont déjà informés ?

— Hm. Mais pas ses proches du Schrøder. »

Dans la forêt, un oiseau cria un avertissement isolé et bien trop tardif.

37

Mercredi après-midi

Harry bougea ses piles de copies de cinquante centimètres de hauteur pour mieux voir les deux garçons qui s'étaient assis de l'autre côté de son bureau.

« Oui, j'ai lu votre copie sur l'affaire de l'Étoile du diable, dit-il. Et il faut bien sûr louer le fait que vous ayez employé votre temps libre à travailler sur un sujet que j'avais donné aux élèves de dernière année...

— Mais ? fit Oleg.

— Pas de mais.

— Non, parce que notre copie est meilleure que toutes les leurs, pas vrai ? » Jesus avait joint ses mains derrière sa tête et sa longue natte noire.

« Non, répondit Harry.

— Non ? Laquelle était meilleure, genre ?

— Celle du groupe d'Ann Grimset, si je me souviens bien.

— Quoi ? s'insurgea Oleg. Ils n'avaient même pas le bon suspect principal !

— Exact, ils ont constaté en effet qu'il n'y avait *aucun* suspect principal. Et sur la base des informations données, c'était la conclusion à tirer. Vous avez désigné la bonne personne, mais c'est parce que vous n'avez pas pu résister à la tentation de googler le coupable d'il y a douze ans. En vous focalisant ainsi sur le résultat, vous avez tiré plusieurs conclusions fausses pour obtenir la bonne réponse.

— Donc tu avais donné un sujet qui n'avait pas de solution ? demanda Oleg.

— Pas sur la base des informations en présence, répondit Harry. Un avant-goût de l'avenir si vous avez réellement l'intention de devenir enquêteurs.

— Qu'est-ce qu'on fait dans ces cas-là ?

— On cherche de nouvelles informations. Ou alors on recombine tout d'une autre façon. Souvent la solution est dans la documentation dont on dispose déjà.

— Et l'affaire du vampiriste ? demanda Jesus.

— De nouveaux éléments. Et des éléments qui étaient déjà présents.

— Tu as vu ce qu'écrit *VG* aujourd'hui ? demanda Oleg. Que Lenny Hell dirigeait Valentin Gjertsen pour qu'il tue des femmes qui l'avaient rendu jaloux. Exactement comme Othello.

— Hm. Il me semble me souvenir que tu disais que le mobile du meurtre dans Othello n'était pas la jalousie, mais avant tout l'ambition.

— Le *syndrome* d'Othello, oui. D'ailleurs, ce n'était *pas* Mona Daa qui a écrit ce truc. C'est curieux, ça fait longtemps que je n'ai pas vu de papier signé de son nom.

— C'est qui, Mona Daa ? demanda Jesus.

— La seule chroniqueuse judiciaire qui s'y connaisse, répondit Oleg. Une fille bizarre du Nord. Elle fait de la muscu au milieu de la nuit et elle se parfume au Old Spice. Mais raconte, alors, Harry ! »

Harry observa les deux visages fervents en face de lui. Il essaya de se rappeler s'il avait lui-même été si investi quand il était élève policier. Guère. Quand il était étudiant il avait eu la gueule de bois et n'avait qu'une hâte : redevenir ivre. Ces deux-là étaient mieux. Il toussota. « D'accord. Mais alors ceci est un cours et je vous rappelle que, en tant qu'élèves professionnels, vous êtes soumis au secret. Compris ? »

Tous deux acquiescèrent et se penchèrent en avant.

Harry s'enfonça dans son siège. Il eut soudain envie d'une cigarette et sut que celle qu'il allait fumer sur le perron serait bonne.

« Nous avons fouillé le PC de Hell, et tout y est. Le planning, le livre de bord, les renseignements sur les victimes, les renseignements sur Valentin Gjertsen alias Alexander Dreyer, sur Hallstein Smith, sur moi…

— Sur *vous* ? demanda Jesus.

— Laisse-le continuer, dit Oleg.

— Hell a écrit un manuel sur la façon dont il allait faire des empreintes des clefs d'appartement de ces femmes. Il avait découvert que, lors de leurs rendez-vous Tinder, huit femmes sur dix n'emportaient pas leur sac quand elles allaient aux toilettes, et que la plupart gardaient leurs clefs dans la petite poche avec fermeture Éclair à l'intérieur du sac. Il avait aussi découvert qu'il fallait en moyenne quinze secondes pour relever les empreintes en cire de trois clefs, sur les deux faces, et qu'il était plus rapide de les photographier, mais que, dans un certain nombre de cas, les photos ne permettaient pas de créer des fichiers 3D suffisamment précis pour produire des doubles sur l'imprimante 3D.

— Cela veut-il dire qu'il *savait* qu'il serait jaloux dès leur premier rendez-vous ? s'étonna Jesus.

— Dans certains cas, peut-être. Il a juste écrit que puisqu'il était si simple de s'assurer l'accès au logement de ces femmes, il n'y avait aucune raison de ne pas le faire.

— Glauque, murmura Jesus.

— Qu'est-ce qui l'a fait choisir Valentin et comment l'a-t-il trouvé ? enchaîna Oleg.

— Tout ce dont il avait besoin était consigné dans les dossiers de patients qu'il avait volés chez Smith. Smith avait écrit qu'Alexander Dreyer était un homme aux fantasmes vampiristes si vivants et détaillés qu'il envisageait l'internement forcé. L'argument contre était que Dreyer présentait un haut degré de maîtrise de soi et menait une vie très rangée. Je suppose que c'est cette combinaison, envie de meurtre et maîtrise de soi, qui a fait de lui le candidat idéal pour Hell.

— Mais qu'est-ce que Hell avait à offrir à Valentin Gjertsen ? demanda Jesus. De l'argent ?

— Du sang, répondit Harry. Du jeune sang chaud de victimes ne pouvant en rien être rattachées à Alexander Dreyer.

— Les meurtres les plus difficiles à élucider sont les meurtres sans mobile apparent, où le tueur n'a pas été en relation avec les victimes par le passé, observa Oleg, alors que Jesus l'approuvait d'un hochement de tête, et Harry se rendit compte que c'était une citation d'un de ses propres cours.

— Hm. Le principal pour Valentin était d'empêcher que le pseudonyme Alexander Dreyer soit relié à l'affaire. Avec son nouveau visage, c'était ce nom qui lui avait permis d'évoluer de nouveau dans le monde sans être démasqué. Qu'il soit revélé que l'artisan de ces meurtres était Valentin Gjertsen l'inquiétait moins. D'ailleurs, à la fin, il n'a pas résisté à la tentation de nous signaler que c'était justement lui, l'auteur des meurtres.

— Nous signaler ? fit Oleg. Ou te signaler ? »

Harry haussa les épaules. « Quoi qu'il en soit, ça ne nous a pas rapprochés de l'homme que nous recherchions depuis toutes ces années. Il a pu suivre assidûment la mise en scène de Hell, tuer. Et ce en toute sécurité, parce que avec les doubles de clefs de Hell Valentin pouvait entrer chez les victimes.

— Une symbiose parfaite, commenta Oleg.

— Une hyène et un vautour, chuchota Jesus. Le vautour montre le chemin à l'hyène en planant autour de la bête blessée et l'hyène l'achève. Repas pour tout le monde.

— Alors Valentin tue Elise Hermansen, Ewa Dolmen et Penelope Rasch, récapitula Oleg. Mais Marte Ruud ? Lenny Hell la connaissait ?

— Non, ça, c'était l'œuvre personnelle de Valentin. Et c'était dirigé contre moi. Il avait lu dans le journal que je le traitais de pathétique pervers, donc il a pris quelqu'un près de moi.

— Juste parce que vous l'aviez traité de pervers ? » Jesus fronça le nez.

« Les narcissiques adorent être aimés, expliqua Harry. Ou haïs. La peur que ressentent les autres confirme et renforce l'image qu'ils ont d'eux-mêmes. Ils trouvent insultant d'être ignorés ou sous-estimés.

— Et il s'est passé la même chose quand Smith a offensé Valentin sur le podcast, renchérit Oleg. Valentin a vu rouge et il est allé droit à sa ferme pour le tuer. Tu crois que Valentin est devenu psychotique ? Je veux dire, il avait réussi à se dominer si longtemps et les premiers meurtres étaient des actions froides, planifiées. Alors que Smith et Marte Ruud sont des *réactions* spontanées.

— Peut-être. Ou peut-être qu'il était plein de l'assurance qu'ont souvent les tueurs en série quand leurs premiers meurtres sont réussis, ce qui leur fait croire qu'ils marchent sur l'eau.

— Mais pourquoi Lenny Hell s'est-il suicidé ? demanda Jesus.

— Eh bien ? fit Harry. Des propositions ?

— N'est-ce pas évident ? demanda Oleg. Lenny avait planifié des meurtres de femmes qui l'avaient trahi et qui donc méritaient de mourir, mais il se retrouvait maintenant avec le sang de Marte Ruud et de Mehmet Kalak sur les mains. Deux innocents qui n'avaient rien à voir dans l'histoire. Sa mauvaise conscience s'est réveillée. Il ne pouvait pas vivre avec ce qu'il avait provoqué.

— Nan, dit Jesus. Lenny avait prévu dès le départ de se suicider quand tout serait terminé. C'étaient les trois femmes qu'il allait tuer, Elise, Ewa et Penelope.

— J'en doute, dit Harry. Hell avait d'autres noms de femmes dans ses notes et d'autres doubles de clefs.

— OK. Et si ce n'était pas un suicide ? proposa Oleg. Si Valentin l'avait tué ? Ils ont pu s'engueuler à propos des meurtres de Mehmet et de Marte. Lenny les considérait comme des victimes innocentes. Donc il voulait peut-être dénoncer Valentin à la police et Valentin l'a découvert.

— Ou peut-être que Valentin en a juste eu marre de Lenny, dit Jesus. Ce n'est pas inhabituel que les hyènes se fassent un vautour qui approche trop près.

— Les seules empreintes digitales sur le pistolet d'abattage sont celles de Lenny Hell, dit Harry. Maintenant, il est bien sûr possible que Valentin ait tué Lenny en essayant de faire passer le meurtre pour un suicide. Mais pourquoi se serait-il donné cette peine ? La police avait suffisamment de meurtres à imputer à Valentin pour qu'il soit condamné à perpétuité. Et si Valentin s'était soucié de dissimuler ses traces, il n'aurait pas laissé le corps de Marte Ruud dans la cave ni le PC et les documents du second étage qui prouvaient que Hell et lui avaient collaboré.

— OK, conclut Jesus. Je suis d'accord avec Oleg sur la première proposition. Lenny Hell s'est rendu compte de ce qu'il avait provoqué et il a décidé qu'il ne pouvait pas vivre avec lui-même.

— Il ne faut jamais sous-estimer sa première réaction, dit Harry. En général, elle est fondée sur plus d'informations qu'on n'en est conscient. Et les solutions simples sont souvent les bonnes.

— Mais il y a une chose que je ne comprends pas, dit Oleg. Lenny et Valentin ne voulaient pas être vus ensemble, soit. Mais pourquoi une livraison si compliquée ? N'auraient-ils pas juste pu se retrouver chez l'un d'entre eux ? »

Harry secoua la tête. « Pour Lenny, il importait de garder son identité cachée de Valentin puisqu'il y avait tout de même un assez gros risque que Valentin se fasse arrêter. »

Jesus approuva d'un signe de tête. « Et il craignait que Valentin ne mène alors la police à lui pour obtenir une réduction de peine.

— Et Valentin n'aurait en aucun cas révélé à Lenny où il habitait, précisa Harry. Il y a une raison pour laquelle Valentin a réussi à se cacher pendant si longtemps, et c'est parce qu'il était rigoureux sur ce genre de choses.

— Donc l'affaire est élucidée et il ne reste aucun écheveau à démêler, résuma Oleg. Hell s'est suicidé et Valentin a kidnappé Marte Ruud. Mais est-ce que vous avez une preuve que c'est lui qui l'a tuée ?

— C'est ce que pense la Brigade criminelle, dit Harry.

— Parce que ?

— Parce qu'on a trouvé l'ADN de Valentin au Schrøder et le sang de Marte dans son coffre de voiture, et parce qu'ils ont trouvé la balle qui avait été tirée dans son ventre. Elle s'était logée dans le mur de la cave de Hell et l'angle par rapport au cadavre indique que cela s'est produit avant qu'elle soit pendue. La balle vient du même revolver Ruger Redhawk que celui que Valentin avait pris pour abattre Smith.

— Mais toi, tu n'es pas de cet avis », dit Oleg.

Harry leva un sourcil. « Ah bon ?

— Quand tu dis "C'est ce que pense la Brigade criminelle", ça signifie que toi, tu penses autrement.

— Hm.

— Alors qu'est-ce que tu penses ? »

Harry se passa la main sur le visage. « Je pense que ce n'est pas si important de savoir qui lui a donné le coup de grâce. Parce que dans ce cas précis, c'est exactement ce que c'était. La délivrance. Le matelas de la cage est plein d'ADN. Du sang, de la sueur, du sperme, du vomi. En partie de Marte Ruud, en partie de Valentin Gjertsen. Et beaucoup de Lenny Hell.

— *Djizeuss*, fit Jesus. Vous voulez dire que Hell aussi l'a agressée.

— Ils pourraient avoir été plusieurs, naturellement.

— D'autres que Valentin et Hell ?

— Il y a une conduite d'eau dans l'escalier du sous-sol. Il est impossible de ne pas se cogner dedans quand on ne connaît pas son existence. J'ai donc demandé à Bjørn Holm, le TIC en chef, de m'envoyer une liste de tous ceux qui avaient laissé de l'ADN sur la conduite. Ce qui est trop vieux disparaît, mais il a trouvé sept profils différents. Nous avions comme d'habitude fait des prélèvements d'ADN de tous ceux qui travaillaient sur la scène de crime et nous avons obtenu une correspondance pour le *lensmann* du coin, son agent, Bjørn, Smith et moi, plus un autre TIC que nous n'avions pas non plus eu le temps de mettre en garde. Mais le septième profil, nous n'avons pas réussi à l'identifier.

— Donc ce n'était ni Valentin Gjertsen ni Lenny Hell ?

— Non. Tout ce que nous savons, c'est que c'est un homme et qu'il n'est pas apparenté à Lenny Hell.

— Ce pourrait être quelqu'un qui était venu pour travailler au sous-sol ? demanda Oleg. Comme un électricien, un plombier ou n'importe qui.

— Bien sûr. » Le regard de Harry tomba sur le *Dagbladet* qui était ouvert devant lui sur une interview de Bellman dans le cadre de son imminente prise de fonctions en tant que ministre de la Justice. Il lut et relut l'exergue. « *Je me félicite particulièrement que l'obstination et les recherches infatigables de la police nous aient permis de retrouver Marte Ruud. Ses proches comme la police le méritaient. Cela me rend plus facile de quitter mon poste de directeur de la police.* »

« Il faut que je file, maintenant, les garçons. »

Ils sortirent tous trois ensemble de l'École de police et au moment où ils allaient se séparer devant le Chateau Neuf, Harry se souvint de l'invitation.

« Hallstein a fini sa thèse sur les vampiristes et sa soutenance a lieu vendredi. Nous sommes invités.

— C'est quoi une soutenance ?

— Un examen oral avec famille et amis en grande tenue dans la salle, expliqua Jesus. Mieux vaut ne pas se planter.

— Ta mère et moi, on va y aller, dit Harry. Mais je ne sais pas si tu en as le temps et l'envie. Ståle est du reste l'un des examinateurs.

— Aïe ! dit Oleg. J'espère que ce n'est pas trop tôt. J'ai un rendez-vous à Ullevål vendredi matin. »

Harry plissa le front. « Quoi comme rendez-vous ?

— C'est juste Steffens qui veut faire une prise de sang. Il dit qu'il fait des recherches sur une maladie du sang rare qui s'appelle mastocytose systémique et que si c'est ce que maman a eu, son sang s'est réparé lui-même.

— Mastocytose ?

— C'est dû à une erreur génétique appelée mutation du c-kit qui n'est pas héréditaire. Mais Steffens espère que les éléments qui éventuellement répareraient le sang le sont. Donc il veut mon sang pour le comparer à celui de maman.

— Hm, c'est donc ça, le lien génétique dont parlait ta mère.

— Steffens dit qu'il continue de croire à une simple septicémie et qu'il tire à l'aveuglette. Mais que la plupart des grandes découvertes le sont. Des tirs à l'aveuglette.

— Il pourrait avoir raison sur ce point. La soutenance est à quatorze heures. Ensuite il y a une réception à laquelle vous pouvez aller, mais moi, je passerai sans doute mon tour.

— Sans doute, oui, fit Oleg en souriant avant de se tourner vers Jesus. Harry n'aime pas les gens, tu comprends.

— J'aime les gens, dit Harry. C'est juste que je n'aime pas *être avec* eux. Surtout quand ils sont nombreux. » Il consulta de nouveau sa montre. « À propos de gens, il faut que j'y aille. »

« Désolé, je suis en retard, cours particulier », s'excusa Harry en se glissant derrière le comptoir du bar.

Øystein poussa un gémissement tout en claquant deux pintes de bière fraîchement tirées sur le comptoir, faisant déborder la mousse. « Harry, il nous *faut* plus de monde ici. »

Les yeux mi-clos, Harry observa la foule qui remplissait les lieux. « Je trouve qu'on en a trop comme ça, moi.

— Je veux dire de ce côté-ci du comptoir, patate.

— La patate blaguait. Tu connais quelqu'un qui a de bons goûts musicaux ?

— Les Sabots.

— Qui ne soit pas autiste ?

— Non. » Øystein tira la pinte suivante et fit signe à Harry de s'occuper du paiement.

« OK, on va réfléchir. Donc Hallstein est passé ? » Harry désigna le bonnet St. Pauli qui était enfilé sur un verre à bière à côté du fanion du Galatasaray.

« Oui, il te remerciait de le lui avoir prêté. Il avait emmené des journalistes étrangers pour leur montrer l'endroit où tout a commencé. Il a un truc de docteur, là, après-demain.

— Une soutenance de thèse. » Harry rendit sa carte au client en le remerciant.

« Oui. Au fait, un type est venu les trouver et Smith l'a présenté aux autres comme un confrère de la Brigade criminelle.

— Ah ? fit Harry en prenant la commande d'un type avec une barbe de *hipster* et un tee-shirt Cage the Elephant. À quoi il ressemblait ?

— Des dents, dit Øystein en désignant sa propre rangée de chicots.

— Pas Truls Berntsen, quand même ?

— Je ne sais pas comment il s'appelle, mais je l'ai vu ici quelquefois. Il a l'habitude de s'asseoir dans le box là-bas. Il vient seul.

— Sûrement Truls Berntsen.

— Les filles s'attroupent autour de lui.

— Pas Truls Berntsen.

— Et cependant, il rentre chez lui seul. Flippant, ce mec...

— Parce qu'il ne ramène pas de filles chez lui ?

— Ah bon, parce que *toi*, tu as confiance dans un mec qui dit non à de la chatte gratuite ? »

La barbe de *hipster* leva un sourcil. Harry haussa les épaules, posa la pinte devant lui, alla à l'étagère miroir et enfila le bonnet St. Pauli. Il allait se retourner quand il se figea sur place. Il resta à se dévisager dans le miroir, à fixer l'emblème de tête de mort sur son front.

« Harry ?

— Hm.

— Tu peux m'aider, là ? Deux mojitos avec du Sprite Light. »

Harry hocha lentement la tête. Puis il ôta le bonnet, contourna le bar et se dirigea à grands pas vers la sortie.

« Harry !

— Appelle Les Sabots ! »

« Oui ?

— Désolé d'appeler si tard, je croyais que la Médecine légale était peut-être fermée à cette heure.

— Oui, c'est fermé, mais voilà ce qui se passe quand on travaille dans un endroit en sous-effectif chronique. Et vous appelez sur un numéro interne que seule la police est censée utiliser.

— Oui, c'est Harry Hole, inspecteur principal à…

— Je vous avais reconnu, Harry. C'est Paula, et vous n'êtes inspecteur principal nulle part.

— Ah, c'est vous. Eh bien, je suis sur l'affaire du vampiriste, et c'est pour ça que j'appelle. Je voulais juste vérifier les correspondances que vous avez obtenues sur les prélèvements de la conduite d'eau.

— Ce n'est pas moi qui les ai faites, mais laissez-moi vérifier. Mais sachez que, à part Valentin Gjertsen, je n'ai pas de noms pour les profils ADN de l'affaire du vampiriste, juste des numéros.

— C'est bon, j'ai la liste des noms et numéros de toutes les scènes de crime sous les yeux, donc envoyez. »

Harry cocha à mesure que Paula lisait les profils ADN pour lesquels ils avaient des correspondances. Le *lensmann*, l'agent du bureau du *lensmann*, Hole, Smith, Holm et son TIC. Et pour finir une septième personne.

« Donc toujours pas de correspondance, là, dit Harry.

— Non.

— Et dans le reste de la maison de Hell, est-ce qu'on a trouvé de l'ADN correspondant au profil de Valentin ?

— Voyons voir… Non, ça n'en a pas l'air.

— Pas sur le matelas, pas sur le corps, rien qui relie…

— *Nope.*

— OK, Paula. Merci.

— À propos de lien, vous avez découvert ce qu'il en était de ce cheveu ?

— Le cheveu ?

— Oui. L'automne dernier. Le brigadier Wyller était venu me trouver avec un cheveu en me disant que vous vouliez le faire analyser. Il devait croire que nous vous donnerions la priorité s'il faisait du *name dropping* avec votre nom.

— Et ç'a marché, non ?

— Évidemment, Harry, vous savez bien que toutes les filles ici ont un petit faible pour vous.

— Est-ce qu'on ne dit pas ce genre de choses aux hommes quand ils sont très vieux ? »

Paula rit. « C'est ce qui arrive quand on se marie, Harry. Castration librement choisie.

— Hm. J'avais trouvé ce cheveu par terre à l'hôpital d'Ullevål où ma femme était hospitalisée, c'était juste un accès de paranoïa.

— Ah bon. Je pensais que ce n'était pas important puisque Wyller m'a dit d'oublier ça. Vous aviez peur que votre femme ait un amant ?

— Pas vraiment, pas avant que vous me mettiez l'idée en tête, en tout cas.

— Vous les hommes, vous êtes tellement naïfs.

— C'est comme ça que nous survivons.

— Et pourtant non. Nous sommes en passe de prendre le dessus et de dominer la planète, vous ne vous en étiez pas aperçu ?

— Si, vous travaillez en pleine nuit, c'est ultra flippant. Bonne nuit, Paula.

— Bonne nuit.

— Attendez un peu, Paula. Oublier quoi ?

— Quoi ?

— Qu'est-ce que Wyller vous avait demandé d'oublier ?

— La correspondance.

— Entre quoi et quoi ?

— Entre le cheveu et l'un des profils ADN de l'affaire du vampiriste.

— Ah ? Qui ça ?

— Ben, je ne sais pas, puisque nous n'avons donc que les numéros. Nous ne savons même pas si ce sont des numéros de suspects ou de policiers qui travaillaient sur la scène de crime. »

Harry resta un moment sans rien dire. « Vous avez le numéro ? » finit-il par demander.

« Bonsoir, dit l'ambulancier d'un certain âge en entrant dans la salle de repos des urgences.

— Bonsoir, Hansen, répondit la seule autre personne de la pièce, tout en se servant de café noir au thermos à pompe.

— Votre copain policier vient d'appeler. »

Ladite personne, le chef de service John Doyle Steffens, se retourna, le sourcil levé. « J'ai des copains dans la police ?

— Il a en tout cas fait référence à vous. Un certain Harry Hole.

— Que voulait-il ?

— Il nous a envoyé une photo d'une flaque de sang en nous demandant d'estimer combien il y en avait. Il disait que vous l'aviez fait par le passé en vous fondant sur une photo de scène de crime et il partait du principe que nous autres, qui arrivons sur les lieux d'accidents, étions rompus au même exercice. J'ai dû le décevoir, dites donc.

— Intéressant. » Steffens cueillit un cheveu sur son épaule. Il ne considérait pas la chute croissante de ses cheveux comme un signe qu'il se fanait, mais au contraire qu'il fleurissait, un signe qu'il rassemblait ses forces, un signe qu'il se débarrassait de tout ce dont il n'avait pas besoin. « Pourquoi ne m'a-t-il pas posé la question directement ?

— Il ne devait pas s'imaginer qu'un chef de service travaillait au milieu de la nuit. Et ça avait l'air urgent.

— Ah bon. Il a expliqué ce qu'il allait en faire ?

— Quelque chose sur quoi il travaillait, a-t-il dit.

— Vous avez la photo ?

— Tenez. » L'ambulancier prit son téléphone mobile et montra le MMS au médecin.

Steffens lança un regard sur la photo d'une flaque de sang sur un plancher en bois. Il y avait une espèce de règle graduée à côté de la flaque.

« Un litre et demi, déclara Steffens. Et relativement précisément. Vous pouvez l'appeler pour lui dire. » Il but une toute petite gorgée de son café. « Un prof qui travaille au milieu de la nuit, où va le monde ? »

L'ambulancier ricana. « On pourrait sans doute dire la même chose de vous, Steffens.

— Quoi donc ? demanda le médecin en laissant la place devant le thermos à son interlocuteur.

— Une nuit sur deux, Steffens. Qu'est-ce que vous faites ici, au juste ?

— Je reçois des patients gravement blessés.

— Je sais, mais pourquoi ? Vous avez un travail à temps complet de médecin chef en hématologie, et pourtant vous prenez des gardes supplémentaires aux urgences. Ce n'est pas précisément ordinaire.

— Qui veut de l'ordinaire ? On a surtout envie d'être là où on peut se rendre utile, non ?

— Donc vous n'avez pas de famille qui ait envie de vous voir un peu à la maison ?

— Non, en revanche, j'ai des collègues qui ont des familles qui ne veulent pas qu'ils soient à la maison.

— Hé hé ! Mais je vois que vous avez une alliance.

— Et je vois que vous avez du sang sur votre manche, Hansen. Vous êtes arrivé avec quelqu'un qui saignait ?

— Oui. Vous êtes divorcé ?

— Veuf. » Steffens but encore une gorgée de café. « Le patient est-il un homme, une femme, jeune, vieux ?

— Une femme d'une trentaine d'années. Pourquoi ?

— Je me demandais, c'est tout. Où est-elle maintenant ? »

« Oui ? chuchota Bjørn Holm.

— Harry. Tu dormais ?

— Il est deux heures du matin, qu'est-ce que tu crois ?

— Il restait environ un litre et demi de sang de Valentin sur le sol du bureau.

— Hein ?

— C'est du calcul élémentaire, il pesait trop lourd. »

Harry entendit le lit grincer et les draps frotter le téléphone avant d'entendre de nouveau la voix chuchotante de Bjørn : « De quoi tu parles ?

— Tu le vois sur la balance sur les images de surveillance quand Valentin quitte les lieux. Il ne pèse qu'un kilo et demi de moins qu'à l'arrivée.

— Un litre et demi de sang, ça pèse un kilo et demi, Harry.

— Je sais. Et de toute façon, il nous manque une preuve. Quand nous en aurons une, je t'expliquerai. Et ça, il ne faut pas que tu en parles à âme qui vive, tu entends ? Même pas à celle qui est couchée à côté de toi.

— Elle dort.

— J'entends ça. »

Bjørn eut un rire creux. « Elle ronfle pour deux.

— On peut se retrouver demain à zéro huit zéro zéro dans la Chaufferie ?

— D'accord. Il y aura aussi Smith et Wyller ?

— Smith, on le verra à sa soutenance vendredi.

— Et Wyller ?

— Juste toi et moi, Bjørn. Et je voudrais que tu apportes le PC de Hell et le revolver de Valentin. »

38

Jeudi matin

« Tu commences tôt, Bjørn, observa l'agent d'un certain âge derrière le guichet du dépôt.

— Bonjour, Jens, j'aurais voulu sortir quelque chose de l'affaire du vampiriste.

— Oui, elle est redevenue d'actualité. La Brigade criminelle est venue chercher des trucs hier, et je crois que cette caisse est au rayon G. Mais on va voir ce qu'en dit cette saloperie. » Il appuya sur les touches du clavier comme si elles étaient bouillantes et coula un regard sur l'écran. « Voyons voir... cette saloperie a encore planté... » Il regarda Bjørn d'un air exaspéré, mais aussi un peu désemparé. « Qu'est-ce que tu en dis, Bjørn, c'était pas mieux quand on n'avait qu'à ouvrir un classeur pour trouver exactement...

— Qui c'était de la Brigade criminelle ? demanda Bjørn Holm en s'efforçant de masquer son impatience.

— Comment il s'appelle déjà ? Celui avec les dents.

— Truls Berntsen ?

— Non, non, celui avec les *belles* dents. Le nouveau. »

« Anders Wyller, dit Bjørn.

— Hm, fit Harry en se penchant en arrière sur sa

chaise dans la Chaufferie. Et il a sorti le Redhawk de Valentin ?

— Plus les dents en fer et les menottes.

— Et Jens n'a rien dit de ce que Wyller voulait faire avec ces trucs ?

— Non, il ne savait pas. J'ai essayé d'appeler Wyller à la brigade, mais ils m'ont dit qu'il avait un jour de récupération aujourd'hui, donc j'ai essayé son portable.

— Et ?

— Pas de réponse. Il devait dormir, mais je peux réessayer maintenant.

— Non.

— Non ? »

Harry ferma les yeux. « *Finalement, on se fait tous avoir*, chuchota-t-il.

— Hein ?

— Rien. On va aller réveiller Wyller. Tu appelles la brigade pour demander où il habite ? »

Trente secondes plus tard, Bjørn raccrochait le téléphone fixe et articulait distinctement l'adresse.

« Tu déconnes ? » fit Harry.

Bjørn Holm tourna sa Volvo Amazon dans la rue calme où les voitures enneigées semblaient en hibernation et roula entre les congères laissées par le chasse-neige.

« C'est ici », indiqua Harry, qui se pencha en avant pour regarder la façade de cet immeuble de trois étages. Le mur bleu pâle entre le premier et le deuxième étage était orné d'un graffiti.

« Sofies gate 5, dit Bjørn. Dire que tu y as habité !

— Dans une autre vie, répondit Harry. Attends-moi ici. »

Harry descendit de la voiture, gravit les deux marches du perron et contempla les sonnettes. Un certain nombre des noms d'autrefois avaient été remplacés. Celui de Wyller se trouvait plus bas que n'avait été le sien. Il appuya sur la sonnette. Attendit. Appuya encore. Rien. Il allait appuyer une troisième fois quand la porte s'ouvrit et qu'une jeune femme sortit promptement. Harry rattrapa la porte avant qu'elle ne claque. Il entra.

L'odeur de la cage d'escalier était la même qu'autrefois. Un mélange de cuisines norvégienne et pakistanaise associé aux relents douceâtres de Mme Sennheim au rez-de-chaussée. Harry tendit l'oreille. Pas de bruit. Puis il monta l'escalier sur la pointe des pieds, évita par réflexe la sixième marche, qu'il savait craquer.

Il se posta devant la porte du premier entresol.

Il n'y avait pas de lumière derrière le verre irrégulier.

Harry frappa. Il attendit. Il regarda la serrure. Il savait qu'il n'en fallait pas beaucoup pour forcer la porte. Une carte en plastique rigide et une bonne poussée. Il l'imagina. Être celui qui s'introduisait dans l'appartement. Et il sentit que son cœur accélérait, il vit son souffle embuer la vitre devant lui. Cette tension palpitante, était-ce celle que Valentin avait ressentie avant d'ouvrir la porte de ses victimes ?

Harry frappa encore une fois. Il attendit, puis abandonna et tourna les talons pour redescendre. Il entendit alors des pas de l'autre côté de la porte. Il se retourna. Une ombre derrière le verre irrégulier. La porte s'ouvrit.

Anders Wyller portait un jean, mais il était torse nu et pas rasé. Il n'avait pourtant pas l'air de venir de se réveiller. Au contraire, ses pupilles étaient noires, dilatées, et son front moite de sueur. Harry vit aussi qu'il avait sur l'épaule quelque chose de rouge qui ressemblait à une blessure. Il y avait en tout cas du sang.

« Harry, dit Wyller. Qu'est-ce que tu fais là ? » Sa voix n'avait pas le même timbre que la voix claire, juvénile que Harry avait entendue auparavant. « Et comment es-tu entré ? »

Harry toussota. « Nous avons besoin du numéro de série du revolver de Valentin. J'ai sonné.

— Et ?

— Et tu n'as pas ouvert. Je me suis dit que tu dormais peut-être, alors je suis entré. J'ai en fait vécu dans cet immeuble, à l'étage au-dessus, donc je sais que la sonnette est un peu faible.

— Oui, dit Wyller, qui s'étira en bâillant.

— Alors, dit Harry. Tu l'as ?

— J'ai quoi ?

— Le Redhawk. Le revolver.

— Ah, ça, oui. Oui. Le numéro de série ? Attends, je vais te le chercher. »

Wyller repoussa la porte contre le chambranle et, à travers la vitre, Harry le vit disparaître dans le couloir. Tous les appartements étant aménagés selon le même plan, il savait que c'était la chambre à coucher qui se trouvait là-bas. La silhouette revint vers l'entrée, mais tourna à gauche dans le salon.

Harry ouvrit. Il entra. Il perçut une odeur parfumée. Il constata que la chambre à coucher était fermée. C'était ça que Wyller était allé faire, il était allé fermer la porte. Machinalement, Harry regarda s'il voyait dans l'entrée des vêtements et des chaussures pouvant lui raconter quelque chose, mais il n'y avait rien. Puis il fit trois pas silencieux et se retrouva dans le salon. Anders Wyller ne l'avait pas entendu, il était agenouillé devant la table basse, le dos tourné à Harry, et écrivait sur un calepin. À côté duquel se trouvait une assiette avec une part de pizza. Pepperoni. Et le grand revolver à crosse rouge. Mais Harry ne voyait ni les menottes ni les dents en fer.

Dans un coin du salon se trouvait une cage vide. Une de ces cages dans lesquelles les gens mettent des lapins. Enfin, attendez une seconde. Harry se souvenait de la réunion où Skarre avait fait pression sur Wyller au sujet des fuites de *VG*, quand Wyller avait répondu que la seule chose qu'il avait racontée à *VG*, c'était qu'il avait un chat. Mais où était le chat ? Et est-ce que les chats se mettaient en cage ? Le regard de Harry continua d'errer dans la pièce jusqu'au mur latéral où une bibliothèque étroite contenait quelques manuels de l'École de police, comme le *Méthodes d'enquête* de Bjerknes et Hoff Johansen. Mais aussi un ou deux livres qui n'étaient pas au programme, comme le *Sexual Homicide – Patterns and Motives* de Ressler, Burgess et Douglas, livre sur le meurtre en série auquel Harry avait fait référence dernièrement dans ses cours parce qu'il contenait des informations sur le programme Vicap récemment développé par le FBI. Harry coula son regard vers le bas de la bibliothèque. Sur ce qui avait l'air d'être des photos de famille, deux adultes et Anders Wyller gamin. Sur les livres de l'étagère au-dessous : *Haematology at a Glance*, Atul B. Mehta, A. Victor Hoffbrand. Et *Hématologie fondamentale* de John D. Steffens. Un jeune homme qui s'intéressait aux maladies du sang. Pourquoi pas ? Harry approcha pour examiner la photo de famille. Le garçon avait l'air content. Les parents, moins.

« Pourquoi as-tu sorti les affaires de Valentin ? demanda Harry en voyant le dos de Wyller se raidir. Katrine Bratt ne te l'a pas demandé. Et les preuves ne sont pas précisément le genre de trucs du boulot qu'on rapporte à la maison, même dans les affaires élucidées. »

Wyller se retourna et Harry vit que son regard partait automatiquement sur la droite. En direction de la chambre à coucher.

« Je suis enquêteur à la Brigade criminelle et toi, tu es prof à l'École de police, Harry, donc à strictement parler, c'est plutôt moi qui devrais te demander ce que tu vas faire avec le numéro de série. »

Harry observa Wyller. Il comprit qu'il n'allait pas obtenir de réponse. « On n'a jamais cherché le propriétaire d'origine avec le numéro de série. Et ce n'était sûrement pas Valentin Gjertsen, il n'avait pas de licence de port d'armes, pour dire le moins.

— C'est important ?

— Tu ne trouves pas ? »

Wyller haussa ses épaules nues. « Pour autant que nous sachions, le revolver n'a pas été utilisé pour tuer quelqu'un, même pas Marte Ruud, dont l'autopsie révèle qu'elle était déjà morte quand la balle a été tirée. Nous avons les données balistiques de ce revolver et elles ne correspondent à aucune des affaires criminelles de la base de données. Donc, non, je ne trouve pas qu'il soit important de vérifier le numéro de série, pas tant qu'il y a d'autres choses qui crient qu'elles sont prioritaires.

— Bon, dit Harry. Alors on peut peut-être utiliser le prof pour voir où mène le numéro de série.

— Voilà pour toi. » Wyller arracha la page de son calepin et la tendit à Harry.

« Merci », répondit Harry en observant le sang sur son épaule.

Wyller le raccompagna à la porte et, quand Harry se retourna sur le palier, il le vit se grandir dans l'embrasure de la porte, comme le font plus ou moins inconsciemment les videurs.

« Juste par curiosité, fit Harry. La cage que tu as dans le salon, qu'est-ce que tu mets dedans ? »

Wyller cligna des yeux une fois ou deux. « Rien », répondit-il. Puis il referma la porte sans bruit.

« Tu l'as vu ? demanda Bjørn en quittant son stationnement.

— Oui, dit Harry en arrachant une page de son calepin. Et voici le numéro de série. Ruger, c'est américain, donc si tu pouvais vérifier auprès de l'ATF ?

— Tu ne crois tout de même pas sérieusement qu'ils vont réussir à tracer ce revolver ?

— Pourquoi pas ?

— Parce que les Américains sont légèrement souples sur l'immatriculation des armes à feu. Et il y en a plus de trois cents millions aux États-Unis, soit plus que d'habitants.

— Effrayant.

— Ce qui est effrayant, dit Bjørn Holm en appuyant un peu plus sur l'accélérateur afin de faire un dérapage contrôlé quand ils tournèrent dans la descente vers Pilestredet, c'est que même ceux qui ne sont pas criminels et qui disent avoir des armes pour se défendre s'en servent pour tuer les mauvaises personnes. Le *Los Angeles Times* écrivait que, en 2012, les détenteurs d'armes aux États-Unis avaient tué deux fois plus de personnes dans de purs accidents de tir que par autodéfense. Et presque quarante fois plus se sont tués eux-mêmes. Et ça, c'est donc *avant* que tu commences à regarder les statistiques de meurtres.

— Tu lis le *Los Angeles Times* ?

— Moui, je le lisais surtout quand Robert Hilburn y parlait de musique. Tu as lu sa biographie de Johnny Cash ?

— Nan. Hilburn, c'est celui qui a écrit sur la tournée des Sex Pistols aux États-Unis ?

— Ouaip. »

Ils s'arrêtèrent au feu devant l'immeuble Blitz, autrefois siège du punk en Norvège et où l'on voyait encore une ou deux crêtes. Bjørn Holm fit un grand sourire à Harry. Il était content maintenant. Content de devenir papa, content que l'affaire du vampiriste soit terminée, content de déraper dans une voiture qui sentait les années 1970 en parlant de musique presque aussi vieille.

« Ce serait bien si tu pouvais me répondre avant midi, Bjørn.

— Si je ne m'abuse, l'ATF est à Washington D.C., où c'est le milieu de la nuit.

— Ils ont des bureaux chez Europol à La Haye, essaie là.

— D'accord. Tu as su pourquoi Wyller avait sorti ces trucs ? »

Harry regarda fixement le feu rouge. « Non. Tu as l'ordinateur de Lenny Hell ?

— Tord l'a, il devrait nous attendre à la Chaufferie.

— Bien. » D'un regard impatient, Harry chercha à forcer le feu rouge à passer au vert.

« Harry ?

— Oui ?

— Tu as déjà réfléchi au fait qu'on aurait dit que Valentin avait évacué son appartement à toute vitesse, sans doute juste avant l'intervention de Katrine et du Delta ? Comme si quelqu'un l'avait averti au dernier moment ?

— Non », mentit Harry.

Le feu passa au vert.

Tord pointait le doigt en donnant des explications à Harry alors que la cafetière grognait et bouillonnait derrière eux.

« Voilà les mails de Lenny Hell à Valentin avant les meurtres d'Elise, d'Ewa et de Penelope. »

Les mails étaient courts. Uniquement le nom de la victime, son adresse et une date. Celle du meurtre. Et ils se terminaient tous par la même conclusion. *Instructions et clefs se trouvent à l'endroit convenu. Brûler les instructions après lecture.*

« Ça ne dit pas grand-chose, observa Tord. Mais suffisamment.

— Hm.

— Quoi donc ?

— Pourquoi les instructions doivent-elles être brûlées ?

— N'est-ce pas évident ? Elles contenaient des éléments qui pouvaient mener des indésirables à Lenny.

— Mais il n'avait pas effacé les mails de son PC. Est-ce que c'est parce qu'il sait que les informaticiens comme toi arrivent de toute façon à reconstituer les correspondances électroniques ? »

Tord secoua la tête. « Ce n'est pas si simple de nos jours. Pas si à la fois le destinataire et l'expéditeur effacent leurs mails avec soin.

— Lenny savait comment effacer des mails avec soin. Alors pourquoi ne l'a-t-il pas fait ? »

Tord haussa ses larges épaules. « Parce qu'il savait

qu'une fois que nous aurions ses ordinateurs, la partie serait terminée de toute façon ? »

Harry hocha lentement la tête. « Lenny le savait peut-être depuis le début. Qu'un jour, la guerre qu'il menait depuis son bunker serait perdue. Et qu'il serait alors l'heure de se loger une balle dans le crâne.

— Peut-être. » Tord regarda l'heure. « Il y avait autre chose ?

— Sais-tu ce que c'est que la stylométrie ?

— Oui. C'est la reconnaissance d'un style d'écriture. Des recherches en stylométrie ont été faites après le scandale Enron. Plusieurs centaines de milliers de mails ont été rendus publics pour que les chercheurs puissent voir s'ils en identifiaient les expéditeurs. Taux de réussite entre quatre-vingts et quatre-vingt-dix pour cent. »

Une fois Tord parti, Harry composa le numéro de la rubrique Crime de *VG*.

« Harry Hole. Pourrais-je parler à Mona Daa ?

— *Long time*, Harry. » Harry reconnut la voix d'un des journalistes de la rubrique, un vieux de la vieille. « Ç'aurait pu être possible, mais Mona a disparu il y a quelques jours.

— Disparu ?

— Nous avons reçu un SMS disant qu'elle prenait quelques jours de récupération et allait garder son téléphone éteint. C'est sûrement raisonnable de sa part, cette fille a bossé comme une chienne pendant l'année écoulée, mais le chef de la rubrique Crime était un peu furax qu'elle n'ait pas demandé, elle a juste envoyé deux lignes et disparu, quoi. Les jeunes d'aujourd'hui, hein, Hole ? Je peux t'aider en quelque chose ?

— Non, merci. » Harry raccrocha. Il fixa un instant son téléphone avant de le laisser glisser dans sa poche.

À onze heures et quart, Bjørn Holm avait déniché le nom de la personne qui avait importé le revolver Ruger Redhawk en Norvège, un marin de Farsund. Et à onze heures et demie, Harry avait sa fille au téléphone, qui se souvenait bien du Redhawk, puisqu'elle avait lâché cette arme de plus de un kilo sur le gros orteil de son père quand elle était petite. Mais elle ne pouvait pas dire ce qu'il était devenu.

« Quand il a pris sa retraite, Papa a déménagé à Oslo pour être plus près de nous, ses enfants. Mais à la fin, il était malade et il a fait beaucoup de choses bizarres. Il s'est notamment mis à donner beaucoup de ses affaires, nous nous en sommes rendu compte lors de la succession. Je n'ai jamais revu le revolver, donc il a pu le donner.

— Mais vous ne savez pas à qui ?

— Non.

— Vous disiez qu'il avait été très malade. Donc je suppose que c'est des suites de cette maladie qu'il est mort ?

— Non, d'une pneumonie. Ç'a été rapide et il a peu souffert, par bonheur.

— Ah bon. Et de quoi souffrait-il d'autre et qui était son médecin ?

— C'est justement ça, le problème, nous avions compris qu'il n'était pas vraiment en bonne santé, mais Papa se voyait lui-même comme ce marin grand et fort. Il a dû trouver ça si embarrassant qu'il a décidé de garder le secret, à la fois sur ce qui n'allait pas chez lui et sur le médecin qui le soignait. C'est seulement à son enterrement que je l'ai su par un vieil ami auquel il s'était confié.

— Pensez-vous que cette personne sache qui était le médecin de votre père ?

— Il y a peu de chances, Papa n'avait fait que mentionner la maladie, aucun détail.

— Et cette maladie, c'était ? »

Harry nota. Il fixa le mot. L'un des rares mots grecs parmi tous les mots latins de la médecine.

« Merci », dit-il.

39

Nuit de jeudi

« Je suis sûr, affirma Harry dans l'obscurité de la chambre à coucher.

— Mobile ? demanda Rakel en se lovant contre lui.

— Othello. Oleg avait raison. Il ne s'agit pas avant tout de jalousie, mais d'ambition.

— Tu parles encore d'Othello ? Tu es sûr que nous ne devrions pas fermer la fenêtre, ils ont annoncé moins quinze cette nuit ?

— Non.

— Tu n'es pas sûr qu'il faille laisser la fenêtre ouverte, mais tu es absolument sûr de l'identité du maître d'œuvre des meurtres du vampiriste ?

— Oui.

— Il te manque juste cette bagatelle qu'on appelle preuve ?

— Oui. » Harry l'attira plus près de lui. « C'est pour ça qu'il me faut un aveu.

— Alors demande à Katrine Bratt de le convoquer en interrogatoire.

— Je t'ai dit que Bellman ne laissait personne reprendre l'affaire.

— Alors qu'est-ce que tu fais ? »

Harry regarda le plafond. Il sentait la chaleur du

corps de Rakel. Serait-ce suffisant ? Devraient-ils fermer la fenêtre ?

« Je vais l'interroger moi-même. Sans qu'il le sache.

— Permets-moi en tant que juriste de te rappeler qu'un aveu informel qu'on te ferait à toi seul n'aurait aucune valeur.

— Alors nous allons faire en sorte que je ne sois pas seul à l'entendre. »

Ståle Aune se tourna dans le lit et saisit son téléphone. Il vit qui appelait et répondit. « Oui ?

— Je croyais que tu dormais. » La voix rugueuse de Harry.

« Et pourtant tu m'as appelé ?

— Il faut que tu m'aides sur un truc.

— Toujours *toi* et pas *vous* ?

— Toujours l'humanité. Tu te souviens que nous avions parlé du *Traité du zen et de l'entretien des motocyclettes* ?

— Oui.

— J'ai besoin de tendre un piège à singe pendant la soutenance de Hallstein.

— Ah bon ? Toi, moi, Hallstein et qui ? »

Ståle Aune entendit Harry prendre son souffle.

« Un médecin.

— Et c'est quelqu'un que tu as réussi à rattacher à l'affaire ?

— Dans un sens. »

Ståle sentit ses poils se hérisser sur ses bras. « Ce qui signifie ?

— Ce qui signifie que j'ai trouvé un cheveu dans la chambre de Rakel que, dans un accès de paranoïa, j'ai envoyé en analyse. Il s'est avéré que ça n'avait rien d'étonnant que le cheveu se trouve là, puisqu'il provenait de ce médecin. Mais il apparaît maintenant que le profil ADN de ce cheveu le rattache aux lieux des meurtres du vampiriste.

— Quoi ?

— Et qu'il y a un lien entre ce médecin et un jeune enquêteur qui a été parmi nous depuis le début.

— Qu'est-ce que tu es en train de me dire ? Que tu as des preuves que le médecin et l'enquêteur sont mêlés aux meurtres du vampiriste ?

— Non, soupira Harry.

— Non ? Explique. »

Quand Ståle raccrocha vingt minutes plus tard, il écouta le silence de la maison. La paix. Tout le monde dormait. Quant à lui, il n'allait plus pouvoir dormir.

40

Vendredi matin

Wenche Syvertsen contemplait le Frognerpark pendant qu'elle faisait du stepper. L'une de ses amies le lui avait déconseillé, arguant que les escaliers faisaient la fesse plus volumineuse. Elle n'avait manifestement pas compris ceci, que Wenche *souhaitait* avoir la fesse plus volumineuse. Wenche avait lu sur kvinneguiden.no qu'avec le sport on ne faisait que se muscler le fessier et que la solution pour l'augmenter et le rendre plus rebondi était de prendre des œstrogènes, de manger plus ou – le plus simple – d'opter pour l'implant. Mais Wenche avait exclu cette solution, elle avait comme principe de garder son corps naturel et n'était jamais – *jamais* – passée sous le bistouri. À part pour s'arranger les seins, bien sûr, mais ça ne comptait pas. Et elle était une femme de principes. C'est pourquoi elle n'avait jamais non plus fait d'infidélités à M. Syvertsen, malgré les nombreuses propositions qu'elle recevait, en particulier dans des salles de sport comme celle-ci. C'étaient souvent de jeunes hommes qui la prenaient pour une cougar en chasse. Mais Wenche avait toujours préféré les hommes plus mûrs. Pas aussi vieux que cet homme ridé, buriné, qui pédalait sur le vélo à côté d'elle, mais des hommes comme son voisin. Harry Hole. Les hommes qui lui étaient inférieurs intellectuellement et moins matures lui coupaient tout bonnement toute envie, elle avait besoin d'hommes qui puissent la stimuler, l'entretenir, d'un point de vue tant spirituel que matériel. C'était aussi simple que cela, aucune raison de faire comme si ce n'était pas le cas. Et sur ce dernier point, M. Syvertsen avait fait du bon boulot. Mais Harry n'était pas disponible, semblait-il. Et elle avait des principes, donc. Et puis M. Syvertsen s'était montré si déraisonnablement jaloux qu'il l'avait menacée de se tirer en lui enlevant ses privilèges et son style de vie les rares fois où il l'avait prise à être infidèle. Épisodes qui remontaient donc à *avant* qu'elle se fixe comme principe de ne *pas* l'être.

« Pourquoi une aussi jolie femme que vous n'est-elle pas mariée ? »

On aurait dit que les mots sortaient d'un hachoir et Wenche se retourna vers le vieil homme sur le vélo. Il lui sourit. Son visage était fin, avec de profonds sillons, des lèvres épaisses et de longs cheveux épais et gras. Svelte, large d'épaules. Tel un Mick Jagger. À part son foulard rouge autour du front et sa moustache de camionneur.

Wenche sourit et leva sa main gauche sans bagues. « Mariée. Mais j'enlève mon alliance pour soulever des poids.

— C'est dommage, fit le vieux en souriant. Parce que moi, je ne suis pas marié et je vous aurais proposé des f-fiançailles sur-le-champ. »

Il leva sa propre main. La droite. Wenche eut un sursaut. Elle crut un instant avoir mal vu. Avait-il un grand *trou* qui lui traversait la main ?

« Oleg Fauke est là », annonça la voix sur l'interphone.

— Faites-le entrer. » Dans son bureau du service de médecine transfusionnelle dans le bâtiment des laboratoires, John D. Steffens repoussa sa chaise et regarda par la fenêtre. Il avait déjà vu le jeune Fauke sortir de la petite voiture japonaise qui était toujours sur le parking, moteur allumé. Un autre jeune homme était au volant, sans doute avec le chauffage à fond. Car c'était une journée ensoleillée d'un froid piquant. Les gens trouvaient souvent paradoxal qu'une journée ensoleillée soit une promesse de chaleur en juillet et de températures négatives en janvier. Parce qu'ils étaient nombreux à n'avoir pas le courage de se pencher sur les éléments les plus basiques de la physique, de la météorologie et de la nature du monde. Steffens avait cessé de s'agacer de ce que les gens envisagent le froid comme une chose en soi, sans comprendre que c'était simplement l'absence de chaleur. Le froid était naturel et dominant. La chaleur était l'exception. Tout comme les meurtres et l'horreur étaient la chose naturelle et logique, et la charité l'anomalie, une résultante des modes d'organisation complexes de l'humain grégaire pour promouvoir la survie de l'espèce. Car la charité s'arrêtait là, à sa propre espèce, et c'était la capacité illimitée de l'homme à la cruauté contre d'autres espèces qui assurait sa survie. Par exemple, la croissance de l'espèce humaine présupposait non seulement que l'on chasse, mais encore que l'on *produise* de la viande. Rien que les mots « production de viande », rien que l'idée ! Les humains gardaient des animaux en captivité, ils les privaient de toute joie, de tout épanouissement, ils les inséminaient pour qu'ils produisent involontairement du lait et de la chair tendre et fraîche, ils leur enlevaient leur progéniture dès la naissance, ils entendaient les mères beugler de désespoir, et les faisaient aussitôt porter un nouveau petit. Les gens s'insurgeaient de ce que l'on mangeait certaines espèces, les chiens, les baleines, les dauphins, les chats. Mais, pour d'insaisissables raisons, la charité s'arrêtait là, les cochons, bien plus intelligents, pouvaient et devaient être avilis et mangés. Et nous le faisions depuis si longtemps que l'homme ne pensait même plus aux horreurs calculées que requérait la production alimentaire moderne. Lavage de cerveaux !

Steffens fixait la porte fermée qui allait bientôt s'ouvrir. Il se demandait s'ils allaient jamais comprendre. Que la morale – que certains s'imaginaient envoyée de Dieu et éternelle – était aussi malléable et acquise que nos idéaux de beauté, notre conception de l'ennemi et nos modes. Il y avait peu de chances. Sans doute ne fallait-il pas s'étonner que l'humanité ne veuille pas non plus comprendre et accepter des projets de recherche radicaux qui rompaient avec la pensée conformiste. Qu'elle refuse de comprendre que c'était aussi logique et nécessaire que terrible.

La porte s'ouvrit.

« Bonjour, Oleg. Je vous en prie, asseyez-vous.

— Merci. » Le jeune homme s'assit. « Avant que vous fassiez cette prise de sang, puis-je vous demander un service en contrepartie ?

— En contrepartie ? » Steffens enfila une paire de gants en latex blancs. « Vous savez que mes recherches pourraient vous servir à vous, à votre mère et à toute votre future famille ?

— Et je sais que ces recherches sont plus importantes pour vous qu'une vie un peu plus longue ne l'est pour moi. »

Steffens sourit. « Sages paroles de la part d'un si jeune homme.

— Je vous demande au nom de mon père si vous pourriez prendre deux heures pour assister à la soutenance de thèse d'un ami et donner un avis professionnel. Harry l'apprécierait.

— Une soutenance de thèse ? Bien sûr, ce serait un honneur.

— Le problème, c'est que..., dit Oleg avant de toussoter, ça commence maintenant, bientôt, il faut que nous y allions dès que vous aurez eu votre échantillon de sang.

— Maintenant ? » Steffens consulta l'agenda qui était ouvert devant lui. « Je crains d'avoir une réunion aujourd'hui qui...

— Il apprécierait *vraiment*. »

Steffens regarda le garçon en se frottant pensivement le menton. « Vous voulez dire que c'est... votre sang contre mon temps ?

— Quelque chose comme ça. »

Steffens s'adossa à sa chaise de bureau et joignit les mains devant sa bouche. « Dites-moi une chose, Oleg. Qu'est-ce qui fait que vous avez une relation proche avec Harry Hole ? Il n'est pourtant même pas votre père biologique.

— Allez savoir.

— Répondez-moi, donnez-moi votre sang et je viendrai à cette soutenance. »

Oleg réfléchit. « J'ai envie de dire que c'est parce qu'il est franc. Que bien qu'il ne soit pas le meilleur père du monde et tous ces trucs-là, je peux avoir confiance dans ce qu'il me dit. Mais je ne crois pas que ce soit le plus important.

— Alors qu'est-ce qui est le plus important ?

— Que nous détestons les mêmes groupes.

— Que vous quoi ?

— La musique. Nous n'aimons pas la même musique, mais nous détestons la même. » Oleg ôta sa doudoune et retroussa sa manche.

« Prêt ? »

41

Vendredi matin

Rakel leva les yeux sur Harry alors qu'ils traversaient Universitetsplassen en se tenant par le bras et se dirigeaient vers Domus Academica, l'un des trois bâtiments en centre-ville de l'université d'Oslo. Elle l'avait convaincu de mettre les belles chaussures qu'elle lui avait achetées à Londres, bien qu'il les ait déclarées trop glissantes pour ces conditions d'enneigement.

« Tu devrais porter des costumes plus souvent, déclara-t-elle.

— Et la municipalité devrait sabler plus souvent », répondit Harry en faisant semblant de glisser encore.

Elle rit en le retenant. Elle sentit le carton rigide du dossier jaune qu'il avait plié et enfoncé dans sa poche intérieure. « N'est-ce pas la voiture de Bjørn et un stationnement *très* illégal ? »

Ils dépassèrent l'Amazon noire qui était garée sur le place, tout contre les marches.

« Plaque de police derrière le pare-brise, observa Harry. Clairement de l'abus.

— C'est à cause de Katrine, dit Rakel en souriant. Il a peur qu'elle tombe. »

Un bourdonnement de voix résonnait dans le vestibule de l'ancienne salle des fêtes. Rakel cherchait des visages qu'elle connaissait. C'étaient sans doute surtout des gens de la profession et de la famille. Mais au bout du vestibule se tenait quelqu'un qu'elle reconnaissait, Truls Berntsen. Il n'avait manifestement pas compris que la tenue à porter à une soutenance de thèse était le costume. Rakel se fraya un chemin, pour elle et Harry, jusqu'à Katrine et Bjørn.

« Félicitations, vous deux ! s'exclama Rakel en les embrassant l'un et l'autre.

— Merci ! répondit une Katrine rayonnante en caressant son ventre rebondi.

— Quand…

— En juin.

— Juin », répéta Rakel, qui vit le sourire de Katrine tressaillir.

Rakel se pencha en avant, posa la main sur le bras de Katrine et chuchota : « N'y pense pas, c'est sans problème. »

Rakel vit Katrine la dévisager, comme en état de choc.

« La péridurale, dit Rakel. Un truc formidable. Ça supprime les douleurs *comme ça.* »

Katrine cligna des yeux deux fois. Puis elle éclata de rire. « Tu sais quoi, je ne suis jamais allée à une soutenance de thèse. Je n'avais pas compris que c'était si solennel avant de voir Bjørn mettre sa plus belle cravate lacet. Comment ça se passe au juste ?

— Oh, c'est en fait très simple, expliqua Rakel. Nous entrons dans la salle d'abord, puis viennent le président du jury, le doctorant et les deux examinateurs. Smith est sûrement assez tendu, même s'il leur a déjà offert un échantillon de cours magistral hier ou ce matin. Il a sans doute surtout peur de se faire malmener par Ståle Aune, mais il n'y a aucune raison.

— Non? fit Bjørn Holm. Aune a pourtant dit qu'il ne croyait pas au vampirisme.

— Ståle croit à la recherche sérieuse, répondit Rakel. Les examinateurs doivent être critiques et examiner en détail le sujet de la thèse, mais ils doivent rester dans le cadre du projet et de ses prémisses, pas chevaucher leurs propres chevaux de bataille.

— Dis donc, tu t'es documentée ou quoi?» demanda Katrine quand Rakel reprit son souffle.

Rakel acquiesça en souriant et reprit : «Les examinateurs disposent de trois quarts d'heure chacun; entre les deux examinateurs, la salle peut poser des questions brèves, dites *ex auditorio*, mais les gens profitent rarement de cette occasion. Ensuite, c'est le repas de soutenance qui est offert par le doctorant et auquel nous ne sommes pas invités. Ce que Harry trouve très dommage.»

Katrine se tourna vers Harry. «C'est vrai?»

Harry haussa les épaules. «Qui n'aime pas manger de la viande en sauce et somnoler sur les discours d'une demi-heure prononcés par la famille de gens que tu ne connais finalement pas si bien?»

Il y eut du mouvement autour d'eux et des flashs crépitèrent.

«Le futur ministre de la Justice», commenta Katrine.

On aurait dit que les eaux s'ouvraient devant Mikael et Ulla Bellman, qui arrivaient en se tenant par le bras. Ils souriaient, mais Rakel n'avait encore jamais vu Ulla Bellman sourire *vraiment*. Peut-être n'était-elle pas du genre souriant. Ou peut-être qu'Ulla Bellman était la belle fille timide qui avait appris que sourire à tout bout de champ ne faisait qu'attirer davantage d'attention non désirée, qu'un abord froid facilitait la vie. Si tel était le cas, qu'allait-elle penser de la vie d'épouse de ministre ?

On cria une question à Mikael Bellman en lui plaquant un micro sous le nez et il s'arrêta juste à côté d'eux.

« Oh, je suis simplement venu célébrer un homme qui nous a aidés à résoudre l'affaire du vampiriste, dit-il en anglais. Ce n'est pas à moi que vous devez parler aujourd'hui mais au docteur Smith. » Malgré tout Bellman prit la pose et se plia de bonne grâce aux désirs des photographes.

« Eh ben dis donc, la presse internationale, dit Bjørn.

— Oui, mais le vampirisme, c'est *hot.* » Katrine balaya la foule du regard. « Tous les chroniqueurs judiciaires sont là.

— À part Mona Daa, remarqua Harry en scrutant la foule.

— Et la Chaufferie au complet est là aussi, dit Katrine. À part Anders Wyller. Vous savez où il est ? »

Les autres secouèrent la tête.

« Il m'a appelée ce matin, poursuivit Katrine. Il voulait me voir pour une conversation en tête à tête.

— Sur quoi ? demanda Bjørn.

— Dieu seul le sait. Mais le voilà ! »

Anders Wyller avait fait irruption de l'autre côté de la foule. Il ôta une écharpe de son cou, il était rouge et avait l'air essoufflé. Au même instant, les portes de l'ancienne salle des fêtes s'ouvrirent.

« Maintenant, il s'agit de se trouver une place, déclara Katrine en allongeant le pas vers les portes. Cédez le passage, messieurs, dames, femme enceinte !

— Elle est franchement craquante, chuchota Rakel,

en glissant la main sous le bras de Harry et en mettant la tête sur son épaule. Je me suis toujours demandé s'il y avait eu un truc entre vous.

— Un *truc* ?

— Juste un petit. Pendant que nous n'étions pas ensemble, par exemple.

— Hélas, fit Harry sombrement.

— Hélas ? Comme dans ?

— Comme dans parfois je regrette de n'avoir pas mieux exploité nos pauses.

— Je ne blague pas, Harry.

— Moi non plus. »

Hallstein Smith entrebâilla la porte et jeta un coup d'œil sur la vénérable salle.

Il observa le lustre au-dessus des spectateurs qui occupaient toutes les places assises de l'auditorium, oui, certains étaient même debout dans la galerie. Un jour, cette salle avait accueilli l'Assemblée nationale et maintenant il allait – lui, petit Hallstein – monter à la tribune et défendre sa thèse, pour être nommé docteur ! Il observa May, qui était au premier rang, nerveuse, elle aussi, mais fière comme une mère poule. Il observa ses confrères étrangers, qui étaient venus dans le seul but d'assister à sa soutenance, même s'il les avait prévenus qu'elle se déroulerait en norvégien, il observa les journalistes, Bellman, qui était assis avec sa femme, tout devant, au premier rang. Il observa Harry, Bjørn et Katrine, ses nouveaux amis de la police, qui avaient aussi joué un rôle dans sa thèse sur le vampirisme, dont le cas Valentin Gjersten était bien sûr devenu la clef de voûte. Et si l'image de Valentin avait considérablement changé après les événements de ces derniers jours, cela n'avait fait que renforcer ses conclusions sur la personnalité vampiriste. Hallstein lui-même avait souligné que le vampiriste agissait primairement dans l'affect et qu'il était mû par ses désirs et ses impulsions, c'est pourquoi la révélation de Lenny Hell comme cerveau de ces meurtres bien orchestrés était tout bonnement arrivée à point nommé.

« Alors commençons », dit le président en enlevant une poussière de sa toge de doyen.

Hallstein prit son souffle, entra, et la salle se leva.

Smith et les deux examinateurs s'installèrent, tandis que le président du jury montait à la tribune pour expliquer le déroulement de la soutenance. Puis il donna la parole à Hallstein.

Le premier examinateur, Ståle Aune, se pencha en avant et lui chuchota bonne chance.

Et ce fut à son tour. Hallstein monta à la tribune, se retourna et contempla la salle. Il sentit le silence qui s'était installé. Le cours magistral du matin s'était bien passé. Bien ? Ç'avait été fabuleux ! Il n'avait pas pu éviter de remarquer que le jury buvait du petit-lait, même Ståle Aune avait opiné à ses meilleurs arguments.

Il allait à présent délivrer une version abrégée de son cours, vingt minutes maximum. Il se mit à parler, ne tarda pas à retrouver le sentiment qu'il avait eu le matin même et se libéra des notes qu'il avait devant lui. Car les pensées accouchaient de mots instantanément, et c'était comme s'il pouvait se voir de l'extérieur, comme s'il pouvait voir le public, le regard des spectateurs suspendus à ses lèvres, tout leur appareil sensoriel concentré sur lui, sur Hallstein Smith, professeur de vampirisme. Naturellement, il n'existait encore rien qui soit appelé ainsi, mais il allait désormais changer cette situation, et cela commençait aujourd'hui. Il arrivait à la fin de son exposé. « Au cours de la brève période que j'ai passée au sein du groupe d'enquête indépendant dirigé par Harry Hole, j'ai eu le temps d'apprendre une ou deux choses. L'une d'elles est que dans les affaires de meurtre, la question centrale est "pourquoi". Mais qu'elle n'est d'aucun secours quand on ne peut pas répondre aussi à "comment". » Hallstein se dirigea vers la table à côté du pupitre, sur laquelle étaient posés trois objets recouverts d'un voile en soie. Il en saisit un pan et marqua une pause. Un peu de théâtralité était excusable.

« Voici comment », déclama-t-il en levant le voile.

Il y eut un bruissement dans l'assistance à la vue du gros revolver, des menottes massives et grotesques et du dentier en fer noir.

Il désigna le revolver. « Un outil pour menacer et forcer. »

Les menottes. « Un autre pour maîtriser, rendre inoffensif, tenir prisonnier. »

Les dents de fer. « Et un pour aller à la source, pour avoir accès au sang, pour exécuter le rituel. »

Il leva les yeux. « Je remercie l'enquêteur spécial Anders Wyller, qui m'a permis d'emprunter ces objets afin d'illustrer mon propos. Car il s'agit de plus que de trois "comment". Il s'agit d'un "pourquoi". Comment est-ce un "pourquoi"? »

Quelques rires polis dans la salle.

« En ce que tous ces outils sont *anciens*. Inutilement anciens, pourrait-on peut-être dire. Le vampire s'est donné du mal pour se procurer des objets ou des reproductions d'objets de périodes spécifiques. Ce qui souligne ce que dit ma thèse sur l'importance du rituel, sur l'ingestion de sang qui remonte à un temps où les dieux existaient et devaient être adorés et satisfaits, et où la monnaie d'échange était le sang. »

Il pointa son index sur le revolver. « Une ligne remonte à l'Amérique d'il y a deux siècles, où des tribus indiennes buvaient le sang de leurs ennemis, car elles s'imaginaient que leurs forces leur seraient ainsi transférées. » Il désigna les menottes. « Une autre remonte au Moyen Âge, quand les sorcières et sorciers devaient être capturés, exorcisés et brûlés rituellement. » Il montra les dents de fer. « Et une autre remonte à l'Antiquité, quand l'agneau sacrificiel et la saignée humaine étaient un mode habituel de contentement des dieux. Tout comme, avec mes réponses aujourd'hui… » Il fit un geste vers le doyen et les examinateurs. « … j'espère rendre ces dieux-là contents. »

Les rires furent plus francs cette fois.

« Merci. »

Pour autant que Hallstein Smith pût en juger, les applaudissements étaient fracassants.

Ståle Aune se leva, redressa son nœud papillon à pois, mit son ventre en avant et rejoignit la tribune au pas de charge.

« Cher doctorant, vous avez fondé votre thèse de doctorat sur des études de cas, or ce que je me demande, c'est comment vous avez pu tirer vos conclusions alors que votre cas principal, Valentin Gjertsen, n'illustrait nullement vos conclusions. Du moins jusqu'à la révélation du rôle de Lenny Hell. »

Hallstein Smith toussota. « En psychologie, la marge d'interprétation est moins étroite que dans la plupart des autres sciences et il était bien sûr tentant d'interpréter le comportement de Valentin Gjertsen dans le cadre que j'avais déjà tracé du vampiriste typique. Mais en tant que chercheur, je me devais d'être honnête. Jusqu'à il y a quelques jours, Valentin Gjertsen ne cadrait pas tout à fait avec ma théorie. Et même si, en psychologie, la carte et le terrain ne seront jamais identiques, je dois admettre que c'était frustrant. Maintenant, on peut difficilement se réjouir de la tragédie de Lenny Hell. Mais à défaut d'autre chose, elle confirme les hypothèses de cette thèse et offre un tableau encore plus net et une compréhension plus précise du vampirisme, ce qui, avec un peu de chance, permettra d'aider à prévenir de futures tragédies en stoppant le vampiriste plus tôt. » Hallstein s'éclaircit la voix. « Je dois à cet égard remercier le jury, qui avait passé longtemps à lire ma thèse originale, mais m'a néanmoins laissé inclure les modifications impliquées par la révélation du rôle de Hell, qui ont fait s'imbriquer toutes les pièces… »

Lorsque le doyen fit discrètement signe au premier examinateur que son temps était écoulé, Hallstein avait le sentiment qu'il ne s'était passé que cinq minutes, pas quarante-cinq. Ç'avait été un jeu d'enfant !

Et quand le doyen monta à la tribune pour dire qu'ils allaient maintenant faire une pause, au cours de laquelle pouvaient être signalées d'éventuelles questions *ex auditorio*, Hallstein sentit l'impatience qu'il avait de leur *montrer* ce formidable travail qui, dans toute son horreur, traitait tout de même de ce qu'il y avait de plus grand et de plus beau que tout : l'âme humaine.

Hallstein employa la pause à se mêler aux invités dans le vestibule afin de pouvoir saluer tous ceux qui n'étaient pas conviés au repas. Il vit Harry Hole avec une femme aux cheveux sombres et se précipita vers eux.

« Harry ! s'exclama-t-il en serrant la main du policier, qui était dure et froide comme du marbre. Et ce doit être Rakel.

— C'est elle », confirma Harry.

Hallstein serra la main de Rakel tout en remarquant que Harry jetait un coup d'œil sur sa montre puis sur la porte d'entrée.

« Attendons-nous quelqu'un ?

— Oui, dit Harry. Et les voilà enfin. »

Hallstein vit deux personnes franchir le seuil de l'édifice. Un grand jeune homme aux cheveux foncés et un homme qui devait avoir la cinquantaine, aux cheveux clairs et avec de petites lunettes rectangulaires sans monture. Il nota que le jeune ressemblait à Rakel, mais l'autre aussi lui paraissait vaguement familier.

« Où ai-je vu l'homme aux lunettes ? demanda Hallstein.

— Ça, je ne sais pas, mais c'est l'hématologue John D. Steffens.

— Et que fait-il ici ? »

Hallstein vit Harry prendre son souffle. « Il est ici pour mettre un point final à cette histoire. C'est juste qu'il ne le sait pas encore. »

Au même instant, le doyen sonna la cloche et annonça d'une voix de stentor que l'assistance devait regagner la salle.

John D. Steffens se faufila entre deux rangées de bancs avec Oleg Fauke sur les talons. Il coula son regard sur les personnes présentes à la recherche de Harry Hole. Et il sentit son cœur cesser de battre en apercevant le jeune homme blond au dernier rang. Anders l'aperçut au même instant et Steffens vit l'horreur se peindre sur son visage. Steffens se retourna vers Oleg pour lui dire qu'il avait oublié un rendez-vous et devait partir.

« Je sais », le devança Oleg en ne faisant absolument pas mine de se déplacer. Steffens se rendit compte qu'il était presque aussi grand que son pseudo-père, Hole. « Mais là, on va laisser ça suivre son cours, Steffens. »

C'était une main légère que le garçon posait sur son épaule, et pourtant le médecin eut l'impression d'être enfoncé dans le siège derrière lui. Il resta assis et sentit son pouls s'apaiser. Dignité. Oui, dignité. Oleg Fauke était au courant. Ce qui signifiait que Harry était au courant. Et qu'il ne lui avait pas laissé de possibilités de battre en retraite. Il ressortait clairement de la réaction d'Anders qu'il n'avait pas été au courant non plus. Ils s'étaient fait berner. Berner pour être ici ensemble. Et maintenant ?

Katrine Bratt s'installa entre Harry et Bjørn alors que le doyen ouvrait la séance sur l'estrade.

« Le doctorant a reçu une question *ex auditorio*. Harry Hole, je vous en prie. »

Katrine considéra avec surprise Harry qui se levait. « Merci. »

Elle vit le regard interloqué des autres, certains avaient le sourire aux lèvres, comme s'ils attendaient une plaisanterie. Hallstein Smith aussi avait l'air amusé quand il rejoignit la tribune.

« Félicitations, dit Harry. Vous êtes sur le point d'atteindre votre grand but et je vous dois aussi des remerciements pour votre contribution dans la résolution de l'affaire du vampiriste.

— C'est à moi de vous remercier. » Smith s'inclina légèrement.

« Oui, peut-être. Car nous avons trouvé un marionnettiste qui tirait les ficelles de Valentin. Et comme l'a souligné Aune, votre thèse de doctorat repose entièrement là-dessus. Vous avez donc eu de la chance sur ce point.

— En effet.

— Mais il y a un ou deux autres points sur lesquels je crois que nous aimerions tous avoir une réponse.

— Je vais faire de mon mieux, Harry.

— Je me souviens quand j'ai vu l'enregistrement de Valentin entrant dans votre étable. Il savait exactement où il allait, mais il ignorait la présence de la balance à l'entrée. Il est donc entré d'un pas intrépide, persuadé qu'il trouverait un sol ferme sous ses pieds. Et il a failli perdre l'équilibre. Pourquoi cela se passe-t-il ?

— Nous tenons un certain nombre de choses pour acquises, répondit Smith. En psychologie, nous appelons cela rationaliser, ce qui signifie que nous simplifions. Sans rationalisation, le monde ne serait pas gérable, le cerveau serait surchargé de toutes les incertitudes dont nous devrions tenir compte.

— C'est aussi pourquoi nous descendons un escalier de sous-sol dans le noir sans inquiétude, sans nous dire que nous allons peut-être nous cogner la tête dans une conduite d'eau.

— Exactement.

— Mais quand ça nous est arrivé une fois, nous nous en souvenons – en tout cas la plupart d'entre nous – la fois suivante. C'est pourquoi Katrine Bratt passe avec précaution sur la balance dès la deuxième fois qu'elle se rend dans votre étable. Et c'est pourquoi il n'y a rien de mystérieux à ce que nous ayons trouvé votre peau et votre sang et ma peau et mon sang sur la conduite d'eau de la cave de Hell, mais pas ceux de Lenny Hell. Il a dû apprendre à baisser la tête dès… oui, dès son enfance. Sans quoi nous aurions trouvé l'ADN de Hell, car l'ADN peut souvent se prélever pendant des années après avoir échoué sur une telle conduite.

— Je vous crois, Harry.

— J'y reviendrai, mais permettez-moi d'abord de m'occuper de ce qui *est* un mystère. »

Katrine se redressa sur son siège. Elle ne comprenait pas encore de quoi il s'agissait, mais elle connaissait Harry, elle connaissait les vibrations de l'inaudible grognement à basse fréquence qui était sous-jacent dans sa voix.

« Quand Valentin entre dans votre étable vers minuit, il pèse soixante-quatorze kilos sept cents, dit Harry. Mais quand il la quitte, il pèse, d'après la balance sur l'enregistrement vidéo, soixante-treize kilos deux cents, soit assez exactement un kilo et demi de moins. » Harry balança les bras. « L'explication évidente était que la différence de poids était due au sang qu'il avait perdu dans le bureau. »

Harry entendit le toussotement discret, mais impatient, du doyen.

« Mais j'ai ensuite pensé à une chose, poursuivit Harry. Nous avions oublié le revolver ! Celui que Valentin avait sur lui et qui était resté dans le bureau. Un Ruger Redhawk pèse un kilo deux. Donc si l'on fait le calcul, Valentin n'avait perdu que trois cents grammes de sang…

— Hole, dit le doyen. S'il y a là une question au doctorant...

— D'abord une à un spécialiste du sang, dit Harry en se tournant vers l'assistance. Médecin chef John Steffens, vous êtes hématologue et vous étiez par hasard présent quand Penelope Rasch a été emmenée à l'hôpital... »

John Steffens sentit la sueur jaillir quand tous les regards se braquèrent sur lui. Tout comme tous les regards avaient été braqués sur lui quand il s'était retrouvé à la barre des témoins pour expliquer comment sa femme était morte. Comment elle avait été poignardée, comment elle s'était littéralement vidée de son sang dans ses bras. Les regards de tous, alors comme maintenant. Le regard d'Anders, alors comme maintenant.

Il déglutit.

« Oui, en effet.

— Vous avez alors démontré que vous disposiez d'un œil très sûr pour évaluer les quantités de sang. Sur la base d'une photo des lieux du crime, vous aviez estimé sa perte de sang à un litre et demi.

— Oui. »

Harry sortit une photo de sa poche de veste et la brandit. « Et sur la base de cette photo, prise dans le bureau de Hallstein Smith et qu'un ambulancier vous a montrée, vous avez estimé la perte de sang à un litre et demi, soit un kilo et demi, n'est-ce pas ? »

Steffens déglutit. Il savait qu'il avait le regard d'Anders dans son dos. « C'est exact. À deux décilitres près.

— Pour que les choses soient bien claires, il est bel et bien possible de se lever et de s'enfuir même si on a perdu un litre et demi de sang ?

— Cela dépend des individus, mais si on a le physique pour et une volonté forte, oui. »

Steffens sentit la goutte de sueur qui roulait sur son front.

Harry se retourna de nouveau vers le pupitre.

« Comment est-ce possible, Smith ? »

Katrine en eut le souffle coupé.

« Je passe, Harry, je ne sais pas, répondit Smith. J'espère que mon doctorat ne sautera pas pour autant, à ma décharge, je souhaite souligner que, en l'occurrence, la question sort du cadre de ma thèse. » Il sourit, mais ne recueillit cette fois pas de rires. « En revanche, cela s'inscrit peut-être dans le cadre de l'enquête, donc vous devriez peut-être répondre vous-même, Harry ?

— Eh bien... », dit Harry en prenant sa respiration.

Non, pensa Katrine en retenant la sienne.

« Valentin Gjertsen n'avait pas de revolver quand il est arrivé. Le revolver se trouvait déjà dans votre bureau.

— Quoi ? » Le rire de Smith retentit comme un cri d'oiseau solitaire dans la salle des fêtes. « Comment diable y serait-il arrivé ?

— Vous l'y aviez emporté, dit Harry.

— Moi ? Mais je n'ai rien à voir avec ce revolver.

— C'était le vôtre, Smith.

— Le mien ? Je n'ai jamais possédé de revolver de ma vie, il suffit de vérifier dans le registre des armes.

— Où le revolver est enregistré au nom d'un marin de Farsund. Que vous avez soigné. Pour schizophrénie.

— Un marin ? De quoi parlez-vous, Harry ? Vous

avez vous-même dit que Valentin vous avait menacé avec ce revolver dans le bar où il a tué Mehmet Kalak.

— Vous l'avez récupéré ultérieurement. »

Un remous agita la salle, murmures bas et corps qui bougeaient sur les bancs.

Le doyen se leva et eut l'air d'un coq gonflant ses plumes quand il leva ses deux bras en toge pour appeler au calme. « Excusez-moi, monsieur Hole, mais ceci est une soutenance de thèse. S'il s'agit d'une affaire policière, je suggère que vous passiez par les instances concernées, et non par l'université.

— Monsieur le président du jury, messieurs les examinateurs, dit Harry. Pour évaluer une thèse, n'est-il pas fondamental de déterminer si elle repose sur une étude de cas mal comprise ? N'est-ce pas précisément ces aspects sur lesquels il faut faire la lumière dans une soutenance ?

— Monsieur Hole, commença le doyen d'une voix fracassante.

— ... a raison, coupa Ståle Aune au premier rang. Cher président, en tant que membre du jury, je serais très intéressé de savoir ce que Hole a à demander au doctorant. »

Le doyen dévisagea Aune. Il regarda Harry. Puis finalement Smith. Avant de se rasseoir.

« Eh bien, fit Harry. Je voudrais dans ce cas demander au doctorant s'il a tenu Lenny Hell en otage dans sa propre maison, si c'est lui et non Hell qui a téléguidé Valentin Gjertsen ? »

Il y eut un bruissement presque muet dans la salle, suivi d'un silence si total qu'on aurait cru tout air aspiré de la pièce.

Smith secoua la tête, incrédule. « C'est une blague, n'est-ce pas, Harry ? C'est quelque chose que vous avez concocté dans la Chaufferie pour pimenter la soutenance, et maintenant…

— Je vous suggère de répondre, Hallstein.»

Ce fut peut-être l'emploi de son prénom qui fit comprendre à Smith que Harry était sérieux, Katrine crut en tout cas voir que là, devant toute la salle, un déclic se produisait chez lui.

«Harry, dit-il à voix basse. Je ne suis *jamais* allé dans la maison de Hell avant ce dimanche où vous m'y avez emmené.

— Si, vous y étiez allé. Vous avez certes soigneusement effacé les traces là où vous aviez pu laisser vos empreintes digitales et des traces d'ADN. Mais vous avez oublié un endroit. La conduite d'eau.

— La conduite d'eau? Nous avons tous laissé de l'ADN sur cette fichue conduite d'eau dimanche dernier, Harry!

— Pas vous.

— Si, moi aussi! Demandez à Bjørn Holm, qui est assis là!

— Ce que Bjørn Holm peut confirmer, c'est qu'il y avait votre ADN sur la conduite, pas qu'il y est arrivé dimanche. Car dimanche, vous êtes descendu dans la cave pendant que j'y étais. Sans bruit, je ne vous ai pas entendu arriver, vous vous souvenez? Sans bruit, parce que vous ne vous êtes pas cogné contre cette conduite d'eau. Vous avez baissé la tête. Car votre cerveau s'en souvenait.

— C'est ridicule, Harry. Je me suis cogné la tête contre cette conduite dimanche, c'est juste que je n'ai pas fait de bruit.

— Peut-être parce que vous portiez ceci, qui a amorti le coup…» Harry puisa un bonnet noir de sa poche et l'enfila sur sa tête. À l'avant du bonnet, il y avait une tête de mort blanche et Katrine lut le nom St. Pauli. « Quoique, comment pourrait-on laisser de l'ADN, soit du sang, de la peau ou des cheveux ou poils, quand on a ce bonnet bien enfoncé sur le front ? »

Hallstein Smith cligna violemment des yeux.

« Le doctorant ne répond pas, observa Harry. Permettez-moi de répondre à sa place. Hallstein Smith s'est cogné la tête sur cette conduite d'eau la première fois qu'il est descendu dans la cave, mais c'était il y a longtemps, avant que le prétendu vampiriste se mette à sévir. »

Dans le silence qui suivit, on n'entendit que le gloussement bas de Hallstein Smith.

« Avant que je dise quoi que ce soit, dit Smith, je trouve que nous devrions tous applaudir généreusement l'ex-inspecteur principal Harry Hole pour ce récit plein d'imagination. »

Smith se mit à taper dans ses mains et quelques-uns se joignirent à lui, puis les applaudissements se turent.

« Mais pour avoir plus qu'une histoire, c'est comme pour une thèse de doctorat, poursuivit Smith. Il faut des preuves ! Et vous n'en avez aucune, Harry. Votre conclusion repose entièrement sur deux postulats éminemment douteux. Qu'un vieux pèse-bétail indique avec exactitude le poids d'une personne qui n'y reste qu'une seconde ou deux, pèse-bétail dont je peux vous dire qu'il a l'art de se bloquer. Et que, à cause d'un bonnet, je n'ai pas pu laisser d'ADN sur la conduite dimanche dernier. Bonnet dont je peux vous dire que je l'ai ôté en descendant l'escalier avant de me cogner la tête contre la conduite et que j'ai ensuite remis parce qu'il faisait plus froid dans la cave. Si je n'ai pas de marque au front, c'est que je cicatrise facilement.

Ma femme ici présente peut confirmer que j'en avais une quand je suis rentré à la maison. »

Katrine vit la femme en robe couleur terre cousue maison regarder fixement son mari, les yeux noirs, le visage sans expression, comme sous le choc après l'explosion d'une grenade incapacitante.

« N'est-ce pas, May ? »

La bouche de la femme s'ouvrit et se referma. Puis elle hocha lentement la tête.

« Bon, dit Harry. Je respecte la loyauté de votre épouse, mais je crains que la preuve de l'ADN ne soit irréfutable. L'analyse de l'institut de Médecine légale montre non seulement que le prélèvement correspond à votre profil ADN, mais encore qu'il date de plus de deux mois, et n'a donc aucunement pu arriver là dimanche dernier. »

Katrine sursauta sur son siège et regarda Bjørn. Il lui rendit son regard en secouant presque imperceptiblement la tête.

« C'est pourquoi, Smith, que vous soyez descendu dans la cave de Hell une fois cet automne n'est pas une hypothèse. C'est un fait. Tout comme c'est un fait que vous avez eu un revolver Ruger en votre possession et qu'il était dans votre bureau quand vous avez tiré sur un Valentin Gjertsen qui n'était pas armé. À quoi vient s'ajouter cette analyse stylométrique. »

Katrine porta les yeux sur le dossier jaune froissé que Harry avait sorti de la poche intérieure de sa veste. « Un logiciel qui compare le vocabulaire, la construction des phrases, la structure et la ponctuation des textes pour en identifier les auteurs. C'est la stylométrie qui a apporté de l'eau au moulin des discussions visant à savoir quelles pièces Shakespeare avait écrites ou non. Le bon auteur est identifié dans plus de quatre-vingts pour cent des cas. Pourcentage qui ne donne pas un statut de preuve. En revanche, le pourcentage de réussite quand il s'agit d'*exclure* un auteur donné, comme Shakespeare, s'élève à quatre-vingt-dix-neuf virgule neuf pour cent. Notre informaticien Tord Gren s'est servi de ce logiciel pour comparer les courriers électroniques envoyés à Valentin avec mille messages que Lenny Hell avait envoyés par le passé à d'autres personnes. La conclusion est que… » Harry tendit le dossier à Katrine, « … Lenny Hell n'est pas l'auteur des instructions que Valentin Gjertsen a reçues par mail. »

Smith regarda fixement Harry. Ses cheveux étaient retombés sur son front en sueur.

« Nous pourrons en discuter lors du futur interrogatoire de police, dit Harry. Mais ceci est une soutenance de thèse. Et vous avez encore la possibilité de donner au jury une explication qui l'empêchera de vous refuser votre doctorat. N'est-ce pas, Aune ? »

Ståle Aune toussota. « C'est exact. Idéalement, la science est aveugle à la morale de son temps et il ne s'agirait pas là du premier doctorat obtenu avec des méthodes douteuses ou carrément illégales. Ce que nous, membres du jury, devons savoir pour une éventuelle validation de vos travaux, c'est si Valentin a été dirigé par qui que ce soit. Si tel n'était pas le cas, je ne vois pas comment le jury pourrait valider cette thèse.

— Merci, dit Harry. Alors qu'en dites-vous, Smith ? Souhaitez-vous élucider ce point devant le jury séance tenante avant que nous vous arrêtions ? »

Hallstein Smith dévisagea Harry. On n'entendait que son souffle court, comme s'il était le seul de la salle à respirer encore. Un flash isolé se déclencha.

Écarlate, le président du jury se pencha vers Ståle et cracha plus qu'il ne chuchota :

« Crénom, Aune, que se passe-t-il, ici ?

— Savez-vous ce que c'est qu'un piège à singe ? » demanda Aune en s'adossant au banc avant de croiser les bras.

La tête de Hallstein Smith tressaillit, comme s'il avait reçu une décharge électrique, il leva les mains et désigna le plafond tout en clamant dans un rire : « Qu'est-ce que j'ai à perdre, Harry ? »

Harry ne répondit pas.

« Oui, Valentin a été dirigé. Par moi. Bien sûr que c'est moi qui ai écrit ces e-mails. Mais ce qui compte, ce n'est pas qui dirigeait Valentin en coulisse, l'intérêt scientifique de la chose, c'est que Valentin était un vrai vampiriste comme le montrent mes recherches, et rien de ce que vous dites ici ne pourra ébranler mes résultats. Si j'ai dû préparer les conditions et créer une situation de laboratoire, ce n'est là rien de plus que ce que les chercheurs ont toujours fait. Non ? » Il lança un regard sur l'assistance. « Mais en dernière analyse, ce qu'il fait n'est pas mon choix à moi, mais le sien. Et six vies humaines ne sont pas un prix déraisonnable à payer pour ce que ceci… » – Smith tapota son index sur sa thèse reliée – « … peut épargner à l'humanité comme futurs souffrances et meurtres. Les signaux d'alarmes et les profils y sont décrits. C'est Valentin Gjertsen qui a bu leur sang, qui les a tuées, pas moi. Je n'ai fait que lui faciliter la tâche. Quand on a la chance de tomber sur un vrai vampiriste, on a le devoir d'exploiter la situation, on ne peut pas se laisser arrêter par des vues morales étriquées. Il faut mettre les choses en perspective, voir le bien de l'humanité, demandez à Oppenheimer, demandez à Mao, demandez aux milliers de rats de laboratoire cancéreux.

— Donc vous avez tué Lenny Hell et abattu Marte Ruud pour nous ? cria Harry.

— Oui, oui ! Des victimes sur l'autel de la recherche !

— Tout comme vous faites le sacrifice de votre personne et de votre compassion pour vos prochains ? *Par* compassion pour vos prochains ?

— Exactement, exactement !

— Ils ne sont donc pas morts uniquement pour que vous, Hallstein Smith, vous ayez votre revanche ? Pour que le Singe puisse s'asseoir sur le trône, avoir son nom dans les livres d'histoire ? Parce que c'est ce qui vous pousse depuis le début, non ?

— Je vous ai montré ce qu'était un vampiriste et ce qu'il était capable de faire ! Ne mériterais-je donc pas les remerciements de l'humanité pour cela ?

— Enfin, dit Harry, vous nous avez surtout montré ce dont un homme humilié était capable. »

La tête de Hallstein Smith tressaillit encore. Sa bouche s'ouvrit puis se referma. Mais il n'en sortit rien de plus.

« Nous en avons assez entendu. » Le doyen se leva. « Cette soutenance de thèse est terminée et je prie la police qui serait éventuellement présente d'arrêter… »

Hallstein Smith fut d'une célérité surprenante. En deux pas rapides il était descendu à la table et saisissait le revolver, puis, dans une grande enjambée, il rejoignit le premier rang et braqua le revolver sur la personne la plus proche.

« Debout ! feula-t-il. Et tous les autres restent assis ! »

Katrine vit une femme blonde se lever et Smith la

fit pivoter de façon à la positionner devant lui comme un bouclier. C'était Ulla Bellman. Bouche bée, elle fixait dans un désespoir muet un homme au premier rang. Katrine ne voyait que l'arrière de la tête de Mikael Bellman et elle ne savait pas ce qu'exprimait son visage, juste qu'il était figé sur place. On entendit un couinement. Il provenait de May Smith. Sur le banc, son corps avait basculé légèrement sur le côté.

« Lâchez-la. »

Katrine se retourna vers la voix grouinante. C'était Truls Berntsen. Il s'était levé de son siège au bord de l'allée au rang du fond et il descendait les marches.

« Stop, Berntsen, cria Smith. Ou je l'abats et je vous tue ensuite ! »

Mais Berntsen ne s'arrêta pas. De profil, son prognathisme était encore plus marqué que d'ordinaire, mais les nouveaux muscles sous son pull l'étaient aussi. Il arriva en bas des marches, tourna devant le premier rang et se dirigea droit sur Smith et Ulla Bellman.

« Un pas de plus…

— Abattez-moi d'abord, Smith, sinon vous n'aurez pas le temps de le faire.

— Comme vous voudrez. »

Berntsen souffla par le nez. « Espèce de putain de civil, vous n'oserez p… »

Katrine ressentit une pression sur ses tympans, comme si elle était dans un avion en chute libre. Elle ne comprit qu'à l'instant suivant que c'était la détonation du grand revolver.

Truls Berntsen s'était arrêté, légèrement incliné, il chancelait. Il avait les épaules projetées en avant, la bouche ouverte, les yeux exorbités. Katrine vit le trou dans la poitrine de son pull, elle attendait le sang. Et le sang vint. Truls sembla rassembler une dernière fois ses forces pour rester debout alors que son regard était rivé à Ulla Bellman. Puis il tomba à la renverse.

Quelque part dans la salle résonna le cri d'une femme.

« Personne ne bouge, cria Smith en reculant vers la sortie avec Ulla Bellman devant lui. Nous allons rester de l'autre côté de la porte entrebâillée pendant une minute et si j'en vois un seul d'entre vous se lever, je la tue. »

Bien entendu, c'était du bluff. Et bien entendu, personne ne voulait courir le risque que ça n'en soit pas.

« Les clefs de l'Amazon », chuchota Harry, qui était toujours debout. Il tendit la main vers Bjørn, qui au bout d'une seconde réagit et mit les clefs de voiture dans sa paume.

« Hallstein ! appela Harry en entreprenant de sortir de sa rangée. Votre voiture est garée sur le parking visiteurs de l'université et le groupe des techniciens d'identification criminelle est en train de la passer au crible en ce moment même. J'ai les clefs d'une voiture garée juste devant le bâtiment et je suis un meilleur otage pour vous.

— Parce que ? répondit Smith en continuant de reculer.

— Parce que je vais rester calme et parce que vous avez une conscience. »

Smith s'arrêta. Il évalua Harry pendant deux secondes.

« Allez mettre les menottes », ordonna-t-il en désignant la table du menton.

Harry sortit de sa rangée, passa devant Truls qui gisait immobile sur le sol et se posta devant la table le dos tourné à la salle et à Smith.

« De façon à ce que je puisse le voir ! » cria Smith.

Harry se tourna vers lui et leva les mains pour qu'il puisse voir qu'elles étaient enfermées dans les répliques de menottes à chaîne.

« Venez ici ! »

Harry le rejoignit.

Smith repoussa Ulla Bellman sur le côté et braqua le revolver sur Harry.

« Une minute ! »

Katrine vit Smith se servir de sa main libre pour saisir Harry, qui était plus grand que lui, par l'épaule, le faire pivoter et le diriger par la porte qu'il laissa entrebâillée.

Ulla Bellman regarda fixement la porte entrouverte avant de se retourner et de poser les yeux sur son mari. Katrine vit Bellman lui faire signe de le rejoindre. Et Ulla commença à marcher vers lui. À petits pas mal assurés, comme si elle marchait sur de la glace fine. Mais au moment où elle arrivait au niveau de Truls Berntsen, elle se laissa tomber sur les genoux. Ulla posa la tête sur son pull sanglant. Et dans le silence de la salle, l'unique sanglot de douleur qu'elle laissait échapper sembla résonner plus fort que la détonation du revolver.

Harry sentait la pression du canon de revolver dans son dos alors qu'il marchait devant Smith. Merde, merde ! Depuis la veille, il planifiait l'opération en détail, il avait réfléchi à divers scénarios, mais il n'avait pas réussi à prévoir ce qui se passait maintenant.

Harry poussa la porte de sortie du pied et l'air froid du mois de mars le heurta de plein fouet. Devant eux, Universitetsplassen était déserte et baignée de soleil d'hiver. La peinture noire de la Volvo Amazon de Bjørn scintillait.

« Avancez ! »

Harry descendit les marches du perron. À son deuxième pas sur la place, ses pieds se dérobèrent sous lui et il tomba sur le côté sans pouvoir se rattraper. La douleur fusa dans son bras et dans son dos quand son épaule heurta le verglas.

« Debout ! » cracha Smith en tirant sur la chaîne des menottes pour le hisser sur ses jambes.

Harry profita de l'élan que lui avait donné Smith. Il savait qu'aucune meilleure chance ne s'offrirait à lui. Au moment où il arrivait en station debout, il projeta la tête en avant. Il atteignit Smith, qui chancela et tomba à la renverse après deux pas. Harry fit un pas en avant pour compléter, mais Smith, qui était sur le dos, avait les deux mains autour de son revolver et il le braquait sur lui.

« Allez, Harry. J'ai l'habitude, j'ai passé la moitié de mes récréations couché comme ça. Donc allez-y ! »

Harry fixa la gueule du revolver. L'arête nasale de Smith était cassée et de l'os blanc brillait sous l'entaille de la peau. Un petit filet de sang s'écoulait sur les ailes de son nez.

« Je sais ce que vous pensez, Harry, fit Smith en riant. *Il n'a pas réussi à tuer Valentin à deux mètres et demi de distance.* Donc allez-y ! Ou alors ouvrez la voiture. »

Le cerveau de Harry fit les calculs nécessaires. Puis Harry se retourna, ouvrit lentement la portière du conducteur et entendit Smith se relever. Harry monta à bord et prit son temps pour mettre la clef dans le contact.

« C'est moi qui conduis, précisa Smith. Poussez-vous de là ! »

Harry obéit, il manœuvra avec zèle et maladresse au-dessus du levier de changement de vitesses pour rejoindre le siège passager.

« Et maintenant, passez les jambes par-dessus vos menottes. »

Harry le regarda.

« Je ne veux pas avoir une paire de menottes autour du cou pendant que je conduis, dit Smith en levant le revolver. Dommage pour vous si vous avez séché les cours de yoga. Et je vois très bien que vous essayez de nous retarder. Donc vous avez cinq secondes. Quatre… »

Harry se pencha aussi loin en arrière que le permettait le dossier droit du siège, il leva ses deux bras attachés devant lui et plia les genoux.

« Trois, deux… »

Harry parvint tout juste à faire passer ses chaussures cirées par-dessus la chaîne des menottes.

Smith monta en voiture, se pencha au-dessus de Harry et tira la ceinture de sécurité à l'ancienne sur sa poitrine et son ventre, il la fixa et tira sur la sangle d'un coup sec, plaquant littéralement Harry contre le dossier. Il puisa le téléphone de Harry dans la poche de sa veste. Puis il attacha sa propre ceinture et tourna la clef. Il fit vrombir le moteur et brutalisa le levier de vitesses, mais embraya ensuite avec souplesse et recula en arc de cercle. Après quoi il baissa la vitre et balança dehors le téléphone de Harry et le sien.

Ils rejoignirent Karl Johans gate, tournèrent à droite, où le Palais royal remplit leur champ de vision. Feu vert au carrefour. À gauche, rond-point, nouveau feu vert, Konserthuset. Aker Brygge. La circulation était fluide. Bien trop fluide, songea Harry. Plus Smith et lui arriveraient à faire de chemin avant que Katrine ait pu alerter les voitures de patrouille et les hélicoptères de police, plus la zone à couvrir serait grande et les barrages routiers nombreux à mettre en place.

Smith regarda le fjord. « Oslo n'est jamais plus belle que par des journées pareilles, n'est-ce pas ? »

Sa voix était nasillarde et doublée d'un petit sifflement. Ce devait être son nez cassé.

« Un compagnon de route silencieux, observa Smith. Enfin, enfin, vous avez dû assez parler pour aujourd'hui. »

Harry gardait le regard braqué sur l'autoroute devant eux. Katrine ne pouvait pas se servir de leurs téléphones mobiles pour les repérer, mais tant que Smith restait sur les grands axes, il y avait de l'espoir qu'on les retrouve rapidement. Depuis un hélicoptère, la voiture au toit et au coffre marqués d'une bande de rallye serait facile à distinguer des autres.

« Il est venu me voir, il se faisait appeler Alexander Dreyer et voulait parler de Pink Floyd et des voix qu'il entendait, dit Smith en secouant la tête. Mais comme vous l'avez compris, je sais bien lire les gens, et je me suis vite aperçu que ce n'était pas un individu ordinaire, mais un représentant de l'espèce psychopathe remarquablement extrême. Alors j'ai pris de ce qu'il m'avait raconté sur ses préférences sexuelles pour me renseigner un peu auprès de mes collègues travaillant comme experts sur les cas de crimes sexuels et j'ai fini par comprendre à qui j'avais affaire. Et quel dilemme il affrontait. Il aspirait ardemment à suivre son instinct de chasse, mais le moindre faux pas, un vague soupçon, une bagatelle attirant l'attention de la police sur Alexander Dreyer le trahirait. Vous suivez, Harry ? » Smith lui lança un bref regard. « S'il se remettait à chasser, il devait être sûr d'être en sécurité. Il était parfait, un homme sans issue, il suffisait de lui mettre un collier et d'ouvrir la cage, il mangerait – et boirait – tout ce qu'on lui offrait. Mais je ne pouvais pas moi-même me présenter comme celui qui proposait ce dispositif, j'avais besoin d'un marionnettiste fictif, d'un paratonnerre qui serait la personne à laquelle menaient les pistes au cas où Valentin serait pris et ferait des aveux. Quelqu'un qui de toute façon allait être démasqué à un moment ou un autre pour que le terrain corresponde à la carte, quelqu'un qui confirme mes hypothèses sur le vampiriste impulsif, d'un chaotique infantile. Et Lenny Hell était cet ermite qui vivait dans une maison reculée et ne recevait jamais de visites. Mais un jour, il a eu la surprise d'avoir celle de son psychologue, dites donc. Un psychologue avec la tête coiffée de quelque chose qui le faisait ressembler à un épervier et un grand revolver rouge à la main. Croâ, croâ, croâ ! » Smith éclata de rire. « Vous auriez dû voir la tête de Lenny quand il a compris que je l'avais fait prisonnier et qu'il était mon esclave ! D'abord je lui ai fait ranger les dossiers de patients que j'avais apportés dans son bureau. Puis nous avons trouvé une cage dont la famille s'était servie pour transporter les cochons et il l'a descendue à la cave. Ce doit être à ce moment-là que je me suis cogné le front dans cette foutue conduite d'eau. Nous avons installé un matelas sur lequel Lenny pouvait s'asseoir et se coucher et je l'ai ensuite enchaîné avec des menottes. Et il est resté là. Une fois que je lui avais soutiré tous les détails sur les femmes qu'il avait suivies, que j'avais obtenu les doubles de clefs de leurs appartements et son mot de passe pour pouvoir envoyer des mails à Valentin depuis son ordinateur, je n'avais en fait plus besoin de lui. Mais il me fallait néanmoins attendre avant d'organiser son suicide. Si Valentin se faisait prendre ou mourait et que la police était menée à Hell trop tôt, je devais veiller à ce qu'il ait un alibi valable pour le premier meurtre. Je savais qu'on vérifierait son alibi puisqu'il avait été en contact téléphonique avec Elise Hermansen. Alors j'ai emmené Lenny à la pizzeria locale à l'heure où j'avais donné pour instruction à Valentin de tuer Elise Hermansen, je l'ai fait voir à des gens. J'étais en fait tellement concentré sur le pistolet d'abattage que je braquais contre Lenny sous la table que je ne me suis pas rendu compte qu'il y avait des noisettes dans la pâte à pizza avant qu'il soit trop tard. Ça m'a fait rire quand vous avez trouvé le sperme de Lenny Hell sur le matelas et que vous en avez conclu qu'il avait abusé de Marte Ruud. »

Ils dépassèrent Bygdøy. Snarøya. Harry comptait machinalement les secondes. Dix minutes qu'ils avaient quitté Universitetsplassen. Il lança un regard sur le ciel bleu désert.

« Car Marte Ruud n'a jamais été violée. Je l'ai abattue dès que je l'ai eu transportée de la forêt à la cave. Valentin l'avait déjà détruite, je l'ai tuée par miséricorde. » Smith se tourna vers lui. « J'espère que vous le comprenez, Harry. Harry ? Vous trouvez que je parle trop, Harry ? »

Smith soupira. « Vous auriez fait un bon psychologue, Harry, les patients adorent les psychologues qui ne disent rien, ils s'imaginent s'en trouver d'autant mieux analysés. Le silence professionnel est toujours interprété dans le sens le plus positif. Enfin, on s'en fout… »

Ils approchaient de Høvikodden. Le fjord d'Oslo reparut sur leur gauche. Harry calcula. La police aurait peut-être le temps de mettre en place un barrage à Asker, ils allaient y arriver dans dix minutes.

« Est-ce que vous imaginez quel cadeau ç'a été pour moi que vous me demandiez de participer à l'enquête, Harry ? J'ai été tellement surpris que j'ai d'abord dit non. Avant de me rendre compte que si je le faisais, j'aurais toute l'information et que je pourrais ainsi avertir Valentin quand vous approcheriez pour qu'il puisse œuvrer plus longtemps. Mon vampiriste à *moi* pouvait dépasser Kürten, Haigh et Chase et devenir le plus grand. Mais je n'ai pas eu toutes les informations. Je n'ai pas su que son hammam était sous surveillance avant que nous soyons dans une voiture qui s'y rendait. Et j'ai commencé à perdre le contrôle de Valentin, il a tué ce barman et il a kidnappé Marte Ruud. Par bonheur, j'ai su que le distributeur d'argent avait révélé l'identité Alexander Dreyer à temps pour pouvoir le prévenir de quitter l'appartement. À ce stade, Valentin savait que c'était moi, son ancien psychologue, qui étais l'homme qui tirait les ficelles. Et alors ? Peu importait qui était dans le même bateau que lui. Mais j'avais compris que le filet se resserrait. Que l'heure du grand final que je planifiais depuis un moment était venue. Je lui avais fait quitter son appartement et prendre une chambre au Plaza Hotel, qui n'était pas un endroit où il pouvait rester à demeure, mais je lui ai envoyé une enveloppe avec un double des clefs de la grange et de mon bureau, et des instructions de s'y rendre pour s'y cacher vers minuit, quand tout le monde serait couché. Je ne peux bien entendu pas exclure qu'il ait eu des doutes, mais quelle autre solution avait-il quand son pseudonyme était découvert ? Il *devait* tout simplement miser sur le fait qu'il pouvait me faire confiance. Et vous reconnaîtrez la valeur de ma mise en scène, Harry. Vous appeler vous et Katrine pour avoir des témoins téléphoniques en complément des images capturées par les caméras de surveillance ! Enfin, on peut bien sûr parler de liquidation de sang-froid, dire que j'ai fabriqué l'histoire du chercheur héroïque qui, par ses déclarations, s'était attiré le courroux de ce tueur en série et qui l'a ensuite tué en légitime défense. Oui, je vois que c'est un facteur qui contribue à ce que la presse internationale vienne assister à une soutenance de thèse ordinaire et que quatorze maisons d'édition en aient acheté les droits de publication. Mais en dernière analyse, c'est de la recherche, de la science. C'est du progrès, Harry. Et les voies de l'enfer sont peut-être pavées de bonnes intentions, mais ce sont aussi les voies d'un avenir humain et éclairé. »

Oleg tourna la clef dans le contact.

« Urgences d'Ullevål ! » cria le jeune brigadier blond sur la banquette arrière, où il était assis avec la tête de Truls Berntsen sur les genoux. L'un comme l'autre étaient couverts du sang de Berntsen. « Pleins gaz et servez-vous de votre klaxon ! »

Oleg allait embrayer quand quelqu'un ouvrit brutalement la portière arrière.

« Non ! s'écria le brigadier avec fureur.

— Fais-moi de la place, Anders ! » C'était Steffens. Il se poussa à l'intérieur, forçant le jeune brigadier à se déplacer vers l'autre bout de la banquette.

« Tiens ses jambes haut, aboya Steffens, qui tenait la tête de Berntsen. Pour…

— … irriguer le cœur et le cerveau», compléta Anders.

Oleg embraya et ils filèrent hors de leur stationnement. Ils rejoignirent la rue entre un tram qui cliquetait et un taxi qui klaxonnait.

«Quelle est la situation, Anders?

— Regarde par toi-même, cracha Anders. Inconscient, pouls faible, mais il respire. Comme tu le vois, la blessure par balle est à l'hémithorax droit.

— Le problème n'est pas là, répondit Steffens. Le problème est la plaie de sortie de balle. Aide-moi à le tourner.» Oleg lança un regard dans le rétroviseur. Il les vit mettre Truls Berntsen sur le côté, déchirer sa chemise. Il se concentra de nouveau sur la route, joua de l'avertisseur pour dépasser un camion, accéléra au rouge à un carrefour.

«Oh, merde, gémit Anders.

— Oui, c'est un gros trou. La balle a sans doute emporté un peu de sa côte. Il va se vider de son sang avant que nous arrivions à Ullevål si…

— Si…?»

Oleg entendit Steffens prendre son souffle. «Si nous ne faisons pas un meilleur boulot que celui que j'ai fait avec ta mère. Mets tes mains en coupe de part et d'autre de la plaie – comme ça – et puis tu les serres l'une contre l'autre. Referme juste du mieux que tu peux, il n'y a pas d'autre moyen.

— Mais ça ne fait que glisser.

— Arrache des morceaux de sa chemise, tu auras plus de friction.»

Oleg entendit Anders respirer bruyamment. Il lança un autre regard dans le rétroviseur. Steffens avait posé le doigt sur la cage thoracique de Berntsen et le tapotait avec son autre majeur.

« Je percute, mais je suis trop engoncé pour pouvoir mettre mon oreille sur sa poitrine, dit Steffens. Est-ce que tu arrives à… »

Anders se pencha en avant sans lâcher prise autour de la plaie. Il posa la tête sur la poitrine de Berntsen.

« Bruit creux, dit-il. Pas d'air. Tu crois… ?

— Oui, je crains que ce ne soit un hémothorax, dit le père. La cavité pleurale se remplit de sang et on va vers l'affaissement. Oleg…

— J'entends. » Oleg appuya sur l'accélérateur.

Debout au milieu d'Universitetsplassen, le téléphone plaqué à l'oreille, Katrine observait le ciel vide et sans nuages. Il n'était pas encore visible, l'hélicoptère de police qu'elle avait réquisitionné auprès de Heli à Gardermoen, avec l'instruction de surveiller l'E6 pendant qu'il volait du nord vers Oslo.

« Non, nous n'avons pas de téléphones portables à suivre, cria-t-elle par-dessus le bruit des sirènes qui arrivaient de divers coins de la ville et s'entremêlaient. Aucun franchissement de péage n'a été enregistré, rien. Nous mettons des barrages sur l'E6 et sur l'E18 vers le sud. Je vous préviens dès que nous avons quelque chose.

— OK, dit Falkeid au bout du fil. Nous sommes en stand-by. »

Katrine raccrocha. Elle reçut un autre appel.

« Police d'Asker sur l'E18, annonça la voix au bout du fil. On vient d'arrêter un train routier, là, et on va le mettre en travers de l'autoroute juste devant la sortie d'Asker. On va écluser la circulation et faire repartir les voitures sur l'autoroute après le rond-point. Une Amazon de 70 noire avec des bandes de rallye ?

— Oui.

— Est-ce qu'on parle du pire choix de voiture de fuite de tous les temps ?

— Espérons-le. Tenez-moi au courant. »

Bjørn arriva au trot. « Oleg et le médecin conduisent Berntsen à l'hôpital, annonça-t-il en haletant. Wyller est de la partie aussi.

— Quelles sont ses chances de survivre, à ton avis ?

— J'ai seulement l'expérience des cadavres.

— OK, est-ce que Berntsen avait l'air d'en être un ? »

Bjørn Holm haussa les épaules. « Il saignait encore et ça signifie en tout cas qu'il ne s'est pas encore complètement vidé de son sang.

— Et Rakel ?

— Elle est dans la salle des fêtes, elle s'occupe de la femme de Bellman, qui est assez détruite. Bellman lui-même a dû filer pour diriger les opérations depuis un endroit offrant une vue d'ensemble, dixit lui-même.

— Une vue d'ensemble ? » Katrine souffla par le nez. « La seule vue d'ensemble, c'est ici qu'on l'a !

— Je sais, mais du calme, maintenant, bouboule, on ne veut pas de stress post-traumatique pour le bébé, hein ?

— Bon sang, Bjørn. » Elle serra fort le téléphone dans sa main. « Pourquoi n'as-tu pas pu me dire ce que Harry planifiait ?

— Parce que je ne savais pas.

— Tu ne savais pas ? Tu devais savoir quelque chose s'il avait réquisitionné les TIC pour examiner la voiture de Smith.

— Il ne l'a jamais fait, c'était du bluff. Tout comme la datation des prélèvements d'ADN sur cette conduite d'eau.

— Quoi ?

— La médecine légale ne peut pas déterminer l'âge d'un prélèvement d'ADN. Quand Harry disait que la médecine légale avait établi que le prélèvement d'ADN de Smith datait d'il y a deux mois, c'était du pur mensonge et du bluff. »

Katrine dévisagea Bjørn. Elle plongea la main dans son sac et en tira la chemise jaune que Harry lui avait tendue. Elle l'ouvrit. Trois feuilles A4. Toutes vierges.

« Du bluff, dit Bjørn. Pour te dire quelque chose de sûr, la stylométrie requiert un minimum de cinq mille caractères. Les mails brefs qui ont été envoyés à Valentin ne disent rien du tout sur leur auteur.

— Harry n'avait rien, chuchota Katrine.

— Nada, répondit Bjørn. Il a juste misé sur des aveux.

— Le salaud ! » Katrine appuya son téléphone contre son front, sans trop savoir si c'était pour se réchauffer ou pour se rafraîchir. « Mais pourquoi n'a-t-il rien dit ? Nous aurions pu avoir des policiers armés devant le bâtiment.

— Parce qu'il ne pouvait rien dire. »

La réponse venait de Ståle Aune, qui avait traversé la place pour les rejoindre.

« Pourquoi ?

— Simple, dit Ståle. S'il avait informé quelqu'un de la police de ce qu'il planifiait, et que la police n'était pas intervenue, ce qui s'est passé dans la salle des fêtes aurait de fait été un interrogatoire de police. Un interrogatoire de police non réglementaire où l'interrogé n'était pas informé de ses droits et où l'interrogateur mentait sciemment pour le manipuler. Et rien de ce que Smith a dit aujourd'hui n'aurait pu être utilisé en justice. Alors qu'en l'état actuel des choses… »

Katrine Bratt cligna des yeux. Puis elle hocha lentement la tête. « En l'état actuel des choses, Harry Hole, maître de conférences et civil, a pris part à une soutenance de thèse au cours de laquelle Smith s'est exprimé de son plein gré en présence de témoins. Tu étais dans le coup, Ståle ? »

Ståle Aune acquiesça. « Harry m'a téléphoné hier. Il m'a expliqué que des indices désignaient Hallstein Smith. Mais qu'il n'avait pas de preuves. Et il m'a exposé son plan de se servir de la soutenance de thèse pour lui tendre un piège avec mon aide. Et le chef de service Steffens comme témoin-expert.

— Et tu as répondu ?

— Que Hallstein "le Singe" Smith était déjà tombé dans ce piège une fois et qu'il n'allait pas recommencer.

— Mais ?

— Mais Harry a employé mes propres paroles contre moi en faisant référence au postulat d'Aune.

— Les gens insistent notoirement pour commettre inlassablement les mêmes erreurs, dit Bjørn.

— Exactement, confirma Aune dans un signe de tête. Et Smith aurait dit à Harry dans l'ascenseur de l'hôtel de police qu'il serait prêt à troquer une longue vie contre l'obtention de son doctorat.

— Et il est évidemment tombé dans le piège à singe, le con, gémit Katrine.

— Il a été à la hauteur de son surnom, oui.

— Pas Smith, je parle de Harry. »

Aune acquiesça. « Je retourne à la salle des fêtes, Mme Bellman a besoin d'aide.

— Je viens avec toi pour boucler la scène de crime, dit Bjørn.

— La scène de crime ? demanda Katrine.

— Berntsen.

— Ah oui. Oui. »

Quand les hommes l'eurent quittée, Katrine renversa la tête en arrière et scruta le ciel. Où était l'hélicoptère ?

« Va te faire voir, murmura-t-elle. Va te faire voir, Harry.

— C'est sa faute ? »

Katrine se retourna.

C'était Mona Daa. « Je ne vais pas vous déranger. En fait, je ne travaille pas, mais j'ai vu ce qui s'était passé sur Internet, alors je suis venue. Si vous voulez vous servir de *VG*, pour transmettre un message à Smith ou quelque chose…

— Merci, Daa, je vous préviendrai.

— OK. » Mona Daa se retourna et commença à repartir avec sa démarche de pingouin.

« J'étais en fait surprise de ne pas vous voir à la soutenance, observa Katrine.

— Donc Anders n'a pas pu avoir cette conversation avec vous ? »

Quelque chose dans la façon dont Mona Daa prononçait le prénom d'Anders Wyller, avec un naturel si décomplexé, fit hausser un sourcil à Katrine. « Conversation ?

— Oui, Anders et moi, nous…

— Vous déconnez », fit Katrine.

Mona Daa rit. « Non. Je me rends compte que ça présente un certain nombre d'aspects incommodes d'un point de vue professionnel, mais non, je ne déconne pas.

— Et quand est-ce que…

— Maintenant, en fait. On a décidé entre nous de prendre tous les deux des jours de récupération, pour les passer dans une promiscuité étouffante dans un petit appartement, celui d'Anders, et voir si nous étions de la matière à couple. On se disait que ce serait aussi bien de le savoir avant de l'annoncer à d'autres.

— Donc personne n'était au courant ?

— Pas avant que Harry manque de nous prendre la main dans le sac lors d'une visite surprise. Anders prétend que Harry avait tout compris. Et je sais qu'il a essayé de me joindre à *VG*. Je suppose que c'était pour confirmer ses soupçons.

— Il est drôlement bon en soupçons, dit Katrine en cherchant des yeux l'hélicoptère dans le ciel.

— Je sais. »

Harry écoutait le sifflement aigu de la respiration de Smith. Et son regard captura au même instant un spectacle singulier sur le fjord. Un chien qui avait l'air de marcher sur l'eau. Une couche d'eau par-dessus la glace. L'eau pouvait remonter par des fissures dans la glace même par températures négatives.

« On m'a accusé de voir du vampirisme là où je *voulais* qu'il y en ait, expliqua Smith. Mais c'est maintenant une chose démontrée pour l'éternité, et bientôt le monde entier saura ce qu'est le vampirisme du professeur Smith, indépendamment de ce qui m'arrivera à moi. Et Valentin n'est pas le seul, il y en aura d'autres. D'autres cas qui maintiendront l'attention du monde sur le vampirisme. Je le promets, ils sont déjà recrutés. Vous m'avez demandé un jour si la reconnaissance importait plus que la vie. Bien sûr que oui. La reconnaissance, c'est la vie éternelle. Et vous aussi, vous allez avoir la vie éternelle, Harry. En tant qu'homme ayant *presque* capturé Hallstein Smith, celui qu'on avait autrefois appelé le Singe. Vous trouvez que je parle trop ? »

Ils approchaient d'Ikea. Encore cinq minutes et ils seraient à Asker. Quelques ralentissements n'allaient pas éveiller les soupçons de Smith, il y avait souvent des bouchons au niveau d'Asker.

« Le Danemark, fit Smith. Le printemps arrive tôt là-bas. »

Le Danemark ? Smith était-il en train de devenir psychotique ? Harry entendit un cliquetis sec. Smith avait allumé son clignotant. Non, non, il quittait la route principale ! Harry vit l'écriteau de Nesøya.

« La couche d'eau au-dessus de la glace est assez profonde pour que je puisse arriver jusqu'aux eaux libres de glace, vous ne croyez pas ? Un bateau en aluminium hyper léger avec un seul homme à bord, ça n'a pas un gros tirant d'eau. »

Un bateau. Harry serra les dents et jura sans bruit. La remise à bateaux. La remise dont Smith lui avait expliqué qu'elle faisait partie de leur héritage, avec la ferme. C'était là qu'ils se rendaient.

« Le Skagerrak, c'est cent trente milles marins. Vitesse moyenne, vingt nœuds. Combien de temps cela prend-il, vous qui savez compter ? » Smith rit. « J'ai déjà fait le calcul. Sur une calculatrice. Six heures et demie. Ensuite, on peut traverser tout le Danemark en bus, ça n'est l'affaire que de quelques heures. Aller à Copenhague. Nørrebro. La place rouge. S'asseoir sur un banc, brandir un ticket de bus et attendre l'agence de voyages. Qu'est-ce que vous pensez de l'Uruguay ? Un joli petit pays. Ça tombe bien que j'aie déblayé tout le chemin jusqu'à la remise à bateaux et que j'aie fait de la place pour y ranger une voiture. Sans quoi cette bande de rallye sur le toit aurait été facile à repérer depuis un hélicoptère, pas vrai ? »

Harry ferma les yeux. Smith avait préparé son plan

d'évasion depuis longtemps. Au cas où. Et la raison pour laquelle il le révélait maintenant à Harry était simple. Harry n'allait pas avoir l'occasion de le rapporter à qui que ce soit.

« À gauche, là-bas, dit Steffens de la banquette arrière. Bâtiment 17. »

Oleg vira et sentit ses roues lâcher un instant le verglas avant de retrouver prise.

Il supposait qu'il y avait une limitation de vitesse dans l'enceinte de l'hôpital, mais il sentait aussi que le temps et le sang étaient en passe de se tarir pour Berntsen.

Il pila devant l'entrée, où deux hommes en vestes d'ambulancier jaunes se tenaient prêts avec une civière sur roulettes. D'un geste expert, ils parvinrent à tirer Berntsen de la banquette arrière et à le transférer sur la civière.

« Il n'a pas de pouls, les informa Steffens. Direct en salle hybride. L'équipe de traumatologie...

— ... est sur place », compléta l'ambulancier le plus âgé.

Oleg et Anders suivirent la civière et Steffens à travers deux portes jusqu'à une pièce où attendait une équipe de six personnes avec calots chirurgicaux, lunettes en plastique et vestes gris argent.

« Merci », dit une femme avec un geste dont Oleg comprit qu'il signifiait qu'Anders et lui n'avaient aucun accès au-delà de ce point. La civière, Steffens et l'équipe disparurent par deux portes larges qui claquèrent derrière eux.

« Je sais que vous travaillez à la Brigade criminelle, observa Oleg quand le silence se fut installé. Mais je ne savais pas que vous aviez fait médecine.

— Je n'ai pas fait médecine, répondit Anders en regardant les portes closes.

— Non ? On aurait vraiment dit dans la voiture.

— J'ai appris un peu tout seul quand j'étais au lycée, mais je n'ai jamais fait d'études de médecine.

— Pourquoi ? Vous n'aviez pas d'assez bonnes notes ?

— Si. J'avais les notes qu'il fallait.

— Mais ? » Oleg ne savait pas s'il continuait de l'interroger par intérêt ou pour écarter ses pensées de Harry et de ce qui lui arrivait.

Anders observa ses mains sanglantes. « Ç'a sans doute été pareil que pour vous, je pense.

— Moi ?

— Je voulais être comme mon père.

— Et puis ? »

Anders haussa les épaules. « Et puis je n'ai plus voulu.

— Vous avez voulu être policier à la place.

— Parce que alors j'aurais au moins pu la sauver.

— La sauver ?

— Ma mère. Ou des gens dans la même situation. Me disais-je.

— Comment est-elle morte ? »

Anders haussa de nouveau les épaules. « Il y a eu un cambriolage dans notre maison. Qui a débouché sur une prise d'otage. Mon père et moi sommes justes restés spectateurs. Mon père est devenu hystérique et le voleur a poignardé ma mère et il s'est échappé. Mon père courait dans tous les sens comme une poule décapitée en me criant qu'il ne fallait pas que je la touche, tout en cherchant des ciseaux. » Wyller déglutit. « Mon père, le médecin chef, cherchait des ciseaux pendant que moi, je la regardais se vider de son sang.

J'ai parlé avec des médecins par la suite et j'ai compris qu'on aurait pu la sauver si nous avions tout de suite eu les bons gestes. Mon père est hématologue, l'État a investi des millions de couronnes pour lui enseigner ce qu'il y avait à savoir sur le sang. Et pourtant il n'a pas réussi à faire les gestes simples qu'il fallait faire pour lui éviter de perdre des flots de sang. Si un jury avait su tout ce que mon père sait sur le sauvetage de vies, il aurait été condamné pour homicide involontaire.

— Donc votre père a failli. C'est humain de faillir.

— Et pourtant il est là dans un bureau à se trouver meilleur que les autres parce qu'il a un titre de médecin chef. » La voix d'Anders commençait à vibrer. « Un policier avec des résultats moyens au lycée et une semaine de cours de combat rapproché aurait réussi à maîtriser le cambrioleur avant qu'il la poignarde.

— Mais il n'a pas failli aujourd'hui, dit Oleg. Parce que Steffens est votre père, n'est-ce pas ? »

Anders acquiesça d'un signe de tête. « Quand il s'agissait de la vie d'un fumier paresseux et corrompu comme Berntsen, il n'a évidemment pas failli. »

Oleg consulta sa montre. Il sortit son téléphone. Pas de message de sa mère. Il le rangea. Elle le lui avait dit, il n'était rien qu'il puisse faire pour Harry. Mais il pouvait en revanche faire quelque chose pour Truls Berntsen.

« Ce ne sont pas mes affaires, dit Oleg. Mais est-ce que vous avez déjà demandé à votre père à quoi il avait renoncé ? Combien ? Combien d'années de sueur quotidienne il avait passées à apprendre tout ce qu'il y avait à savoir sur le sang, et combien de personnes ce labeur avait sauvées ? »

Anders secoua sa tête baissée.

« Non ? demanda Oleg.

— Je ne lui parle plus.

— Plus du tout ? »

Anders haussa les épaules. « J'ai quitté la maison. Je ne porte plus son nom.

— Wyller, c'est celui de votre mère ?

— Oui. »

Ils aperçurent tout juste le dos revêtu d'argent d'un homme qui se précipitait en salle de traumatologie avant que les portes se referment.

Oleg s'éclaircit la voix. « Encore une fois, ce ne sont pas mes affaires. Mais vous ne trouvez pas que vous avez jugé votre père un peu durement ? »

Anders releva la tête. Il regarda Oleg dans les yeux. « Vous avez raison, dit-il en hochant lentement la tête. Ce ne sont pas vos affaires. » Puis il se leva et se dirigea vers la sortie.

« Où allez-vous ? demanda Oleg.

— Je retourne à l'université. Vous conduisez ? Sinon, je prendrai le bus. »

Oleg se leva et lui emboîta le pas. « Ils ont déjà assez de monde aux fourneaux là-bas. Alors qu'ici il y a un policier qui va peut-être mourir. » Oleg le rattrapa et le prit par l'épaule. « Et en tant que collègue policier, vous êtes à cet instant précis la personne la plus proche qu'il ait. Alors vous ne pouvez pas vous tirer. Il a besoin de vous. »

Quand il fit pivoter Anders, il vit que le jeune policier avait les yeux brillants.

« Ils ont besoin de vous tous les deux », précisa Oleg.

Harry devait agir. Et vite.

Smith avait quitté la route et il conduisait prudemment sur un chemin de terre étroit bordé de tas de neige de déblayage. Entre eux et la mer gelée se dressait une remise à bateaux peinte en rouge avec de larges doubles portes fermées par une barre en bois blanche. Il distinguait deux villas, une de chaque côté du chemin, mais elles étaient partiellement cachées par des arbres et des buttes, et étaient situées si loin qu'il n'alerterait personne en criant à l'aide. Harry respira et poussa sa langue contre sa lèvre supérieure, il sentit le goût du métal et la sueur qui coulait sous sa chemise bien qu'il eût froid. Il essaya de réfléchir. De réfléchir à quoi pensait Smith. Un petit bateau ouvert jusqu'au Danemark. C'était bien sûr parfaitement faisable, et cependant suffisamment audacieux pour que personne dans la police ne songe à cette possibilité de fuite. Et lui-même, Harry, comment Smith entendait-il régler son compte ? Il essaya d'étouffer la voix qui lui faisait espérer qu'il serait épargné. Ainsi que la douce apathie qui lui disait que tout était perdu, que lutter n'apporterait que davantage de douleur. Il écouta à la place la voix froide de la logique. Qui lui disait qu'il n'avait plus de fonction comme otage et ne ferait que ralentir Smith dans le bateau. Smith n'avait pas peur, il avait déjà tiré sur Valentin et sur un policier. Et c'était ici que ça allait se produire, avant qu'ils sortent de la voiture, c'était ici que le bruit serait le plus amorti.

Harry essaya de se pencher en avant, mais la ceinture de sécurité trois points sans enrouleur le rivait au siège. Et les menottes se plantèrent dans ses lombaires en rongeant la peau de ses poignets.

Ils étaient à cent mètres de la remise à bateaux.

Harry poussa un hurlement. Un râle guttural venu de ses entrailles. Puis il se balança de gauche à droite et projeta sa tête dans la vitre latérale. Il y eut un craquement et une rosette blanche apparut sur la vitre. Il hurla, donna un deuxième coup. La rosette s'étendit. Un troisième. Un bout de verre tomba dehors.

« Bouclez-la ou je vous tue dès maintenant ! » cria Smith en levant le revolver sur la tête de Harry tout en gardant un œil sur la route.

Harry mordit.

Il sentit la pression douloureuse sur ses gencives, le goût métallique, présent depuis l'auditorium, où, tournant le dos à Smith, il s'était posté devant la table et prestement emparé du dentier en fer pour le glisser dans sa bouche, avant de mettre les menottes. Il sentit l'étonnante facilité avec laquelle les dents pointues s'enfonçaient dans le poignet de Hallstein Smith. Le cri de Smith remplit l'habitacle et Harry sentit le revolver heurter son genou gauche avant de tomber sur le plancher entre ses pieds. Harry contracta les muscles de sa nuque et tira le bras de Smith vers la droite. Smith lâcha le volant et frappa vers la tête de Harry, mais sa ceinture de sécurité ne lui laissait pas suffisamment de marge de manœuvre pour qu'il puisse l'atteindre de son bras. Harry ouvrit grand la bouche, entendit un gargouillement et serra de nouveau les mâchoires. Sa bouche se remplit de sang chaud. Peut-être avait-il touché l'artère, peut-être pas. Il déglutit. Le liquide était épais, c'était comme boire de la sauce brune, et ça avait un goût douceâtre nauséabond.

Smith rattrapa le volant de la main gauche. Harry se serait attendu à ce qu'il freine, mais il accéléra.

L'Amazon patina sur le verglas avant de prendre de la vitesse dans la descente. Heurtée par une voiture de collection suédoise de plus d'une tonne, la barre transversale craqua comme une allumette et les portes de la remise à bateaux sautèrent violemment de leurs gonds.

Harry fut projeté en avant sur son siège quand la voiture freina sur le sol en béton et heurta l'arrière d'un bateau en métal de douze pieds, qui fut propulsé vers les portes ouvrant sur l'eau.

Harry eut le temps de voir la clef de voiture qui était cassée dans le contact avant que le moteur s'éteigne. Puis il ressentit une douleur intense dans les dents et la bouche alors que Smith cherchait à libérer son bras en le secouant. Mais il savait qu'il devait rester accroché. Non qu'il fît tellement de dégâts. Même s'il l'avait percée, l'artère était – comme tout adepte de l'automutilation le sait – suffisamment fine sur le poignet pour que Smith mette des heures à se vider de son sang. Smith donna une nouvelle secousse, mais moins forte, cette fois. Harry parvint à capturer son visage du coin de l'œil. Smith était livide. S'il ne supportait pas la vue du sang, Harry pouvait peut-être le faire s'évanouir ? Harry serra les mâchoires de toutes ses forces.

« Je vois que je saigne, Harry. » Smith parlait d'une petite voix, mais il était calme. « Saviez-vous que quand Peter Kürten, le "Vampire de Düsseldorf", allait être décapité, il a posé une question au docteur Karl Berg ? Il lui a demandé s'il pensait qu'il aurait le temps d'entendre son propre sang jaillir de son cou sectionné avant de perdre connaissance. Auquel cas, ce serait le plaisir parachevant tout plaisir. Mais je crains que ceci ne soit pas suffisant pour une exécution et que ce ne soit que le début de mon plaisir à moi. »

D'un geste bref, Smith détacha sa ceinture de sécurité de la main gauche et se pencha au-dessus de

Harry, collant la tête contre ses genoux, il tendit la main gauche vers le plancher. Sa main griffait le tapis en caoutchouc, mais ne trouvait manifestement pas le revolver. Il se pencha davantage et tourna la tête vers Harry pour pouvoir passer le bras sous le siège. Harry vit un sourire s'étirer sur ses lèvres. Il avait mis la main sur le revolver. Harry leva le pied et l'abattit vers le plancher. Il sentit le morceau de métal et la main de Smith sous la semelle fine de ses chaussures vernies.

Smith poussa un gémissement. « Ôtez ce pied, Harry. Sinon, je vais chercher le couteau à vider le poisson et je me sers de ça à la place. Vous entendez ? Alors dégagez-moi ce… »

Harry relâcha sa morsure et contracta ses abdominaux. « *Chomme ous oulez.* »

Dans un soubresaut, il leva ses deux jambes et, aidé de la ceinture de sécurité serrée, remonta violemment ses genoux avec la tête de Smith contre sa poitrine.

Smith sentit le revolver se libérer sous la semelle de Harry. Mais soulevé par les genoux de Harry, il le perdit. Devant tendre complètement le bras, il saisit la crosse avec deux doigts alors que Harry desserrait les mâchoires de son bras droit. Il ne restait plus qu'à lever le pistolet et le tourner vers Harry. Mais Smith comprit alors ce qui allait se passer, il vit la gueule de Harry s'ouvrir de nouveau, il vit le métal briller, il vit Harry se pencher sur lui, il sentit son souffle chaud contre sa gorge. C'étaient comme des stalagmites qui foraient sa peau. Son cri fut coupé tout net par les mâchoires de Harry qui se refermaient brutalement sur son larynx. Puis le pied de Harry redescendit et écrasa sa main et le revolver.

Smith essaya de le frapper de la main droite, mais le

rayon de pivotement était trop court pour permettre un coup puissant. Et il ne pouvait plus respirer. Harry n'avait pas mordu dans la carotide, l'eût-il fait, le sang aurait jailli jusqu'au plafond, mais il avait bloqué l'apport d'air, et Smith sentait déjà la pression dans sa tête augmenter. Il refusait toutefois de lâcher le revolver. C'était ce qu'il avait toujours été, le garçon qui n'abandonnait jamais. Le Singe. Le Singe. Mais il lui fallait de l'air sans quoi sa tête allait exploser.

Hallstein Smith lâcha le revolver, il pourrait le reprendre plus tard. Il leva le poing gauche et frappa Harry sur le côté de la tête. Puis encore une fois le droit, sur l'oreille. Et le gauche, sur l'œil ; il sentit son alliance ouvrir l'arcade sourcilière du policier. Il sentit la fureur monter à la vue du sang de l'autre, qui agissait comme de l'essence sur un feu, il se sentit de nouvelles forces et le martela de ses poings. Mets-lui une raclée. *Mets* une raclée.

« Alors que dois-je faire ? » Mikael Bellman regardait fixement le fjord.

« Pour commencer, je n'arrive pas à croire que tu as fait ce que tu as fait. » Isabelle Skøyen faisait les cent pas dans la pièce derrière lui.

« C'est allé si vite, expliqua Mikael en se concentrant sur son propre reflet translucide. Je n'ai pas eu le temps de penser.

— Tu as eu le temps de penser, mais pas assez loin. Tu as eu le temps de penser qu'il allait t'abattre si tu essayais d'intervenir, mais tu n'as pas eu le temps de penser que toute la presse allait te lyncher à l'unisson si tu n'intervenais *pas*.

— Je n'étais pas armé, lui avait un revolver et personne n'aurait eu ne serait-ce que l'idée qu'il fallait intervenir si Truls, ce con, ne s'était pas mis en tête que c'était l'occasion de jouer les héros. » Bellman secoua la tête. « Mais il a toujours été fou amoureux d'Ulla, le pauvre. »

Isabelle gémit. « Truls n'aurait pas pu faire de meilleur calcul s'il avait voulu détruire ta renommée. Le premier réflexe des gens, à juste titre ou pas, ça va être de croire à de la lâcheté.

— Arrête ! siffla Mikael. Il n'y a pas que moi qui ne sois pas intervenu, il y avait là des policiers qui...

— C'est ton épouse, Mikael. C'est toi qui es assis le plus près d'elle, et même si ce sont tes derniers jours dans ces fonctions, tu es en l'occurrence directeur de la police. Tu es censé être leur dirigeant. Et maintenant que tu vas devenir ministre de la Justice...

— Donc tu trouves que j'aurais dû me faire descendre ? Parce que Smith a effectivement tiré. Et Truls n'a *pas* sauvé Ulla ! Cela ne montre-t-il pas que moi, le directeur de la police, j'ai bien évalué la situation et que le brigadier Berntsen, qui agissait de sa propre initiative, a fait une erreur grossière ? Oui, qu'il a même mis en péril la vie d'Ulla ?

— C'est bien sûr comme ça que nous allons devoir essayer de faire apparaître les choses, mais je dis simplement que ça ne va pas être facile.

— Et qu'est-ce qu'il y a de si foutrement difficile là-dedans ?

— Harry Hole. Qu'il se soit proposé comme otage et pas toi. »

Mikael battit des bras. « Isabelle, c'est Harry Hole qui a provoqué toute cette situation ; quand il a démasqué Smith comme meurtrier, il l'a en pratique forcé à saisir le revolver qui était juste devant lui.

En se proposant, Harry Hole n'a fait qu'assumer la responsabilité de ce qui était sa faute.

— Oui, oui, mais on ressent d'abord et on raisonne ensuite. Nous voyons un homme qui n'intervient pas pour sauver son épouse et nous ressentons du mépris. Et, derrière, vient laborieusement ce que nous prenons pour de la réflexion froide et objective, mais même en disposant de nouveaux éléments, nous ne ferons que rechercher des arguments en faveur de ce que nous avons ressenti de prime abord. C'est le mépris irréfléchi de l'imbécile, Mikael, mais je suis passablement certaine que c'est ce que les gens vont ressentir.

— Pourquoi ? »

Elle ne répondit pas.

Il se retourna vers elle, croisa son regard.

« Je vois, dit-il. C'est parce que toi-même tu ressens ce mépris en ce moment ? »

Mikael vit les ailes de l'impressionnant *nasus* d'Isabelle Skøyen se dilater quand elle inspira profondément. « Tu es tant de choses, dit-elle. Tu as tant de qualités qui t'ont mené là où tu es.

— Et ?

— Et l'une d'elles est de savoir flairer quand il faut se mettre à couvert et laisser d'autres encaisser les coups, quand la lâcheté paie. C'est juste que dans ce cas précis, tu as oublié que tu avais un public. Et pas n'importe quel public, mais le pire qu'on puisse imaginer. »

Mikael Bellman acquiesça. Des journalistes de Norvège et de l'étranger. Isabelle et lui avaient du pain sur la planche. Il prit de grosses jumelles d'Allemagne de l'Est sur l'appui de fenêtre, un cadeau d'un admirateur, apparemment. Il les dirigea vers le fjord. Il avait vu quelque chose.

« Stratégiquement, quelle issue serait la meilleure pour nous ? demanda-t-il.

— Plaît-il ? » Malgré son enfance à la campagne, ou peut-être justement à cause de son enfance à la campagne, Isabelle employait ces vieilles expressions des classes supérieures sans que cela paraisse affecté. Son enfance à lui dans les quartiers est d'Oslo avait commis des dommages irréversibles.

« Que Truls meure ou qu'il survive ? » Ses jumelles capturèrent quelque chose. Il régla la mise au point.

Une seconde s'écoula avant qu'il entende son rire.

« Et une autre qualité est celle-ci, dit-elle. Tu peux déconnecter tout sentiment quand la situation l'exige. Cette histoire va te nuire, mais tu t'en sortiras.

— Mort, hein ? Il apparaîtrait alors indiscutablement qu'il a pris la mauvaise décision et que la mienne était bonne. Et puis il ne pourrait pas être interviewé et l'affaire aurait une durée de vie limitée. »

Il sentit la main d'Isabelle sur sa boucle de ceinture alors que sa voix chuchotait tout contre son oreille. « Serais-tu en train de souhaiter que le prochain SMS qui arrive sur ton téléphone t'annonce la mort de ton meilleur copain ? »

C'était un chien. Loin sur le fjord. Où diable allait-il ?

La pensée suivante lui vint machinalement.

Et c'était une pensée nouvelle. Une pensée qui, au fond, n'avait jamais frappé le directeur de la police et ministre de la Justice entrant Mikael Bellman au cours de ses quarante-huit années de vie.

Où allons-nous, au juste ?

Harry avait un sifflement de haute fréquence dans l'oreille et son propre sang dans un œil. Et les coups continuaient. Il ne sentait plus la douleur, juste le froid qui se renforçait dans l'habitacle et le noir qui se densifiait.

Mais il ne lâchait pas prise. Il avait si souvent capitulé par le passé. Capitulé devant la douleur, la peur ou le désir de mourir. Mais capitulé aussi devant un instinct de survie égoïste, primitif, qui l'avait emporté sur l'aspiration au néant indolore, au sommeil, à l'obscurité. Ce même instinct qui faisait maintenant qu'il était toujours là. Toujours là. Et cette fois, il ne lâchait pas.

Les muscles de sa mâchoire le faisaient souffrir au point que son corps entier tremblait. Et les coups continuaient. Mais il ne lâchait pas. Soixante-dix kilos de pression. S'il avait réussi à mordre le cou entier, il aurait pu interrompre l'apport de sang au cerveau et Smith aurait très vite perdu connaissance. Mais en interrompant uniquement l'apport d'air, cela pouvait prendre plusieurs minutes. Un nouveau coup sur la tempe. Harry sentait sa propre syncope se profiler. Non ! Il eut un sursaut sur le siège. Il mordit plus fort. Résister, résister. Lion. Buffle. Harry comptait tout en respirant par le nez. Cent. Les coups continuaient, mais n'étaient-ils pas un peu plus espacés et un peu moins violents ? Les doigts de Smith se posèrent sur le visage de Harry et essayèrent de le repousser. Puis ils abandonnèrent, le relâchèrent. Le cerveau de Smith était-il enfin si vide d'oxygène qu'il avait cessé de fonctionner ? Harry ressentait du soulagement, il avala encore du sang de Smith, et à cet instant vint la pensée. Le présage de Valentin. *Vous avez attendu votre tour d'être vampire. Et un jour, vous aussi, vous boirez.* Peut-être était-ce cette pensée, une faille dans sa concentration, mais au même moment, Harry sentit le revolver bouger sous sa semelle et il comprit qu'il avait par inadvertance relâché la pression. Que Smith avait cessé de frapper pour attraper l'arme. Et qu'il avait réussi.

Katrine s'arrêta à la porte de la salle des fêtes.

Les lieux étaient déserts, à l'exception des deux femmes qui étaient assises au premier rang, dans les bras l'une de l'autre.

Elle les observa. Un drôle de couple. Rakel et Ulla. Épouses de deux ennemis jurés. Était-il avéré que les femmes trouvaient plus facilement le réconfort les unes chez les autres que les hommes ? Katrine n'en savait rien. La soi-disant sororité ne l'avait jamais intéressée.

Elle les rejoignit. Les épaules d'Ulla tremblaient, mais elle pleurait sans bruit.

Rakel leva les yeux et interrogea Katrine du regard.

« Nous n'avons pas de nouvelles, dit Katrine.

— OK, répondit Rakel. Mais il va s'en sortir. »

Katrine eut le sentiment que c'était sa réplique à elle, pas celle de Rakel. Rakel Fauke. Brune, forte, avec des yeux marron doux. Katrine avait toujours ressenti de la jalousie. Pas parce qu'elle aurait souhaité avoir la vie de l'autre femme ou être la femme de Harry. Harry pouvait peut-être griser une femme et la rendre heureuse pendant un temps mais, sur le long terme, il apportait chagrin, désespoir et destruction. Sur le long terme, vous vouliez quelqu'un comme Bjørn Holm. Et cependant, elle enviait Rakel Fauke. Elle l'enviait d'être celle que Harry Hole voulait.

« Excusez-moi. » Ståle Aune venait d'entrer. « On

m'a donné une pièce dans laquelle nous pourrons parler un peu. »

Ulla Bellman hocha la tête en reniflant, elle se leva et accompagna Aune dehors.

« Psychiatrie de crise ? demanda Katrine.

— Oui, confirma Rakel. Et ce qui est étonnant, c'est que ça marche.

— Ah bon ?

— Je suis passée par là. Comment vas-tu ?

— *Moi?*

— Oui. Toute cette responsabilité. Et enceinte. Et toi aussi, tu es proche de Harry. »

Katrine caressa son ventre. Et elle fut frappée par une réflexion singulière, une réflexion qu'elle ne s'était jamais faite. À quel point elles étaient proches l'une de l'autre, la naissance et la mort. Que c'était comme si l'une annonçait l'autre, comme si l'inexorable jeu de chaises musicales de l'existence réclamait une victime pour pouvoir donner une nouvelle vie.

« Vous savez si c'est une fille ou un garçon ? »

Katrine secoua la tête.

« Des noms ?

— Bjørn a proposé Hank. D'après Hank Williams.

— Bien sûr. Donc il pense que ça va être un garçon ?

— Quel que soit le sexe. »

Elles rirent. Et cela ne paraissait pas absurde. Elles riaient et parlaient de la vie imminente plutôt que de la mort imminente. Car la vie est magique et la mort banale.

« Il faut que j'y aille, mais je te préviendrai dès que nous saurons quelque chose », dit Katrine.

Rakel hocha la tête. « Je vais rester ici, donc dis-moi si je peux aider. »

Katrine se leva. Elle hésita, mais se décida. Elle caressa encore son ventre. « Je songe parfois que je pourrais perdre l'enfant.

— C'est naturel.

— Et là, je me demande ce qui resterait de moi. Si j'aurais la force de continuer.

— Tu l'aurais, assura Rakel d'un ton ferme.

— Alors il faut que tu me promettes la même chose. Tu dis que Harry va s'en sortir, et c'est important d'avoir de l'espoir, mais je crois aussi qu'il est juste de ma part de t'informer que j'ai parlé avec le Delta et que leur appréciation de la situation est que le preneur d'otage, Hallstein Smith, donc, va probablement… enfin, que c'est typique que…

— Merci, fit Rakel en prenant la main de Katrine. J'aime Harry, mais si je le perds maintenant, je promets de continuer. Vas-y et fais de ton mieux.

— Et Oleg ? »

Katrine vit la douleur dans les yeux de Rakel et regretta aussitôt. Elle vit que Rakel essayait de dire quelque chose, mais n'y arrivait pas et ne parvenait qu'à hausser les épaules.

Ressortant sur la place, elle entendit un battement et leva les yeux. Dans le ciel, le soleil scintillait sur la carlingue de l'hélicoptère.

John D. Steffens ouvrit la porte des urgences, respira l'air d'hiver froid et rejoignit le vieil ambulancier qui était adossé à la façade et laissait le soleil chauffer son visage en fumant une cigarette, avec lenteur, avec un plaisir évident, les paupières closes.

« Alors, Hansen ? fit Steffens en s'appuyant au mur à côté de lui.

— Bel hiver, répondit l'ambulancier sans ouvrir les yeux.

— Pourrais-je… »

L'ambulancier sortit son paquet de cigarettes et le lui tendit.

Steffens en prit une, ainsi que son briquet.

« Il va survivre ?

— On verra. Nous avons réussi à lui remettre un peu de sang, mais la balle est toujours dans le corps.

— Combien de vies croyez-vous devoir sauver, Steffens ?

— Quoi ?

— Vous étiez de service de nuit et vous êtes encore là. Comme d'habitude. Donc combien de personnes vous représentez-vous que vous devez sauver pour réparer ?

— Là, je ne sais pas exactement de quoi vous parlez, Hansen.

— Votre femme. Celle que vous n'avez pas réussi à sauver. »

Steffens ne répondit pas, il se contenta d'inhaler.

« Je me suis renseigné, dit l'ambulancier.

— Pourquoi ?

— Parce que je m'inquiète pour vous. Et parce que je sais ce que c'est. Moi aussi j'ai perdu ma femme. Mais toutes les heures supplémentaires, toutes les vies sauvées ne la feront pas revenir, vous le savez, hein ? Et un jour, vous ferez une bourde parce que vous êtes trop fatigué et vous aurez une autre vie sur la conscience.

— Ah bon ? demanda Steffens en bâillant. Vous connaissez des hématologues qui soient devenus meilleurs en médecine d'urgence que moi ?

— Depuis combien de temps n'avez-vous pas pris

le soleil ?» L'ambulancier écrasa sa cigarette contre la façade et glissa le mégot dans sa poche. «Restez donc là, finissez votre cigarette, profitez de la journée. Et puis rentrez chez vous pour dormir.»

Steffens entendit les pas de l'ambulancier s'éloigner.

Il ferma les yeux.

Dormir.

Il aurait voulu pouvoir.

Cela faisait deux mille cent cinquante-deux jours. Pas qu'Ina, sa femme et la mère d'Anders, était morte, ça, ça faisait deux mille neuf cent douze jours. Mais qu'il n'avait pas vu Anders. Les premiers temps après sa mort, ils avaient au moins eu des conversations sporadiques, même si Anders fulminait et lui imputait la faute de ce qu'elle n'avait pas été sauvée. À juste titre. Anders avait quitté la maison, fui, fait en sorte de mettre autant de kilomètres que possible entre son père et lui. Par exemple en laissant tomber son projet de faire médecine. Et en optant à la place pour ces études de policier, là. Lors d'une de ces conversations sporadiques au ton élevé, Anders lui avait dit qu'il préférait être comme l'un de ses profs, l'ancien enquêteur Harry Hole, qu'il idolâtrait manifestement comme il avait un jour idolâtré son père. Steffens était allé trouver Anders à ses diverses adresses, à l'École de police, il était allé dans le nord, au bureau du *lensmann* désert, mais s'était fait jeter. Il avait tout bonnement filé son propre fils. Pour lui faire comprendre. Qu'ils la perdaient un peu moins, tous les deux, en ne se perdant pas l'un l'autre. Qu'ensemble ils pouvaient garder un peu d'elle en vie. Mais Anders avait refusé d'écouter.

Alors quand Rakel Fauke était venue pour un

examen et que Steffens avait compris que c'était la femme de Harry Hole, il avait naturellement été curieux. Qu'y avait-il donc chez ce Harry Hole qui parlait tant à Anders ? Pouvait-il apprendre quelque chose dont il pourrait se servir pour se rapprocher de nouveau de lui ? Et puis il avait découvert que le beau-fils de Harry Hole, Oleg, avait réagi de la même façon qu'Anders quand il avait compris que Harry Hole non plus ne pouvait pas sauver sa mère. C'était la même, sempiternelle, trahison du père.

Dormir.

Ç'avait été un choc de voir Anders aujourd'hui. Stupidement, son premier instinct avait été de penser qu'il s'était fait piéger et qu'Oleg et Harry avaient organisé une espèce de rendez-vous de réconciliation.

Dormir, tout de suite.

Il fit soudain plus sombre et un courant d'air froid passa sur son visage. Un nuage devant le soleil ? John D. Steffens ouvrit les yeux. Une silhouette se tenait devant lui, entourée de l'auréole que lui faisait le soleil juste derrière.

« Depuis quand est-ce que tu fumes ? demanda la silhouette. Tu n'es pas censé être médecin ? »

John D. Steffens cligna des yeux. L'auréole lui brûlait les yeux. Il dut s'éclaircir la voix pour qu'elle soit audible. « Anders ?

— Berntsen va survivre. » Pause. « Grâce à toi, paraît-il. »

Assis dans sa véranda, Clas Hafslund contemplait le fjord dont la glace reposait sous cette singulière couverture d'eau parfaitement calme qui le muait en un gigantesque miroir. Il avait reposé son journal qui, encore une fois, consacrait page sur page à cette affaire du vampiriste. Comment pouvaient-ils ne pas s'en lasser ? Par bonheur, on n'avait pas ce genre de monstres à Nesøya. Ici, c'était calme et paisible trois cent soixante-cinq jours sur trois cent soixante-cinq. Quoique, à cet instant précis, il entendît l'agaçant bruit d'un hélicoptère quelque part, sûrement une collision sur l'E18. Clas Hafslund sursauta en entendant soudain une détonation.

Les ondes sonores se propagèrent sur le fjord.

Une arme à feu.

Cela semblait venir d'une des propriétés voisines. Hagen ou Reinertsen. Les deux négociants s'étaient disputés pendant des années sur la question de savoir si les limites des terrains passaient à droite ou à gauche d'un chêne pluricentenaire. Dans une interview accordée au journal local, Reinertsen avait expliqué que si la querelle de voisinage pouvait sembler comique, puisqu'il n'était question que de quelques mètres carrés, il ne s'agissait pas de mesquineries, mais du droit de propriété même. Reinertsen était convaincu que les propriétaires de maisons de Nesøya étaient d'accord avec lui pour dire qu'il s'agissait là d'un principe que tout citoyen socialement responsable avait le devoir de défendre. Car il ne pouvait y avoir de doute sur le fait que l'arbre faisait partie de la propriété de Reinertsen, il suffisait de regarder les armes de la famille à laquelle il avait acheté la propriété. Elles montraient un grand chêne dont tout un chacun pouvait voir que c'était la réplique de l'objet du conflit. Plus loin, Reinertsen reconnaissait qu'il était réchauffé jusqu'au tréfonds de son âme quand il s'asseyait pour savourer la vue sur cet arbre (ici, le journaliste observait que Reinertsen devait sans doute s'asseoir sur le toit de sa maison pour le voir) en sachant qu'il était à *lui*.

Le lendemain de la publication de l'interview, Hagen abattait l'arbre et faisait du feu, déclarant au journal que cela lui avait réchauffé non seulement l'âme, mais encore les orteils. Et que Reinertsen pourrait désormais se contenter de savourer le spectacle de la fumée de sa cheminée, car il allait se chauffer exclusivement au bois de chêne pendant les deux années à venir. Provocateur, naturellement, mais même si la détonation provenait à l'évidence d'une arme à feu, Clas Hafslund avait du mal à croire que Reinertsen vienne de tirer sur Hagen à cause d'un fichu arbre.

Hafslund vit un mouvement en bas, devant la vieille remise à bateaux qui se trouvait à environ cent cinquante mètres de chez lui et des propriétés de Hagen et de Reinertsen. C'était un homme. En costume. Il pataugeait sur la glace. En traînant un bateau en aluminium. Clas cligna des yeux. L'homme trébucha et s'enfonça dans l'eau jusqu'aux genoux. Puis il se tourna vers la villa de Clas Hafslund, comme s'il se sentait observé. L'homme avait le visage noir, était-ce un réfugié ? Étaient-ils arrivés jusqu'à Nesøya maintenant ? Alarmé, il saisit les jumelles sur l'étagère derrière lui et les braqua sur l'homme. Non. Il n'était pas noir. Le visage de l'homme était couvert de sang. Deux yeux blancs regardaient au milieu de tout ce rouge. Il mettait maintenant les deux mains sur le plat-bord du bateau et se hissait sur ses jambes. Il titubait, saisissait l'amarre et le tirait derrière lui. Et Clas Hafslund, qui n'était absolument pas un homme religieux, songea que ce qu'il voyait, c'était Jésus. Jésus marchant sur l'eau. Jésus traînant sa croix vers le Golgotha. Jésus qui avait ressuscité d'entre les morts pour hanter Clas Hafslund et tout Nesøya. Jésus avec un gros revolver dans une main.

Assis à l'avant du canot en caoutchouc, Sivert Falkeid avait le vent dans le visage et Nesøya en vue. Il consulta sa montre une dernière fois. Cela faisait exactement treize minutes que le Delta et lui avaient été informés et avaient aussitôt envisagé une situation de prise d'otage.

« On signale des tirs à Nesøya. »

Leur délai d'intervention était acceptable. Ils allaient arriver avant les véhicules d'intervention qui, eux aussi, avaient été orientés sur Nesøya. Mais quoi qu'il en soit, une balle allait plus vite, c'était clair.

Il voyait un bateau en aluminium et devinait la surface de l'eau à la naissance de la glace.

« Maintenant », dit-il en rejoignant les autres à l'arrière du bateau, afin que l'avant se soulève et qu'ils puissent profiter de leur vitesse pour se hisser au-dessus de la glace et glisser sur la couche d'eau qui la recouvrait.

Le policier qui dirigeait le bateau bascula l'hélice du moteur hors de l'eau.

Le bateau fut secoué quand ils heurtèrent le bord de la glace et Falkeid entendit qu'il frottait le fond, mais ils avaient suffisamment d'élan pour arriver là où la glace les porterait quand ils continueraient à pied. Avec un peu de chance.

Sivert Falkeid enjamba le bord et tâta la glace du pied. L'eau lui arrivait un peu au-dessus de la cheville.

« Donnez-moi vingt mètres avant de suivre, dit-il. Dix mètres entre chacun. »

Falkeid commença à patauger vers le bateau en aluminium. Il évaluait la distance à trois cents mètres. Il avait l'air abandonné, mais le rapport indiquait que l'homme qu'on supposait avoir fait feu l'avait tiré de la remise à bateaux qui appartenait à Hallstein Smith.

« La glace est solide », chuchota-t-il dans sa radio.

Tous les membres du Delta étaient équipés de crampons de secours fixés par un cordon à la poitrine de leur uniforme et dont ils pouvaient se servir pour remonter si jamais ils passaient à travers la glace. Or ce cordon venait de s'entortiller autour du canon du pistolet automatique de Falkeid, l'obligeant à baisser les yeux pour dégager son arme.

Il entendit donc la détonation sans avoir la moindre chance de voir quoi que ce soit qui aurait pu révéler sa provenance. Il se jeta instinctivement dans l'eau.

Un nouveau coup partit. Et il vit cette fois une petite houppe de fumée s'élever du bateau en aluminium.

« Tirs sur le bateau, entendit-il dans son oreillette. Nous l'avons tous dans notre viseur. Attendons un ordre pour le foutre en l'air. »

On les avait informés que Smith était armé d'un revolver et, naturellement, les chances qu'il parvienne à toucher Falkeid à deux cents mètres étaient très minces. Mais ce n'était pas la première fois qu'il se retrouvait dans cette situation. Sivert Falkeid inspira tandis que le froid paralysant de l'eau traversait ses vêtements et pénétrait sa peau. Il n'était pas mandaté pour évaluer ce que cela coûterait à l'État d'épargner la vie de ce tueur en série. En termes de frais juridiques, de surveillance, de prix quotidien d'une prison cinq étoiles. Il était mandaté pour évaluer la menace que représentait ce tueur pour la vie de ses hommes et d'autres personnes, et de réagir en conséquence. Pas de penser aux places de crèche, aux lits d'hôpitaux et à la rénovation des écoles délabrées.

« Ouvrez le feu », ordonna Sivert Falkeid.

Pas de réponse. Juste le vent et le bruit de l'hélicoptère au loin.

« Tirez », répéta-t-il.

Toujours pas de confirmation. L'hélicoptère approchait au loin.

« Tu m'entends ? entendit-il dans son oreillette. Tu es blessé ? »

Falkeid allait répéter son ordre quand il comprit qu'il était arrivé la même chose que lors de l'exercice de Haakonsvern, l'eau de mer avait abîmé le micro, seul le récepteur fonctionnait. Il se tourna vers le bateau et cria, mais fut couvert par l'hélicoptère qui stationnait maintenant dans les airs juste au-dessus d'eux. Il fit donc le signe interne maison pour ouvrir le feu : deux directs du droit. Toujours pas de réaction. Qu'est-ce que c'était que ce bordel ? Falkeid regagnait le canot en caoutchouc en rampant quand il vit deux de ses hommes marcher sur la glace sans même se recourber pour réduire la cible.

« Baissez-vous ! cria-t-il, mais ils marchaient tranquillement vers lui.

— Nous sommes en contact avec l'hélicoptère ! cria l'un d'eux par-dessus le vacarme. Ils le voient, il est couché dans le bateau ! »

Couché au fond du bateau, il fermait les yeux face au soleil qui brillait sur lui. Il n'entendait rien, mais s'imaginait les glouglous et le clapot de l'eau contre le métal sous lui. C'était l'été. Ils étaient en bateau, toute la famille. Promenade familiale. Rires d'enfants. Si seulement il gardait les yeux fermés, il pourrait peut-être demeurer là.

Il ne savait pas avec certitude si le bateau dérivait

ou si son poids le bloquait sur la glace. Ce n'était pas très important. Il n'allait nulle part. Le temps était arrêté. Peut-être l'avait-il toujours été, ou peut-être venait-il de s'arrêter à l'instant. De s'arrêter pour lui et pour celui qui était toujours dans l'Amazon. Était-ce l'été pour lui aussi ? Était-il lui aussi dans un endroit meilleur à présent ?

Quelque chose occultait le soleil. Un nuage ? Un visage ? Oui, un visage. De femme. Comme un souvenir obscurci qui recevait soudain de la lumière. Elle était assise sur lui et le chevauchait. Elle lui chuchotait qu'elle l'aimait, qu'elle l'avait toujours aimé. Qu'elle avait attendu ça. Elle lui demandait s'il sentait comme elle que le temps était maintenant arrêté. Il sentait les vibrations du bateau, ses gémissements progressaient en un cri continu, comme s'il l'avait poignardée, et il relâchait l'air de ses poumons et le sperme de ses bourses. Et puis elle mourait sur lui. Sa tête cognait contre son torse alors que le vent cognait contre la fenêtre au-dessus du lit dans l'appartement. Et avant que le temps se remette en marche, ils s'endormaient tous les deux, inconscients, sans mémoire, sans pensées.

Il ouvrit les yeux.

On aurait dit un grand oiseau qui faisait du surplace en battant des ailes.

C'était un hélicoptère. L'hélicoptère planait dix, vingt mètres au-dessus de lui, mais il n'entendait rien, il comprit toutefois que c'était ce qui faisait vibrer le bateau.

Devant la remise à bateaux, Katrine grelottait à l'ombre en regardant les brigadiers se diriger vers l'Amazon à l'intérieur.

Elle les vit ouvrir les portières du côté conducteur et du côté passager. Elle vit un bras en costume tomber de l'intérieur. Du mauvais côté. Du côté de Harry. La main nue était sanglante. Le brigadier passa la tête dans la voiture, probablement pour voir s'il trouvait une respiration ou un pouls. Cela prit du temps et, à la fin, Katrine n'y tint plus et entendit sa propre voix chevrotante : « Il est en vie ?

— Peut-être, cria l'agent pour couvrir le vacarme de l'hélicoptère à l'extérieur. Je ne sens pas son pouls, mais c'est possible qu'il respire. S'il est vivant, il n'en a plus pour longtemps, je crois. »

Katrine approcha de quelques pas. « L'ambulance est en route. Vous voyez l'orifice d'entrée de balle ?

— Il y a trop de sang. »

Katrine entra à l'intérieur de la remise. Elle regarda fixement la main qui pendait dans l'ouverture de la porte, qui avait l'air de chercher quelque chose, quelque chose à tenir. Une autre main à tenir. Elle passa sa propre main sur son ventre. Elle avait quelque chose à lui dire.

« Je crois que tu te trompes, dit l'autre brigadier dans la voiture. Il est déjà mort. Regarde ses pupilles. »

Katrine ferma les yeux.

Il regarda les visages qui avaient fait irruption au-dessus de lui de part et d'autre du bateau. L'un d'eux avait enlevé sa cagoule noire et sa bouche s'ouvrait et formait des mots ; à en juger par la musculature tendue de son cou, il devait crier. Peut-être lui criait-il de lâcher le revolver. Peut-être criait-il son nom. Peut-être criait-il à la vengeance.

Katrine alla jusqu'à la portière du côté de Harry. Elle respira profondément et regarda à l'intérieur.

Elle regarda fixement. Elle sentit le choc la frapper encore plus violemment que ce pour quoi elle s'était armée. Elle entendait les sirènes de l'ambulance à présent, mais elle avait vu plus de morts que ces brigadiers et elle sut d'un bref regard que ce corps avait été quitté à titre permanent. Elle le connaissait, et elle savait que ceci n'était que l'enveloppe qu'il avait laissée.

Elle déglutit. « Il est mort. Ne touchez à rien.

— Mais nous devrions faire une tentative de réanimation, non ? Peut-être que…

— Non, dit-elle d'un ton décidé. Laissez-le. »

Elle resta plantée là. Elle sentit le choc s'atténuer. Céder la place à la surprise. La surprise que Hallstein Smith ait conduit la voiture lui-même au lieu de laisser l'otage le faire. Que ce qu'elle avait cru être la place de Harry ne le soit pas.

Au fond du bateau, Harry leva les yeux. Les visages des hommes, l'hélicoptère qui cachait le soleil, le ciel bleu. Il avait réussi à écraser du pied le revolver avant que Hallstein ait pu le dégager. Et Hallstein avait alors paru abandonner. C'était peut-être son imagination, mais Harry avait eu l'impression de pouvoir sentir entre les dents, dans sa bouche, que son pouls s'affaiblissait de plus en plus. Et, pour finir, il avait complètement disparu. Harry avait perdu connaissance deux fois avant de parvenir à remettre ses mains menottées devant son corps, il avait pu détacher la ceinture de sécurité et attraper les clefs des menottes dans la poche de sa veste. La clef de contact de la voiture était cassée et il savait qu'il n'aurait pas la force de franchir la côte raide verglacée qui menait à la route principale ni les clôtures hautes des propriétés voisines de part et d'autre du chemin. Il avait appelé à l'aide, mais on aurait dit que les coups de Smith l'avaient privé de sa voix, et les faibles cris qu'il était parvenu à émettre avaient été assourdis par un hélicoptère quelque part, probablement un appareil de la police. Alors il avait pris le revolver, s'était placé devant la remise à bateaux, avait tiré en l'air dans l'espoir d'avertir ainsi l'hélicoptère. Pour qu'ils le voient depuis les airs, il avait sorti le bateau de Smith sur la glace, s'était couché dedans et avait tiré plusieurs coups en l'air.

Il lâcha prise autour du revolver. Le Ruger avait fait son travail. C'était terminé. Il pouvait repartir maintenant. Regagner l'été. Quand il avait douze ans et était couché dans un bateau avec la tête sur les genoux de sa mère et que son père leur racontait, à Sœurette et à lui, l'histoire d'un général jaloux pendant la guerre entre les Vénitiens et les Allemands ; Harry savait qu'il devrait expliquer ce que c'était à sa petite sœur quand ils se coucheraient le soir. Perspective qui le réjouissait en fait un peu, car quel que soit le temps que cela prendrait, ils n'arrêteraient pas avant qu'elle ait compris le lien. Et Harry aimait les liens. Même là où il savait au fond de lui qu'il n'y en avait pas.

Il ferma les yeux.

Elle était toujours là. Couchée à côté de lui. Et maintenant, elle le lui chuchotait à l'oreille.

« Tu crois que nous pouvons aussi *donner* la vie, Harry ? »

Épilogue

Harry versa le Jim Beam dans le verre. Il reposa la bouteille sur l'étagère. Il leva le verre. Et il le déposa sur le comptoir à côté du verre de vin blanc devant Anders Wyller. Derrière lui, les clients se bousculaient pour commander.

« Tu as bien meilleure mine maintenant, nota Anders en regardant le verre de whisky sans y toucher.

— Ton père m'a rafistolé. » Harry lança un regard vers Øystein, qui lui confirma d'un signe de tête qu'il pouvait tenter de tenir la boutique tout seul pendant un moment. « Comment ça va à la brigade ?

— Bien, dit Anders. Mais tu sais. Le calme après la tempête.

— Hm. Tu sais qu'on dit…

— Oui. Gunnar Hagen m'a demandé aujourd'hui si je voulais être directeur d'enquête adjoint intérimaire quand Katrine sera en congé.

— Félicitations. Mais est-ce que tu n'es pas un peu jeune pour ça ?

— Il m'a dit que c'était toi qui le lui avais suggéré.

— Moi ? Ç'a dû être pendant que j'étais sous l'effet de mon traumatisme crânien. » Harry tourna le bouton du volume sur l'ampli et The Jayhawks chantèrent « Tampa to Tulsa » un peu plus fort.

Anders sourit. « Oui, mon père m'a dit que tu t'étais pris une sacrée raclée. Quand est-ce que tu as compris que c'était mon père, d'ailleurs ?

— Il n'y avait rien à comprendre, ce sont les preuves qui ont parlé. Quand j'ai envoyé son cheveu pour analyse d'ADN, la Médecine légale a trouvé une correspondance avec l'un des profils ADN des scènes de crime. Pas avec un suspect, mais avec un enquêteur, puisqu'on ajoute toujours les profils des enquêteurs qui étaient sur la scène. Le tien, Anders. Mais la correspondance n'était que partielle. Famille. Une correspondance père-fils. Tu as eu le résultat en premier, mais tu n'es allé trouver ni moi ni personne de la police. Quand j'ai finalement été mis au courant de cette correspondance, il ne m'a pas fallu longtemps pour découvrir que le nom de jeune fille de la défunte femme du médecin chef Steffens était Wyller. Pourquoi ne m'en as-tu pas informé ? »

Anders haussa les épaules. « Je ne voyais pas en quoi cette correspondance pouvait avoir une quelconque pertinence dans l'affaire.

— Et tu ne voulais pas être relié à lui ? C'est pour ça que tu utilises le nom de jeune fille de ta mère ? »

Anders acquiesça. « C'est une longue histoire, mais ça va mieux maintenant. On se reparle. Il est devenu un peu plus humble, il s'est rendu compte qu'il n'était pas Mister Parfait. Et je suis devenu… voui, un peu plus vieux et sage, peut-être. Et comment as-tu compris que Mona était dans mon appartement ?

— Déduction.

— Bien entendu. Comme dans ?

— L'odeur dans ton couloir. Old Spice. Après-rasage. Mais tu n'étais pas rasé. Et Oleg avait mentionné des rumeurs selon lesquelles Mona Daa se parfumait au Old Spice. Et puis il y avait la cage à chat. Les gens n'ont pas de cage pour les chats. Pas à moins d'avoir par exemple des visites fréquentes d'une femme allergique aux poils de chat.

— Tu es à la hauteur, Harry.

— Toi aussi, Anders. Mais je crois tout de même que tu es trop jeune et trop inexpérimenté pour ce travail.

— Pourquoi est-ce que tu m'as proposé, alors ? Je ne suis même pas inspecteur principal.

— Pour que tu puisses y réfléchir, te rendre compte des domaines dans lesquels tu as besoin de t'améliorer et que tu refuses. »

Anders secoua la tête en riant. « OK. C'est exactement ce que j'ai fait.

— Bien. Tu ne veux pas ton Jim Beam ? »

Anders Wyller jeta un coup d'œil sur son verre, inspira profondément, secoua la tête. « En fait, je n'aime pas le whisky. J'en commande sans doute pour t'imiter, je suppose.

— Et ?

— Et il est temps que je trouve ma propre boisson. Vide-le, s'il te plaît. »

Harry prit le verre et en versa le contenu dans l'évier derrière lui. Il se demandait s'il allait proposer un verre de la bouteille que Ståle Aune était passé lui offrir comme cadeau à retardement pour la pendaison de crémaillère du bar, une liqueur orange qui s'appelait Stumbras 999 Raudonos Devynerios. Ståle lui avait expliqué qu'il la lui offrait parce qu'il y en avait eu une au bar de la fac et elle avait apparemment inspiré au chef du bar le code de coffre-fort qui avait fait tomber Hallstein Smith dans le piège à singe. Harry se retournait pour raconter l'anecdote à Anders quand il aperçut quelqu'un qui venait d'entrer au Jealousy Bar. Leurs regards se croisèrent.

« Excuse-moi, dit Harry. Nous avons de la visite chic. »

Il la contempla qui traversait d'un pas majestueux la salle bondée, où elle semblait toutefois être la seule à cet instant précis. Elle marchait exactement comme la première fois qu'il l'avait vue marcher vers lui devant une maison. Comme une ballerine.

Rakel s'arrêta au comptoir et lui sourit.

« Oui, déclara-t-elle.

— Oui ?

— Tu as mon accord, je le veux. »

Harry afficha un grand sourire et posa sa main sur celle de Rakel sur le comptoir. « Je t'aime, femme.

— C'est bon à savoir. Parce que nous allons créer une société anonyme dont je serai présidente du conseil, j'aurai trente pour cent des actions, un poste à quart-temps, et nous passerons au moins une chanson de PJ Harvey par soir.

— Marché conclu. Tu entends, Øystein ?

— Si elle est embauchée, fais-la passer derrière le comptoir *tout de suite* ! » fit Øystein en soufflant.

Anders remonta la fermeture Éclair de son blouson. « Mona a un billet de cinéma pour moi, donc je vous souhaite une bonne soirée. »

Rakel disparut vers Øystein et Anders disparut par la porte.

Harry sortit son téléphone et appela un numéro.

« Hagen, répondit-on.

— Salut, patron, c'est Harry.

— J'ai vu. Je suis redevenu patron, maintenant ?

— Propose le boulot à Wyller encore une fois. Insiste pour qu'il accepte.

— Pourquoi ?

— Je me suis trompé, il est prêt.

— Mais…

— En tant que directeur d'enquête adjoint, il y a des limites au merdier qu'il peut foutre, et ce sera très formateur.

— Oui, mais…

— Et là, c'est le moment parfait. C'est le calme après la tempête.

— Tu sais qu'on dit…

— Oui. »

Harry raccrocha. Il essaya de chasser sa pensée. Sur ce que Smith avait dit dans la voiture à propos de ce qui allait venir. Il l'avait mentionné auprès de Katrine et ils avaient vérifié la correspondance de Smith, mais n'avaient trouvé aucune trace de recrutement de nouveaux vampiristes. Il n'était donc pas grand-chose qu'ils puissent faire, et de toute façon, il s'agissait probablement des fantasmes d'un homme fou à lier. Harry monta le son de The Jayhawks de deux crans. Comme ça, c'était mieux.

Svein « le Fiancé » Finne sortit de la douche et se posta nu devant le miroir du vestiaire vide du Gain. Il aimait l'endroit, il aimait la vue sur le parc, le sentiment d'espace et de liberté. Non, ça ne lui faisait pas peur comme on l'en avait averti. Il laissa l'eau ruisseler de son corps, l'humidité s'évaporer de sa peau. Ç'avait été une longue séance. Il en avait pris l'habitude en prison, heure après heure de respiration, de transpiration et de fonte. Son corps le supportait. Son corps devait le supporter, un long travail l'attendait. Il ne savait pas qui était la personne qui l'avait contacté et il n'avait pas eu de ses nouvelles depuis un certain temps. Mais sa proposition avait été impossible à décliner. Appartement. Nouvelle identité. Et des femmes.

Il caressa le tatouage sur sa poitrine.

Puis il se retourna et alla au casier fermé par un cadenas avec une tache de peinture rose. Il composa le code qu'on lui avait envoyé avec les mollettes. 0999. Dieu seul sait si ce nombre signifiait quelque chose, mais il ouvrit le cadenas. Il tira la porte du casier. Une enveloppe. Il la déchira, la retourna. Une clef en plastique blanche tomba dans sa main. Il sortit une feuille. Une adresse était indiquée. À Holmenkollen.

Et il y avait autre chose, quelque chose qui était coincé.

Il déchira l'enveloppe en morceaux, regarda fixement son contenu. Noir. Et beau dans toute la simplicité de son horreur. Il le mit dans sa bouche, serra les mâchoires. Il sentit le goût du sel, le goût amer du fer. Il sentit le feu. Il sentit la soif.

Découvrez le premier chapitre inédit
du *Couteau*, une nouvelle enquête
de l'inspecteur Harry Hole.

À paraître en Série Noire à l'été 2019.

Titre original :
KNIV

PREMIÈRE PARTIE

1

Une robe en lambeaux ondulait à la branche d'un pin en décomposition. Elle évoquait au vieil homme une chanson de sa jeunesse, à propos d'une robe accrochée à un fil à linge. Sauf que ce n'était pas le vent du sud de la chanson, mais les eaux de fonte glaciales d'un torrent. Au fond, c'était le calme plat, et il avait beau n'être que dix-sept heures, par un jour de mars que la météo disait sans un nuage, la lumière était chiche une fois filtrée par une couche de glace et quatre mètres d'eau. L'arbre et la robe se trouvaient donc dans une étrange pénombre verdâtre. Le vieil homme avait cependant réussi à déterminer qu'il s'agissait d'une robe d'été, bleue à pois blancs. De couleur plus vive autrefois, peut-être, il ne savait pas, tout dépendait sans doute du temps qu'elle avait passé retenue par la branche. Elle battait désormais dans le courant sans fin, qui la secouait et la tiraillait quand il était au plus tumultueux, et se faisait lavant et caressant par eaux basses, mais ne la déchiquetait pas moins petit à petit pour autant. De ce point de vue, cette robe déchirée était comme lui, songea-t-il. Elle avait jadis eu de la valeur pour quelqu'un, une jeune fille ou une femme, elle avait caressé le regard d'un homme, les bras d'un enfant. Mais aujourd'hui, comme lui, elle était perdue, sans fonction, captive, arrêtée, muette. Ce n'était qu'une question de temps avant que les jours qui passaient et le courant n'arrachent la dernière parcelle de ce qui avait été.

« Qu'est-ce que vous regardez ? » entendit-il demander derrière son fauteuil. Bravant les douleurs musculaires, il tourna la tête et leva les yeux. Un nouveau client. Le vieillard avait tendance à oublier plus de choses qu'avant, mais jamais un visage qui était passé chez Simensen Chasse & Pêche. Celui-ci ne voulait ni arme ni munitions. Avec un peu d'entraînement, on pouvait à leurs yeux identifier les ruminants, cette partie de l'humanité qui avait perdu l'instinct de tuer, qui n'était pas dans le secret de l'autre partie : rien ne donnait jamais si intensément le sentiment d'être vivant que de loger une balle dans un grand mammifère bien chaud. Le vieillard supposait qu'il voulait un hameçon ou une des cannes à pêche rangées dans les rayonnages au-dessus et au-dessous de l'écran de télévision, éventuellement une caméra, un piège photographique du présentoir à l'autre bout du magasin.

« Il regarde Haglebuelva. » C'était Alf qui avait répondu. Son gendre les avait rejoints. Il basculait d'avant en arrière sur ses talons, les mains dans les grandes poches de la longue veste de tir en cuir qu'il portait toujours au travail. « L'année dernière, avec le fabricant, on a installé une caméra sous-marine dans la rivière, en contrebas de la cascade Norafossen. Donc maintenant, on a le direct sur l'échelle à saumons vingt-quatre heures sur vingt-quatre et on peut savoir avec précision quand les poissons commencent à remonter le cours d'eau.

— Et c'est quand ?

— Il y en a deux ou trois en avril, mai, mais le véritable débarquement ne commence pas avant juin. Les truites fraient avant les saumons. »

Le client sourit au vieillard. « Vous êtes un peu en avance, non ? Vous avez vu des poissons ? »

Le vieil homme ouvrit la bouche. Il pensa les mots. Il ne les avait pas oubliés. Mais aucun ne sortit. Il referma la bouche.

« Aphasie, déclara Alf.

— Comment ?

— Il a eu une attaque, il ne parle plus. Vous cherchez du matériel de pêche ?

— Un piège photographique, répondit le client.

— Donc vous êtes chasseur ?

— Chasseur ? Non, merci bien. J'ai trouvé des excréments devant mon chalet de Sørkedalen et ça ne ressemblait à rien que j'aie déjà vu, donc j'ai pris une photo et je l'ai mise sur Facebook en demandant ce que c'était. J'ai tout de suite eu des réponses de montagnards. C'était un ours. Un ours ! Dans les bois, à vingt minutes de voiture et une demi-heure de marche de l'endroit où nous nous sommes actuellement, au centre de la capitale de la Norvège.

— C'est merveilleux.

— Ça dépend de ce que vous entendez par merveilleux, j'y emmène ma famille. Alors moi, cet animal, j'aimerais bien que quelqu'un l'abatte.

— Je suis chasseur, et je comprends très bien ce que vous voulez dire, mais vous savez que même en Norvège, où la population d'ours est restée très nombreuse jusqu'à assez récemment, c'est à peine s'il y a eu des attaques fatales au cours des deux siècles derniers. »

Il y en a eu onze, songea le vieillard. Onze personnes tuées depuis 1800. La dernière en 1906. Il avait peut-être perdu sa motricité et l'usage de la parole, mais pas encore toute sa mémoire, et il était lucide. Enfin, globalement. Parfois, il avait l'esprit un peu confus, il voyait son gendre et Mette, sa fille, échanger un regard, et il savait qu'il s'était mélangé les pinceaux. Les premiers temps après qu'ils avaient repris la direction du magasin qu'il avait ouvert et dirigé pendant cinquante ans, il se rendait utile. Maintenant, depuis sa dernière attaque, il ne faisait que rester assis là. Non que ce fût si terrible. Depuis la mort d'Olivia, il n'attendait finalement pas grand-chose de la vie. Il lui suffisait d'être près de sa famille, d'avoir un repas chaud tous les soirs, d'être sur ce fauteuil dans le magasin à regarder un écran, une émission sans le son, où l'action se déroulait à son rythme à lui, où ce qui se produirait de plus marquant serait le franchissement de l'échelle à saumons par le premier poisson prêt à frayer.

« D'un autre côté, ça ne veut pas dire que ça ne peut plus jamais arriver. » Le vieillard entendait à la voix d'Alf qu'il avait emmené le client devant le présentoir des caméras. « Ces bêtes-là, ça a beau avoir l'air de nounours, ça reste des carnivores. Donc c'est clair que vous devriez vous procurer une caméra, comme ça vous saurez avec certitude s'il s'est installé à proximité de votre chalet ou s'il ne faisait que passer. C'est du reste à peu près à cette saison que les ours bruns sortent de leur tanière, et ils ont faim ! Alors installez une caméra là où vous avez trouvé les excréments ou près de votre chalet.

— Donc la caméra est logée dans ce nichoir ?

— Ce nichoir, comme vous dites, la protège des intempéries et des animaux un peu trop curieux. Ce modèle-ci est simple et bon marché. Une lentille de Fresnel perçoit le rayonnement infrarouge de la chaleur émise par les animaux, les humains et n'importe quoi d'autre. Au moindre rayonnement thermique supérieur à celui du milieu ambiant, la caméra se déclenche automatiquement. »

Le vieil homme écoutait la conversation d'une oreille distraite, mais quelque chose avait attiré son attention. Sur l'écran. Il n'arrivait pas à voir ce que c'était, mais l'obscurité verte s'était éclaircie.

« Le film est enregistré sur une carte mémoire dans la caméra et vous pouvez le visionner ensuite sur votre PC.

— C'est vraiment formidable.

— Oui, mais pour savoir s'il y a de nouvelles images, vous êtes obligé de vous déplacer physiquement et d'aller vérifier la caméra. Si vous choisissez ce modèle-là, qui est un peu plus cher, vous recevrez un texto sur votre téléphone à chaque déclenchement de la caméra. Ou alors, vous avez ce modèle très haut de gamme, avec une carte mémoire, là encore, mais qui envoie l'enregistrement directement sur votre téléphone ou votre adresse mail. Vous pouvez alors rester dans votre salon et vous n'avez besoin d'aller voir la caméra qu'occasionnellement, pour changer la batterie.

— Et si l'ours vient la nuit ?

— Les caméras sont équipées de lampes LED à UV ou de lampes blanches. Des lumières invisibles pour ne pas effrayer l'animal. »

De la lumière. Le vieillard le voyait maintenant. Un cône lumineux venait de la droite, à contre-courant. Il transperça l'eau verte, atteignit la robe et, l'espace d'une effrayante seconde, lui fit penser à une jeune femme enfin revenue à la vie qui danserait de joie.

« C'est de la pure science-fiction ! »

Le vieil homme ouvrit la bouche en voyant un vaisseau spatial entrer dans l'image. Éclairé de l'intérieur, il lévitait à un mètre et demi du fond. Où il heurta une grosse pierre dans les eaux vives, et, comme au ralenti, tourna lentement alors que les phares balayaient le fond et éblouissaient un instant le vieillard en passant sur l'objectif de la caméra. Puis l'engin en lévitation fut capturé par les grosses branches de pin et il s'immobilisa. Le vieillard sentit des palpitations dans sa poitrine. C'était une voiture. Le plafonnier était allumé et il put constater que l'eau avait presque envahi l'intérieur du véhicule. Et qu'il y avait quelqu'un. Il était accroupi sur le siège du conducteur et plaquait désespérément sa tête contre le plafond, de toute évidence pour trouver de l'air. L'une des branches qui retenaient la voiture se brisa et fut emportée par le courant.

« Vous n'aurez pas des images aussi nettes qu'en plein jour, et elles seront en noir et blanc, mais, sauf obstacle ou buée sur l'objectif, vous verrez sans doute votre ours, oui. »

Le vieux tapa du pied par terre pour tenter d'attirer l'attention d'Alf. L'homme dans la voiture sembla inspirer profondément avant de replonger. Ses cheveux courts ondoyaient dans l'eau et ses joues étaient gonflées. Il frappa des deux mains la vitre latérale qui était orientée vers la caméra, mais l'eau privait ses coups de toute vigueur. Les mains sur les accoudoirs, le vieillard essayait de se lever de son fauteuil, mais ses muscles refusaient de lui obéir. L'homme avait un majeur gris. Il cessa de taper la vitre avec ses mains pour y cogner son front. On aurait dit qu'il abandonnait. Une autre branche cassa, et le courant poussa sur la voiture pour la libérer, mais le pin refusait de lâcher tout de suite. Le vieillard ne pouvait détourner le regard du visage ravagé collé à la vitre. Des yeux bleus exorbités. Une cicatrice couleur foie qui traçait un arc de cercle de la commissure des lèvres à l'oreille. Le vieillard s'était levé de son fauteuil, il fit deux pas mal assurés vers le présentoir des pièges photographiques.

« Excusez-moi, dit Alf à voix basse au client. Qu'y a-t-il, père ? »

Le vieux gesticula en direction du téléviseur derrière lui.

« Vraiment ? fit Alf, incrédule, se dirigeant d'un pas vif vers l'écran. Un poisson ? »

Le vieux secoua la tête et regarda de nouveau vers l'écran. La voiture. Elle n'était plus là. Tout était comme avant. Le fond de la rivière, l'arbre mort, la robe, la lumière verte à travers la glace. Comme si rien ne s'était passé. Il tapa de nouveau du pied en pointant le doigt vers l'écran.

« Du calme, père. » Alf lui tapota amicalement l'épaule. « C'est tôt pour frayer, vous savez. »

Il retourna à son client et à ses caméras de chasse.

Le vieux observa les deux hommes qui lui tournaient le dos et sentit une vague de rage et de désespoir l'envahir. Comment allait-il pouvoir raconter ce qu'il venait de voir ? Le médecin avait expliqué que quand une attaque endommageait à la fois le lobe frontal et le lobe occipital de l'hémisphère cérébral gauche, il n'y avait pas que le langage qui soit touché, mais souvent l'ensemble des facultés de communication, l'écriture, les gestes. Il tituba jusqu'à son fauteuil et se rassit. Il regarda la rivière qui coulait. Imperturbable. Indifférente. Immuable. Au bout de quelques minutes, il sentit que son cœur battait plus calmement. Qui sait ? Il ne s'était peut-être rien passé en fin de compte. Peut-être n'avait-il fait qu'entrevoir la prochaine étape, l'obscurité totale de la vieillesse. Ou plutôt ses couleurs hallucinatoires, en l'occurrence. Il contempla la robe. Un instant, quand il l'avait crue éclairée par les phares, il lui avait semblé voir Olivia danser. Puis, derrière le pare-brise, dans l'habitacle éclairé, il avait aperçu un visage déjà vu. Dont il se souvenait. Or les seuls visages qu'il avait encore en mémoire étaient ceux qu'ils voyaient ici, dans le magasin. Cet homme, il était venu à deux reprises. Les yeux bleus, la balafre rose. Les deux fois, il avait acheté un piège photographique. La police était passée les interroger à son sujet très récemment. S'il en avait été capable, il aurait pu leur dire que c'était un homme de grande taille. Qui avait le regard. Le regard signifiant qu'il connaissait le secret. Ce n'était pas un ruminant.

Traduit du norvégien par Céline Romand-Monnier.

DU MÊME AUTEUR

Chez Gaïa Éditions

RUE SANS-SOUCI, 2005. Folio Policier nº 480.

ROUGE-GORGE, 2004. Folio Policier nº 450.

LES CAFARDS, 2003. Folio Policier nº 418.

L'HOMME CHAUVE-SOURIS, 2003. Folio Policier nº 366.

Aux Éditions Gallimard

Dans la collection Série Noire

MACBETH, 2018.

LA SOIF, 2017. Folio Policier nº 891.

SOLEIL DE NUIT, 2016. Folio Policier nº 863.

LE FILS, 2015. Folio Policier nº 840.

DU SANG SUR LA GLACE, 2015. Folio Policier nº 793.

POLICE, 2014. Folio Policier nº 762.

FANTÔME, 2013. Folio Policier nº 741.

LE LÉOPARD, 2011. Folio Policier nº 659.

CHASSEURS DE TÊTES, 2009. Folio Policier nº 608.

LE BONHOMME DE NEIGE, 2008. Folio Policier nº 575.

LE SAUVEUR, 2007. Folio Policier nº 552.

L'ÉTOILE DU DIABLE, 2006. Folio Policier nº 527.

Dans la collection Folio Policier

L'INSPECTEUR HARRY HOLE. L'intégrale, 1 : L'homme chauve-souris – Les cafards, nº 770.

Aux Éditions Bayard Jeunesse

LA POUDRE À PROUT DU PROFESSEUR SÉRAPHIN, vol. 1, 2009.

COLLECTION FOLIO POLICIER

Dernières parutions

525. James Hadley Chase	*Vipère au sein*
526. James Hadley Chase	*Alerte aux croque-morts*
527. Jo Nesbø	*L'étoile du diable*
528. Thierry Bourcy	*L'arme secrète de Louis Renault*
529. Béatrice Joyaud	*Plaisir en bouche*
530. William Lashner	*Rage de dents*
531. Patrick Pécherot	*Boulevard des Branques*
532. Larry Brown	*Fay*
533. Thomas H. Cook	*Les rues de feu*
534. Carlene Thompson	*Six de Cœur*
535. Carlene Thompson	*Noir comme le souvenir*
536. Olen Steinhauer	*36, boulevard Yalta*
537. Raymond Chandler	*Un tueur sous la pluie*
538. Charlie Williams	*Les allongés*
539. DOA	*Citoyens clandestins*
540. Thierry Bourcy	*Le château d'Amberville*
541. Jonathan Trigell	*Jeux d'enfants*
542. Bernhard Schlink	*La fin de Selb*
543. Jean-Bernard Pouy	*La clef des mensonges*
544. A. D. G.	*Kangouroad Movie*
545. Chris Petit	*Le Tueur aux Psaumes*
546. Keith Ablow	*L'Architecte*
547. Antoine Chainas	*Versus*
548. Joe R. Lansdale	*Le mambo des deux ours*
549. Bernard Mathieu	*Le sang du Capricorne III Carmelita*
550. Joe Gores	*Hammett*
551. Marcus Malte	*Le doigt d'Horace*
552. Jo Nesbø	*Le sauveur*
553. Patrick Pécherot	*Soleil noir*

554. Carlene Thompson — *Perdues de vue*
555. Harry Crews — *Le Chanteur de Gospel*
556. Georges Simenon — *La maison du juge*
557. Georges Simenon — *Cécile est morte*
558. Georges Simenon — *Le clan des Ostendais*
559. Georges Simenon — *Monsieur La Souris*
560. Joe R. Lansdale — *Tape-cul*
561. William Lashner — *L'homme marqué*
562. Adrian McKinty — *Le Fils de la Mort*
563. Ken Bruen — *Le Dramaturge*
564. Marcus Malte — *Le lac des singes*
565. Chuck Palahniuk — *Journal intime*
566. Leif Davidsen — *La photo de Lime*
567. James Sallis — *Bois mort*
568. Thomas H. Cook — *Les ombres du passé*
569. Mark Henshaw – John Clanchy — *L'ombre de la chute*
570. Olen Steinhauer — *La variante Istanbul*
571. Thierry Bourcy — *Les traîtres*
572. Joe R. Lansdale — *Du sang dans la sciure*
573. Joachim Sebastiano Valdez — *Puma qui sommeille*
574. Joolz Denby — *Stone Baby*
575. Jo Nesbø — *Le bonhomme de neige*
576. René Reouven — *Histoires secrètes de Sherlock Holmes*
577. Leif Davidsen — *Le dernier espion*
578. Guy-Philippe Goldstein — *Babel Minute Zéro*
579. Nick Stone — *Tonton Clarinette*
580. Thierry Jonquet — *Romans noirs*
581. Patrick Pécherot — *Tranchecaille*
582. Antoine Chainas — *Aime-moi, Casanova*
583. Gabriel Trujillo Muñoz — *Tijuana City Blues*
584. Caryl Férey — *Zulu*
585. James Sallis — *Cripple Creek*
586. Didier Daeninckx — *Éthique en toc*
587. John le Carré — *L'espion qui venait du froid*
588. Jeffrey Ford — *La fille dans le verre*

589. Marcus Malte	*Garden of love*
590. Georges Simenon	*Les caves du Majestic*
591. Georges Simenon	*Signé Picpus*
592. Carlene Thompson	*Mortel secret*
593. Thomas H. Cook	*Les feuilles mortes*
594. Didier Daeninckx	*Mémoire noire*
595. Graham Hurley	*Du sang et du miel*
596. Marek Krajewski	*Les fantômes de Breslau*
597. François Boulay	*Traces*
598. Gunnar Staalesen	*Fleurs amères*
599. James Sallis	*Le faucheux*
600. Nicolas Jaillet	*Sansalina*
601. Jean-Bernard Pouy	*Le rouge et le vert*
602. William Lashner	*Le baiser du tueur*
603. Joseph Bialot	*La nuit du souvenir*
604. Georges Simenon	*L'outlaw*
605. Kent Harrington	*Le serment*
606. Thierry Bourcy	*Le gendarme scalpé*
607. Gunnar Staalesen	*Les chiens enterrés ne mordent pas*
608. Jo Nesbø	*Chasseurs de têtes*
609. Dashiell Hammett	*Sang maudit*
610. Joe R. Lansdale	*Vierge de cuir*
611. Dominique Manotti	*Bien connu des services de police*
612. Åsa Larsson	*Horreur boréale*
613. Saskia Noort	*Petits meurtres entre voisins*
614. Pavel Kohout	*L'heure étoilée du meurtrier*
615. Boileau-Narcejac	*La vie en miettes*
616. Boileau-Narcejac	*Les veufs*
617. Gabriel Trujillo Muñoz	*Loverboy*
618. Antoine Chainas	*Anaisthêsia*
619. Thomas H. Cook	*Les liens du sang*
620. Tom Piccirilli	*La rédemption du Marchand de sable*
621. Francis Zamponi	*Le Boucher de Guelma*
622. James Sallis	*Papillon de nuit*

623. Kem Nunn — *Le Sabot du Diable*
624. Graham Hurley — *Sur la mauvaise pente*
625. Georges Simenon — *Bergelon*
626. Georges Simenon — *Félicie est là*
627. Ken Bruen — *La main droite du diable*
628. William Muir — *Le Sixième Commandement*
629. Kirk Mitchell — *Dans la vallée de l'ombre de la mort*
630. Jean-François Vilar — *Djemila*
631. Dashiell Hammett — *Moisson rouge*
632. Will Christopher Baer — *Embrasse-moi, Judas*
633. Gene Kerrigan — *À la petite semaine*
634. Caryl Férey — *Saga maorie*
635. James Sallis — *Le frelon noir*
636. Gabriel Trujillo Muñoz — *Mexicali City Blues*
637. Heinrich Steinfest — *Requins d'eau douce*
638. Simon Lelic — *Rupture*
639. Jenny Siler — *Flashback*
640. Joachim Sebastiano Valdez — *Les larmes des innocentes*
641. Kjell Ola Dahl — *L'homme dans la vitrine*
642. Ingrid Astier — *Quai des enfers*
643. Kent Harrington — *Jungle rouge*
644. Dashiell Hammett — *Le faucon maltais*
645. Dashiell Hammett — *L'introuvable*
646. DOA — *Le serpent aux mille coupures*
647. Larry Beinhart — *L'évangile du billet vert*
648. William Gay — *La mort au crépuscule*
649. Gabriel Trujillo Muñoz — *Mezquite Road*
650. Boileau-Narcejac — *L'âge bête*
651. Anthony Bourdain — *La surprise du chef*
652. Stefán Máni — *Noir Océan*
653. *** — *Los Angeles Noir*
654. *** — *Londres Noir*
655. *** — *Paris Noir*
656. Elsa Marpeau — *Les yeux des morts*
657. François Boulay — *Suite rouge*
658. James Sallis — *L'œil du criquet*

659. Jo Nesbø	*Le léopard*
660. Joe R. Lansdale	*Vanilla Ride*
661. Georges Flipo	*Le commissaire n'aime point les vers*
662. Stephen Hunter	*Shooter*
663. Pierre Magnan	*Élégie pour Laviolette*
664. James Hadley Chase	*Tu me suivras dans la tombe*
665. Georges Simenon	*Long cours*
666. Thomas H. Cook	*La preuve de sang*
667. Gene Kerrigan	*Le chœur des paumés*
668. Serge Quadruppani	*Saturne*
669. Gunnar Staalesen	*L'écriture sur le mur*
670. Georges Simenon	*Chez Krull*
671. Georges Simenon	*L'inspecteur Cadavre*
672. Kjetil Try	*Noël sanglant*
673. Graham Hurley	*L'autre côté de l'ombre*
674. John Maddox Roberts	*Les fantômes de Saigon*
675. Marek Krajewski	*La peste à Breslau*
676. James Sallis	*Bluebottle*
677. Philipp Meyer	*Un arrière-goût de rouille*
678. Marcus Malte	*Les harmoniques*
679. Georges Simenon	*Les nouvelles enquêtes de Maigret*
680. Dashiell Hammett	*La clé de verre*
681. Caryl Férey – Sophie Couronne	*D'amour et dope fraîche*
682. Marin Ledun	*La guerre des vanités*
683. Nick Stone	*Voodoo Land*
684. Frederick Busch	*Filles*
685. Paul Colize	*Back up*
686. Saskia Noort	*Retour vers la côte*
687. Attica Locke	*Marée noire*
688. Manotti – DOA	*L'honorable société*
689. Carlene Thompson	*Les ombres qui attendent*
690. Claude d'Abzac	*Opération Cyclope*
691. Joe R. Lansdale	*Tsunami mexicain*
692. F. G. Haghenbeck	*Martini Shoot*

693. ***	*Rome Noir*
694. ***	*Mexico Noir*
695. James Preston Girard	*Le Veilleur*
696. James Sallis	*Bête à bon dieu*
697. Georges Flipo	*Le commissaire n'a point l'esprit club*
698. Stephen Hunter	*Le 47ᵉ samouraï*
699. Kent Anderson	*Sympathy for the Devil*
700. Heinrich Steinfest	*Le grand nez de Lilli Steinbeck*
701. Serge Quadruppani	*La disparition soudaine des ouvrières*
702. Anthony Bourdain	*Pizza créole*
703. Frederick Busch	*Nord*
704. Gunnar Staalesen	*Comme dans un miroir*
705. Jack Ketchum	*Une fille comme les autres*
706. John le Carré	*Chandelles noires*
707. Jérôme Leroy	*Le Bloc*
708. Julius Horwitz	*Natural Enemies*
709. Carlene Thompson	*Ceux qui se cachent*
710. Fredrik Ekelund	*Le garçon dans le chêne*
711. James Sallis	*Salt River*
712. Georges Simenon	*Cour d'assises*
713. Antoine Chainas	*Une histoire d'amour radioactive*
714. Matthew Stokoe	*La belle vie*
715. Frederick Forsyth	*Le dossier Odessa*
716. Caryl Férey	*Mapuche*
717. Franck Bill	*Chiennes de vies*
718. Kjell Ola Dahl	*Faux-semblants*
719. Thierry Bourcy	*Célestin Louise, flic et soldat dans la guerre de 14-18*
720. Doug Allyn	*Cœur de glace*
721. Kent Anderson	*Chiens de la nuit*
722. Raphaël Confiant	*Citoyens au-dessus de tout soupçon…*
723. Serge Quadruppani	*Madame Courage*
724. Boileau-Narcejac	*Les magiciennes*

725. Boileau-Narcejac	*L'ingénieur aimait trop les chiffres*
726. Inger Wolf	*Nid de guêpes*
727. Seishi Yokomizo	*Le village aux Huit Tombes*
728. Paul Colize	*Un long moment de silence*
729. F. G. Haghenbeck	*L'Affaire tequila*
730. Pekka Hiltunen	*Sans visage*
731. Graham Hurley	*Une si jolie mort*
732. Georges Simenon	*Le bilan Malétras*
733. Peter Duncan	*Je suis un sournois*
734. Stephen Hunter	*Le sniper*
735. James Sallis	*La mort aura tes yeux*
736. Elsa Marpeau	*L'expatriée*
737. Jô Soares	*Les yeux plus grands que le ventre*
738. Thierry Bourcy	*Le crime de l'Albatros*
739. Raymond Chandler	*The Long Goodbye*
740. Matthew F. Jones	*Une semaine en enfer*
741. Jo Nesbø	*Fantôme*
742. Alix Deniger	*I cursini*
743. Anders Bodelsen	*Septembre rouge (Rouge encore)*
744. Patrick Pécherot	*La saga des brouillards*
745. Thomas H. Cook	*Secrets de famille*
746. Ken Bruen	*Chemins de croix*
747. David Ellis	*La comédie des menteurs*
748. Boileau-Narcejac	*À cœur perdu (Meurtre en 45 tours)*
749. Boileau-Narcejac	*Le mauvais œil* suivi d'*Au bois dormant*
750. Ingrid Astier	*Angle mort*
751. Carlene Thompson	*Jusqu'à la fin*
752. Dolores Redondo	*Le gardien invisible*
753. Dashiell Hammett	*Le sac de Couffignal* suivi d'*Âmes malhonnêtes* et de *Tulip*
754. Mario Falcone	*L'aube noire*
755. François Boulay	*Cette nuit…*

756. Didier Daeninckx — *Têtes de Maures*
757. Gunnar Staalesen — *Face à face*
758. Dominique Manotti — *L'évasion*
759. Laurent Guillaume — *Black cocaïne*
760. Jô Soares — *Meurtres à l'Académie*
761. Inger Wolf — *Mauvaises eaux*
762. Jo Nesbø — *Police*
763. Jonathan Ames — *Tu n'as jamais été vraiment là*
764. Jack Vance — *Méchant garçon*
765. John le Carré — *L'appel du mort*
766. Bill Pronzini — *Mademoiselle Solitude*
767. Franz Bartelt — *Chaos de famille*
768. Thierry Bourcy — *Les ombres du Rochambeau*
769. Georges Simenon — *Nouvelles exotiques*
770. Jo Nesbø — *L'inspecteur Harry Hole. L'intégrale, I*
771. Lorenzo Lunar — *La vie est un tango*
772. Nick Stone — *Cuba Libre*
773. Jean-Claude Izzo — *Fabio Montale*
774. Boileau-Narcejac — *Les intouchables*
775. Boileau-Narcejac — *Les visages de l'ombre*
776. Joe R. Lansdale — *Diable rouge*
777. Fredrik Ekelund — *Blueberry Hill*
778. Heinrich Steinfest — *Le poil de la bête*
779. Batya Gour — *Meurtre en direct*
780. Laurent Whale — *Les Rats de poussière I Goodbye Billy*
781. Joe R. Lansdale — *Le sang du bayou*
782. Boileau-Narcejac — *Le contrat*
783. Boileau-Narcejac — *Les nocturnes*
784. Georges Simenon — *Le bateau d'Émile*
785. Dolores Redondo — *De chair et d'os*
786. Max Bentow — *L'Oiseleur*
787. James M. Cain — *Bloody cocktail*
788. Marcus Sakey — *Les Brillants*
789. Joe R. Lansdale — *Les Mécanos de Vénus*
790. Jérôme Leroy — *L'ange gardien*

791. Sébastien Raizer — *L'alignement des équinoxes*
792. Antonio Manzini — *Piste noire*
793. Jo Nesbø — *Du sang sur la glace*
794. Joy Castro — *Après le déluge*
795. Stuart Prebble — *Le Maître des insectes*
796. Sonja Delzongle — *Dust*
797. Luís Miguel Rocha — *Complots au Vatican I Le dernier pape*
798. Caryl Férey — *Saga maorie*
799. Thierry Bourcy — *Célestin Louise, flic et soldat dans la guerre de 14-18*
800. Barry Gornell — *La résurrection de Luther Grove*
801. Antoine Chainas — *Pur*
802. Attica Locke — *Dernière récolte*
803. Maurice G. Dantec — *Liber mundi I Villa Vortex*
804. Howard Gordon — *La Cible*
805. Alain Gardinier — *DPRK*
806. Georges Simenon — *Le Petit Docteur*
807. Georges Simenon — *Les dossiers de l'Agence O*
808. Michel Lambesc — *La « horse »*
809. Frederick Forsyth — *Chacal*
810. Gunnar Staalesen — *L'enfant qui criait au loup*
811. Laurent Guillaume — *Delta Charlie Delta*
812. Laurent Whale — *Les Rats de poussière II Le manuscrit Robinson*
813. J. J. Murphy — *Le cercle des plumes assassines*
814. Éric Maravélias — *La faux soyeuse*
815. DOA — *Le cycle clandestin, tome I*
816. Luke McCallin — *L'homme de Berlin*
817. Lars Pettersson — *La loi des Sames*
818. Boileau-Narcejac — *Schuss*
819. Dominique Manotti — *Or noir*
820. Alberto Garlini — *Les noirs et les rouges*
821. Marcus Sakey — *Les Brillants II Un monde meilleur*
822. Thomas Bronnec — *Les initiés*
823. Kate O'Riordan — *La fin d'une imposture*

824. Mons Kallentoft, Markus Lutteman — *Zack*
825. Robert Karjel — *Mon nom est N.*
826. Dolores Redondo — *Une offrande à la tempête*
827. Benoît Minville — *Rural noir*
828. Sonja Delzongle — *Quand la neige danse*
829. Germán Maggiori — *Entre hommes*
830. Shannon Kirk — *Méthode 15-33*
831. Elsa Marpeau — *Et ils oublieront la colère*
832. Antonio Manzini — *Froid comme la mort*
833. Luís Miguel Rocha — *Complots au Vatican II La balle sainte*
834. Patrick Pécherot — *Une plaie ouverte*
835. Harry Crews — *Le faucon va mourir*
836. DOA — *Pukhtu. Primo*
837. DOA — *Pukhtu. Secundo*
838. Joe R. Lansdale — *Les enfants de l'eau noire*
839. Gunnar Staalesen — *Cœurs glacés*
840. Jo Nesbø — *Le fils*
841. Luke McCallin — *La maison pâle*
842. Caryl Férey — *Les nuits de San Francisco*
843. Graham Hurley — *Le paradis n'est pas pour nous*
844. Boileau-Narcejac — *Champ clos*
845. Lawrence Block — *Balade entre les tombes*
846. Sandrine Roy — *Lynwood Miller*
847. Massimo Carlotto — *La vérité de l'Alligator*
848. Benoît Philippon — *Cabossé*
849. Grégoire Courtois — *Les lois du ciel*
850. Caryl Férey — *Condor*
851. Antonio Manzini — *Maudit printemps*
852. Jørn Lier Horst — *Fermé pour l'hiver*
853. Sonja Delzongle — *Récidive*
854. Noah Hawley — *Le bon père*
855. Akimitsu Takagi — *Irezumi*
856. Pierric Guittaut — *La fille de la Pluie*
857. Marcus Sakey — *Les Brillants III En lettres de feu*
858. Matilde Asensi — *Le retour du Caton*

859. Chan Ho-kei	*Hong Kong Noir*
860. Harry Crews	*Des savons pour la vie*
861. Mons Kallentoft, Markus Lutteman	*Zack II Leon*
862. Elsa Marpeau	*Black Blocs*
863. Jo Nesbø	*Du sang sur la glace II Soleil de nuit*
864. Brigitte Gauthier	*Personne ne le saura*
865. Ingrid Astier	*Haute Voltige*
866. Luca D'Andrea	*L'essence du mal*
867. DOA	*Le cycle clandestin, tome II*
868. Gunnar Staalesen	*Le vent l'emportera*
869. Rebecca Lighieri	*Husbands*
870. Patrick Delperdange	*Si tous les dieux nous abandonnent*
871. Neely Tucker	*La voie des morts*
872. Nan Aurousseau	*Des coccinelles dans des noyaux de cerise*
873. Thomas Bronnec	*En pays conquis*
874. Lawrence Block	*Le voleur qui comptait les cuillères*
875. Steven Price	*L'homme aux deux ombres*
876. Jean-Bernard Pouy	*Ma ZAD*
877. Antonio Manzini	*Un homme seul*
878. Jørn Lier Horst	*Les chiens de chasse*
879. Jérôme Leroy	*La Petite Gauloise*
880. Elsa Marpeau	*Les corps brisés*
881. Sonja Delzongle	*Boréal*
882. Patrick Pécherot	*Hével*
883. Attica Locke	*Pleasantville*
884. Harry Crews	*Car*
885. Caryl Férey	*Plus jamais seul*
886. Guy-Philippe Goldstein	*Sept jours avant la nuit*
887. Tonino Benacquista	*Quatre romans noirs*
888. Melba Escobar	*Le salon de beauté*
889. Noah Hawley	*Avant la chute*
890. Tom Piccirilli	*Les derniers mots*

347696

Composition APS-ie
Impression Grafica Veneta
à Trebaseleghe, le 24 juin 2019
Dépôt légal : juin 2019

ISBN 978-2-07-284118-7./Imprimé en Italie.